PHILOSOPHEN DES MITTELALTERS

PHILOSOPHEN
DES MITTELALTERS

Eine Einführung

Herausgegeben von
THEO KOBUSCH

PRIMUS
VERLAG

Einbandgestaltung: Jutta Schneider, Frankfurt

Die Deutsche Bibliothek – CIP-Einheitsaufnahme
Ein Titeldatensatz für diese Publikation ist bei
Der Deutschen Bibliothek erhältlich.

Die Deutsche Bibliothek –
CIP Cataloguing-in-Publication-Data
A catalogue record for this publication is available from
Die Deutsche Bibliothek.

Online-Recherche unter:
For further information see:
http://www.ddb.de/online/index.htm

© 2000 by Wissenschaftliche Buchgesellschaft, Darmstadt
Gedruckt auf säurefreiem und alterungsbeständigem Werkdruckpapier
Printed in Germany

ISBN 3-89678-156-1

INHALT

VORWORT

Die Publikation dieser Sammlung von Beiträgen über „Philosophen des Mittelalters" wäre ohne die disziplinierte und kritikoffene Mitarbeit der Autoren nicht möglich gewesen. Deswegen gebührt ihnen zuerst mein Dank. Zu besonderem Dank bin ich der Gerda Henkel Stiftung (Düsseldorf) und der Ruhr-Universität für ihre großzügige finanzielle Unterstützung verpflichtet, die es ermöglichte, im WS 1998/99 eine Ringvorlesung unter dem gleichen Titel an der Bochumer Universität durchzuführen. Für Übersetzungen der ausländischen Beiträge sei Frau Kerstin Gevatter, Herrn Prof. Dr. Gerhard Endreß, Herrn Dr. Thomas Dewender sowie Herrn Dr. Bernd Goebel gedankt. Ohne die aufopferungsvolle redaktionelle und inhaltliche Mitarbeit von Herrn Thomas Welt wäre der Band nicht zustande gekommen. Ihm, wie auch Herrn Dr. Tobias Trappe, der die Register erstellt hat, sage ich tief empfundenen Dank.

Theo Kobusch   Bochum, März 2000

EINLEITUNG

Philosophie im Mittelalter?

Von Theo Kobusch

Ohne die Philosophie des Mittelalters, ja auch ohne einzelne Philosophen der Epoche wären wir nicht, was wir sind – um das Unbezweifelbare
vorauszuschicken. Gleichwohl ist besonders in angelsächsischen Ländern
– und allen voran in England, wo es keine Lehrstühle für mittelalterliche
Philosophie gibt – bis heute strittig, ob das, was in den Summen und Sen-
tenzenkommentaren, in den Bibelkommentaren und Quodlibeta, in den
Glossen und Traktaten enthalten ist, als Philosophie zu bezeichnen ist.
Zwar hatte schon Roger Bacon erklärt, dass „der größte Teil aller Fragen
in der Summe der Theologie reine Philosophie ist", aber deswegen wird
der Verfasser solcher Schriften im Mittelalter nicht ein Philosoph genannt.
Nach scholastischem Sprachgebrauch sind die Philosophen die Gelehrten
der heidnischen Antike, des arabischen Aristotelismus und des Judentums,
während diejenigen unter den zeitgenössischen Gelehrten, die nach Art
der Philosophen ihre Wissenschaft betreiben, als die Philosophierenden
(philosophantes) bezeichnet werden.[1] Da die christlichen Denker weder je
sich selbst noch gegenseitig den Titel des Philosophen zuteilten, konnte der
Eindruck entstehen, dass die Epoche des mittelalterlichen Denkens gar
keine Epoche der Philosophie sei, sondern einen Abschnitt in der Theolo-
giegeschichte darstelle. So werden nicht selten nach angelsächsischem
Muster die 1000 Jahre Geistesgeschichte von Boethius bis Luther gar nicht
zur Geschichte der Philosophie gerechnet – als ob der Weltgeist spätestens
nach Epikur und der Stoa oder nach den Aristoteleskommentatoren den
Atem angehalten und erst wieder zu Zeiten Lockes oder Humes Luft ge-
holt hätte.

---

[1] Vgl. M.-D. Chenu, Les „philosophes" dans la philosphie chrétienne médievale,
Revue des sciences philosophiques et théologiques 26 (1937) 27–40. – E. Gilson,
Les „philosophantes", Arch. d'histoire doctr. et litt. du Moyen Age 19 (1952) 135–
140. – P. Michaud-Quantin/M. Lemoine, Pour le dossier des „philosophantes", Arch.
d'histoire doctr. et litt. du Moyen Age 35 (1968) 17–22. – G. Schrimpf, „Philosophie
– philosophantes". Zum Selbstverständnis der vor- und frühscholastischen Denker,
Studi Medievali 23 (1982) 697–727.

Wenn jedoch diese Zeit in Philosophiegeschichten berücksichtigt wird, dann beschränkt man sich allein auf jene Disziplin, die gegenwärtig zwar als unbestrittenste Philosophiedisziplin gilt, deren wissenschaftstheoretischer Status im Mittelalter jedoch durchaus kontrovers diskutiert wurde: die Logik. In der 1982 erschienenen ›Cambridge History‹ ist das geschehen[2]. In der Hochblüte der analytischen Philosophie wurde die Philosophie des Mittelalters auf Logik und Sprachanalyse reduziert. Aber ist so wirklich die Zeit in Gedanken gefasst, oder war es doch nur der „Herren eigener Geist", der zum Ausdruck kam? Die moderne Hermeneutik hat uns freilich gelehrt, dass eine Trennung der Zeithorizonte gar nicht möglich ist. In jeder Interpretation einer vergangenen Epoche steckt auch etwas von uns selbst. Deswegen ist eine Kritik solcher interpretatorischer Entwürfe immer auch Kritik unseres Selbstverständnisses. Es ist die Sache einer kathartischen – nicht destruktiven – Kritik, in diesem Sinne Einseitigkeiten des Kritisierten offen zu legen. Eine Einseitigkeit besonderer Art in der Darstellung der Philosophie des Mittelalters ist die Reduzierung auf die Themen der analytischen Philosophie. Doch inzwischen scheint sich auch da eine Wandlung des Bewusstseins zu vollziehen. Die neue ›Routledge History of Philosophy‹, deren hauptverantwortlicher Editor J. Marenbon in seiner Introduction diese Sicht der Dinge bestätigt, hat gegen eine solche durch die angelsächsische Tradition bedingte enge Auslegung dessen, was Philosophie ist, einen ganzen Band der mittelalterlichen Philosophie, und nicht nur der Logik oder Sprachanalyse, sondern auch Themen der Metaphysik gewidmet[3].

Mit der kontinentaleuropäischen Einschätzung der Philosophie des Mittelalters steht es etwas anders. Sie ist seit den Fünfzigerjahren z. T. noch immer damit befasst, sich vom Einfluss der sog. Neuscholastik und ihrer „Magna Charta", der Enzyklika ›Aeterni Patris‹, zu befreien. Während diese Bewegung sich ja meistens nicht mit den Texten der scholastischen Autoren befasste, sondern sich an Suárez und der spanischen Scholastik orientierte, haben Standardwerke von E. Gilson über Augustinus, Bernhard von Clairvaux, Abaelard und Heloise, Thomas v. Aquin, Bonaventura, Duns Scotus, Descartes und besonders ›L'être et l'essence‹ (1948) die Texte dieser Denker neu erschlossen und die Positionen jeweils stringent dargestellt. Vor allem haben sie den zeitlichen Abstand zwischen der Scholastik und dem 20. Jh. in Erinnerung gerufen und bewusst gemacht, dass eine unmittelbare, d. h. ungeschichtliche Applikation an das auf dem Boden der Neuzeit stehende

---

[2] N. Kretzmann/A. Kenny/J. Pinborg (Hrsg.), The Cambridge History of Later Medieval History. From the Rediscovery of Aristotle to the Desintegration of Scholasticism 1100–1600, Cambridge 1982.

[3] Routledge History of Philosophy III: Medieval Philosophy, ed. by J. Marenbon, London/New York 1998.

Denken nicht möglich ist. Gilsons historische Bedeutung liegt in der Verabschiedung des neuscholastischen Denkens. Zudem wirkten die Werke Gilsons – langfristig betrachtet – wie ein Funke im Öl: Sie entfachten ein Feuerwerk ohnegleichen, meistens des Widerspruchs, aber durchaus zum Segen der Erforschung der mittelalterlichen Philosophie. Das gilt nicht nur für seine These von der dem Christentum eigenen sog. „Exodusmetaphysik", die niemand mehr heutzutage vertritt. Vor allem war es die Idee einer „christlichen Philosophie", die zum Weiter- und Gegendenken provozierte. Denn in diesem Begriff, der den „Geist" der mittelalterlichen Philosophie ausdrücken sollte, ist der Gedanke impliziert, dass die Philosophie als Magd in Diensten der christlichen Theologie stehe und somit lediglich eine instrumentelle Funktion erfülle. Damit war die Frage der Eigenständigkeit der Philosophie im mittelalterlichen Denken auf dem Plan. Sie bewegt die Geister bis heute. Der 10. Internationale Kongress für mittelalterliche Philosophie 1997 in Erfurt, der unter dem Leitthema stand: „Was ist Philosophie im Mittelalter?", ist ein Beleg dafür[4]. Freilich vertritt niemand mehr die Konzeption Gilsons von der „christlichen Philosophie". Viele sind von einer systematischen Darstellung des augustinischen Denkens zu einer genetischen Betrachtungsweise übergegangen. Kaum jemand folgt ihm noch in der Interpretation der Abaelard-Heloise-Beziehung. Die Thomas-Forscher haben Gilsons Unterordnung der Philosophie unter die Theologie in seinem Buch ›Le Thomisme‹ kritisiert und gerade die Eigenständigkeit der Philosophie in dieser Synthese betont. Die Scotus-Forschung ist von der von Gilson vertretenen These von der Metaphysik als Wesenswissenschaft abgerückt und hat sie durch die Transzendentalwissenschaft ersetzt. Wir sind alle – so könnte man meinen – Gegner Gilsons. Und doch muss man gestehen, wir Metaphysiker und Antimetaphysiker, wir Intellekt- und Intellektuellentheoretiker, wir Transzendentalwissenschaftler und Theologen, wir Aufklärer und Scheinaufklärer, auch wir nehmen – um ein Bild Nietzsches zu bemühen – unser Feuer noch immer irgendwie von jenem Brande, den das Werk Gilsons darstellt. Evident ist das im Falle der Studien de Liberas, die sich um das intellektuelle Lebensideal innerhalb und außerhalb der mittelalterlichen Universität drehen. Was in den Jahren 1250/60 in der Artes-Fakultät als ein neues Lebensideal, als eine neue Ethik im Sinne des philosophischen Heils und des natürlichen Glücks entworfen wurde und beispielhaft in der Schrift des Boethius v. Dacien ›De summo bono‹ greifbar ist, das macht nach de Liberas wörtlich gegen Gilson gerichteter These das

---

[4] J. A. Aertsen/A. Speer (Hrsg.): Was ist Philosophie? Akten des X. Internationalen Kongresses für mittelalterliche Philosophie der Société Internationale pour l'Étude de la Philosophie Médiévale 25. bis 30. August 1997 in Erfurt, in: Miscellanea Mediaevalia 26 (Berlin/New York 1998).

aus, „was wir den Geist der mittelalterlichen Philosophie nennen wollen"[5].
Aus dieser Sicht kommt nun auch besonders Meister Eckhart, der von Gilson nicht integriert werden konnte und von der ›Cambridge History‹ vernachlässigt wurde, als Repräsentant einer besonderen Art der Erfahrung
des Denkens und als Krönung des ethischen Aristotelismus zum Zuge. Nicht
nur das. Man hat als Kennzeichen dieses „Neumediävismus" – wie de Liberas und anderer Autoren Annäherung an das mittelalterliche Denken genannt wurde – den Sinn für das Periphere, das Randständige, das scheinbar
Unbedeutende überhaupt ausgemacht[6]. Doch das ist nicht die schlechteste
Voraussetzung für eine neue Darlegung des mittelalterlichen Denkens.

Indes, es bleiben Zweifel, ob so wirklich der Geist der mittelalterlichen
Philosophie eher erfassbar ist. Denn sowohl das von Boethius v. Dacien
kolportierte philosophische Lebensideal wie auch Meister Eckharts (im
Begriff der Gelassenheit ausgedrückter) philosophischer Asketismus und
auch Dantes Denken sind nur Renaissancen jenes antiken Philosophiebe-
griffs, der das Denken sowohl der paganen Philosophie wie der Patristik
bestimmte. Es ist kein Zufall, dass gerade die Konzeptionen des Boethius
v. Dacien in ›De summo bono‹, Meister Eckharts, Dantes und auch Petrar-
cas in P. Hadots wohlbekannten Büchern über die Philosophie als Lebensform eine bestimmte Rolle spielen, nämlich innerhalb der Wirkungsgeschichte dieser antiken, von den Mediävisten bislang weithin nicht be-
achteten Philosophiekonzeption[7]. Daher kann dieses philosophische
Lebensideal nicht als das angesehen werden, was den Geist und damit das
Typische der mittelalterlichen Philosophie ausmacht.

Auf Distanz zu Gilsons Auffassung der christlichen Philosophie geht
auch L. M. de Rijk in seinem Werk über die Philosophie im Mittelalter, in
dem er, besonders aus der Perspektive der Logik, mit den Augen Ockhams
oder Abaelards das Denken des Mittelalters betrachtet[8]. Ob so nicht doch
die Einseitigkeit der christlichen Philosophie durch eine andere ersetzt
wird? Dass zudem das neuthomistische Schema gar nicht so einfach abzu-
legen ist, zeigt das Kapitel über die „scholastische Methode", von der auch
andere Interpreten sprechen. Aber das Mittelalter hat keine einheitliche

---

[5] A. de Libera, Penser au moyen-âge, Paris 1991.

[6] Vgl. J. Follon, Le „neo-médievisme" d'Alain de Libera, Revue philosophique
de Louvain 90 (1992) 75–81; P. W. Rosemann, La philosophie et ses méthodes de
recherche historique: reflexions sur la Dialectique entre la philosophie et son histoire, in: Editer, Traduire, Interpreter: Essays de Méthodologie Philosophique, ed. S. G.
Lofts/Ph. Rosemann, Louvain/Paris 1997, 1–14.

[7] P. Hadot, Qu'est-ce que la philosophie antique?, Paris 1995, 392 ff.; vgl. auch
J. Dománski, La philosophie, théorie ou manière de vivre?, Fribourg 1996, 70 ff.

[8] L. M. de Rijk, La philosophie au moyen âge, Leiden 1985.

scholastische Methode gekannt[9]. Die „scholastische Methode" ist eine Konstruktion des Neuthomismus, genau gesagt von M. Grabmann. Was zum hochkomplizierten Thema der Methode im Mittelalter aus der Sicht der historischen Forschung zu sagen ist, das hat L. Oeing-Hanhoff in seinen brillanten methodologischen Arbeiten dargelegt[10]. Wenn er 1980 bemerkte, dass der Ausdruck „scholastische Methode" seinen legitimen Ort nur noch im ›Historischen Wörterbuch der Philosophie‹ habe[11], sollte freilich nicht ein Verdikt gegenüber einem künftigen Gebrauch ausgesprochen, sondern lediglich auf die Zähigkeit neuthomistischer Konstruktionen aufmerksam gemacht werden.

Auch die Position K. Flaschs ist weitgehend als eine kritische Reaktion gegenüber Gilsons Ansatz verständlich. Der Name Gilson steht hier für das Systematische, Unifikatorische, er steht für Thomas, für den verdinglichten Gottesbegriff und vieles andere. Die Philosophie des Mittelalters soll aus der Isolation befreit werden, in die sie moderne Philosophiehistoriker vom Schlage Gilsons angeblich gebracht haben, indem die lebensweltliche Situiertheit einer philosophischen Theorie aufgespürt wird. Klischees sollen abgebaut, die vulgäridealistische Verselbstständigung von Problemen vermieden werden – und sei es zum Preis vulgärmarxistischer Lehre, die in dem Primat des Intellekts vor dem Sein „eine neue frühbürgerliche Wertschätzung der intellektuellen Tätigkeit vor dem bäuerlichen Primat des festen Grundbesitzes" sieht[13]. Doch sind offenkundig in einem derartigen Gesamtblick nicht alle Klischees vermeidbar. Wenn in einer Geschichte der mittelalterlichen Philosophie Autoren wie Heinrich von Gent oder Durandus a S. Porciano ignoriert oder vernachlässigt werden, die Philosophie des Duns Scotus, um die sich nicht nur die amerikanische

---

[9] Vgl. W. Kluxen, Thomas von Aquin: Das Seiende und seine Prinzipien, in: Philosophie des Altertums und des Mittelalters, Göttingen ³1983, 182: „In einem strengen Sinne gibt es keine besondere scholastische Methode."

[10] L. Oeing-Hanhoff, Die Methode der Metaphysik im Mittelalter, in: Miscellanea Mediaevalia 2 (Berlin 1963) 71–91; Art. „Analyse/Synthese", HWPh 2, hrsg. v. J. Ritter, Basel/Stuttgart 1971, 232–248; und die unveröffentlichte Habil.-Schrift ›Descartes und der Fortschritt der Metaphysik‹ (1961).

[11] L. Oeing-Hanhoff, Art. „Methode, scholastische", HWPh 5, hrsg. v. J. Ritter u. K. Gründer, Basel/Stuttgart 1980, 1371.

[12] R. Imbach, Neue Perspektiven für die Erforschung der mittelalterlichen Philosophie, Freib. Zs. f. Phil. u. Theol. 34 (1987) 243–256; vgl. auch ebd. 42 (1995) 191.

[13] K. Flasch, Das philosophische Denken im Mittelalter. Von Augustin zu Machiavelli, Stuttgart 1986; C. Steel, Eine neue Darstellung der Philosophie des Mittelalters, Archiv für Geschichte der Philosophie 75 (1993) 75–82, hier 80, bemerkt dazu: „Diese Interpretation ist so ideologisch, daß man anfangs zu der Meinung neigt, es handele sich um eine Parodie."

Forschung längst verdient gemacht hatte, noch eine „Übergangsphiloso-
phie" genannt und Ockhams Denken als „Metaphysikkritik" bezeichnet
wird[14], dann erkennt man, daß die langen Schatten der verachteten Neuscholastik und ihre Klischees den Autor eingeholt haben. Im Zeichen der
Gegnerschaft zu Gilsons Konzeption hat sich K. Flasch inzwischen zu einem Vertreter des „radikalen Historismus" entwickelt, der wohl weiß, was
seine postmodernen Leser von ihm erwarten[15]. Wie allerdings eine solche
Position haltbar sein könnte gegenüber gewichtigen Einwänden namhafter
Geschichtstheoretiker, z. B. auch G. Simmels, nach dem der radikale Historismus die ganze Problematik eines historischen Gegenstandes damit erledigt, „daß er die Bedingungen und Stufen seines zeitlichen Zustandekom-
mens nachzeichnet" (GA 16, 170), ist kaum zu erkennen. Was einem „radikalen Historismus" solcher Prägung vor allem entgegensteht, ist der
Schulcharakter des Denkens im Mittelalter, durch den auch die Philosophie sozusagen in festen Bahnen läuft und sich ihre eigene Identität verleiht. Wer die Autoren der karolingischen Zeit, wer Alkuin und Hrabanus
Maurus u. a. gelesen hat, wer die Auseinandersetzung um den Charakter
der Philosophie im 10. und 11. Jh. wahrnimmt, die Rezeption des Augustinus, Boethius und Proklos im 12. Jh. verfolgt und die Sentenzenkommen-
tare und Summen im 13. und 14. Jh. studiert – ohne das Giftauge der Ideo-
logie –, der weiß, dass sich in diesen Jahrhunderten die Institutionalisierung
der Philosophie vollzieht, die schon an der festen literarischen Form, in die
sie gekleidet wird, erkennbar ist. Jeder einzelne philosophische Gegenstand erhält im Laufe der Zeit mehr und mehr seinen ihm eigenen Ort
sowohl im Lehrbetrieb wie in einer entsprechenden literarischen Form.
Aber nicht nur das. Auch aus der Sicht der Begriffsgeschichte ist eine inhaltlich schon festgelegte objektive Struktur der mittelalterlichen Philosophie deutlich zu erkennen, die sich dem Einfluss der neuplatonischen Philosophie, der Aristoteleskommentatoren und vor allem auch der zumindest
in Deutschland philosophischerseits notorisch vernachlässigten Patristik
(Origenes, Gregor v. Nyssa, Basilius, Ambrosius) verdanken. Die Philosophie des Mittelalters, die zum größten Teil eine solche scholastische Form
hat und auch toposartig die Inhalte der spätantiken Philosophie tradiert,
ist der denkbar ungeeignetste Gegenstand, an dem ein radikaler Historismus seine subjektiv-kontingenten Einfälle ausprobieren könnte.

Doch was bleibt, wenn solche Einseitigkeiten vermieden und andererseits zu den überholten und widerlegten Positionen Gilsons nicht wieder

---

[14] K. Flasch, Das philosophische Denken im Mittelalter, Stuttgart 1986.
[15] K. Flasch, Wozu erforschen wir die Philosophie des Mittelalters?, in: Die
Gegenwart Ockhams, hrsg. v. W. Vossenkuhl/R. Schönberger, Weinheim 1990, 393–
409.

zurückgekehrt werden kann? Wir werden von der Philosophie des Mittelalters nichts verstehen, wenn wir nicht zu fragen lernen, wie sie sich selbst verstanden hat. L. M. de Rijk hatte in diesem Sinne schon eine historische Erforschung sine ira et studio dessen gefordert, was im Mittelalter unter Philosophie verstanden wurde[16]. Auch J. Aertsen hat das Selbstverständnis der Autoren als das entscheidende Kriterium ins Feld geführt und – bezogen auf die Philosophie des 13. Jh. – in diesem Sinne die Lehre von den transzendentalen Begriffen als das eigentlich Philosophische und philosophisch Bedeutsame (später unter dem Kürzel REUBAV = Res, Ens, Unum, Bonum, Aliquid, Verum zusammengefasst) ausgemacht[17]. Freilich kann auf diese Weise nur bewusst gemacht werden, was *nach* der Entstehung der Theologie als Wissenschaft als das Philosophische begriffen wurde. Die Transzendentalienlehre, die übrigens bei den spätantiken Aristoteleskommentatoren durchaus vorgeprägt ist, muss gewiss als Akt der Selbstbehauptung und Selbstabgrenzung gegenüber der Theologie im 13. Jh. angesehen werden. Wie aber steht es dann mit der Philosophie des 12. Jh., der karolingischen Epoche und den sog. *dark ages*? Hier gibt es keine von der Philosophie unterschiedene Theologie. Alles, das Wissen der sieben freien und der sieben mechanischen Künste, aber auch das vernunftbestimmte Nachdenken über die sog. Geheimnisse der Trinität, der Menschwerdung, der Auferstehung des Leibes ist Philosophie und wird so genannt. Diese Tatsache, dass es bis ins 12. Jh. keine von der Philosophie unterschiedene Theologie gibt, kann gar nicht deutlich genug unterstrichen werden. Für uns Nachthomisten ist die Unterscheidung, ja Trennung von Philosophie und Theologie so selbstverständlich geworden, dass wir die Inhalte der mittelalterlichen Philosophie gewissermaßen schon immer der einen oder anderen zuordnen. Doch damit kann man dem Selbstverständnis der Epoche nicht gerecht werden. Denn der Anspruch des philosophischen Denkens dieser Jahrhunderte von den Karolingern bis zu den Viktorinern im 12. Jh. und darüber hinaus (noch R. Lullus denkt so) war es, auch die sog. Glaubenswahrheiten mit notwendigen Vernunftgründen (*rationes necessariae*, ein Ausdruck, der ursprünglich in der Rhetorik-Tradition und in der antiken christlichen Philosophie beheimatet war) explizieren zu können. In diesem Sinne hat sich die vernünftige Auslegung der christlichen Lehre immer seit Origenes als christliche Philosophie oder Philosophie Christi oder – verglichen mit anderen Philosophien, auch der platonischen – als „wahre" Philosophie verstanden. Die Inhalte der Hl. Schrift sind selbst die höchste Form der Philosophie und daher der weithin üblichen, ursprüng-

---

[16] L. M. de Rijk, La philosophie au moyen âge, Leiden 1987, 68.
[17] J. Aertsen, Gibt es eine mittelalterliche Philosophie?, Philosophisches Jahrbuch 102 (1995) 161–176.

lich stoischen oder altakademischen Unterteilung der Philosophie in Logik
(für die die Christen die Theologie = Metaphysik einsetzen), Physik und
Ethik unterworfen, sodass die Bücher Proverbia, Deuteronomium u. a. die
Ethik, die Bücher Genesis und Ecclesiastes die Physik und das Hohelied,
aber auch das Johannesevangelium die Metaphysik der christlichen Philosophie ausmachen. Diese in der Patristik grundgelegte, von den karolingischen Autoren rezipierte Konzeption der Philosophie muss man vor Augen
haben, wenn man das 12. Jh. verstehen will. Denn die Viktoriner leben von
dieser Idee, Wilhelm v. Conches und die Schule von Chartres, die gewiss
einerseits an die spätantike Timaios-Exegese anknüpfen, wollen doch eine
christliche Physik darlegen, die die patristische Hexaemeron- (Ambrosius,
Basilius) und Genesis-Exegese-Tradition aufnimmt. Abaelards wie auch
Bernhards Werk ist nicht ohne diesen spätantiken Philosophiebegriff denkbar[18]. Offenkundig ist dieser bis in das 12. Jh. gültige Philosophiebegriff
ganz verschieden von dem, was sich vom 13. Jh. an durch die Selbstbehauptung der Philosophie gegenüber der Theologie als das eigentlich Philosophische etabliert. Das Selbstverständnis der Philosophie hat sich gewandelt. Es gibt unterschiedliche Selbsteinschätzungen der Philosophie im
Mittelalter – und im Blick auf das 14. und 15. Jh., wenn z. T. das Bewusstsein vom Wert der sieben freien Künste wieder auflebt oder Mystik und
Nominalismus eine besondere Koalition bilden, ist das zu unterstreichen.
Somit kann das Philosophische der mittelalterlichen Philosophie nicht nur
in der Gestalt der Lehre von den Transzendentalien erscheinen, sondern
es muss je nach dem Selbstverständnis in vielerlei Gestalten wahrgenom-
men werden.

Hier soll keine kontinuierliche Geschichte dieser Gestalten des Geistes
dokumentiert werden. Vielmehr geht es darum, aus dem Strom der geschichtlichen Bewegung der mittelalterlichen Philosophie einzelne hervorragende Repräsentanten bestimmter Denkformen herauszuheben. Wann
diese Bewegung beginnt, wann sie endet, ist nach wie vor sehr umstritten.
Ohne an dieser Stelle die Epochenschwellendiskussion im Einzelnen fort-
führen zu wollen, kann eine gewisse Tendenz besonders in Frankreich ausgemacht werden, ein sog. „langes Mittelalter" anzunehmen. Dieser Begriff

---

[18] Vgl. dazu vom Verfasser: Metaphysik als Lebensform. Zur Idee einer praktischen Metaphysik, in: Die Metaphysik und das Gute (Jan A. Aertsen zu Ehren),
hrsg. v. W. Goris, Bibliotheca 2, Leuven 1999, 29–56; Die Begründung eines neuen
Metaphysiktyps durch Origenes, in: Origeniana Septima. Origenes in den Auseinandersetzungen des 4. Jahrhunderts, hrsg. v. W. A. Bienert/U. Kühneweg, Leuven 1999,
63–68; Metaphysik als geistige Übung. Zum Problem der Philosophie bei Bernhard
v. Clairvaux, in: Cistercienser Chronik. Forum für Geschichte, Kunst, Literatur und
Spiritualität des Mönchtums 106 (1999) 57–68; ferner auch Art. „Philosophie",
HWPh 7, hrsg. v. J. Ritter/K. Gründer, Basel 1989, 633 ff.

ist mit dem Namen Le Goff verbunden, der, besonders sozial- und wirt-schaftsgeschichtliche Kriterien zugrunde legend, für einen solchen „Epo-chengiganten" (Peter von Moos), der die Zeit vom 3. bis zum 19. Jh. um-fasste, plädiert hat. In gewisser Weise wird dieser Vorschlag, die Renaissan-ce als eigene Epoche abzuschaffen, auch von deutschen Historikern, auch der Philosophie, bestätigt, die das Mittelalter als Neuzeit vor der Neuzeit begreifen oder eine Sattelzeit um 1750 ausgemacht haben oder auch eine neue Epoche um 1800 beginnen sehen[19]. Wenn man jedoch die Epochen nicht nur als das unser Zäsurbedürfnis Befriedigende, andererseits auch nicht nur als das objektiv vorgegebene Lebensalter des Ichs der Mensch-heit, sondern – im Sinne Droysens (Grundriß der Historik § 73) – als Sta-dien ihrer Welt- und Selbsterkenntnis versteht, dann muss die Renaissance, in der ein ausgeprägtes Bewusstsein vom Anderssein ihrer selbst gegen-über der Scholastik vorhanden ist, als Epoche beibehalten werden. Aber es sind auch schlicht pragmatische Gründe, die die Abschaffung der Epo-che der Renaissance als nicht ratsam erscheinen lassen. Wenn es richtig ist, dass der Mensch als Wesen in der Zeit ein Bedürfnis nach Zäsuren hat, dann müssen diese auch überschaubare Zeiträume schaffen. Ein Zeitraum vom 3. bis zum 19. Jh. ist nicht gut überschaubar. Überhaupt scheint eine Grenze zwischen Antike und Mittelalter auszumachen viel schwieriger zu sein als jene zwischen Mittelalter und Nachmittelalter. Übergangslos löst das christliche das nichtchristliche Denken ab. Es versteht sich auch selbst im Sinne der antiken Philosophie und, verglichen mit den einzelnen Phi-losophenschulen, als die beste, als die „wahre" Philosophie. Vom philoso-phischen Standpunkt aus bildet das christliche Denken, was die Inhalte angeht, ein großes Ganzes, das die ersten 12 Jahrhunderte umfasst. Es gibt inhaltlich gesehen keinen triftigen Grund, das Mittelalter innerhalb dieser Zeit irgendwann beginnen zu lassen. Pragmatisch legt sich ein anderer Ge-sichtspunkt nahe. Die Verschulung, die Institutionalisierung der Philosophie, d. h. die Philosophie als „scholastische", beginnt zu bestimmter Zeit. Die von Karl dem Großen im Jahre 789 erlassene ›Admonitio generalis‹ ist so etwas wie die Magna Charta der scholastischen Philosophie, die den Erwerb des Wissens der sieben freien Künste für den Kleriker innerhalb der Klo-sterschule vorschrieb. Während die institutionellen Formen der Philosophie in der Spätantike, besonders in Athen weitgehend privat waren, verdankt sich die mittelalterliche Scholastik der politischen Institutionalisierung[20].

---

[19] Vgl. den hervorragenden Überblick von P. von Moos, Gefahren des Mittelal-terbegriffs, in: Modernes Mittelalter. Neue Bilder einer populären Epoche, hrsg. v. J. Heinzle, Frankfurt a. M./Leipzig 1994, 33–63.
[20] Vgl. P. Hadot/G. Schrimpf, Art. „Philosophie (Institutionelle Formen)", HWPh 7, Basel 1989, 799 ff.

Wenn diese Veränderung des Charakters der Philosophie als ein möglicher Einschnitt akzeptiert wird – und es sind freilich nur probable und keine apodiktischen Gründe, dies zu tun –, dann muss, will man den chronologisch geordneten Reigen der hervorragenden Gestalten der Philosophie eröffnen, Eriugena zuerst und Wilhelm von Ockham zuletzt genannt werden. Das Kriterium für die Auswahl des vorliegenden Bandes ist die Bedeutung der mittelalterlichen Autoren, die u. a. – um ein sicheres, objektives, schwer wegzudiskutierendes Merkmal zu nennen – durch ihre Wirkungsgeschichte erkennbar ist. Freilich kann diese hier im Einzelnen nicht dargelegt werden, aber auch das allgemeine heutige Bewusstsein (selbst der Forschergemeinschaft), dem bei der Frage nach bedeutenden Gestalten zuerst die Namen Thomas, Ockham, Meister Eckhart, Abaelard, Duns Scotus u. a. einfallen, gehört schon selbst zu dieser Wirkungsgeschichte. Es sind die Namen, an die jeder Vernünftige zuerst denkt. Sie repräsentieren jeweils eine bestimmte Denkform. Das, was dem geschichtlichen Betrachter aber zuerst einfällt, wenn er sich eine bestimmte Epoche vor Augen hält, kann man das Klassische nennen, den Begriff freilich weder im kunsttheoretischen Sinne noch als Epochenbegriff genommen. Vielmehr meint das Klassische – als Mittel gegen den Historismus bei so verschiedenen Autoren wie F. Nietzsche, T. S. Eliot und H.-G. Gadamer gebraucht – das der historischen Kritik Standhaltende, in ihrem Feuer Bewährte, ein Zeitloses in der Zeit, mit dem man nie fertig ist. F. Schlegel sagt (Fragmente, Minor 20): Das Klassische „muß nie ganz verstanden werden können, aber die, welche gebildet sind und sich bilden, müssen immer mehr draus lernen wollen". Abaelard und Bernhard, Averroes und Maimonides, Thomas und Meister Eckhart, Duns Scotus und Ockham sind solche Klassiker, deren Bedeutung durch keine historisierende Kritik wirklich zersetzt werden kann, sondern in dieser durch ihre Unübergehbarkeit vielmehr aufleuchtet. Nicht jeder würde – das sei zugegeben – aus den Denkbewegungen des 12. Jh. neben Abaelard ausgerechnet seinen mächtigen Gegenspieler Bernhard von Clairvaux in eine Auswahl der „Philosophen des Mittelalters" aufnehmen, sondern vielleicht eher an einzelne Figuren aus den Schulen von Chartres oder St. Viktor denken. Doch ist es gerade der Abaelard diametral entgegengesetzte Charakter des Denkens Bernhards, der am ehesten deutlich machen kann, von welcher Weite der Begriff des Philosophischen in dieser Zeit ist. Denn beide Denker bezeichnen ihr Denken als Philosophie und nehmen damit in extrem unterschiedlicher Weise die spätantike Bedeutung des Begriffs „Philosophie" auf.

Die Berücksichtigung des Avicenna, Averroes und Maimonides trägt der Tatsache Rechnung, dass die Philosophie im Mittelalter nicht auf den Kulturkreis des abendländischen oder byzantinischen Christentums be schränkt blieb, sondern sich durch Avicenna, in einer eher neuplatonisie-renden Aristoteles-Exegese, und durch Averroes, den mit der aristoteli-schen Tradition Wohlvertrauten, auch im islamischen Kulturkreis veran-kerte. Durch Maimonides kehrt sozusagen (nach Philo v. Alexandrien) die Philosophie, verkörpert in einem „Genie", in das jüdische Denken zurück. Das lateinische Mittelalter nach der ersten Phase der Aristotelesrezeption in der ersten Hälfte des 13. Jh. wird repräsentiert durch zwei große Denker, die in je eigener Weise aristotelische mit neuplatonischer Philosophie ver-bunden haben, nämlich R. Grosseteste, den später viel zitierten Bischof v. Lincoln, und Albert den Großen. Gerade jüngere Forscher haben die Ei-genständigkeit des albertschen Denkens gegenüber dem seines Schülers Thomas aufgezeigt. Auch Grossetestes Schüler R. Bacon ging eigene Wege, sodass er z. B. als eigenständiger Repräsentant einer neuen Haltung gegen-über der Erfahrungserkenntnis angesehen werden muss. Eine solche Ei-genständigkeit braucht im Blick auf Thomas selbst, auf Meister Eckhart, auf Duns Scotus und Ockham nicht eigens hervorgehoben zu werden. Auch sie repräsentieren ganz unterschiedliche Denkweisen, die mit dem Einfluss ganz verschiedener Traditionen zusammenhängen mögen. Das gilt nun aber auch für Heinrich v. Gent, der allerdings erst aufgrund der im Erscheinen begriffenen kritischen Edition seiner Werke und den damit verbundenen neuen Zugängen den Ruch des Vernachlässigbaren, des mit Duns Scotus Abgedeckten, des Unoriginellen losgeworden ist. Für Petrus Aureoli, den *doctor facundus,* der von einzelnen Vertretern der spanischen Scholastik der *acutissimus* genannt wird, gilt das noch nicht. Noch fristet er in den meisten Büchern über die mittelalterliche Philosophie neben Hervaeus Natalis und Durandus a S. Porciano ein jämmerliches Dasein als Brücke zwischen Duns Scotus und Ockham. Doch ist er in Wahrheit selbst auch ein mächtiger Pfeiler, der die Brücke von den Karolingern bis zur Renaissancezeit mitträgt.

Dass daneben eine Galerie nichtklassischer Autoren, der Verkannten, der Zukurzgekommenen, der Unterschätzten, der Schattengestalten, der Unterdrückten, der Ausgegrenzten aufgestellt werden könnte, die mögli-cherweise unser Bild vom Mittelalter erheblich veränderte, ist keine Frage. Doch ist das wohl eher die Aufgabe einer im deutschen Sprachraum nicht vorhandenen, noch zu schreibenden neuen Geschichte der mittelalterli-chen Philosophie, in der die Bedeutung solcher unberechtigterweise an den Rand Gedrückten mit Gründen gewürdigt werden könnte.

Der Anspruch des vorliegenden Bandes ist deswegen vergleichsweise bescheiden. Während eine Geschichte der mittelalterlichen Philosophie notwendig die historische Kontinuität des mittelalterlichen Denkens dar-legt (sonst ist es keine erzählbare Geschichte), ohne doch zugleich auch die Kontinuität zur Gegenwart zu behaupten, ja im Gegenteil: sogar unter

Voraussetzung des Hiatus zur Gegenwart[21], handelt es sich bei der vorliegenden Sammlung um die Vorstellung einzelner intellektueller Porträts – streng und formal geordnet nach der Reihenfolge der Geburtsjahre (die im Falle Heinrichs v. Gent und Roger Bacons allerdings umstritten sind) –, die weder die eine noch die andere Art der Kontinuität explizit herzustellen bestrebt ist. Freilich wird sie dadurch nicht schon zu einer beliebigen Zusammenstellung. Vielmehr ist der Glaube daran, dass in der Bewegung des Geistes der mittelalterlichen Philosophie „wesentlich Zusammenhang ist" oder, mit anderen Worten, dass es sogar in der Geschichte der Philosophie vernünftig zugeht, schon vorausgesetzt. Denn dieser Glaube impliziert für den Interpreten (nach dem Gesetz der modernen Hermeneutik), dass es möglich ist, die Frage herauszufinden, auf die der Text, d. h. das Œuvre eines mittelalterlichen Autors, die Antwort darstellt. Auch die Philosophen des Mittelalters können so in ihrer Notwendigkeit, und d. h. in ihrer Wahrheit, erkannt werden. Da aber dieses Studium der Geschichte der Philosophie – zu der hier ein paar Bausteine erscheinen – nach den Worten Hegels immer auch ein Studium der Philosophie selbst ist, kann die Erforschung der mittelalterlichen Autoren auch einen Beitrag darstellen zur Erkenntnis der philosophischen Wahrheit.

[21] Vgl. zu dieser Unterscheidung hinsichtlich des Kontinuitätsbegriffs bes. H. M. Baumgartner, Kontinuität und Geschichte. Zur Kritik und Metakritik der historischen Vernunft, Frankfurt a. M. 1972, 320. 326 f.

JOHANNES ERIUGENA

Der christliche Neuplatonismus der Natur

Von Dermot Moran

Leben und Schriften

Johannes (ca. 800–877), „Der Ire" (= „Scottus", „Scottigena"), auch als
Eriugena bekannt, ist der herausragende Philosoph des karolingischen Zeitalters, ja sogar der wichtigste in Latein schreibende Philosoph zwischen
Boethius und Anselm. Über Geburtsort und Geburtsdatum sowie über frühe Lebensumstände ist nichts bekannt. Nach einigen Berichten wurde er
um 800 in Irland geboren. Wahrscheinlich fand seine frühe Erziehung in
irischer Klostertradition statt, wodurch er griechische Grundkenntnisse erworben haben könnte. Vielleicht war er wegen der Wikingeraufstände,
durch die zu der Zeit gerade die irischen Klöster zerstört wurden, gezwungen, Irland zu verlassen. Die erste historisch bedeutsame Nachricht von
Eriugena spricht davon, dass er von Erzbischof Hincmar aus Rheims und
Bischof Pardulus von Laon dazu bestellt wurde, eine von dem sächsischen
Mönch Gottschalk (806–868) verfasste wissenschaftliche Abhandlung zu
widerlegen. Dieser hatte Augustinus dahingehend interpretiert, dass er eine
zweifache Vorherbestimmung lehre: auserwählt für den Himmel und ver-
dammt zur Hölle – wobei sich Gottschalk auf einen Satz von Isidor v. Sevilla
berief. In der Schrift ›De divina praedestinatione‹ (ca. 851) weist Eriugena
diese Auffassung zurück, indem er sich auf die Natur Gottes beruft, die
transzendent und gut sei. Gott bestimmt die Seelen nicht zur Verdammnis,
die Menschen selbst verdammen sich durch ihre eigenen freien Entscheidungen. Ferner kann der außerzeitliche Gott nicht als *vorher*wissend oder
*vorher*bestimmend bezeichnet werden, da diese Termini zeitliche Aussagen
implizieren. Dieses Frühwerk Eriugenas ist philosophisch bezeichnend für
seine im Namen der Vernunft durchgeführte dialektische Analyse theologischer Schlüsselbegriffe *(dialectica)* und dafür, dass er das Gewicht eher auf
eine Beweisführung als auf Schriftzitate legte, was für die damalige Zeit
höchst ungewöhnlich war. Für Eriugena sind – wie auch für Augustinus –
wahre Philosophie und wahre Religion ein und dasselbe (De praed., hrsg.
v. G. Madec, c. 1, 16–18). Eine Anmerkung in den ›Annotationes in Marcianum‹ bestätigt dies: „Niemand gelangt in den Himmel ohne Philosophie"

(*nemo intrat in celum nisi per philosophiam,* Annotationes in Marcianum
57, 15, hrsg. v. C. Lutz, 64). Jede Seele „wird durch das Streben nach der
Weisheit, die in ihr selber liegt, unsterblich gemacht" (Annotationes 17, 12,
a. O. 27). Trotz der offiziellen Verurteilung von ›De Praedestinatione‹ auf
den Konzilien von Valence (855) und Langres (859) stand Eriugena weiterhin unter dem Schutz Karls des Kahlen, welcher ihn um 860 einlud, die
Schriften von Dionysius, dem Areopagiten, zu übersetzen. In seinen späteren Schriften übernahm Eriugena dessen affirmative und negative Theologie. Dieser theologischen Anschauung gemäß werden negative Aussagen,
die Gott betreffen, als wahrer und besser und wahrscheinlicher angesehen
als Bejahungen. Gewisse Eigenschaften passen nicht im eigentlichen Sinne
(proprie) zu Gott, können ihm aber im übertragenen Sinne (*translative*, ›Periphyseon II‹, hrsg. v. E. A. Jeauneau, 1511–13) zugeordnet werden. Kurz
nach der Fertigstellung seiner Version der Dionysiusübersetzung hat er Gregor v. Nyssas ›De hominis opificio‹ unter dem Titel ›De imagine‹ übersetzt
sowie Maximus Confessors ›Ambigua‹ und ›Questiones at thalassium‹ und
wahrscheinlich Epiphanius' ›Anchoratus‹ (De fide). Eriugena verfasste
auch einen langen Kommentar zu Dionysius' ›Himmlicher Hierarchie‹, ›Expositiones in hierarchiam coelestem‹, sowie eine Stellungnahme zu Maximus' ›Ambigua ad Johannem‹. Da Eriugenas Hauptdialog, ›Periphyseon‹,
der auch den Titel ›De Divisione Naturae‹ trägt, sehr starken Einfluss des
Dionysius erkennen lässt, ist er wahrscheinlich unmittelbar nach der Fertigstellung der Dionysius-Übersetzung (ca. 862) begonnen und um 867 zu
Ende geführt worden. Zu Beginn des Buches IV von ›Periphyseon‹ charakterisiert Eriugena sein Unterfangen als *Physiologia,* also als eine Studie
über die Natur, und tatsächlich überschreibt ein Manuskript den gesamten
Dialog mit ›Liber phisiologiae Iohannis Scottigenae‹. Dieser Begriff „Physiologia" ist passend: Eriugena benutzt die Bezeichnung „Natur", um den
gesamten kosmologischen Bereich abzudecken, indem er nicht nur die erschaffene Natur, sondern auch den göttlichen Schöpfer miteinbezieht. Natur
muss als etwas verstanden werden, das im weitesten Sinne wirklich ist, aber
als die „Gesamtheit" *(universitas)* aller Dinge, die sind und nicht sind, und
das somit weiter gefasst ist als „Sein" *(esse, ens).* Nach Eriugenas ursprünglicher Unterteilung hat *natura* vier Teile (Periphyseon I, hrsg. v. E. A.
Jeauneau, 19–39): Natur, die erschafft, aber selbst nicht erschaffen ist
(Gott), Natur, die hervorbringt und erschaffen ist (die primordialen Gründe), die erschaffene Natur, die nichts erschafft, und die Natur, die weder
erschaffen ist noch erschafft (das Nichtseiende). Ein fragmentarischer
›Commentarius in Evangelium Johannis‹ und eine Predigt zu dem Prolog
des Johannes-Evangeliums sind wahrscheinlich ebenfalls in den späten
860er- oder 870er-Jahren verfasst worden. Das Todesjahr Eriugenas ist nach
ungesicherten Quellen 877.

Sein Schaffen repräsentiert die beständigste systematische Form des christlichen Neuplatonismus im Mittelalter. Eriugena war, was im karolingischen Zeitalter für einen westeuropäischen Gelehrten durchaus bemerkenswert ist, sehr vertraut mit dem Griechischen. Das eröffnete ihm einen Zugang zu einer griechisch-christlichen theologischen Tradition, die bis zu diesem Zeitpunkt im lateinischen Westen weithin unbekannt war. Er besaß die einzigartige Gabe, die dieser Tradition zugrunde liegende, größtenteils neuplatonische, aber gleichzeitig auch tief-christliche Basis zu erkennen. In Anlehnung an Basilius, Gregor v. Nyssa, Dionysius Areopagita, Maximus Confessor wie auch an vertrautere Autoritäten des lateinischen Westens (z. B. Augustinus und Boethius) entwickelte er eine eigenständige Kosmologie, in welcher das höchste Prinzip, „das unbeweglich selbstidentische Eine" (*unum et idipsum immobile,* Periphyseon I, 1460–62), zeitlos alle Dinge in einer Art Selbstvervielfältigung hervorbringt und wieder in sich einschließt. In Abweichung vom traditionellen Neuplatonismus bezeichnet Eriugena das erste und höchste kosmische Prinzip als „Natur", die nach seiner Definition beides, Gott und Schöpfung, in sich einschließt. So vertritt Eriugena eine kosmologische Ansicht, nach der der unendliche und unbekannte Gott in einem Prozess der Selbstartikulation eine Reihe von Geschöpfen hervorbringt, die zuletzt zu ihrem Ursprung in Gott zurückkehren werden. Von besonderer Bedeutung in diesem Prozess des Herausgehens *(exitus)* und der Rückkehr *(reditus)* ist die Rolle der menschlichen Natur, da das Wort als Vorbild und Archetyp menschlichen Wesens die Formen aller Dinge in sich selber trägt. Durch diese menschliche Natur werden alle Dinge zum Einen zurückgeführt. Eriugenas wahres, unvergängliches Genie liegt in seiner Fähigkeit, Elemente christlicher Autoren in einen neuen kosmologischen Rahmen einzubinden und dies auf höchstem Niveau rational zu erörtern.

Eriugenas Quellen

Eriugena hatte kein unmittelbares Wissen vom paganen Neuplatonismus (vielleicht von Priscianus Lydus abgesehen). Auch befasste er sich wenig mit den klassischen philosophischen Texten, außer mit Platons ›Timaios‹ in der Teilübersetzung des Calcidius und den ›Categoriae decem‹, der pseudo-augustinischen Paraphrase der aristotelischen ›Kategorien‹, und Boethius' Traktaten über die Dreifaltigkeit (›Opuscula sacra‹) und vielleicht der ›Consolatio Philosophiae‹. Seine höchsten Autoritäten waren die lateinischen Kirchenväter, Augustinus, daneben Ambrosius, Hilarius von Poitiers und Hieronymus. Vertraut war er auch mit Rufins lateinischer Übersetzung von Origenes' ›De Principiis‹ (De Principiis III, 6, 2–5, hrsg. v.

H. Crouzel/M. Simonetti, SChr. 268, Paris 1968, 240, 64–244, 148, wird in Periphyseon V, MPL 122, 929a–30d zitiert). Dennoch ist bei ihm eine Bevorzugung der östlichen Kirchenväter (Periphyseon V, 955a) zu vermerken. Eine besonders wichtige Autorität war Maximus Confessor, dessen Bezugnahme auf die Rückkehr aller Dinge sich Eriugena in besonders reichem Maße aneignete. Gott, das überwesentlich Eine, erschafft durch Selbstemanation. Schöpfung ist ein zeitloser oder ewiger Vorgang. Schöpfung ist für Gott nichts Zufälliges, sondern es gehört wesentlich zu seiner Natur, eine Ursache zu sein (Periphyseon III, hrsg. v. E. A. Jeauneau, 825–67). Daher ist es offensichtlich, dass das Universum der gesamten Schöpfung ewig in dem Wort Gottes ist (Periphyseon III, 866f.). Die menschliche Natur ist ursprünglich und wesensmäßig eine platonische Idee im Geiste Gottes. Die Menschen können ihre wahre Natur als Abbild Gottes in Gott nicht verstehen, weil sie von den geschaffenen, flüchtigen, zeitlichen „Erscheinungen" *(phantasiai)* abgelenkt sind, die den Intellekt in den dunklen raumzeitlichen Bereich der Sinne entführen. Trotzdem können Menschen durch intellektuelle Betrachtung *(theoria, intellectus)* und göttliche Erleuchtung *(illuminatio),* die das Ergebnis einer göttlichen Selbst-Manifestation sind *(theophania, hoc est dei apparitio,* Periphyseon I, 190f.), eine Vereinigung *(henosis)* mit Gott erreichen. Einige wenige werden sogar eine „Vergöttlichung" *(deificatio, theosis)* erleben.

Für Eriugena ist wahre Philosophie *vera ratio,* und tatsächlich ist auch jede Berufung auf die Autorität nichts anderes als eine Berufung auf die rechte Vernunft (Periphyseon I, 2973–77). Beide gehen aus „von der einen Quelle" *(ex uno fonte),* die die göttliche Weisheit ist *(divina sapientia,* Periphyseon I, 2976f.). Trotzdem hat die Vernunft Priorität, weil die Autorität von der wahren Vernunft ausgeht (Periphyseon I, 3048–54). Christus ist der *intellectus omnium* (Periphyseon II, Versio III, 1458–60, Versio IV, 1464–66), in dem die Quellen allen Wissens und aller Weisheit *(thesauri scientiae sapientiaeque,* Periphyseon V, 864c; 981c) verborgen sind. Wahre Philosophie und wahre Einsicht schließen die Nachfolge Christi in sich. Des Weiteren sind, nach Maximus, in der Wiederkehr aller Dinge die Wesenheiten von allem in der menschlichen Natur Christi wieder vereinigt. So erfüllen sie das Versprechen, dass die vollkommene menschliche Natur eine *gnostica scientia* von allen Dingen besitzt (Periphyseon II, 291–99).

Periphyseon

Eriugenas Hauptwerk ›Periphyseon‹ (ca. 862–ca. 867) ist ein langer Dialog in fünf Büchern zwischen einem anonymen Lehrer *(nutritor)* und seinem Studenten *(alumnus),* ein in sehr strukturierter Weise dargebotenes

Handbuch allen Wissens. Es beginnt mit dem Anspruch, dass „Natur" *(na-tura)*, die allgemeine Bezeichnung aller Dinge, seiend und nichtseiend (I, 1–6), einschließlich Gott und Schöpfung, in vier Arten unterteilt ist: das, was erschafft und nicht erschaffen ist (d. h. Gott); das, was erschafft und erschaffen ist (d. h. die ersten Ursachen oder Ideen); das, was erschaffen ist und nicht erschafft (d. h. die zeitlichen Wirkungen, geschaffene Dinge); das, was weder erschaffen ist noch erschafft (d. h. das Nichtseiende, die Nichtigkeit).

Eriugena zeigt im Folgenden fünf Interpretationsweisen auf, nach denen die Dinge als seiend oder nicht seiend angesehen werden können (I, 45–153). Entsprechend der ersten Interpretationsweise werden die Dinge, die den Sinnen und dem Intellekt zugänglich sind, seiend genannt, während alles, was „durch die Vortrefflichkeit seiner Natur" unsere Vermögen übersteigt, als nichtseiend angesehen wird. Dieser Klassifizierung nach muss Gott wegen seiner Transzendenz als nichtseiend betrachtet werden. Er ist „Nichtheit aufgrund des Überragendseins" *(nihil per excellentiam)*. Die zweite Interpretationsweise des Seienden und Nichtseienden wird in den „Ordnungen und Unterschieden der geschaffenen Naturen" (I, 84 f.) gesehen, sodass, wenn eine Ebene der Natur als seiend angesehen wird, die Ordnungen darüber oder darunter als nichtseiend betrachtet werden müssen: Denn eine Affirmation bezüglich der unteren Ordnung ist eine Negation hinsichtlich der höheren, und so ist auch eine Negation bezüglich der unteren Ordnung eine Affirmation hinsichtlich der höheren (I, 94 f.). Entsprechend dieser Interpretationsweise ist die Affirmation des Menschen die Negation des Engels und umgekehrt (I, 97 f.). Diese Interpretationsweise verdeutlicht Eriugenas ursprüngliche Absicht, die traditionell neuplatonische Hierarchie des Seienden mit einer Dialektik der Affirmation und der Negation zu verbinden, wobei die Behauptung einer bestimmten Ebene die Leugnung der anderen bedeutet. Der dritte Modus (I, 110–130) behauptet, dass *aktuelle* Dinge sind, während *potentielle* Dinge nicht sind. Dieser Modus stellt die Dinge, die bereits wirklich geworden sind, jenen Dingen gegenüber, die noch in ihren Ursachen enthalten sind. Der vierte Modus (I, 131–136) beruft sich auf ein vertrauteres platonisches Kriterium: Jene Dinge, die von dem Intellekt allein betrachtet werden, dürfen als seiend angesehen werden, während die Dinge, die in Werden und Vergehen, Materie, Ort und Zeit gefangen sind, nicht wirklich existieren. Der fünfte Modus (I, 137–153) ist ein theologischer und bezieht sich ausschließlich auf die menschliche Natur: Die menschliche Natur *ist* als durch die Gnade geheiligte und in dem göttlichen Abbild wiederhergestellte, während sie durch die Sünde verdientermaßen ihr Sein eingebüßt hat und als nichtseiend angesehen werden muss.

Entsprechend diesen komplexen und ursprünglichen Differenzierungen werden Sein und Nichtsein korrelative Kategorien; etwas kann nach der einen Weise als seiend angesehen werden und nach der anderen Weise als nichtseiend. Die Zuteilung des Seins ist der Gegenstand der Dialektik von Affirmation und Negation. Ontologische Bedeutungen hängen von der Dialektik ab. Eriugenas metaphysische Aussagen müssen bewertet werden, indem diese Modi in Rechnung gestellt werden. Das Fließende in Eriugenas Dialektikbegriff erweist den Vorwurf des Pantheismus als unsinnig. Wenn Eriugena Gott „nichts" *(nihilum)* nennt, wobei er der Autorität der Schrift folgt (III, 2718–20), meint er, dass Gott alles geschaffene Sein *überschreitet.* Die Materie auf der anderen Seite wird auch „nichts" genannt, aber sie ist „das Nichts im Sinne der Privation" *(nihil per privationem).* In ähnlicher Weise werden die geschaffenen Dinge „nichts" genannt, weil sie nicht in sich selbst die Prinzipien der Subsistenz enthalten. Hierbei bezieht sich Eriugena auf die augustinische Lehre, dass die Schöpfung, wenn sie von Gott getrennt betrachtet wird, ein reines Nichts ist. Die vierte Unterteilung der Natur kann diese verschiedenen Formen der Nichtigkeit in der allgemeinen Kategorie dessen, „was weder erschafft noch was erschaffen ist", in sich enthalten. Ohne diese Unterscheidungen kann Eriugena, wie man leicht sehen kann, z. B. der Identifizierung Gottes mit der ersten Materie angeklagt werden.

›Periphyseon I‹ untersucht die erste Unterscheidung, nach der Gott als transzendent über den Dingen stehend betrachtet und trotzdem als Ursache der Schöpfung verstanden wird. Gott überschreitet alles, er ist die *negatio omnium* (III, 2797–801). Die aristotelischen Kategorien können nicht eigentlich auf Gott angewendet werden (I, 922–28). Er ist nicht „im eigentlichen Sinne" *(proprie)* Substanz oder Wesenheit und nicht in den Begriffen von Quantität, Qualität, Relation, Ort oder Zeit beschreibbar. Er ist *superessentialis* (I, 749 f.), ein Begriff, der für Eriugena eher der negativen als der affirmativen Theologie zugehört. Sein „Sein" ist jenseits von Sein oder, wie es Eriugena in seiner Version der ›Himmlischen Hierarchie‹ des Dionysius (Buch IV, 1, hrsg. v. G. Heil/A. M. Ritter, Berlin 1991, 20, 16 f.) ausdrückt: „Das Sein aller Dinge ist das über allem stehende Übersein der Gottheit" *(esse enim omnium est super esse divinitas,* I, 61; I, 3190; III, 1057; *superesse:* V, 903c). Das unendliche Wesen Gottes ist allem erschaffenen Seienden einschließlich den Engeln unbekannt. (I, 217–19). Nach dieser Argumentation ist Gottes Natur in einem gewissen Sinne tatsächlich von der Art, dass er sogar sich selbst unbekannt ist, denn er ist die Unendlichkeit aller Unendlichkeiten und somit jenseits jeglichen Begreifens und jeglicher Umschreibung. In einem dialektischen Sinne gilt das, was für unser Wissen über Gott gilt, auch für ihn selbst (II, 2366–86).

Der Schöpfungsakt wird als eine Art Selbstmanifestation beschrieben, bei welchem der verborgene transzendente Gott sich selbst erschafft, indem er sich in göttlichen Äußerungen oder Theophanien manifestiert (I, 187–191). Aus der Dunkelheit bewegt er sich ins Licht, aus der Selbst-Unkenntnis in die Selbst-Kenntnis. Gleichzeitig ist die göttliche Selbsterschaffung oder Selbstmanifestation (I, 555–57) der Ausdruck des Wortes und somit die Erschaffung aller anderen Dinge, da alle Dinge in dem Wort enthalten sind. In sich selbst entfaltet das Wort die Idee und Urgründe aller Dinge, und in diesem Sinne sind alle Dinge immer schon in Gott (III, 2312–24).

Gottes transzendente Andersheit gegenüber allen Kreaturen ist genau das, was den Kreaturen gestattet, in Gott und doch anders als Gott zu sein. Eriugena betont sowohl die göttliche, über allem erhabene Transzendenz als auch die Immanenz in der Schöpfung. Die Immanenz Gottes in der Welt ist gleichzeitig die Immanenz der Kreaturen in Gott. Da die Kreaturen jedoch gefallen sind, wissen sie noch nicht, dass sie in Gott sind, da sich ihr Geist wesentlich in einer nicht wissenden Bewegung um Gott dreht (II, 1469–72). Ihre wahre Natur aber ist nichts anderes als ihre im Wort enthaltenen Wesenheiten. In kosmologischen Begriffen sind die Wirkungen daher immer schon in ihren Ursachen enthalten, Anfang und Ende sind vereinigt, Gott und die Kreatur sind ein und dasselbe (III, 2443–55).

An anderer Stelle erklärt Eriugena, dass Gott die „Wesenheit aller Dinge" *(essentia omnium)* und die „Form aller Dinge" *(forma omnium)* ist. Solche Ausdrücke führten im 12. Jh. zur Anklage wegen Ketzerei, einer Anklage, die sich nur an einer Seite des dialektischen Denkens Eriugenas orientierte. Obwohl Eriugena die Einheit Gottes und der Schöpfung behauptet, weist er ausdrücklich die Ansicht zurück, nach der Gott die „Gattung" oder „das Ganze" sei, von dem die Kreaturen „Arten" oder „Teile" wären (II, Versiones I–II, 1–25). Lediglich im metaphorischen Sinne *(metaforice, translative)* kann Gott als eine „Gattung" oder ein „Ganzes" verstanden werden. Die Immanenz Gottes in der Schöpfung wird durch Gottes Transzendenz über allen Dingen ausgeglichen. Gott ist beides: die Form aller Dinge und formlos, ohne Form. Gott kann nicht einfach mit der Kreatur gleichgesetzt werden, es sei denn in dem Sinne, dass das eine eine Sichtweise oder ein Aspekt *(theoria, contemplatio)* auf das andere bzw. des anderen ist.

Periphyseon II erörtert die Ersten Ursachen *(causae primordiales),* die im Geiste Gottes sind. Diese Lehre verbindet die platonische Theorie der Formen *(prototypa, primordialia exempla,* II, 134–48), die Diskussion des Ps.-Dionysius über die göttlichen Wollungen *(theia thelemata, divinae voluntates,* De div. nom. V, 8, hrsg. v. B. R. Suchla, Berlin/New York 1990, 188, 6–10) und den stoisch-augustinischen Begriff der ewigen Gründe *(rationes aeternae).* In dem göttlichen Wort sind die Gründe für jedes individuelle Ding ewig aufbewahrt. Darüber hinaus erzeugen die Gründe die Dinge, deren Gründe sie sind. Ihre Anzahl ist unendlich, und kein Grund hat Priorität vor dem anderen, z. B. das Sein keine Priorität vor der Güte oder umgekehrt. Jede Idee ist eine göttliche Theophanie, eine Weise, in der sich die göttliche Natur manifestiert. Die wahre Natur dieser Ursachen ist, aus sich selbst herauszufließen und so ihre Wirkungen hervorzubringen. Dieses „Herausfließen" *(proodos, processio, exitus)* erschafft das gesamte Universum von der höchsten Gattung bis zur niedrigsten Art und den Individuen *(atoma, individua).* Für seine Interpretation dieses kausalen Vorgangs hat Eriugena neuplatonische Prinzipien übernommen: Gleiches erzeugt Gleiches. Eriugena hält Ursache und Wirkung für gegenseitig abhängige, relative Begriffe (V, 910d–912b): Jede Ursache erzeugt eine Wirkung, jede Wirkung subsistiert in ihrer Ursache (III, 855–64). Unkörperliche Ursachen erzeugen unkörperliche Wirkungen. Da die Ursachen immateriell, intellektuell und ewig sind, sind auch ihre erschaffenen Wirkungen wesensmäßig unkörperlich, immateriell, intellektuell und ewig.

So sind also die erschaffenen Wirkungen von Natur aus ewig, unkörperlich und unvergänglich. Eriugena denkt aber auch die individuell erschaffenen Dinge als räumlich und zeitlich bestimmbar. Diesen scheinbaren Widerspruch löst er, indem er die Schöpfung als gefallene denkt. Es gibt zwei Arten von Zeit: eine unveränderliche Zeit (eine Bestimmung oder ratio im göttlichen Geist, V, 906a), in der die Dinge erschaffen wurden, und eine aufgrund der Sünde vergehende Zeit. Die gesamte raumzeitliche Welt und unsere materiellen Körper sind eine Folge des Sündenfalls und als solche eine Emanation des menschlichen Geistes. Der materielle Körper ist nicht ein Ergebnis der Natur, sondern die Auswirkung der Sünde *(non ex natura sed ex delicto,* II, Versiones I–II, 3246–50). Da Ort und Zeit die die Dinge festlegenden Bestimmungen sind und weil Bestimmungen im Geist sind, sind auch Ort und Zeit im Geist (I, 1743–56; 1841 f.). Die wahrnehmbaren, materiellen, raumzeitlichen Erscheinungen der Dinge werden durch die Eigenschaften oder „Umstände" des Ortes, der Zeit, der Lage usw. erzeugt, die das unkörperlich ewige Wesen umgeben. Indem Gott den Sündenfall des Menschen voraussah, erschuf er einen geistigen Körper für ihn. Aber den materiellen Körper erschafft der Mensch sich selbst als sinnfälliges Vehikel seiner inneren Gedanken (II, 1723–32). Körperlichkeit ist nicht wesentlich für die menschliche Natur; bei der Rückkehr aller Dinge zu Gott wird der fleischliche Körper wieder vom geistigen Körper aufgesogen *(spirituale corpus),* und der geistige Körper wird wieder zu reinem Geist *(mens).* Die körperliche Welt wird zu ihrer unkörperlichen Wesenheit zurückkehren, und der Ort, verstanden als Ausdehnung, wird in seine Ursache oder seinen Grund als eine Bestimmung des Geistes zurückkehren (V, 889d). Die menschlichen Geister werden eins werden mit dem Wort.

Buch III erörtert die Natur der erschaffenen Wirkungen und die Bedeutung des Ausdrucks „Schöpfung aus dem Nichts" *(creatio ex nihilo)*. Der Begriff „Nichts" kann im Sinne des Eminenten *(nihil per excellentiam)* auf Gott angewendet werden, oder er kann das „Nichts im Sinn der Privation" *(nihil per privationem)* bedeuten, wenn er sich auf den niedrigsten Rang in der Hierarchie des Seins bezieht, nämlich auf die ungeformte Materie, die „fast nichts" *(prope nihil)* ist. Da nichts außerhalb von Gott ist, kann der Ausdruck „Schöpfung aus Nichts" nicht die Erschaffung von irgendeinem Prinzip außerhalb Gottes bezeichnen. Es bedeutet daher eher: Schöpfung aus Gottes überfließender Nichtigkeit. Gott erschafft aus sich selbst heraus *(a se)*, und alles Erschaffene bleibt in ihm.

Buch IV und V, die ursprünglich als ein Buch geplant waren, erörtern die Rückkehr aller Dinge *(epistrophe, reditus, reversio)* zu Gott. Im Sinne des kosmischen Kreislaufes nimmt Eriugena an, wobei er sich ausgiebig auf Maximus Confessor und Gregor v. Nyssa bezieht, dass es in der Natur der Dinge liegt, dass ihre Wirkungen in ihnen subsistieren und zu ihren Ursachen zurückkehren. Es gibt eine allgemeine Rückkehr aller Dinge zu Gott. Körperliche Dinge werden zurückkehren zu ihren unkörperlichen Ursachen, das Zeitliche zu dem Ewigen, das Begrenzte wird aufgezehrt werden in dem Unbegrenzten. Der menschliche Geist wird zu einer Wiedervereinigung mit dem Göttlichen gelangen, und dann wird die körperliche, zeitliche, materielle Welt wesentlich, unkörperlich, zeitlos und intellektuell werden. Die menschliche Natur wird zu ihrer „Idee" oder ihrem „Begriff" im Geiste Gottes zurückkehren. Wenn man Eriugenas Schriftdeutung folgt, so ist „Paradies" der biblische Name für diese vollkommene menschliche Natur im Geiste Gottes. Menschliche Wesen, die sich weigern, die „Umstände" loszulassen, bleiben in ihren eigenen Phantasien gefangen. Und auf diesen geistigen Zustand bezieht sich die biblische Bezeichnung „Hölle". Abgesehen von der allgemeinen Rückkehr aller Dinge zu Gott behauptet Eriugena eine besondere Rückkehr, bei der die Auserwählten die „Vergöttlichung" *(deificatio, theosis)* erlangen, wobei sie völlig eins werden mit Gott, so wie Lichter sich zu einem Licht bündeln. Gott wird alles in allem sein *(omnia in omnibus,* V, 935c).

Die Bücher IV und V enthalten Eriugenas Anthropologie, die neuerdings im Zentrum des philosophischen Interesses steht. Eriugenas Darstellung ist weit gefächert. Sie beschäftigt sich mit der Erschaffung des Menschen, dem Sündenfall und der darauf folgenden Teilung der Geschlechter, mit der Bedeutung der menschlichen Natur, insofern sie als Bild und Gleichnis Gottes geschaffen ist *(in imaginem et similitudinem dei),* mit der Beschaffenheit des Paradieses, in das die menschliche Natur in vervollkommnetem Zustand zurückkehren wird, mit der Natur des Teufels und des bösen Willens. Eriugenas Anthropologie stützt sich weithin auf Augustins ›De Genesi ad litteram‹, Ambrosius' ›De Paradiso‹ und Gregor v.

Nyssas ›De hominis opificio‹ und grundlegend auf Maximus. Er folgt den Autoritäten jedoch niemals sklavisch – u. a. auch in der Frage nach der rein geistigen Natur des Paradieses, ob Adams Leib ein sinnliches Lebewesen oder geistig war und ob die Menschen vor der Sünde Zeit im Paradies verbracht haben. Eriugena übernimmt Gregors v. Nyssa Ansicht, dass der sexuelle Unterschied eine Folge des Sündenfalls ist, der wirkliche Sündenfall in dem Abstieg vom Intellekt zur Sinnlichkeit besteht und der Intellekt von der Wollust der Sinnlichkeit abgelenkt wurde. So gesehen ist der geschlechtliche Unterschied nichts Wesentliches für das Menschsein oder wie es Eriugena kühn ausdrückt: „Der Mensch ist besser als das Geschlecht" (*homo melior est sexu*, II, 257).

Obwohl Buch IV von ›Periphyseon‹ wie ein biblischer Kommentar erscheint, spielt die Dialektik eine herausragende Rolle. Gerade so, wie die transzendente Natur Gottes es uns erlaubt, ihn zu Recht mit widersprüchlichen Prädikaten zu belegen *(Deus est; deus non est)*, können wir auch widersprüchliche Aussagen über die menschliche Natur machen: Der Mensch ist ein Tier, und der Mensch ist nicht ein Tier; der Mensch ist geistig, und der Mensch ist nicht geistig. Für Eriugena sind diese widersprüchlichen Aussagen wirkliche Anzeichen für den erhabenen Status des Menschen. Die vernunftbegabte Animalität ist keine adäquate Bestimmung der menschlichen Natur, die jenseits aller Animalität liegt. Tatsächlich lehnt Eriugena, Gregor v. Nyssa folgend, die These ab, dass die menschliche Natur als ein Mikrokosmos aus allen Teilen der Welt bestehe. Die menschliche Natur ist ein Spiegel aller Dinge, die Bestimmung des Menschseins als „ein bestimmter intellektueller Begriff, der ewig im Geiste Gottes gebildet wurde *(aeternaliter facta)*" (IV, hrsg. v. E. A. Jeauneau/ M. A. Zier, 64, 6 f.), bezieht sich gleichermaßen auch auf alle anderen Dinge. Eriugena weiß, dass er in dieser außergewöhnlichen Bestimmung die Universalität und den umfassenden Charakter des Menschseins ausgedrückt hat.

Eriugenas philosophische Betrachtung des Menschen als eines Mittleren zwischen Tier und Engel, einer Mitte zwischen der irdischen und der intelligiblen Welt, ist durchgehend von seinen Anstrengungen bestimmt, einen Sinn in der Hl. Schrift zu erkennen. Für Eriugena spiegelt die menschliche Natur in einzigartiger Weise die transzendente göttliche Natur wider. Nur von der menschlichen Natur kann gesagt werden, dass sie als Bild und Gleichnis Gottes geschaffen wurde. Nicht einmal den Engeln wurde diese Ehre zuteil. Daher ist der Mensch in einem gewissen Sinne höher gestellt als die Engel. Hätte die vollkommene menschliche Natur nicht gesündigt (IV, 88, 34 – 90, 3), dann hätte sie höchstmögliches Wissen von ihrem Schöpfer, sich selbst und allem anderen besessen. Diese Spiegelung Gottes im Menschen wird besonders im Bereich der Erkenntnis offenbar. Gott hat ein Existenzwissen *(quia est)* von sich, aber kein Wissen, das sein Wesen beschreiben könnte *(quid est),* denn Er als Unendlicher und mehr als Unendlicher ist unbeschreibbar (II, 2164–70). Der Mensch weiß gleichfalls, *dass* er selbst ist, aber auch er kann sein Wesen oder seine Natur nicht begreifen oder umschreiben, da auch sie in bestimmtem Sinne unendlich sind.

Eriugena stellt die Parallelen zwischen menschlicher und göttlicher Natur sorgfältig heraus. Gottes Transzendenz und Immanenz spiegeln sich in der menschlichen Transzendenz und Immanenz im Hinblick auf ihre Welt. Zu beachten ist die folgende bemerkenswerte Passage aus Buch IV, die ein typisches Beispiel für Eriugenas dialektisches Denken und für die enge Parallele zwischen Menschlichem und Göttlichem ist: „Denn gerade wie Gott beides ist, jenseits aller Dinge und in allen Dingen – denn er, der als einziger wirklich ist, ist das Wesen aller Dinge *(essentia omnium),* und wenngleich er auch ganz in allen Dingen ist *(in omnibus totus),* hört er nicht auf, ganz jenseits aller Dinge zu sein, ganz in der Welt, ganz um die Welt, ganz in der sinnfälligen Kreatur, ganz in der intelligiblen Kreatur, ganz das Universum erschaffend, ganz im Universum erschaffen, ganz in dem Ganzen des Universums und ganz in seinen Teilen, denn er ist beides, das Ganze und der Teil, genauso wie er weder das Ganze noch der Teil ist *(neque totum neque pars)* – in gleicher Weise ist die menschliche Natur in ihrer eigenen Welt (in ihrer eigenen Subsistenz) in ihrem eigenen Universum und ist in ihren unsichtbaren und sichtbaren Teilen ganz in sich selbst und ganz in ihrem Ganzen und ganz in ihren Teilen, und ihre Teile sind ganz in sich selbst und ganz im Ganzen *(et in toto totae)*" (IV, 40, 27–42, 3). Daraus zieht Eriugena den Schluss, dass die menschliche Natur „ganz in der Ganzheit der ganzen geschaffenen Natur ist *(in universitate totius conditae naturae tota est),* wobei er wahrnimmt, dass in ihr jedes Wesen geformt wurde, alle in ihr miteinander verbunden sind *(in ipsa copulata),* in sie zurückkehren werden und durch sie gerettet werden müssen" (IV, 42, 28–31).

Ebnet Eriugenas Theorie vom Wesen der menschlichen Natur den Unterschied zwischen Gott und Mensch ein? Man kann Eriugena verteidigen, indem man darauf hinweist, dass nur die einzigartige Natur Christi all die Vollkommenheiten aufweist, die Eriugena der menschlichen Natur zuschreibt, denn *vir autem perfectus est Christus* (IV, 4, 8 f.), und Christus ist außerdem substantiell eins mit Gott. Eriugena sagt oft, dass Christus einzig ist und dass das Individuelle nicht im Allgemeinen aufgegangen ist, auch nicht bei seiner Rückkehr. Die Menschen werden immer darin von Gott verschieden sein, dass sie erschaffen wurden und dass Gott der Schöpfer ist (IV, 130, 4–9). Dennoch kann auch ein Beweis dafür erbracht werden, dass Eriugena der vollkommenen menschlichen Natur wirklich göttliche Attribute in einer genuinen Weise zuteilen will. Das Argument besteht in einer Antwort auf die Frage, inwiefern der Mensch nach dem Bild und Gleichnis Gottes gemacht ist. Ein Bild ist kein Bild, wenn es nicht mit seinem Urbild in jeglicher Hinsicht „bis auf die Zahl" oder den „Gegenstand" (*excepta subiecti ratione,* IV, 88, 10 f.; II, 1900–02) identisch ist. Daraus können wir schließen, dass der Mensch sich von Gott *in subiecto* unterscheidet, d. h., es gibt lediglich einen Unterschied in der Zahl. Die numerische Differenz oder die Differenz im Gegenstand kann nur die neuplatonische Bedeutung haben im Hinblick auf die Abfolge; dadurch, dass das Erste zuerst da ist, unterscheidet es sich immer von dem, was nach dem Ersten kommt. Gott ist zuerst, und daher kommt der Mensch nach ihm. Aber hier hat „nach" *(post),* wie Eriugena unterstreicht, keine zeitliche Bedeutung (IV, 156, 24–30). Eine zweite Antwort ist, dass Gott der Schöpfer ist und der Mensch der Erschaffene. Da jedoch die Schöpfung eine Selbstmanifestierung ist, bedeutet das, dass Gott sich selbst im Menschen vollständig manifestiert. Präziser sagt er an anderer Stelle, dass der Mensch „durch Gnade" *(per gratiam)* ist, was Gott „von Natur aus" *(per naturam)* ist, wobei er Maximus Confessor (z. B. V, 879c–880a) zitiert. Besonders im Umkreis des Begriffs der Theophanie oder der göttlichen Manifestation vermischt er die Vorstellung der Natur mit der der Gnade; alle Naturen sind Theophanien, d. h. durch Gnade erzeugt. Gott ist die Quelle beider, der *dona* und der *data.* In der Tat sind beide Offenbarungen der göttlichen Natur. Es gibt viele Stellen, an denen Eriugena Texte zitiert (z. B. Maximus), um darauf hinzuweisen, dass Gott und Mensch sich gegenseitig enthalten. Das Eine ist im Inneren des Anderen. Ähnlich spiegeln sich die Naturen der Menschen und der Engel gegenseitig wider. Diese Vorstellung von sich untereinander verflechtenden und vermischenden Geistern bildet den Kern des Mystizismus Eriugenas und seiner Lehre von der Beziehung zwischen menschlichen und göttlichen Naturen und ihrem Zusammentreffen in der Person Christi. Christus repräsentiert das, was alle Menschen sein können und sein werden. Das genau ist für Eriugena das Heilsversprechen. Impliziert ist damit evidentermaßen, dass die Menschheit als ein Ganzes, d. h. die auferstandene menschliche Natur in ihrem vollkommenen Zustand, wahrhaft erleuchtet sein wird. Tatsächlich stellt Erleuchtung eine Bedingung der Vollkommenheit des Menschen dar. Die vollkommene menschliche Natur ist in ihrem Wesen der *intellectus omnium.* Folglich hat Eriugena ein dialektisches Verständnis der Beziehung zwischen Gott und Mensch, indem Gott und Mensch sich selbst und einander betrachten in einem endlosen ewigen Spiel von Theophanien. Da alle Erscheinungen Erscheinungen für jemanden sind, erfordern die göttlichen Äußerungen die menschliche Entgegennahme. Daher müssen die Formen oder Unterteilungen der Natur als Theophanien oder Betrachtungsweisen verstanden werden, die vom verstehenden Geist erfasst werden und nicht in sich selbst Entitäten sind (II, Versiones I–II, 70–81). Eriugenas Kosmos ist eher ein Kosmos der Erkenntnisse als der Dinge.

Eriugena betont besonders stark, wenn er von Gott, dem Kosmos und der menschlichen Natur spricht, das Wesen der Unendlichkeit. Tatsächlich ist der Begriff von Gott als der „Unendlichkeit der Unendlichkeiten" (*infinitas omnium infinitatum*, II, Versiones I–II, 45 f.) und „mehr als Unendlichkeit" einer der signifikantesten Prädikate Eriugenas, das die Aufmerksamkeit der mittelalterlichen Mystiker und der Deutschen Idealisten auf sich zog. Gott ist unendlich und manifestiert sich selbst in unendlicher Weise in seinen Theophanien; die Ursachen sind unendlich; der erschaffene Kosmos wäre unendlich, wäre da nicht der Sündenfall. Die menschliche Natur ist wesensmäßig unbegrenzt und unendlich, da das Verstehen und Lernen des Menschen ebenfalls ohne Ende ist. Natur als ein Ganzes ist eine unendliche Reihe von Theophanien, die aus einer verborgenen Quelle sprießen wie die unendlichen Radien eines Kreises.

Einfluss

Eriugenas ›Periphyseon‹ hatte unmittelbaren, wenn auch kurzlebigen Einfluss in Frankreich. Seine Übersetzungen von Dionysius erfreuten sich langfristiger Beliebtheit und wurden weit verstreut bis ins 13. Jh. hinein herangezogen. Die ›Predigt zum Prolog des Johannes‹ war das am meisten verbreitete und gelesene der Werke Eriugenas im Mittelalter. Das Interesse an der Schrift ›Periphyseon‹ lebte im 12. Jh. wieder auf, besonders als sie in der „Edition" des Wilhelm von Malmesbury oder in der Paraphrase des Honorius Augustodunensis, der ›Clavis Physicae‹, erschien. Hugo von Sankt Viktor, Alanus ab Insulis und Suger von Saint-Denis wurden alle von Eriugena beeinflusst. Im 13. Jh. wurde ›Periphyseon‹ mit den Schriften des David von Dinant und des Amalrich von Bène, zwei Theologen der Universität von Paris, in Verbindung gebracht und mit ihnen in den Jahren 1210 und 1225 aufgrund des Vorwurfs pantheistischer Tendenzen und der Gleichsetzung Gottes mit der ersten Materie verurteilt. Im späteren Mittelalter waren Meister Eckhart (c. 1260– c. 1328) und Nikolaus von Kues (1401–64) mit der Schrift ›Periphyseon‹ vertraut. Thomas Gale erstellte die erste gedruckte Ausgabe von ›Periphyseon‹ im Jahre 1687. Diese Edition wurde allerdings sofort auf den ›Index Librorum Prohibitorum‹ gesetzt. Hegel und seine Nachfolger (Baur, Hjort, Christlieb) sahen Eriugena eher unkritisch als den Vater des Deutschen Idealismus. Die ersten kritischen Ausgaben seiner Hauptwerke wurden erst im 20. Jh. erstellt.

Auswahlbibliographie

Werke

Iohannis Scoti Eriugenae Expositiones in Ierarchiam coelestem, hrsg. v. J. Barbet, CCCM 21, Turnhout 1975.

Jean Scot: Commentaire sur l'Evangile de Jean, hrsg. v. E. Jeauneau, SChr. 180, Paris 1972.

Jean Scot: L'Homélie sur le Prologue de Jean, hrsg. v. E. Jeauneau, SChr. 151, Paris 1969.

Maximi Confessoris Ambigua ad Iohannem iuxta Iohannis Scotti Eriugenae latinam interpretationem, hrsg. v. E. Jeauneau, Turnhout 1988.

Iohannis Scotti Annotationes in Marcianum, hrsg. v. C. Lutz, Cambridge, MA. 1939.

Iohannis Scotti De divina praedestinatione, hrsg. v. G. Madec, CCCM 50, Turnhout 1978.

Iohannis Scotti seu Eriugenae Periphyseon I–III, hrsg. v. E. A. Jeauneau, CCCM 161–163, Turnhout 1996, 1997, 1999.

Iohannis Scotti Eriugenae Periphyseon I–III, hrsg. v. I.-P. Sheldon Williams, Dublin 1968, 1972, 1981.

Iohannis Scotti Eriugenae Periphyseon (De Divisione Naturae) IV, hrsg. v. E. Jeauneau/M. A. Zier, Dublin 1995.

Joannis Scoti ΠΕΡΙ ΦΥΣΕΩΣ ΜΕΡΙΣΜΟΥ id est De divisione naturae libri quinque, MPL 122, 439–1022.

Sekundärliteratur

Beierwaltes, W.: Eriugena. Grundzüge seines Denkens, Frankfurt a. M. 1994.

Beierwaltes, W. (Hrsg.): Eriugena Redivivus. Zur Wirkungsgeschichte seines Denkens im Mittelalter und im Übergang zur Neuzeit, Heidelberg 1987.

Beierwaltes, W. (Hrsg.): Begriff und Metapher. Sprachform des Denkens bei Eriugena, Heidelberg 1990.

Beierwaltes, W. (Hrsg.): Eriugena. Studien zu seinen Quellen, Heidelberg 1980.

Brennan, M.: A Guide to Eriugenian Studies. A Survey of Publications 1930–87, Paris 1989.

Brennan, M.: A Bibliography of Publications in the Field of Eriugena Studies 1800–1975, Studi Medievali, ser. 3a, 28 (1977) 401–47.

Gersh, S.: From Iamblichus to Eriugena, Leiden 1978.

Moran, D.: The Philosophy of John Scottus Eriugena. A Study of Idealism in the Middle Ages, Cambridge 1989.

Moran, D.: Origen and Eriugena: Aspects of Christian Gnosis, in: T. Finan/V. Twomey (Hrsg.): The Relationship Between Neoplatonism and Christianity, Dublin 1992, 27–53.

Staudenmaier, F. A.: Johannes Scotus Erigena und die Wissenschaft seiner Zeit, Frankfurt 1834, ND 1966.

AVICENNA

Die Metaphysik der rationalen Seele

DIMITRI GUTAS

Avicenna (Abū-ʿAlī al-Ḥusayn ibn-ʿAbdallāh Ibn-Sīnā), der bedeutend-ste und einflussreichste Philosoph arabischer Sprache, lebte in einer Zeit der unbestrittenen Vormachtstellung der mittelalterlichen islamischen Kul-tur. Das Alter der Volljährigkeit erreichte er am Ende des 10. Jh., zu einer Zeit, als im Islam die philosophische und naturwissenschaftliche Entwick-lung sowie die griechisch-arabische Übersetzungsbewegung, die von dieser Entwicklung begünstigt und unterstützt wurde, seit über 200 Jahren im Gange war. Die überwiegende Mehrheit philosophischer und naturwissen-schaftlicher Texte griechischer Sprache war bereits auf Betreiben arabi-scher Wissenschaftler und Gelehrter übersetzt worden, und in allen Berei-chen des intellektuellen Lebens waren Arbeiten fortschrittlichen Inhaltes selbst schon in arabischer Sprache verfasst worden, die ihre griechischen Vorbilder in ihren Leistungen übertrafen.

Die Auffassung, dass die philosophische und naturwissenschaftliche For-schung als Kulturgut zu betrachten sind, entwickelte sich in Bagdad wäh-rend der 2. Hälfte des 8. Jh. Dies ging einher mit dem Anfang der grie-chisch-arabischen Übersetzungsbewegung während der ersten Jahrzehnte der neuen Herrscherdynastie der Abbasiden. Dem schrittweisen Verlust der Kalifen-Autorität in der Mitte des 10. Jh. folgte eine Dezentralisierung politischer Macht; innerhalb des riesigen islamischen Reiches, von al-An-dalus bis nach Zentral-Asien, entstanden Lokal-Dynastien, die die regio-nalen Regierungsaufgaben übernahmen, den Kalifen von Bagdad aber weiterhin als den obersten Herrscher anerkannten. Mit der politischen De-zentralisierung ging auch eine kulturelle Dezentralisierung einher, und in einigen Hauptsitzen der Lokal-Dynastien begann man, Stil und Ge-schmack der abbasidischen Hauptstadt nachzuahmen und mit ihrer intel-lektuellen und kulturellen Vormachtstellung zu rivalisieren.

Avicenna wuchs in Buchara auf, der Hauptstadt der persischen Dyna-stie der Samaniden (819–1005) in Zentral-Asien. Sein genaues Geburts-jahr ist nicht bekannt, obwohl es mit Sicherheit vor 980, das in einigen Quellen genannt wird, zu datieren ist. Sein Vater war Verwaltungsdirektor im nahegelegenen Kharmaythan und Avicenna wuchs als kleiner Junge in der Gesellschaft der samanidischen Verwaltungselite auf. Entsprechend der damaligen Gewohnheit wurde seine Ausbildung früh begonnen und bis zu seinem 18. Lebensjahr fortgesetzt. Er widmete sich den traditionellen Lehrinhalten, dem Koran, der arabischen Literatur sowie der Arithmetik und hatte darüber hinaus eine besondere Neigung für die Rechtswissenschaften und die Medizin. In seiner berühmten Autobiographie, unserer einzigen Quelle, die hierüber Auskunft gibt, berichtet er vom Beginn seiner juristischen und medizinischen Studien im Alter von 16 Jahren.

Er erwähnt außerdem, dass er zu derselben Zeit immer wieder alle Bereiche der Philosophie auf ständig steigendem Niveau studierte. Der philosophische Lehrplan seiner Studien, dem er nach seiner Aussage folgte, entsprach der in aristotelischer Tradition stehenden Klassifikation der philosophischen Wissenschaften der alexandrinischen Spätantike. An erster Stelle steht die Logik als Werkzeug (Organon) für das philosophische Studium. Darauf folgt die theoretische Philosophie, zu der die Physik (Aristoteles' physikalische und zoologische Abhandlungen), die Mathematik (das Quadrivium) und die Metaphysik gehörten. Vollendet wurden seine Studien durch fortgeschrittene Forschungen in der königlichen Bibliothek der Samaniden, die er in seiner Autobiographie wie folgt beschreibt:

Es war ein Gebäude, das aus zahlreichen Häusern bestand, in deren jedem Regale mit aufeinandergeschichteten Büchern sich befanden; in einem Hause waren die Bücher über arabische Sprachwissenschaft und Poesie, in einem anderen die über Jurisprudenz usw.; jedes Haus war für die Bücher einer besonderen Wissenschaft eingerichtet. Ich sah den Katalog der antiken Bücher durch und suchte mir die, die ich brauchte, heraus. Da bekam ich Bücher zu sehen, deren Namen nur wenigen Leuten zu Ohren gekommen sind. Weder früher noch später habe ich sie wiedergesehen. In diesen Büchern studierte ich, eignete mir ihre wertvollen Gedanken an und erkannte den wissenschaftlichen Rang eines jeden Autors. Als ich 18 Jahre alt war, war ich mit allen diesen (philosophischen) Wissenschaften zu Ende. Damals konnte ich das Wissen besser im Gedächtnis behalten; heute aber ist es reifer geworden. Im übrigen ist das Wissen ein und dasselbe geblieben, und seit damals habe ich nichts Neues mehr zugelernt.[1]

Avicennas Beschreibung der samanidischen Bibliothek und ihrer Bestände ist ein bedeutsames Zeugnis der Ausbreitung und Herrschaft philosophischer und naturwissenschaftlicher Kultur, wie sie in Bagdad in den ersten beiden Jahrhunderten ihres Bestehens ins Leben gerufen wurde. Was die Darstellung seiner außerordentlichen Leistung in seinen Studien angeht, so will sie eine konkrete Illustration seiner Erkenntnistheorie ge-

---

[1] Avicenna, Autobiographie, Übersetzung von P. Kraus: „Eine arabische Biographie Avicennas", in: Klinische Wochenschrift 11, Nr. 45, 5. Nov. 1932, S. 1882a.

ben. Ihr Schwerpunkt liegt darin, dass einige Individuen mit einer besonders kräftigen Seele die Fähigkeit zur Erkenntnis der Intelligibilia, d. h.
des theoretischen Wissens, besitzen, und zwar allein durch sich selbst und ohne
die Hilfe eines Lehrers. Darauf soll später eingegangen werden.

Als sich um die Jahrtausendwende politische Schwierigkeiten entwickelten, die zum Fall der samanidischen Dynastie führten, war Avicenna nach
seiner friedvoll verbrachten Jugend gezwungen, sein Vaterland zu verlassen. Er ging in den Westen und verbrachte den Rest seines Lebens an den
Höfen iranischer Lokal-Herrscher, hauptsächlich in Hamadan und Isfahan.
Er stand dort sowohl in politischen wie auch in medizinischen Diensten,
wobei er einen Großteil seiner freien Zeit der Philosophie widmete und
in gleicher Weise für seine Schüler wie auch für seine Gönner Werke verfasste, philosophische Diskussions-Foren führte und eine Korrespondenz
mit anderen Gelehrten und ehemaligen Schülern über philosophische Fragestellungen unterhielt. Er starb 1037 in Hamadan und wurde dort begraben.

Das von ihm hinterlassene Œuvre ist ungeheuer groß und harrt noch
der vollständigen Erschließung. Seine Beiträge sind hauptsächlich philosophischer Natur, obwohl er auch den monumentalen „Kanon" verfasste, der
innerhalb der Medizin für viele Jahrhunderte das Standardwerk sowohl in
arabischer Sprache als auch für den Westen in der lateinischen Übersetz-
zung darstellte. Er schrieb über 100 philosophische Werke, von kurzen Essays bis zu mehrbändigen Summae, die eine große stilistische Vielfalt zeigen. Sie umfassen analytische Studien, Darstellungen, Kommentare, Kurz-
darstellungen, Allegorien, Responsa, Lehrgedichte und eine ihm eigene
Stilrichtung, die er in die arabische Philosophie einführte, das anspielungs-
reiche und suggestive Genre der „Hinweise und Mahnungen", das er in
dem gleichnamigen Werk (al-Išārāt wa-t-Tanbīhāt) ausarbeitete. Sein
Hauptwerk ist das Buch mit dem Titel „Die Genesung" (d. h. der Seele,
aš-Šifā', ein Großteil davon wurde ins Lateinische übersetzt als ›Sufficien-
tia‹), eine philosophische Summe, die in 22 großen Teilen (in der Kairoer
Edition 1952–83) alle Teilgebiete der Philosophie in der Klassifikation der
alexandrinischen spätantiken Tradition umfasst. Dies sind ihre Inhalte:
A. Logik: 1. Eisagoge, 2. Kategorien, 3. De Interpretatione, 4. Syllogismus
(Erste Analytik), 5. Beweis (Zweite Analytik), 6. Dialektik (Topik),
7. Sophistik, 8. Rhetorik, 9. Poetik.
B. Theoretische Philosophie
   I. Physik: 1. Physik, 2. De Caelo, 3. De Generatione et Corruptione,
   4. Meteorologie IV, 5. Mineralogie und Meteorologie, 6. De Anima,
   7. Botanik, 8. Zoologie.
   II. Mathematik: 1. Geometrie, 2. Arithmetik, 3. Musik, 4. Astronomie.
   III. Metaphysik.

C. Praktische Philosophie
   I. Ethik
   II. Ökonomie
   III. Politik.

Avicenna behandelt die praktische Philosophie in der „Genesung" sehr kurz als einen Anhang am Ende seines Metaphysik-Abschnittes. Er hatte wenig Interesse an den Gegenständen der praktischen Philosophie, und außer zwei Kurz-Essays über Ethik und Politik, die noch erhalten sind, schrieb er in seiner Jugend nur ein bedeutendes Werk zur Ethik, „Frömmigkeit und Sünde", das als verloren gilt.

Das philosophische Werk Avicennas ist gekennzeichnet von dem Versuch, ein philosophisches System zu entwerfen, das alle oben genannten Teilgebiete der Philosophie auf der Grundlage der aristotelischen Logik als ein mit sich selbst übereinstimmendes Ganzes verbinden sollte. In der Praxis hieß dies, ein System zu entwerfen, das all die voneinander getrennten Traditionslinien der aristotelischen Philosophie mit den Weiterführungen durch Plotin, Proklos und andere Neuplatoniker harmonisch, konsequent und vollständig zusammenfassen würde. Deshalb ist die Struktur seiner Schriften auch zutiefst rational und äußerst systematisch und ihre inhaltliche Spannbreite allumfassend. Während zwischen Proklos und Avicenna lebende und sowohl Griechisch als auch Arabisch schreibende Philosophen noch den Kommentar als Ausdrucksform vorzogen, entwickelte Avicenna schließlich die *Summa philosophiae* zu seiner favorisierten Gattung. Von diesem Standpunkt betrachtet kann er als der letzte Philosoph der Antike und der erste Scholastiker gelten. Außerdem versuchte er, seine neue Synthese der Philosophie in einer Weise auszudrücken, die den philosophischen Anliegen seines Zeitalters gerecht wurde; dies erklärt auch sein Experimentieren mit der großen Vielfalt von Stilarten, die bereits aufgezählt wurden. Sein Ziel war es, ein Publikum mit unterschiedlichem Hintergrund und Vorwissen zu erreichen, um die Inhalte seiner Philosophie wirkungsvoll mitzuteilen.

Das, was das philosophische System Avicennas beseelt und ihm Einheit und Kohärenz verleiht, ist seine Theorie der rationalen Seele. Sie ist der Teil der Seele, der den Menschen kennzeichnet, der Intellekt also, vermittels dessen wir denken. Der Hintergrund dieser Entwicklung liegt sicherlich in Aristoteles' „De Anima" III,4–5 und dessen langer griechischer Kommentartradition wie auch in der größeren ontologischen Bedeutsamkeit, die der Intellekt *(nous)* in der Philosophie Plotins und im Neuplatonismus der Schule von Athen erfährt. Fortgesetzt wurde diese Tradition in arabischer Sprache im Werk Farabis († 950), in dem die Noetik (Intellektlehre) ebenfalls eine integrative Funktion erfüllt. Ihren Abschluss fand diese Tradition in Avicenna, der sich selbst als Nachfolger Farabis betrachtete.

Avicennas Beschäftigung mit den verschiedenen Aspekten der rationalen Seele vereinigt die meisten Teilgebiete der Philosophie, und sie schließt in die Gesamtheit der Vernunft traditionell religiöse Gegenstände mit ein wie die Prophezeiung, die Offenbarung, Wunder, die Theurgie und die göttliche Vorsehung. Diese Theorie umfasst deshalb mehr als eine Seelentheorie, ist aber eine echte Metaphysik der rationalen Seele und erstes Ziel und Zweck jeder philosophischen Praxis.

Die rationale Seele ist nach Avicenna eine an sich bestehende Substanz, die weder dem menschlichen Körper noch sonst etwas Körperlichem innewohnt. Sie ist vollständig abtrennbar und abgelöst von der Materie. Gemeinsam mit dem menschlichen Körper, nicht davor, gelangt sie zur Existenz, und sie steht zu ihm in einer gewissen Beziehung, solange eine Person lebt. Diese Beziehung beschreibt Avicenna mit einer streng aristotelischen Terminologie, indem er die rationale Seele „die erste Entelechie eines natürlichen, organischen Körpers" nennt, und den „rationalen" Teil dadurch erklärt, dass er hinzufügt, „insofern es von ihm abhängt, Handlungen auszuführen aufgrund rationaler Entscheidung und gezielter Wahl, und insofern er Universalien erkennt"[2]. Die rationale Seele hat genau zwei Funktionen. Eine theoretische, die Universalien zu erkennen, und eine praktische, rationale Entscheidungen zu treffen und Überlegungen anzustellen, die dann zu Handlungen führen. In dieser dualen Funktion der rationalen Seele liegt für den Menschen der Berührungspunkt zwischen der transzendenten und der natürlichen Welt. In ihr ist auf diese Weise die Gesamtheit des Universums repräsentiert. Der theoretische Teil erkennt die supralunare Welt der metaphysischen Wirklichkeit – die Intelligibilia, wie weiter unten noch gezeigt werden wird –, und der praktische Teil richtet sich auf die sublunare Welt des natürlichen Entstehens und Vergehens. An anderer Stelle sagt Avicenna über die Funktion der rationalen Seele, dass ihre Verbindung mit dem Körper verstanden werden muss wie die Beziehung zwischen demjenigen, der ein Werkzeug bedient, und diesem Werkzeug, nicht wie die Beziehung zwischen einem Gegenstand und seinem Behälter. Mit anderen Worten: Die rationale Seele ist nicht *in* einem Körper, sondern sie ist in einer Position, von der aus sie durch die Wahrnehmung der Universalien und die rationale Entscheidung, die sie trifft, den Körper leitet und koordiniert.[3]

Die rationale Seele in ihrer Substanz ist unsterblich. Wenn der Körper stirbt, mit dem sie verbunden war, überlebt sie entweder glückselig oder

---

[2] Rahman: Avicennas De Anima, 40. Mit Bezugnahme auf Aristoteles' De Anima II,1. 412b5–6.
[3] In seinem letzten Werk: Über die rationale Seele, übersetzt in Gutas, Avicenna, 74.

in Trauer. Dies hängt davon ab, ob sie sich, solange sie mit dem Körper verbunden war, verwirklicht oder vervollkommnet hat. Die Verwirklichung der Seele wird in Übereinstimmung mit der dualen Funktion so beschrieben, daß sie wahres Wissen erlangt und die rechten Handlungen vollzogen hat. Eine Analyse dessen, was und wie die rationale Seele erkennt, führt zu Avicennas Metaphysik, Ontologie und Kosmologie ebenso wie seine Erkenntnistheorie, während die Frage nach den Handlungen auf sein Verständnis der Ethik und die daran angelehnten praktischen Wissenschaften wie auch die Medizin verweist.

Avicenna versteht den Begriff des wahren Wissens im Rahmen der aristotelischen Tradition, nach der das Glück, die aristotelische Eudaimonia, darin besteht, ewig und ungehindert die Intelligibilia zu denken, und zwar folgendermaßen: In Avicennas kosmologischem Emanations-Schema geht aus der Gottheit oder dem notwendig Seienden ein Intellekt hervor, aus dem in Aufeinanderfolge die übrigen Intellekte der Himmelssphären mit ihren Seelen hervorgehen. Das Ende dieser Reihe ist der Intellekt der irdischen Welt, der als aktiver Intellekt bekannt ist und mit dem die menschliche rationale Seele in Kontakt treten kann. Da all diese Intellekte immateriell und gänzlich aktuell sind ohne eine Spur von Potentialität, so kann ihre Tätigkeit nichts anderes sein als ein unablässiges Denken. Ihre gedachten Objekte sind die Intelligibilia, die sich als universale Begriffe selbst ausdrücken: die Ordnung und der Inhalt des Universums, seine Emanation aus dem notwendig Seienden, die Prinzipien des Einen und des Vielen, des Notwendigen und des Zufälligen, der Bewegung und der Ruhe usw. und die mathematischen Prinzipien. Mit anderen Worten: Die Intelligibilia im Ganzen umfassen den Inhalt der Wissenschaften der theoretischen Philosophie: Physik, Mathematik und Metaphysik.

Es ist wichtig festzuhalten, dass diese Intelligibilia, obwohl sie unzeitlich und alle zusammen von den himmlischen Intellekten gedacht werden, eine wesentliche Ordnung besitzen, in der sie gedacht werden. Es ist die Ordnung der Begriffe in den Aussagen, die die Schlussfolgerung der Syllogismen ergeben; diese Begriffe drücken die individuellen Intelligibilia aus.[4] So ist die wesentliche Ordnung der Intelligibilia eine syllogistische, d. h. syllogistisch bezüglich der aufeinanderfolgenden Schritte der Argumente, die, angefangen bei der ersten Prämisse, schrittweise fortschreiten, um den Rest der Behauptungen zu beweisen, die die Wirklichkeit darstellen sollen. Und weil diese Intelligibilia allesamt die Struktur des Universums widerspiegeln, was in der theoretischen Philosophie behandelt wird, so ist die wesentliche Struktur des Universums eine syllogistische.

---

[4] So ausgeführt in Avicenna: Erörterungen (Mubāḥaṯāt), Bīdārfar § 237; übersetzt in Gutas: Avicenna, 166, L12 §3.

Das menschliche Glück liegt demnach in der nachdenkenden Tätigkeit der rationalen Seele, d. h. darin, durch die Nachahmung der unsterblichen Intellekte in den himmlischen Sphären diese Intelligibilia anzuschauen. Eine Analyse dessen, wie sich der menschliche Intellekt zu den Intelligibilia verhält und auf welchem Wege er sie sich aneignen kann, zeigt Avicennas Erkenntnistheorie.

Es gibt vier verschiedene Beziehungen zu den Intelligibilia für die menschliche rationale Seele oder den Intellekt. Wenn die rationale Seele erstmalig mit einem Menschen verbunden ist, wie bei einem Kind, so ist ihre Beziehung zu den Intelligibilia reine Potentialität; sie besitzt die Fähigkeit, sie zu erwerben, aber sie vollzieht diesen Erwerb noch nicht. In dieser Beziehung zu den Intelligibilia wird sie materieller Intellekt genannt, insofern sie potentiell im Sinne der reinen Materie ist, und nicht, weil sie mit der Materie vermischt wäre. Wenn der Intellekt später die primären Intelligibilia erwirbt, die axiomatische und selbst-evidente Universal-Begriffe sind, so ist seine Beziehung zu den Intelligibilia zweiter Ordnung (die oben beschrieben wurden) die eines möglichen Erwerbs, eine Beziehung also, in welcher der Intellekt darüber verfügen kann, die Intelligibilia zu erwerben. Er wird deshalb Intellekt *in habitu* (habitueller Intellekt) genannt. Wenn die Beziehung des Intellektes zu den Intelligibilia dergestalt ist, daß der Intellekt sie bereits in bestimmten Momenten erworben hat und deshalb in der Lage ist, sie sich jederzeit wieder zu vergegenwärtigen, sie jedoch nicht in diesem Moment denkt, so wird dieser Intellekt der Intellekt *in effectu* (aktueller Intellekt) genannt. Und wenn er die Intelligibilia aktuell denkt, wird er der erworbene Intellekt genannt.[5]

Die zentrale Frage in der Diskussion um die Beziehung des menschlichen Intellekts zu den Intelligibilia ist die, wie gerade der Intellekt die Intelligibilia erwerben kann, d. h., wie der Intellekt sich entwickelt von einem Intellekt *in habitu* zu einem erworbenen oder einem Intellekt *in effectu* (die beiden letzten Bestimmungen des Intellekts beschreiben wesentlich denselben Zustand, ausgenommen, dass der erste zum je gegenwärtigen Zeitpunkt aktuell denkt, der zweite jedoch nicht). Avicenna heftet sich bei der Beantwortung dieser Frage sehr eng an die Tradition der aristotelischen Logik. Die Schlussfolgerungen von Syllogismen, d. h. die Intelligibilia, werden dann erreicht, wenn der Mittelbegriff gefunden ist. Avicenna baut seine gesamte Erkenntnistheorie auf der Auffindung des Mittelbegriffes auf. Da aber das menschliche Glück, wie schon erwähnt, von der Erkenntnis der Intelligibilia abhängig ist, folgte auch seine Erlösungslehre, also das Ziel aller philosophischen Tätigkeit, diesem Konzept.

---

[5] Rahman, Avicennas De Anima, 48–49. Siehe auch die Übersetzung und Analyse dieser Stelle in Hasse, Vier Intellekte, 28–40.

Wie der Mittelbegriff aufzufinden sei, beschäftigte Avicenna während seiner gesamten Laufbahn, und er verbesserte ständig seine Lehre und arbeitete deren Implikationen aus. Kurz dargestellt: Die Intelligibilia existieren aktuell nur in den himmlischen Intellekten, wie bereits erwähnt, und zwar dergestalt, dass die ewige Tätigkeit dieser Intellekte daraus besteht, sie zu denken. Dies bedeutet, dass alle Intelligibilia, die als Mittelbegriffe in Syllogismen dienen können, auch in den himmlischen Intellekten existieren. Spezifiziert man dies mit Blick auf das Ziel menschlicher Erkenntnis, so existieren sie im Intellekt der irdischen Welt, der als aktiver Intellekt bezeichnet wird. Diese Mittelbegriff-Intelligibilia können nirgendwo anders existieren. Avicenna lässt keine platonischen Ideen gelten, und sie können offensichtlich auch nicht im menschlichen Intellekt ihre Existenz haben, wenn er sie nicht gerade denkt. Mit anderen Worten: Wenn sie einmal erworben worden sind, so können die Intelligibilia nicht in der Denkkraft (im Geiste) gespeichert werden, da ein Gespeichert-Werden in ihrem Fall identisch ist mit einem Gedacht-Werden. Aber da wir sie offenkundig nicht ständig denken, müssen sie irgendwo anders existieren, und der einzige Ort hierfür ist der aktive Intellekt. Folgerichtig bedeutet die Entdeckung des Mittelbegriffs für den menschlichen Intellekt, dass er ihn vom aktiven Intellekt erwirbt. Und dies genau meinte Avicenna, wenn er vom Kontakt des menschlichen und des aktiven Intellekts sprach. Avicenna beschrieb den Prozess dieses Kontakts auf zwei Arten, die davon abhängig waren, ob er vom Standpunkt des aktiven oder des menschlichen Intellekts argumentierte. Im ersten Falle handelt es sich um einen Prozess, den er ein „göttliches Ausströmen" *(al-fayḍ al-ilāhī)* nennt, um eine Emanation der Intelligibilia in den menschlichen Intellekt. Vom Standpunkt des menschlichen Intellekts gesehen, beschrieb Avicenna den Prozess der Entdeckung des Mittelbegriffs als Intuition *(ḥads)*. Angeregt wurde Avicenna durch Aristoteles' Behandlung der Intuition in der „Zweiten Analytik" (I, 34, 89b10–11), in der er sie als die Fähigkeit spontan „richtig den Mittelbegriff zu treffen" *(eustochia, ḥusnu ḥadsin* in der arabischen Übersetzung) bezeichnet. Dies wurde zum Fundament seiner Erkenntnistheorie.

Wenn nun alle Mittelbegriffe ihren Ort im aktiven Intellekt haben, stellt sich die Frage, wie die Menschen einen Zugang dazu bekommen können oder wie genau die Intuition funktioniert. Avicenna vertrat anfangs noch die These, dass alles Lernen oder jeder Erwerb der Mittelbegriffe entweder durch Anleitung oder Intuition zustande kommt; aber nachdem er sich vergegenwärtigt hatte, dass auch die Anleitung letzten Endes auf Intuition basiert (der theoretische erste Lehrer musste notwendigerweise allein durch die Intuition lernen), ließ er den Begriff der Anleitung fallen und führte statt dessen den Begriff der Reflexion ein. Die Reflexion und das Denken sind in der Abstraktion und der logischen Analyse begründet und bereiten den Intellekt auf die Intuition vor, um vom aktiven Intellekt den Mittelbegriff zu empfangen. Diesen Prozess beschreibt er in seinen späteren „Erörterungen" so, dass die Reflexion ein Netz in ein aussichtsreiches Gebiet auswirft, wo der Mittelbegriff sich befinden könnte, um ihn dort einzufangen.[6] Avicennas zahlreiche Aussagen in diesem Kontext machen ganz deutlich, dass das „göttliche Ausströmen" niemals automatisch stattfindet und niemals durch den aktiven Intellekt eingeleitet wird. Tatsächlich wird das gesamte Konzept der Emanation der Intelligibilia bei Avicenna niemals jenseits dieser bloßen Beschreibung entwickelt, während der Prozess der Beweisführung, der in der Auffindung des Mittelbegriffes gipfelt, sorgfältig und tiefgreifend in einer Anzahl von Werken analysiert wird. Von diesem Standpunkt aus betrachtet scheint der aktive Intellekt keinem anderen Zweck zu dienen, als Aufbewahrungsort der Mittelbegriff-Intelligibilia zu sein; sonst ist er im Prozess des menschlichen Denkens vollkommen untätig.

Die Fähigkeit der Menschen den Mittelbegriff aufzufinden, ist unterschiedlich und hängt davon ab, wie schnell und wie häufig sie ihn durch Intuition erfassen können. Einige Menschen sind völlig hilflos dabei, andere bedürfen häufig der Anleitung oder einer vorbereitenden logischen Analyse, bevor sie erfolgreich sind, während andere nur in geringem Maße der Reflexion bedürfen, da sie in kurzer Zeit die Mittelbegriffe intuitiv erfassen können. Im anderen Extremfalle steht das seltene und einzigartige Individuum mit einer „starken Seele", das alle Mittelbegriffe in kürzester Zeit und gänzlich ohne Reflexion intuitiv erfassen kann. Diese Person ist der Prophet. Seinem Intellekt werden die im aktiven Intellekt enthaltenen Intelligibilia nahezu auf einmal eingeprägt. Jedoch weist Avicenna darauf hin, dass dieser Prozeß keine unkritische Aufnahme der Intelligibilia durch bloße Autorität darstellt, sondern dass er der strengen syllogistischen Ordnung der Intelligibilia folgt, wie sie im aktiven Intellekt existieren. Diese syllogistische Ordnung enthält die Mittelbegriffe.[7] In dieser Hinsicht zeigt der Vorgang, durch den der Prophet sein Wissen erlangt, keinen Unterschied zu dem der anderen Menschen, ausgenommen, dass der Prophet eine vollständig entwickelte Kraft der Intuition besitzt. Deshalb ist sein Intellekt *in habitu*, auf dessen Niveau die Intuition stattfindet, der stärkste und wird von Avicenna der heilige Intellekt genannt. Auf diese Weise gewährt die Aufnahme der Intelligibilia dem Propheten die Inhalte der Offenbarung, die sich als identisch mit den Inhalten der Philosophie erweisen.

Dies ist der intellektbezogene Aspekt der Prophezeiung. Avicenna kennt

---

[6] Mubāḥaṯāt, § 600, Bīdārfar.
[7] Vgl. die Gesamtdarstellung zu diesem Thema in Gutas, Avicenna: De Anima V 6.

noch zwei weitere Aspekte; einer bezieht sich auf das Vorstellungsvermögen und der andere auf das Bewegungsvermögen des Propheten, wobei beide in ihm über das durchschnittliche Maß hinaus entwickelt sind. Das Vorstellungsvermögen des Propheten ist auch in der Lage, aus der himmlischen Welt Bilder und Geräusche zu empfangen, die mit der Offenbarung zusammenhängen. Diese Bilder und Geräusche gibt das Vorstellungsvermögen in wahrnehmbaren und hörbaren Botschaften wieder: Daraus besteht der Text der Offenbarung, der den Menschen vorgetragen wird. Dies verhält sich deshalb notwendigerweise so, weil die syllogistische Form, in welcher der Intellekt des Propheten die Intelligibilia aufgenommen hat, von der Mehrheit der Menschen nicht verstanden wird. Dieser Mechanismus, durch den das Vorstellungsvermögen zugänglich ist für Einflüsse der überirdischen Welt der Himmelssphäre, verursacht auch bei einigen Menschen prophetische Träume. Schließlich hat der Prophet auch ein vollständig entwickeltes Bewegungsvermögen, und seine Seele kann dementsprechend nicht nur Teile seines eigenen Körpers bewegen und beeinflussen – dies vermag jede Seele –, sondern auch Körper außerhalb seiner selbst. Dies ist eine Art Telekinese (Beeinflussung ohne Körper-Kontakt), die auch an anderer Stelle beobachtet werden kann, z. B. als der Einfluss des Mondes auf Ebbe und Flut, als Folgen des bösen Blickes und im Falle von Menschen mit bösartigen Absichten als Magie. Der Prophet setzt diese Fähigkeit zu nutzbringenden Zwecken ein, namentlich um Wunder zu vollbringen, die die Wahrheit der Worte des Propheten unter Beweis stellen sollen. Es leuchtet also ein, daß Avicennas Interesse an alldem nicht dem Aufweis der Einzigartigkeit des Propheten gilt, was ihn philosophisch und wissenschaftlich unerklärbar werden ließe, sondern er will im Kontext der aristotelischen und neuplatonischen Theorie der Seele die Grundoperationen der menschlichen Seele entdecken und darstellen, die alle beobachtbaren psychischen Phänomene erklären – z. B. auch die prophetischen Träume, den bösen Blick und in Extremfällen auch die Prophetie.

Wenden wir uns wieder dem Prozess der intellektualen Erkenntnis zu und fassen wir zusammen: Der Intellekt *in habitu* ist im Besitz der primären Intelligibilia und nach den Prozessen der Beweisführung, welche die Reflexion und die Abstraktion einschließen, in der Lage, den Mittelbegriff in jedem Syllogismus aufzufinden, die Schlussfolgerung zu erwerben, die den Begriff eines Intelligiblen darstellt, und – als Ergebnis – zum Intellekt *in effectu* oder zum erworbenen Intellekt zu werden. Vermittels der Logik kann der menschliche Intellekt die Intelligibilia denken, die ebenso Gedachtes der Himmelssphären sind, und er kann auf diese Weise die Struktur der Wirklichkeit in sich selbst abbilden, wie sie sich in den Intelligibilia widerspiegelt. Jedoch ist dieses Abbild der Intelligibilia im menschlichen Intellekt nicht vollkommen, und zwar aus mehreren Gründen: Da alle

Menschen an die Zeitlichkeit gebunden sind, ist auch die Auffindung und Wahrnehmung der Intelligibilia bei den Menschen eine an die Zeitlichkeit gebundene Abfolge. Dies steht im Gegensatz zu der unzeitlichen Wahrnehmung der Intelligibilia durch die Himmelssphären. Bedeutsamer als dies ist jedoch die Tatsache, dass der menschliche Intellekt dem Körper eng verbunden ist, was sich als Hinderungsgrund für den Intellekt erweist, die Intelligibilia zu denken, und ihn auf verschiedene Weise davon ablenkt. In diesem Zusammenhang führt Avicenna in seiner Analyse der rationalen Seele Überlegungen ein, die medizinischer, ethischer und politischer Natur sind.

Wir hatten bereits erwähnt, dass eine der beiden Funktionen der rationalen Seele das Treffen rationaler Entscheidungen ist, die zu rechtem Handeln führen und als Folge die rationale Seele in ihrer Vervollkommnung fördern. Die rationalen Entscheidungen müssen den anderen Kräften (der begehrlichen Kraft und der aggressiven Kraft), die den Körper beherrschen, annehmbar sein, damit die jeweilige Person die rechten Handlungen ausführen kann. Mit anderen Worten: Die rationale Seele muss die begehrliche Seele *(epithymētikē, šahwānī)* und die aggressive Seele *(thymoeidēs, ġaḍabī)* unterjochen. Dies ist der Fall, wenn eine Person gute Gewohnheiten oder einen ausgezeichneten Charakter hat. Gewohnheiten oder Charaktereigenschaften sind jedoch wissenschaftlich oder medizinisch gesprochen eine Funktion der körperlichen Verfassung; in der Humorallehre Galens, der Avicenna folgt, sind sie abhängig vom Temperament des Körpers oder seiner ihm eigenen Mischung der vier Kardinalsäfte, Blut, Schleim, schwarze Galle und gelbe Galle. Das Überwiegen eines der Säfte im Vergleich zu den anderen führt zu bestimmten vorherrschenden Charaktereigenschaften der Individuen. Ein Phlegmatiker ist derjenige, dessen Temperament durch den Schleim (Phlegma) beherrscht wird; das Temperament des Melancholikers wird durch die schwarze Galle beeinflusst usw. Dieses Ungleichgewicht in der Humoralverfassung der Individuen verursacht das Ungleichgewicht des Charakters, d. h. des schlechten Charakters, während ein ausgezeichneter Charakter das Resultat eines Gleichgewichtes des Temperamentes ist (woher auch das Wort Gleichmut im Deutschen herrührt).

Es gilt als bekannte Tatsache, dass Temperamente sich ändern, was zur Folge hat, dass auch Charaktereigenschaften sich dadurch ändern. Um den schlechten Charakter einer Person zu verbessern, muß ihr Temperament verändert werden. Dies kann in vieler Hinsicht erfolgen, chemisch wie verhaltenspsychologisch, wie wir heute sagen würden. Diät und Medikation sind die naheliegenden Maßnahmen, um die Veränderung des Charakters einer Person zu erzielen. Eine melancholische Person sollte beispielsweise warme Flüssigkeiten zu sich nehmen, um die Eigenschaften ihres vorherr-

schenden Saftes (schwarze Galle, die kalt und trocken ist) auszugleichen.
Eine Änderung des Verhaltens kann demgegenüber erzielt werden durch
das Befolgen von Regeln, die in ethischen Schriften aufgeführt sind, und
durch die Erfüllung von Pflichten und Übungen, die im religiösen Gesetz
vom Propheten festgelegt sind. Tugendhafte Lebensführung, Gebet, Fasten,
Wallfahrten und dergleichen dienen alle der Absicht, das Temperament
auszugleichen und der Person einen ausgezeichneten Charakter zuteil werden zu lassen. Sie dienen auch dazu, die körperbezogenen Seelenvermögen, das begehrliche und aggressive, der rationalen Seele dienend unterzu-
ordnen. Indem die körperbezogenen Seelenvermögen derartig untergeordnet werden, kann die rationale Seele sich auf ihrem Weg zur Glückseligkeit
auf ihre Hauptaufgabe konzentrieren: das rationale Nachdenken bzw. die
Auffindung der Mittelbegriffe oder die Intuition. Das erklärt übrigens, warum Avicenna in seiner Autobiographie erwähnt, dass er, wenn er bei Auffindung der Mittelbegriffe Schwierigkeiten habe, in die Moschee zum Beten gehe und dann zu Hause mit Hilfe von etwas Wein weiterstudiere: Wie
bekannt war in der antiken und mittelalterlichen Pharmakologie, bewirkte
Wein das Ausgleichen der körperlichen Säfte. Je ausgeglichener ein Temperament ist, desto besser ist eine Person in der Lage, ausgezeichnete Eigenschaften sowohl in der Lebensführung als auch in der Erkenntnis zu
entwickeln.

Avicenna vertritt diese Position, indem er den spezifischen Unterschied
zwischen der rationalen Seele und den himmlischen Sphären betrachtet.
Beide sind Substanzen, deren Wesen es ist, die Intelligibilia zu denken; sie
unterscheiden sich aber in der Natur ihrer Körper, denen sie angehören.
Der menschliche Intellekt ist mit einem Körper verbunden, der aus einer
Mischung der vier Elemente besteht, die zusammen die vier Säfte und
deren einander entgegengesetzte Eigenschaften (heiß, kalt, feucht, trocken) bilden. Die Himmelssphären hingegen, deren Denken der Intelligibilia ununterbrochen und vollkommen ist, sind nicht so aufgebaut und
dementsprechend fehlen ihnen gänzlich diese einander entgegengesetzten
Eigenschaften. Deshalb leuchtet es ein, dass die Verbindung mit diesen
einander entgegengesetzten Eigenschaften und das daraus resultierende
Ungleichgewicht im Aufbau des menschlichen Körpers die rationale Seele
daran hindert, die Mittelbegriffe intuitiv zu erfassen oder, anders gesagt,
die göttliche Ausströmung vom aktiven Intellekt zu empfangen. Aus diesem Grund ist die Person am geeignetsten, diese Ausströmung zu empfangen, deren Temperament einem ausgeglichenen Zustand am nächsten
kommt. Dennoch sind die Menschen, wie ausgeglichen ihre Temperamente
auch sein mögen, nicht vollkommen frei von Mängeln, die durch ihre Verbindung mit den einander entgegengesetzten Eigenschaften auftreten. Solange die rationale Seele mit dem menschlichen Körper verbunden ist,

kann niemand ganz in der Lage sein, alle Intelligibilia vollkommen zu denken (oder das göttliche Ausströmen zu empfangen); aber er kann sich diesem Ziel asymptotisch annähern, indem er alle Mühe aufwendet, durch das Studium und eine tugendhafte Lebensführung ein ausgeglichenes Temperament zu erlangen, dem diejenigen einander entgegengesetzten Eigenschaften fehlen, die ihn an der Aufnahme der göttlichen Ausströmung hindern. Wenn dies geschieht, so erreicht er eine gewisse Ähnlichkeit mit den Himmelssphären. Auf dieser Stufe ist er in der Lage, sich die Intelligibilia, wenn er sie nicht aktuell denkt (also wenn sein Intellekt kein erworbener Intellekt ist), zu vergegenwärtigen, wann immer er es wünscht (sein Intellekt ist dann ständig *in effectu*). Die rationale Seele wird dann, wie Avicenna mehrmals erwähnt, „wie ein glänzender Spiegel, auf dem sich die Formen der Dinge, wie sie in sich selbst sind (d. h. die Intelligibilia), ohne jede Verzerrung widerspiegeln"[8]. Daraus besteht das Studium der theoretischen philosophischen Wissenschaften.

Vollkommen und ununterbrochen denkt die rationale Seele die Intelligibilia nur, wenn sie durch den Tod vom Körper abgetrennt wird und nachdem sie die rechte Erkenntnis erlangt und die rechten Handlungen ausgeführt hat. In diesem posthumen Zustand wird die rationale Seele die Intelligibilia so präzise denken wie die Intellekte der Himmelssphären und ihnen ähnlich werden. Dies ist der endgültige Zustand der Glückseligkeit.

In dem System des Avicenna werden das Mittel des Denkens (der menschliche Intellekt), der Prozess des Denkens (das Auffinden des Mittelbegriffs), die Methode des Denkens (Logik) und die Objekte des Denkens (die Intelligibilia) in einer wechselseitig sich erläuternden und voneinander abhängenden Beziehung zusammengeführt. Verschiedene Zweige der aristotelischen Tradition der Philosophie werden harmonisiert und in Beziehung zueinander gesetzt. Die Theorie der Seele liefert das Gerüst, in dem die Erkenntnistheorie durch die Logik eine Kosmologie (oder Ontologie) widerspiegelt, die wiederum die Theorie der Seele voraussetzt. Praktische Philosophie in Gestalt einer Ethik und religiöses Gesetz sind ebenso in das System eingegliedert wie die Medizin, die der gesamten Untersuchung der rationalen Seele ein biologisches Fundament verleiht.

Es handelt sich um einen zwingenden theoretischen Entwurf, der eine integrative Schau des Universums und der Stellung des Menschen in ihm bietet und besonders wegen seiner grundlegenden Rationalität gewirkt hat. So erwies er sich im arabischen Osten als unwiderstehlich und beherrschte die Philosophie und das intellektuelle Leben bis in das moderne Zeitalter hinein. Er war Anlass für eine Kommentartradition und weiteren Ausarbeitungen, die in arabischer Sprache von Philosophen aristotelischer oder

---

[8] „Über die rationale Seele", in: Gutas, Avicenna, 74–75.

avicennischer Provenienz bis in das späte Osmanische Reich (bis zur Tulpen-Periode der ersten Hälfte des 18. Jh) fortgesetzt wurden. Darüber hinaus war die nachdrückliche Beschäftigung mit den Erkenntnis-Modalitäten der rationalen Seele, die den Tod des Körpers überdauert, von gewaltigem Einfluss auf die Entwicklung der illuminatorischen Philosophie des Suhrawardī von Aleppo († 1193) und die mystische Theorien des Ibn-ʻArabī († 1240). Beide wurden später in die Werke der schiitischen Philosophen einbezogen, die seit der Epoche der Safaviden im frühen 16. Jh. wirkten. Diese durch Mīr Dāmād († 1632) eingeleitete Bewegung, die von seinem Schüler Mullā Ṣadrā († 1640) weiterentwickelt wurde, setzte sich bei den teilweise auf Persisch schreibenden iranischen Philosophen bis in die Gegenwart fort. Im arabischen Westen, wo Farabi am einflußreichsten wirkte, rief Avicennas integrativer Systementwurf – jenseits aristotelischer Textnähe – heftige Reaktionen beim andalusischen Averroes († 1198) hervor, der für einen ursprungsorientierteren Aristotelismus eintrat. Averroes wie Avicenna wurden beide ins Lateinische übersetzt, doch Avicenna nur in einer wenig repräsentativen Weise, da seine Übersetzer, die im Westen arbeiteten, die Vorurteile der andalusischen Philosophen teilten. Während der lateinische Averroismus bereits gründlich studiert ist, gewinnt der lateinische Avicenna, der ebenso bedeutend war, zunehmend an Aufmerksamkeit, und eine weitere Beschäftigung mit seiner Philosophie dürfte sich zukünftig als lohnend erweisen.

Aus dem Englischen übersetzt von Kerstin Gevatter

Auswahlbibliographie

Quellentexte
1. Kitāb al-Shifāʼ, hrsg. I. Madkour u. a., 22 Bde., Kairo 1952–83.
Avicenna Latinus, hrsg. S. van Riet, Leiden 1968 ff. Mittelalterliche Übersetzung der Šifāʼ. Bisher erschienen:
Liber De anima seu Sextus de Naturalibus, 2 Bde., 1968–1972.
Liber De Philosophia Prima sive Scientia Divina, 3 Bde., 1977–1983.
Liber Primus Naturalium. Tractatus primus de causis et principiis naturalium, 1993.
Liber Tertius Naturalium. De generatione et corruptione, 1987.
Liber Quartus Naturalium. De actionibus et passionibus, 1989.
The Propositional Logic of Avicenna, Dordrecht/Boston 1973 [Englische Übersetzung des Ersten Analytik-Teiles der Šifāʼ v. N. Shehaby].
Avicenna's De anima, being the psychological part of Kitāb al-Shifāʼ, hrsg. F. Rahman, Oxford 1959 [Arabischer Text].
La Métaphysique du Šifāʼ, Paris 1978–85 [Französische Übersetzung v. G. C. Anawati].
Avicenna's Metaphysics, im Druck [Englische Übersetzung der Ilāhiyyāt der Šifāʼ v. M. E. Marmura].

2. Kitāb an-Naǧāt, Cairo 1331/1912

Avicenna's Psychology, Oxford 1952 [Englische Übersetzung des De anima-Teiles der an-Naǧāt, Buch II,6, v. F. Rahman].

3) Al-Išārāt wa-t-Tanbīhāt, hrsg. S. Dunyā, 4 Bde., Kairo 1960–68.

Ibn Sīnā, Livre des Directives et Remarques, hrsg. A.-M. Goichon, Beirut/Paris 1951.

4) al-Mubāhaṭāt, hrsg. M. Bīdārfar, Qum 1413/1992.

Sekundärliteratur

Art. Avicenna, in: Encyclopaedia Iranica, hrsg. E. Yarshater, Bd. III, 1987, 66–110.

Davidson, H. A.: Alfarabi, Avicenna, & Averroes, on Intellect, Oxford 1992.

Gohlman, W. E.: The Life of Ibn Sina, New York 1974.

Goodman, L. E.: Avicenna, London 1992.

Gutas, D.: Avicenna and the Aristotelian Tradition, Leiden 1988.

Gutas, D.: Avicenna: De anima V 6. Über die Seele, über Intuition und Prophetie, in: Interpretationen. Hauptwerke der Philosophie. Mittelalter, hrsg. K. Flasch, Stuttgart 1998, 90–107.

Hasse, D. N.: Avicenna's De anima in the Latin West. The Formation of a Peripatetic Philosophy of the Soul, 1160–1300, London 2000.

Hasse, D. N.: Das Lehrstück von den vier Intellekten in der Scholastik: von den arabischen Quellen bis zu Albertus Magnus, in: Recherches de Theologie et Philosophie Medievales 66, 1 (1999) 21–77.

Janssens, J.: An Annotated Bibliography of Ibn Sīnā (1970–1989), Leuven 1991; First Supplement (1990–1994), Leuven 1999.

Maróth, M.: Ibn Sīnā und die peripatetische „Aussagenlogik", Budapest/Leiden 1989.

Michot, J. R.: La destinée de l'homme selon Avicenne, Louvain 1986.

Rahman, F.: Prophecy in Islam, Chicago 1958.

ANSELM VON CANTERBURY

Gottesbeweise

Von Burkhard Mojsisch

Anselm von Canterbury war ohne Zweifel einer der wichtigsten Philosophen des Mittelalters, und dies, obwohl man in seinen Schriften den Terminus 'Philosophie' vergeblich sucht. Dennoch fehlt das unter methodischer Perspektive Philosophische an der Philosophie, nämlich die vernünftige Argumentation, gerade im Zusammenhang mit den von Anselm vorgelegten Gottesbeweisen nicht.

Bevor diese jedoch analysiert werden sollen, kurz einige Daten aus Anselms Leben: Anselm ist 1033 in Aosta geboren. Nach frühzeitigem Tod der Mutter und Streit mit dem Vater verließ Anselm Italien und begab sich 1056 nach Frankreich, wo er nach 3 Jahren Bildungswanderschaft gezielt ins Auge fasste, im Kloster Bec in der Normandie bei dem damals angesehenen Dialektik-Lehrer Lanfrank zu studieren. Nach einiger Zeit beschloss Anselm, Mönch zu werden, und schon 1063 ist er als Prior des Klosters Bec bezeugt. Darauf folgten dreißig Jahre intensiver schriftstellerischer Tätigkeit. 1093 übernahm Anselm dann das Amt, das vor ihm Lanfrank innehatte: Er wurde Erzbischof von Canterbury. Wegen seiner unnachgiebigen Haltung im englischen Investiturstreit musste Anselm zweimal das Land verlassen und lebte teils in Frankreich, teils in Italien. Er starb 1109, nicht ohne kurz vor seinem Tod noch dem Bedauern Ausdruck gegeben zu haben, dass er seine geplante Schrift über die Seele nun nicht mehr werde schreiben können.[1]

Umso erfreulicher ist es, dass Anselms Erstlingswerke erhalten sind: Es handelt sich um das ›Monologion‹ (Selbstgespräch), das Anselm 1076 verfasst hat, und das 1077/78 konzipierte ›Proslogion‹ (Anrede). Die ursprünglichen Titel dieser Schriften lassen Anselms Generalintention besser erkennen; sowohl im Werk ›Exemplum meditandi de ratione fidei‹[2] (Ein Beispiel, wie man sich denkend von der Begründung des Glaubens Rechenschaft gibt) – also im ›Monologion‹ – als auch in dem Büchlein ›Fides

---

[1] Zur Biographie Anselms vgl.: Southern. – Vgl. auch: Hödl.
[2] Anselmus Cantuariensis, Prosl., prooem., in: Opera omnia I, 93, 2 f.; 94, 6 f.

quaerens intellectum‹[3] (Der Glaube, der nach Einsicht verlangt) – also im ›Proslogion‹ – geht es um den Glauben, genauer: um Grundinhalte des Glaubens, in der ersten Schrift nämlich um die Wesenheit der Gottheit, in der zweiten um die wahrhafte (oder auch: notwendige) Existenz Gottes. Diese Inhalte des Glaubens sollen aber nicht aus dem Glauben selbst heraus ermittelt werden; schon die ursprünglichen Titel zeigen an, dass es einer vernünftigen Begründung des Glaubens bedarf, einer Begründung aufgrund von Einsicht. Anselms methodisches Programm lautet dann auch, *sola cogitatione*[4] („einzig mit den Mitteln des Denkens") oder *sola ratione*[5] („einzig mit den Mitteln der Vernunft") das herauszustellen, was bei einem vorgegebenen Glaubensinhalt früher noch nicht bedacht worden ist[6], und zwar ohne Rekurs auf jedwede Autorität. Anselm selbst war jedenfalls der Ansicht, dass es zur Begründung von Glaubensinhalten der Notwendigkeit vernünftiger Argumentation *(rationis necessitas*[7]*)* bedarf. Es war die Verknüpfung von Glaubenswissenschaft und argumentativ prozedierender Dialektik, die Anselm nicht nur für wünschenswert, sondern für zwingend geboten erachtete, wobei aber immer dann, wenn dialektisch argumentiert wurde, der Glaubenswissenschaft als solcher keine Einrede gestattet war. Das ging sogar so weit, dass Anselm im ›Proslogion‹ ein Argument ersann, das sich selbst beweisen können sollte.[8] Das war im 11. Jh. eine erstaunliche Konzession an die Philosophie: Die philosophische Dialektik sollte nach Anselm nicht nur in Dienst genommen werden dürfen, um ihr Äußerliches zu beweisen; der Wert der philosophischen Dialektik war ihr vielmehr immanent, indem sie sich aus sich selbst heraus argumentativ zu entfalten in der Lage war.

Im ›Monologion‹ versucht Anselm zunächst, mit vier Argumenten zu demonstrieren, was die eine göttliche Natur ist, mag man sie nun kennen oder nie von ihr etwas gehört haben.

1. Alle streben nur das zu genießen an, was sie für Güter halten. Diese Mannigfaltigkeit der Güter in ihrer so vielfachen Verschiedenheit wird mit den Körpersinnen erfahren und mit der geistigen Vernunft unterschieden. Dann aber erhebt sich die Frage, ob es *ein* Etwas ist, durch welches Eine alle Güter als Güter *sind,* oder ob die einen Güter durch Eines, die anderen

---

[3] Anselm., Prosl., prooem., in: Opera omnia I, 94, 7.

[4] Anselm., Monol., prol., in: Opera omnia I, 8, 18.

[5] Anselm., Monol. 1, in: Opera omnia I, 13, 11. – Vgl. zu Anselms Vernunftmethode: Schmitt 12–18.

[6] Vgl. Anselm., Monol., prol., in: Opera omnia I, 8, 19.

[7] Anselm., Monol., prol., in: Opera omnia I, 7, 10.

[8] Vgl. Anselm., Prosl., prooem., in: Opera omnia I, 93, 6f.: ... *unum argumentum, quod nullo alio ad se probandum quam se solo indigeret* ...

Güter durch Anderes sind. Es ist jedoch gänzlich gewiss, dass alles Diffe-
rente nicht wieder durch Differentes ausgesagt werden kann – weil sich so
nämlich ein unstatthafter *Regressus in infinitum* ergäbe –, sondern ein Eines voraussetzt, das als Identisches im Differenten, als *unum in diversis,*
begriffen wird, mag dieses Identische auch im Differenten auf gleiche oder
ungleiche Weise betrachtet werden[9] – übrigens ein platonisch-neuplatoni-
sches Argument[10], ohne dass Anselm dies jedoch anzeigte. Wenn das aber
generell gilt, dann trifft im Besonderen zu: Alle Güter setzen *ein* Gut voraus, durch das gut ist, was auch immer gut ist.[11]

2. Dieses *eine Etwas,* durch das gut ist, was immer gut ist, ist zugleich
auch ein großes Gut, weil es einzig durch sich selbst gut ist.[12] Während das
höchste Gut aber durch seinen Mitteilungscharakter ausgezeichnet ist, ist
es das höchst Große durch sein Durch-sich-selbst-Sein. Denn wäre das
höchst Große nicht durch sich selbst, gehörte es zum Bereich des different
Großen, das selbst aber gleichwohl etwas voraussetzte, das durch sich groß
wäre. Das *eine* Etwas ist somit nicht nur höchst gut, sondern auch höchst
groß, freilich nicht quantitativ, sondern qualitativ groß – wie die Weisheit.[13]

3. Alles, was ist, scheint durch *ein* Etwas zu sein. Dann erhebt sich aber
das Problem, ob das *eine* Etwas *eines* oder *mehreres* ist, durch das alles ist,
was ist. Ist es nun mehreres, so sind diese Vielen auf ein Etwas zurückzuführen, durch das sie sind, oder diese Vielen sind jedes Einzelne durch sich,
oder diese Vielen sind durch sich gegenseitig. Ist nun Vieles auf Eines
zurückzuführen, hat sich das Problem erledigt, auch dann, wenn Vieles
durch sich besteht, weil dann die Vielen die *eine* Natur des Durch-sich-Be-
stehens voraussetzen. Dass aber Vieles durch sich wechselseitig ist, ist nach
Anselm ein unvernünftiger Gedanke, weil dann der Seinsspender von seinem durch ihn ins Sein begründeten Prinzipiat auch ins Sein begründet
würde. Es bleibt somit, dass es allein *ein* Etwas gibt, das nicht nur in höchster Weise gut und groß, sondern auch in höchster Weise seiend ist.[14]

4. Die Naturen der Dinge weisen eine Rangordnung auf; diese Vielheit
der Naturen findet aber ihren Abschluss – um erneut den unendlichen
Regress zu vermeiden – in einer Natur, von der gilt, dass sie keiner anderen
Natur untergeordnet ist. Das ist die eine Natur (oder Wesenheit), die das
höchste Gute, das höchste Große, das höchste Seiende (oder Subsistierende),
kurz: das Höchste von allem ist, was ist. Das ist die göttliche Natur.[15]

---

[9] Vgl. Anselm., Monol. 1, in: Opera omnia I, 13, 12–14, 13.
[10] Vgl.: Flasch.
[11] Vgl. Anselm., Monol. 1, in: Opera omnia I, 14, 28–15, 5.
[12] Vgl. Anselm., Monol. 1, in: Opera omnia I, 15, 4–7.
[13] Vgl. Anselm., Monol. 2, in: Opera omnia I, 15, 15–23.
[14] Vgl. Anselm., Monol. 3, in: Opera omnia I, 15, 27–16, 28.
[15] Vgl. Anselm., Monol. 4, in: Opera omnia I, 16, 31–18, 3.

Anselm selbst war jedoch unzufrieden mit dem Resultat dieser seiner Vernunftüberlegung, und zwar aus mindestens drei Gründen:

1. Seine Argumente erbrachten zwar den Nachweis, *was* die göttliche Natur ist, nämlich höchst Gutes, Großes, Seiendes, ja Höchstes schlechthin; *dass* die Gottheit aber *notwendig existiert*[16], war so noch nicht gezeigt.

2. Die im ›Monologion‹ exerzierte Vernunftüberlegung stützte sich auf *viele* Argumente. Für den Nachweis der notwendigen Existenz Gottes suchte Anselm aber nach *einem einzigen* Argument, das sich – wie bereits bemerkt – selbst sollte beweisen können.[17] Nach langer Suche, die er im 1. Kapitel des *Proslogion* beschreibt und die ihn an den Rand der Verzweiflung trieb, fand er endlich dieses *unum argumentum*.

3. Was Anselm aber an seinen vier Argumenten im ›Monologion‹ für besonders unzureichend gehalten haben dürfte, war der Umstand, dass er dem Denken nicht die Aufmerksamkeit geschenkt hatte, die es verdient gehabt hätte. Mit seinen Argumenten hatte er stets nur etwas Faktisches ermittelt, mochte es auch das Höchste von allem, was ist, sein. Denn ein potentieller Zweifler hätte immer noch vorbringen können, dass das *Nicht-Sein* des Höchsten von allem, das ist, zumindest doch *gedacht* werden könne. Um einem solchen potentiellen Zweifler zu begegnen, ging Anselm auf die Suche und entdeckte schließlich ein *einziges* Argument, das all seinen dialektischen Ansprüchen zu genügen schien. Vorformen dieses Arguments finden sich zwar schon bei Cicero und Seneca, Augustin und Boethius[18]; *wie* aber Anselm dieses Argument sich selbst entwickeln lässt, damit erkennbar wird, was es seit je verdeckt in sich enthält, ist ein gänzlich neuartiges dialektisches Philosophieren.

Anselms ›Proslogion‹-Argument ist der Aussage zu entnehmen: „Wir glauben, daß du (Gott) etwas bist, über das hinaus nichts Größeres gedacht werden kann" *(credimus te esse aliquid, quo nihil maius cogitari possit)*[19]. Anselm suspendiert nun alles, also auch den Gottes- und den Glaubens-

---

[16] Vgl. Anselm., Prosl., prooem., in: Opera omnia I, 93, 7: *... quia deus vere est ...*

[17] Vgl. Anselm., Prosl., prooem., in: Opera omnia I, 93, 2–10.

[18] Vgl. die Nachweise in dem (in vielen Hinsichten instruktiven) Beitrag von Schönberger, bes. 41, Anm. 113 (Es fehlt ein Hinweis auf Cicero); vgl. ergänzend: Mojsisch (Hrsg.) 127, Anm. 2.

[19] Anselm., Prosl. II, in: Mojsisch (Hrsg.) 50 f. – Eine Übersicht über die Forschungsliteratur des 20. Jh. bietet: Schrimpf 8–16, 59–67. Schrimpfs Übersetzung der Anselm-Gaunilo-Kontroverse ist allerdings mit Vorsicht zu genießen, da sie sich nicht nur an seiner Interpretationsrichtung orientiert, sondern als Übersetzung bereits durchgängig Interpretation ist. Ein Beispiel: *non est deus* wird mit „Gott ist nicht etwas" wiedergegeben (68); das „etwas" ist pure Erfindung des 'Übersetzers'.

begriff, was dem Argument „Etwas, über das hinaus nichts Größeres gedacht werden kann" nicht gemäß ist, um allein es in seiner Selbstexplikation zu verfolgen.

Diese Selbstexplikation des Arguments erfolgt in drei Reflexionsschrit-
ten, denen nun im Einzelnen nachgegangen werden soll:

1. Selbst der Tor, so sagt Anselm, muss, obwohl er die Existenz Gottes
bestreitet, Folgendes einräumen: Wenn er das Argument hört, versteht er,
was er hört; was er aber versteht, ist in seinem Verstande. Wenn aber etwas
im Verstande ist, so wird jedoch noch nicht verstanden, dass es in der
extramentalen Wirklichkeit existiert, also außerhalb des Verstandes Wirklichkeit besitzt. Denn, so Anselm, eines ist es, dass etwas im Verstande ist,
ein anderes aber, zu verstehen, dass etwas in Wirklichkeit existiert. Ein
Maler konzipiert etwa zunächst ein Kunstwerk, sodass es zwar in seinem
Verstande ist, ohne dass er freilich versteht, dass es außerhalb seines Verstandes existiert; hat der Maler aber ein Kunstwerk geschaffen, dann hat
er es im Verstande und versteht zugleich, dass es existiert, und zwar auch
außerhalb seines Verstandes.[20]

2. Der zweite Schritt des Arguments ist folgendermaßen aufgebaut:

A (These): Das „Etwas, über das hinaus nichts Größeres gedacht werden kann" kann nicht bloß im Verstande sein.

B (Begründung): Denn wenn es auch nur bloß im Verstande ist, kann
gedacht werden, dass es auch in Wirklichkeit existiert, was größer ist, sodass
das „Etwas, über das hinaus …" in seiner Realität ein Größeres ist als es
selbst, sofern es nur im Verstande ist.

C (Sicherung der Begründung): Wenn das „Etwas, über das hinaus …"
bloß im Verstande ist, dann ist das „Etwas, über das hinaus …" ein solches,
über das hinaus Größeres gedacht werden kann; das aber widerspräche
dem Begriff des „Etwas, über das hinaus …".

D (Konsequenz): Also existiert das „Etwas, über das hinaus …" sowohl
im Verstande als auch in Wirklichkeit.[21]

Diese reale Existenz des „Etwas, über das hinaus …" ist aber noch mit
Kontingenz behaftet. Denn alles, was *nur* existiert, *kann* auch *nicht existieren,* und zwar allein schon deshalb, weil seine *Nicht-Existenz gedacht* werden kann. Zum Beispiel kann das, was heute existiert, morgen schon nicht
mehr existieren; diese mögliche Nicht-Existenz kann aber schon heute *gedacht* werden. Von allem, was bloß existiert, gilt, dass es zumindest der
Möglichkeit nach auch nicht existiert, und zwar deshalb, weil seine mögliche Nicht-Existenz *gedacht* werden kann.

An dieser Stelle sei nur daran erinnert, wie wichtig der im *unum argu-*

---

[20] Vgl. Anselm., Prosl. II, in: Mojsisch (Hrsg.) 50–53.
[21] Vgl. Anselm., Prosl. II, in: Mojsisch (Hrsg.) 52 f.; vgl. auch: 128 f.

mentum selbst begegnende Begriff des Denkens für Anselm ist: Wer philosophische Systeme entwickelt, ohne den Begriff des Denkens zu berücksichtigen, fällt hinter Anselms Einsicht im ›Proslogion‹ zurück. Das gilt von allen
Ontologien und Henologien, also Theorien des Seins, des Seienden oder des
Einen. Diese Instanzen, mögen sie auch gegenüber allem Differenten Su-
periorität aufweisen, erlauben gleichwohl immer die Frage, ob nicht etwas
Größeres als sie zumindest *gedacht* werden kann. Anselm hat gegenüber
seinen Letztprinzipsbestimmungen aus dem ›Monologion‹ für sich selbst
genau diesen Einwand erhoben und für sich selbst zu entkräften versucht,
indem er seinem Argument im ›Proslogion‹ das Gedacht-Werden immanent
sein ließ: „Etwas, über das hinaus nichts Größeres *gedacht* werden kann".
Doch zurück zum Argumentationsverlauf! Als Zwischenresultat ist erreicht: Das „Etwas, über das hinaus …" ist sowohl im Verstande als auch
in Wirklichkeit, das heißt: Es ist nicht nur im Verstande, sondern wird zugleich vom Verstand als außerhalb des Verstandes existierend eingesehen.

3. In einem dritten und letzten Reflexionsschritt, der übrigens formal
wie der zweite strukturiert ist, wird der volle Gehalt des Arguments deutlich und das Ziel der Selbstentfaltung dieses Arguments erreicht:

A (These): Das „Etwas, über das hinaus nichts Größeres gedacht werden kann" kann als nicht-existierend nicht einmal gedacht werden.

B (Begründung): Denn es kann *gedacht* werden, dass etwas existiert, das
nicht als nicht-existierend gedacht werden kann, was ein Größeres ist als
das, was als nicht-existierend gedacht werden kann.

C (Sicherung der Begründung): Wenn das „Etwas, über das hinaus
nichts Größeres gedacht werden kann" als nicht-existierend gedacht werden kann, ist das „Etwas, über das hinaus …" nicht das „Etwas, über das
hinaus …" – ein unzutreffender Widerspruch.

D (Konsequenz): Also existiert das „Etwas, über das hinaus nichts
Größeres gedacht werden kann" so wahrhaft, dass es als nicht-existierend
nicht einmal gedacht werden kann.[22]

Damit ist für Anselm nicht nur die reale Existenz des „Etwas, über das
hinaus nichts Größeres gedacht werden kann" bewiesen, sondern auch
seine notwendige Existenz.

Erst nach dieser Gesamtargumentation bedient sich Anselm wieder des
Terminus 'Gott'[23]: Dieses argumentativ ermittelte notwendige Sein besitzt

---

[22] Vgl. Anselm., Prosl. III, in: Mojsisch (Hrsg.) 52–55; vgl. auch: 128 f.
[23] Vgl. Anselm., Prosl. III, in: Mojsisch (Hrsg.) 54 f.: *Et hoc es tu, domine, deus
noster. Sic ergo vere es, domine, deus meus, ut nec cogitari possis non esse.* („Und das
bist du, Herr, unser Gott. So wahrhaft existierst du also, Herr, mein Gott, dass dein
Nicht-Sein nicht einmal gedacht werden kann.") – In der folgenden Sentenz ersetzt
Anselm dann das *maius* durch *melius,* das „Größeres" durch „Besseres".

für Anselm allein Gott, da sich etwas Besseres als dieses notwendige Sein
nicht denken lässt. Indem Anselm jetzt das „größer" durch „besser" ersetzt, gibt er zu erkennen, dass für die einzelnen Reflexionsschritte des
Arguments der Fortgang von Besserem zu Bestem grundlegend ist: Besser
ist es für das „Etwas, über das hinaus nichts Größeres gedacht werden
kann", im Verstande zu sein, als gar nicht verstanden zu werden; besser ist
es für das „Etwas, über das hinaus ...", sowohl im Verstande zu sein als
auch als wirklich existierend verstanden zu werden; besser ist es für das
„Etwas, über das hinaus ...", mit Notwendigkeit zu sein, als nur so zu sein,
dass es auch als nicht-existierend gedacht werden könnte, also als nur kontingent zu sein. Notwendige Existenz ist somit das beste Sein, das einzig
der göttlichen Natur zuzuerkennen ist.

Für das 11. Jh. war damit viel gewonnen: Ohne sich aus sich selbst ent-
faltendes Denken, also ohne das *eine* Argument, wäre ein Hauptinhalt des
Glaubens, nämlich die notwendige Existenz Gottes, durch schlichtes Bestreiten seiner Gültigkeit zumindest dem Zweifel ausgesetzt gewesen. Das
Argument richtete sich zwar auf einen eminenten Glaubensinhalt, aber das
Verfahren selbst, dieses *eine* Argument sich ohne Rekurs auf Autoritäten
selbst entfalten zu lassen, war neu.

Zum Argument selbst nur noch eine Bemerkung: Dass das „Etwas, über
das hinaus nichts Größeres gedacht werden kann" überhaupt ein Glaubensinhalt sein sollte, war Anselms eigene Erfindung. Schon das war auch
ein Affront gegen die Glaubenswissenschaft. Diesen Affront versuchte Anselm im 15. Kapitel des ›Proslogion‹ jedoch abzuschwächen, indem er kon-
statierte: „Herr, du bist also nicht nur, über den hinaus Größeres nicht
gedacht werden kann, sondern du bist etwas Größeres, als gedacht werden
kann, weil nämlich gedacht werden kann, dass etwas Derartiges existiert."[24]
Damit widersprach Anselm seiner eigenen Aussage im 3. Kapitel, dass das
„Etwas, über das hinaus Größeres nicht gedacht werden kann" mit Gott
identisch sei. Anselm war sich jedoch dieses Widerspruchs bewusst; deshalb
hob er später hervor: Gottes Existenz lasse sich in der Tat bestreiten; wenn
aber jemand für das Argument einen sinnvollen Gedanken aufbringe, sei,
weil durch dieses Argument die göttliche Existenz notwendig, wenn auch
nur *irgendwie* bewiesen werde, mehr gewonnen, als wenn *überhaupt kein*
Argument angeführt werde.[25] Wer also dem Argument zustimmt, ist auf
dem richtigen Weg, selbst wenn Gott in seiner notwendigen Existenz als

---

[24] Vgl. Anselm., Prosl. XV, in: Opera omnia I, 112, 14–16: *Ergo domine, non solum
es quo maius cogitari nequit, sed es quiddam maius quam cogitari possit, quoniam
namque valet cogitari esse aliquid huiusmodi* (Interpunktion von mir geändert!).
[25] Vgl. Anselm., Quid ad haec respondeat editor ipsius libelli ... 7, in: Mojsisch
(Hrsg.) 112–115.

solcher etwas ist, das größer ist als das „Etwas, über das hinaus nichts
Größeres gedacht werden kann".

Aber schon zu Lebzeiten Anselms trat jemand auf den Plan, der gegen
Anselms Argument mit philosophischen Gründen opponierte, somit Anselms Philosophie mit Philosophie begegnete: Es war der Mönch Gaunilo
von Marmoutiers. Hier sollen nur die markantesten Einwände Gaunilos
gegen Anselms Argument hervorgehoben werden:
1. Von einem bloßen Im-Verstande-Sein des „Etwas, über das hinaus
nichts Größeres gedacht werden kann" lässt sich dessen reale Existenz
nicht erschließen. Es gilt vielmehr umgekehrt: Nur das, was der Wirklichkeit nach existiert, kann auch verstanden werden.[26]
2. Wenn nicht gezeigt werden kann, dass das „Etwas, über das hinaus
nichts Größeres gedacht werden kann" existiert, dann kann schon gar nicht
gezeigt werden, dass es notwendig existiert.[27]
3. *Beweisen* heißt nach Aristoteles *mehrere Schlüsse aneinander reihen*;
dazu sind Definitionen erforderlich; eine Definition setzt sich aber aus
Gattung, spezifischer Differenz und Art zusammen. Weil diese Regeln des
Schließens von Anselm aber nicht eingehalten worden seien, da sie nämlich – im Falle Gottes – auch gar nicht hätten eingehalten werden können,
habe Anselm, so sein Opponent, in strengem Sinne nichts *bewiesen*.[28]

Dieser aristotelisierenden Kritik begegnete Anselm freundlich, aber mit
Bestimmtheit, indem er stets auf den Eigencharakter seines Arguments
verwies: Das „Etwas, über das hinaus nichts Größeres gedacht werden
kann" erweist sich im Argumentationsgang überhaupt erst als es selbst; es
liegt nicht einfach vor wie ein rein faktisch Existierendes; erst der Verlauf
der Argumentation eröffnet, was das *eine* Argument verdeckt seit je in sich
enthält; es existiert jedenfalls nicht, um dann erst verstanden werden zu
können; eine solche Existenz, da kontingentes Sein, implizierte nämlich
Nicht-Existenz; vielmehr offenbart das *eine* Argument erst im Verlauf der
Argumentation das, was es immer schon in sich enthält: *notwendige* Existenz.[29] Wer also mit *bloßer* Existenz argumentiert, verfehlt den Gehalt des
Arguments. So weist Anselm die ersten beiden Kritikpunkte Gaunilos zurück. – Der dritte Kritikpunkt verfehlt ohnehin Anselms Argument, weil
das „Etwas, über das hinaus nichts Größeres gedacht werden kann" in der
Tat jenseits von Gattung und Art zu denken ist, also mit den Definitions-

---

[26] Vgl. Quid ad haec respondeat quidam … 5, in: Mojsisch (Hrsg.) 74 f.
[27] Vgl. Quid ad haec respondeat quidam … 7, in: Mojsisch (Hrsg.) 76–79.
[28] Vgl. Quid ad haec respondeat quidam … 4, in: Mojsisch (Hrsg.) 68 f.
[29] Vgl. Quid ad haec respondeat editor … 10, in: Mojsisch (Hrsg.) 122 f.

und Schlussverfahren des Aristoteles gar nicht erfasst werden kann.[30] Diese Verfahrensweisen mögen für einen begrenzten Realitätsbereich der Erkenntnis zwar dienlich oder sogar förderlich sein; der entgrenzte Bereich notwendiger Existenz verlangt gemäß Anselm eine andere Vorgehensweise, nämlich die der Selbstexplikation des *einen* Arguments.

Der bekannteste Einwand Gaunilos dokumentiert sich freilich in dem 'Insel'-Exempel; ich zitiere Anselms Kritiker: „Man erzählt sich, irgendwo im Ozean gebe es eine Insel, die einige wegen der Schwierigkeit oder vielmehr Unmöglichkeit, das, was nicht existiert, aufzufinden, ergänzend 'verschwundene' Insel nennen und die, so geht die Sage, noch weit mehr, als es von den Inseln der Glückseligen berichtet wird, unermesslich reich sei an lauter kostbaren Gütern und Annehmlichkeiten, niemandem gehöre, von keinem bewohnt werde und alle anderen bewohnten Länder durch ein Übermaß an Besitztümern allenthalben übertreffe. Dass dies so sei, könnte mir jemand sagen, und ich vermöchte diese Rede, die ja keine Schwierigkeiten aufweist, ohne weiteres zu verstehen. Wenn er dann aber, als ergäbe sich dies folgerecht, mit der Zusatzbehauptung fortführe: Du kannst nun nicht mehr daran zweifeln, dass diese unter allen Ländern vortrefflichste Insel wahrhaft irgendwo in Wirklichkeit existiert, steht es doch für dich außer Zweifel, dass sie auch in deinem Verstande ist; und weil sie vortrefflicher ist, nicht allein im Verstande, sondern auch in Wirklichkeit zu sein, deshalb existiert sie notwendig so, denn wenn das nicht der Fall wäre, wäre jedes andere Land, das in Wirklichkeit existiert, vortrefflicher als sie, und so wäre sie, obwohl von dir bereits als unter allen Ländern vortrefflichstes verstanden, nicht das vortrefflichste – wenn er, so sage ich, mir dadurch einreden wollte, an der wahrhaften Existenz dieser Insel dürfe nicht mehr gezweifelt werden, nähme ich entweder an, er erlaube sich einen Scherz, oder ich wäre unschlüssig, wen ich für törichter halten sollte, mich, wenn ich ihm beipflichtete, oder ihn, wenn er glaubte, für das wesentliche Sein dieser Insel auch nur irgendwie einen sicheren Beweis erbracht zu haben, es sei denn, er hätte erst eben ihre Vortrefflichkeit ausschließlich unter dem Gesichtspunkt, dass es eine wahrhaft und unzweifelhaft existierende Wirklichkeit ist, nachgewiesen, nicht jedoch nur so, wie auch etwas Falsches oder Ungewisses in meinem Verstande ist."[31] Dazu Anselm lapidar: „Voller Zuversicht sage ich: Wenn mir jemand außer dem, über das hinaus Größeres nicht gedacht werden kann, etwas ausfindig macht, das entweder der Wirklichkeit selbst oder allein dem Denken nach existiert und auf das er die Gedankenverknüpfung dieses meines Beweisganges treffend applizieren könnte, werde ich die verschwundene Insel

---

[30] Vgl. Quid ad haec respondeat editor … 8, in: Mojsisch (Hrsg.) 114–119.
[31] Quid ad haec respondeat quidam … 6, in: Mojsisch (Hrsg.) 74–77.

finden und sie ihm schenken, auf dass sie nicht mehr verschwinde."[32] Diese offenkundig scherzhaften – oder zumindest scherzhaft angelegten – Argumente entbehren jedoch nicht eines tieferen Sinnes: Gaunilo sagt, Anselms Argument, das für Gott in seiner notwendigen Existenz steht, ist nichts anderes als eine Fabel, ein Inexistentes, das aber allein dadurch, dass man es versteht, der Wirklichkeit nach existieren soll – für Gaunilo eine Absurdität, da man von einer sprachlichen Äußerung nicht auf wahrhafte Existenz schließen kann; Anselm sagt: Der Opponent hat den Vergleichspunkt falsch gewählt; das Argument, das für Gott in seiner notwendigen Existenz steht, ist in keiner Weise der nur sprachlichen Erzählung von einer nichtexistierenden Insel vergleichbar, sondern ist allein zu begreifen als seine eigene Selbstentwicklung, die über die einzelnen Reflexionsschritte hin erfolgt. Das Wesen des Arguments, seine Selbstentwicklung, wird verkannt, wenn es mit einem bloßen Laut verwechselt wird – so Anselm bereits in Kap. 4 des ›Proslogion‹ –; sollte aber die inexistente Insel gleichwohl existieren und auffindbar sein, würde sie Anselm trotzdem verschenken, da die Insel, ein nur kontingent Seiendes, auch dann gegenüber dem notwendigen Sein dessen, für das das Argument steht, inferior wäre, weil sie eben nur dem Seinsbereich zugehörte, in dem etwas sein oder nicht sein kann. Die Pointe: Anselms Geschenk wäre nur ein Scheingeschenk; seine eigene Einsicht, die er im ›Proslogion‹ gewonnen hat, würde er jedenfalls mit diesem 'Geschenk' nicht verschenken.

Was Anselm seinem Kritiker aber besonders vorwarf, war die Tatsache, dass sein Opponent das *eine* Argument gar nicht begriffen habe; Gaunilo sprach nämlich fast immer von einem *maius omnibus,* einem „Größer als alles", während Anselms Argument lautete: „Etwas, über das hinaus nichts Größeres gedacht werden kann". Gaunilo wollte mit seinem Ausdruck Anselms Argument auf die Ebene rein faktischer Existenz herabziehen; für Anselm war es ein Leichtes, diesem Schachzug seines Opponenten zu begegnen: Wenn nur von einem „Größer als alles" die Rede ist, dann ist jedenfalls nicht von dem „Etwas, über das hinaus Größeres nicht gedacht werden kann" die Rede, weil dem *Denken* keine Beachtung geschenkt wird; es kann jedoch – so Anselm – ein Größeres als das „Größer als alles" zumindest *gedacht* werden; es kann darüber hinaus sogar die Nicht-Existenz eines solchen „Größer als alles" *gedacht* werden.[33] Gaunilo schenkte jedenfalls dem Terminus 'Denken' in Anselms Argument nicht die gehörige Beachtung. In diesem Punkt waren seine kritischen Einwände gegen Anselms Argument ohne Zweifel verfehlt.

---

[32] Quid ad haec respondeat editor … 3, in: Mojsisch (Hrsg.) 94–97.
[33] Vgl. Quid ad haec respondeat editor … 5, in: Mojsisch (Hrsg.) 106 f.

Doch war damit Anselms Argument unanfechtbar gültig? Es sollen nur zwei Gesichtspunkte genannt werden, die Schwachstellen in der Argumentation Anselms anzeigen:

1. Die Basis der anselmianischen Argumentation gründet sich auf die Annahme, dass das, was vernommen werde, auch im Verstande sei. Die Möglichkeit dieses Im-Verstande-Seins des Vernommenen wird von Anselm jedoch nicht näherhin expliziert.

2. Anselms Argument setzt eine Wertehierarchie voraus: Besser ist es, zu sein, als nur im Verstande zu sein, noch besser, notwendig zu sein, als nur kontingent zu sein. Das Nicht-Sein etwa hatte in dieser Wertehierarchie des Seins keinen Platz. Schon gar nicht stellte sich Anselm die Frage nach der Möglichkeit notwendiger Existenz, obwohl gerade im Anschluss an Anselm diese Frage erlaubt ist, da die Möglichkeit notwendiger Existenz zumindest *gedacht* werden kann. Wenn die Möglichkeit als Prinzip[34] aber nur Mögliches prinzipiiert und nichts notwendig Existierendes, dann zerplatzt Anselms Argument wie eine Seifenblase. Doch das sind moderne Fragestellungen, die gleichwohl anzeigen, wie bedeutsam für sie Positionen aus der Geschichte der Philosophie sind: Anselm war es, der gegenüber seinem Opponenten stets die Bedeutsamkeit des Denkens für dialektische Argumentation herausgestellt hat, sodass sich Anselms philosophisches Vermächtnis zumindest in der Aufforderung manifestiert: mit den Mitteln des Denkens das Denken auch weiterhin zu bedenken. Dafür steht jedenfalls Anselms *sola cogitatione*.

Auswahlbibliographie

Quellentexte
Anselmus Cantuariensis: Op. omn. I, hrsg. v. F.S. Schmitt, Stuttgart-Bad Cannstatt 1968.
Mojsisch, B. (Hrsg.): Kann Gottes Nicht-Sein gedacht werden? Die Kontroverse zwischen Anselm von Canterbury und Gaunilo von Marmoutiers, lat.-dt., übers., erläut. v. B. Mojsisch, eing. v. K. Flasch, Mainz 1989.
Schrimpf, G.: Anselm von Canterbury. Proslogion II–IV. Gottesbeweis oder Widerlegung des Toren? Unter Beifügung der Texte mit neuer Übersetzung, Frankfurt a. M. 1994.
Southern, R. W. (Hrsg.): The Life of St Anselm, Archbishop of Canterbury, by Eadmer, with introduction, notes and translation by R. W. Southern, Oxford 1962.

[34] Vgl. zu einer Theorie der Möglichkeit *in nuce*: Mojsisch 60–77.

Sekundärliteratur

Flasch, K.: Der philosophische Ansatz des Anselm von Canterbury im Monologion und sein Verhältnis zum augustinischen Neuplatonismus. Analecta Anselmiana II, hrsg. v. F. S. Schmitt, Frankfurt a. M. 1970, 1–43.

Hödl, L.: Anselm von Canterbury. Lexikon des Mittelalters 1, München/Zürich 1980, 680–687 (686: G. Binding: Ikonographie).

Mojsisch, B.: The Otherness of God as Coincidence, Negation, and Not-Otherness in Nicholas of Cusa: An Explication and Critique, in: The Otherness of God, ed. O. F. Summerell, Charlottesville/London 1998, 60–77.

Schmitt, F. S.: Einführung, in: Anselm von Canterbury: Monologion, lat.-dt., hrsg. v. F. S. Schmitt, Stuttgart-Bad Cannstatt 1964, 9–24.

Schönberger, R.: Responsio Anselmi. Anselms Selbstinterpretation in seiner Replik auf Gaunilo. Freiburger Zeitschrift für Philosophie und Theologie 36 (1989) 3–46.

PETER ABAELARD

Unterscheidungswissen[1]

Von KLAUS JACOBI

1. Einleitung

Peter Abaelard *(Petrus Abailardus)* wurde 1079 in Le Pallet bei Nantes in der Bretagne als ältester Sohn eines Ritters geboren. Obwohl erbberechtigt, entschied er sich für die Wissenschaft. Er begann sein Logik-Studium bei Roscelin, ging dann zu Wilhelm von Champeaux, der an der Kathedralschule von Notre-Dame in Paris lehrte. Diesem fühlte er sich jedoch bald überlegen, provozierte Dispute und genoss seine Siege. Im Jahr 1102 (spätestens) gründete er eine eigene Schule in Melun, später in Corbeil. 1105 – 1108 lebte er zu Hause in Le Pallet, nach eigener Auskunft, weil er sich überanstrengt hatte, in Wirklichkeit vielleicht, weil er die Unterstützung für seine Schule, die Wilhelm von Champeaux aufgelöst wünschte, verloren hatte. 1108 kam er zurück nach Paris. Wilhelm von Champeaux war ins Stift St. Victor eingetreten. Sein Stellvertreter an der Domschule ermöglichte Abaelard, dort Vorlesungen zu halten. Aber Wilhelm hatte Einfluss und der Stellvertreter wurde abgesetzt. Abaelard lehrte erneut in Melun, dann auf dem Genovefaberg in Paris. 1113, nach einem kurzen Aufenthalt bei seinen Eltern, wandte er sich nach Laon, um bei Anselm von Laon Theologie zu studieren, dessen Unterricht ihn jedoch nicht zufrieden stellte. Anselm kommentierte, während Abaelard nach einer fragenden und untersuchenden Theologie strebte. Wie zuvor in Paris, so griff er jetzt in Laon seinen Lehrer öffentlich an; wie dort, so stellte er hier durch eigene Vorlesungen unter Beweis, dass er besser war. Er hielt Vorlesungen über Ezechiel, und es sprach sich herum, wie gut diese Vorlesungen waren. In Laon unterband Anselm das weitere Lehren. Aber Abaelard wurde jetzt (1114) in Paris an der Kathedralschule angenommen, wo er Logik und Theologie lehrte.

[1] Die hier vorgelegte Fassung wurde auf Drängen des Herausgebers um einige größere Abschnitte gekürzt. Die ungekürzte Fassung können Interessenten gern von mir erhalten (Phil. Sem. II, Universität Freiburg, 79085 Freiburg). Für kritische Durchsicht des Manuskripts danke ich Christian Strub.

In Paris wurde Abaelard mit der schönen und gebildeten Heloise be-kannt, die bei ihrem Oheim, dem Kanonikus Fulbert lebte. Abaelard ver-stand es, Fulbert davon zu überzeugen, dass er der geeignete Hauslehrer für Heloise sei. Er war Lehrer und Liebhaber, sie Geliebte und Schülerin zugleich. Dies konnte nicht mehr geheim bleiben, als Heloise schwanger wurde und einen Sohn gebar. Der Konflikt mit Fulbert führte schließlich dazu, dass Abaelard von Knechten, die Fulbert dazu gedungen hatte, ent-mannt wurde.

Heloise trat ins Kloster Argenteuil ein, in dem sie erzogen worden war, und Abaelard ließ sich in das Kloster St. Denis aufnehmen. Als Lehrer wurde er nach wie vor gesucht, und viele Studierwillige drängten ihn, er-neut Vorlesungen zu halten, was ihm in einer Einsiedelei seines Klosters ermöglicht wurde. Doch gab es einflussreiche Gegner, die mit der Tatsache, dass Abaelard weiterhin lehrte und großen Zulauf hatte, nicht einverstan-den waren. Sie suchten Punkte in seiner Lehre, die sie angreifen konnten. Die Synode von Soissons von 1121 entschied gegen Abaelard. Er musste seine ›Theologia 'Summi Boni'‹ verbrennen.

Dass Abaelard in der Königsabtei St. Denis Zweifel an der geschichtli-chen Existenz des Klosterpatrons Dionysius äußerte, brachte die Kloster-leitung gegen ihn auf. Abaelard floh in die Champagne. Unter dem Schutz von Graf Theobald gründete er eine Einsiedelei in Quincey bei Nogent-sur-Seine. Sein Oratorium wurde dem Hl. Geist als Paraklet (Tröster) ge-weiht. Erneut strömten Lernwillige zu ihm und aus der Einsiedelei wurde eine Schule.

Doch nahmen die Anfeindungen kein Ende. Ihrer müde geworden ließ Abaelard sich 1128 zum Abt des Klosters St. Gildas de Rhuys in der Bre-tagne wählen. Zwischenzeitlich war Heloise mit ihren Nonnen in Argen-teuil in Schwierigkeiten geraten. Abaelard überließ ihnen das Oratorium Paraklet und wurde ihr geistlicher Betreuer. Auf Bitten Heloises verfasste er ein Hymnenbuch und eine für Nonnen geeignete Klosterregel.

Wann genau Abaelard das Klosterleben in St. Gildas aufgegeben hat, ist unbekannt. Ab etwa 1135/1136 jedenfalls war er erneut mit großem Erfolg Lehrer auf dem Genovefaberg in Paris, wurde aber von Bernhard von Clairvaux und seinen Mitstreitern bekämpft, denen es schließlich gelang, ihn vor dem Konzil von Sens (1140) anzuklagen. Abaelard wollte sich in öffentlicher Disputation rechtfertigen, erhielt aber vor dem Konzil keine Gelegenheit dazu. Seinem Appell an Rom folgte die Verbrennung der in Sens verurteilten (angeblichen) Lehrsätze durch den Papst. Abaelard ent-schloss sich, nach Rom zu reisen. Auf der Reise erkrankte er und fand Zuflucht in Cluny. Der Abt Petrus Venerabilis bemühte sich um eine Aus-söhnung mit Bernhard. Abaelard starb 1142 in St. Marcel bei Chalon-sur-Saône, einem Priorat von Cluny.

Als autobiographische Quelle ist die so genannte ›Historia calamitatum‹
wertvoll. Der ›Dialogus‹, der in Abaelards ethisches und theologisches
Denken einführt, zeigt zugleich, wie er in der Theologie die Logik nutzt.
Als Logiker verfasste Abaelard Kommentare zu logischen Schriften des
Aristoteles, des Porphyrius und des Boethius. Er kommentierte die meisten
Schriften mehrfach: für Anfänger als reine Texterklärung (›Introductiones
parvulorum‹), für Fortgeschrittene mit umfangreicher wissenschaftlicher
Diskussion und mit eigenständigen Beiträgen zur logisch-semantischen
Forschung (›Logica 'Ingredientibus'‹, ›Logica 'Nostrorum petitioni socio-
rum'‹). Die *Dialectica* ist an demselben Kanon von Logik-Schriften orientiert wie die Kommentare, doch löst Abaelard sich hier von der Verpflich-
tung, einem Text in seinem Verlauf zu folgen.

›Sic et Non‹ ist die Sentenzensammlung benannt, aus der sich die Notwendigkeit theologischer Arbeit ergibt. Sie ist systematisch geordnet. Zu
den unterschiedlichsten Fragen der Glaubenslehre werden Väterzitate ge-
sammelt, und zwar so, dass immer zu einer These *Pro-* und *Contra*-Stimmen
einander gegenübergestellt werden. Abaelard fordert im Prolog eine inter-
pretierende Theologie, durch die Widersprüche aufgelöst werden, keine
Entscheidung für die eine oder die andere Seite. Seine eigene Theologie
hat Abaelard immer wieder überarbeitet. Die ›Theologia 'Summi Boni'‹ ist
die früheste Fassung, später ist die ›Theologia christiana‹, noch später die
›Theologia scholarium‹. Die beiden letztgenannten Theologien sind in unterschiedlichen, aber allesamt authentischen Fassungen überliefert. Zu
theologischen Fragen äußerte sich Abaelard ferner in der Kommentierung
des Römerbriefes, in Briefen an Heloise und kleineren Schriften. Seine
›Ethica‹ blieb unvollendet oder wurde unvollständig überliefert.

2. Abaelards Bestimmung von Philosophie und von Logik
als Unterscheidungswissen (Scientia discernendi)[2]

Wenn man erfahren will, welchen Begriff von Philosophie ein Autor im
Mittelalter hat, ist ein viel versprechender Weg, die Proömien zu Rate zu
ziehen, die er seinen Kommentaren philosophischer Werke vorangestellt
hat. In solchen Proömien wird der zu behandelnde Stoff systematisch ver-

---

[2] Leitfaden der folgenden Untersuchungen ist das Wort *discernere* (unterscheiden) mit seinen grammatischen Abwandlungen. *Scientia discernendi* übersetze ich
mit 'Unterscheidungswissen' oder 'Unterscheidungswissenschaft', *potentia discernendi* mit 'Unterscheidungsfähigkeit'. Das vom Verb abgeleitete Substantiv *discretio*
wird bei verschiedenen Verfassern unterschiedlich zu interpretieren und folglich
auch unterschiedlich zu übersetzen sein. Für Abaelard scheint mir die wörtliche
Übersetzung 'die Unterscheidung' oder auch 'das Unterscheiden' am angemessen-

ortet. Speziell die Vorreden zu Porphyrius' ›Isagoge‹ sind für die Frage nach dem Philosophieverständnis eines Autors ergiebig. Die ›Isagoge‹ gilt als Schrift, die in die Logik einführt. Die Kommentatoren pflegen in ihren Proömien zu dieser Schrift Vorschläge für eine Definition von Logik zu diskutieren. Die Logik ist Teil der Philosophie und Instrument des Philosophierens. Wer definieren will, was Logik ist, muss zunächst sagen, was Philosophie ist, um hernach innerhalb der Philosophie Unterscheidungen zu treffen, die zur gewünschten Definition der Logik führen.

Abaelard beginnt seinen Kommentar zu Porphyrius in der ›Logica 'Nostrorum petitioni sociorum'‹ mit einer Wissensklassifikation. 'Wissen' *(scientia)* ist Gattungsbegriff für 'Philosophie', 'Philosophie' wiederum Gattungsbegriff für 'Logik' (LNPS, Zu Porph., p. 505, 9–12).

„Es gibt … ein Handlungswissen, und es gibt ein Unterscheidungswissen *(Scientia alia … agendi, alia discernendi).* Damit ist gemeint: Das eine Wissen besteht darin, Dinge zusammenzusetzen, das andere darin, zusammengesetzte Dinge zu unterscheiden *(in rerum compositarum discretione consistens).* Viele Menschen nämlich sind gelehrt im Handeln, aber nicht scharfsichtig im Unterscheiden *(perspicaces in discernendo)* … Dagegen gibt es viele Unterschiedene *(discreti –* Unterscheidungsfähige?), die nicht die Gabe zu wirken haben; sie belehren andere auf unterschiedene Weise *(discrete),* auszuüben sind sie nicht imstande. Denn es gibt ein Handlungswissen und ein Unterscheidungswissen. 'Philosophie' aber nennen wir nur das Unterscheidungswissen. Wir nennen … nicht jedes Wissen 'Philosophie' und nicht jeden Wissenden einen Philosophen, sondern nur die (nennen wir Philosophen), die an Feinheit der Einsicht herausragen und in dem, was sie wissen, sorgfältig unterscheiden *(in his quae sciunt diligentem habent discretionem).* Unterschieden *(discretus –* unterscheidungsfähig?) aber ist der, der die verborgenen Ursachen der Dinge begreifen und darüber Überlegungen anstellen kann" (ebd., pp. 505, 13–506, 10).

Der Gedankengang beginnt beschreibend. Handlungswissen und Unterscheidungswissen sind auseinander zu halten. Beide sind wichtig; für beide

sten. *Discretus* ist Partizip Passiv von *discernere*; der „Thesaurus Linguae Latinae" erklärt: A. *disiunctio sive separatio sive divisio indicatur: … disiunctus, separatus, divisus …* B. *distinctio et diversitas indicatur: 1. Sensu passivo: … distinctus, diversus.* Ich übersetze mit 'der Unterschiedene'. Das Wort kommt aber auch im aktivischen Sinn vor: B … 2. *Sensu activo i. q. iudicandi peritus, iustus.* Abaelard erklärt *discretus, id est potens discernere* (Theol. 'Summi Boni' Lib. II, cap. IV, n. 103, p. 151, ll. 971–972). Das kann entweder als Worterklärung oder als sachliche Behauptung 'Der Unterscheidungsfähige ist – eben durch seine Unterscheidungsfähigkeit – der von anderen Menschen Unterschiedene' interpretiert werden. Für die erste Interpretation spricht, dass die Negation *indiscretus* mit *sine discretione* gedeutet wird; dies muss wohl mit 'nicht unterscheidungsfähig' übersetzt werden. Für freundliche Hilfe zu der Frage, ob bei transitiven Verben das Partizip Perfekt aktivischen Sinn haben kann, danke ich dem Freiburger Latinisten Harald Merklin.

gibt es Fachleute. Aber schon bald zeigt sich, dass Abaelard die beiden Wissensweisen durchaus nicht gleich bewertet. Der Praktiker kennt partikuläre Zusammenhänge; nur der Theoretiker, der unterscheidend weiß, ist imstande, mit Begründung zu wissen und Zusammenhänge aus ihren Ursachen zu erklären. Das Handlungswissen beruht auf Erfahrung und Übung. Solches Erfahrungswissen können – so meint Abaelard – nicht nur kluge, sondern auch dumme Menschen haben; sogar Tiere haben es (vgl. ebd., p. 506, 12–13). Zur Unterscheidung aber sind nur die fähig, die „an Feinheit der Einsicht herausragen". Nur das Unterscheidungswissen soll 'Philosophie', nur die in besonderer Weise Unterscheidungsfähigen sollen 'Philosophen' genannt werden.

Man kann nicht ausschließen, dass das Wort *discretus* in diesem Text aktivisch mit 'unterscheidungsfähig' zu übersetzen ist. Ich halte es aber für sicher, dass Abaelard genau weiß, dass jeder Leser die näher liegende passivische Bedeutung 'unterschieden' zumindest mithört. Die, die unterscheidend wissen, sind die unterschiedenen Menschen. So zu wissen, dazu braucht man Geist. So wissen nur ganz besondere Menschen. Wer Abaelard auch nur ein wenig kennt, der weiß, dass er sich selbst in genau dem Sinn, der hier eingeführt wird, als Philosophen und als einen ganz besonders geistvollen, scharfsinnigen Menschen einschätzt.

Abaelard unterscheidet weiterhin die theoretische Wissenschaft, die er 'Philosophie' nennt, mit der Tradition in drei Arten: Physik, Ethik und Logik (ebd., p. 506, 18–19). Die Logik bestimmt er im Anschluss an Cicero: „Die Logik ist … sorgfältige(r) Vernunft(gebrauch) beim Unterreden, d. h. Unterscheidung *(discretio)* der Argumente, durch die man sich unterredet, d. h. (durch die man) disputiert."[3] Abaelard fährt fort, indem er erneut das Unterscheidungswissen gegenüber dem Gebrauchswissen hervorhebt:

„Die Logik ist nicht das Wissen, Argumente zu gebrauchen oder sie zu bilden, sondern das Wissen, sie zu unterscheiden *(discernendi)* und wahrhaftig über sie zu urteilen, warum nämlich diese stark (gültig), jene schwach (ungültig) sind. Die Logik besitzt nur, wer die Kraft eines jeden Arguments beurteilen kann" (a. a. O., pp. 506, 26–507, 2. Vgl. p. 508, 5: *Logica … [est] discretio argumentorum.* Vgl. p. 508, 39).

---

[3] Abaelard, a. a. O., p. 506, 24–26. Abaelard bezieht sich auf Referate aus Cicero, Top. 2, 6–7, die Boethius mitteilt. Vgl. Anlius Manlius Severinus Boethius, In Isagogen Porphyrii Commentum, Ed. Secunda, ed. S. Brandt, Wien/Leipzig 1906, pp. 139,20–140,8; ders., In Topica Ciceronis Commentaria, Lib. I, PL 64, 1044 D–1048 A; Petrus Abaelardus, Logica 'Ingredientibus', Super Topica Glossae, ed. M. dal Pra (Florenz ²1969), pp. 209, 3–211, 12. Direkt aus Boethius (bzw. Cicero) stammt nur der Definitionsteil *diligens ratio disserendi.* Die Erläuterung *idest discretio argumentorum* ist Einfügung Abaelards. Es ist möglich, dass Abaelard durch Boethius angeregt worden ist, diese Einfügung zu machen. Boethius spricht im Topik-Kommentar von „Unterscheidungsregeln" (a. a. O., 1047 B 4–6) und von der „Unterscheidung

Den Gebrauch von Argumenten lernt man schon als Kind durch Übung. Für die unterscheidende Beurteilung von Argumenten, der einzig Abaelard die Bezeichnung 'Logik' zuerkennt, ist nach Auffassung Abaelards Übung wenig dienlich; Geist *(ingenium)* ist nötig, die Gültigkeit oder Ungültigkeit von Argumentationen mit Angabe von Geltungsgründen zu beurteilen (vgl. ebd., p. 507, 4–13). Zweifellos beschreibt Abaelard das Vermögen, in dem er selbst sich auszeichnet. Argumente kritisch zu prüfen, gültige von ungültigen zu unterscheiden: Das ist in den eigenen Augen seine Stärke. Zeitgenossen und spätere Forscher stimmen diesem Urteil zu. Erneut spielt Abaelard mit dem Wort *discretus* – hier in der negierten Form *indiscretus* –, um klarzustellen, dass er das Unterscheidungswissen der Logik nicht nur charakterisiert, sondern hoch – über alles hoch in der Tat – bewertet:

„Die Philosophen haben an derartigen Unterscheidungen *(discretiones)* gearbeitet und versucht, die Argumentationen auf sichere Regeln zurückzuführen, damit nicht ein Ununterschiedener *(indiscretus* – einer der zum Unterscheiden nicht fähig ist?) in Argumentationen falsche (Argumentationen) als wahr anerkennt" (ebd., p. 507, 27–29).

An anderer Stelle bestimmt Abaelard, was seiner Auffassung nach Vernunft ist:

„Vernunft … nennen wir die Kraft oder die Gewandtheit des unterschiedenen *(discreti* – unterscheidungsfähigen?) Geistes, durch die er dazu genügt, die natürlichen Eigenheiten der Dinge in wahrhaftiger Weise zu durchschauen und zu beurteilen" (Tract. de int., n. 7, p. 28).

Und wie um ja keinen Zweifel daran zu lassen, dass er nur wenige Menschen für dazu in der Lage hält, unterscheidet er zwischen *rationalitas* und *ratio* (ebd., p. 30, Überschrift). Rationalität ist eine Bestimmung, die zur Definition des Menschen gehört; gemeint ist die Fähigkeit zum Vernunftgebrauch. „Jeder Geist, der aus seiner eigenen Natur unterscheiden *(discernere)* kann, hat Rationalität", d. h. ist vernunftbegabt (ebd., nn. 8–9, p. 30; zitiert: n. 9, p. 30). *Ratio* (Vernunft) aber erkennt Abaelard nur denjenigen zu, die diese mit ihrer Natur gegebene Fähigkeit gut ausgebildet haben, so dass sie mit Leichtigkeit unterscheiden (ebd., nn. 8–9, p. 30). Vernunft „ist nur in einigen, einzig nämlich … in den Unterschiedenen *(discretis* – Unterscheidungsfähigen?)" (ebd., n. 8, p. 30). Vernunft als Unterscheidungsfähigkeit ist die Fähigkeit, die Aufmerksamkeit so auf etwas zu richten, dass auf einen ganz bestimmten Zug oder von Argumenten" (1047 B 7–9). Aber das geschieht bei Boethius beiläufig. Die Charakterisierung der Philosophie und der Logik als *scientia discernendi* ist Abaelard eigentümlich.

auf eine ganz bestimmte Eigenheit dieses Etwas geachtet wird (Super ‚Peri herm.', p. 313, 10–11). Über ein Etwas werden Überlegungen angestellt, sofern es einen bestimmten Wesenszug oder eine bestimmte Eigenheit hat. Bemerkenswert ist das weite Spektrum der Beispiele von Hinsichten, unter denen die Aufmerksamkeit auf etwas gerichtet werden kann (a. a. O., p. 313, 12–15): Es reicht von 'eine Sache erwägen, sofern sie nur dies, eine Sache nämlich (d. i. ein bezeichenbares Etwas), ist', bis zu 'eine Sache erwägen, sofern sie eine bestimmte Eigenschaft hat'; es umfasst weiter auch Ausgedachtes, was sich nicht realisiert vorfindet. 'Bockhirsch' ist Aristoteles' Beispiel für etwas, was es geben könnte, aber tatsächlich nicht gibt. 'Der morgige Tag' ist Abaelards Beispiel für etwas, was es nie gegenwärtig gibt, über das aber ein planender Mensch gewissermaßen vorwegnehmend nachdenkt. 'Ein Stein, der lachen kann' schließlich ist ein Beispiel für eine Verbindung von Ausdrücken, die ihrer Bedeutung nach nicht zusammenpassen; dass Stein-sein und Lachen-können miteinander nicht verträglich sind, wird nachgewiesen, indem man Definitionen von 'Stein' und von 'Lachen' miteinander vergleicht. Die hier exemplifizierten Hinsichten einnehmen zu können gehört zum philosophischen Denken. Der Philosoph muss in der Lage sein, eine Sache nur als Sache, ein Seiendes nur als Seiendes in den Blick zu nehmen und von allen Wasbestimmungen abzusehen; er muss ebenso in der Lage sein, das Gegebene auf nur Mögliches und sogar auf faktisch oder begrifflich Unmögliches zu überschreiten. Die Hinsichten sorgfältig zu unterscheiden und zu bestimmen ist – nach Abaelards Verständnis von Logik – Aufgabe des Logikers.

3. 'Discretio' – Das Wort und seine Kontexte

Das Wort *discretio* wird nicht erst durch den prägnanten Gebrauch, den Abaelard von ihm macht, in den Rang eines Schlüsselworts des Nachdenkens erhoben. Es ist längst in einigen wohlbekannten Kontexten in Gebrauch. Aufschlussreich ist, wie Abaelard sich zur benediktinischen Tradition verhält.

Die „Regel", die der heilige Benedikt den Mönchen gegeben hat, ist schon früh von Gregor dem Großen gerade deshalb gelobt worden, weil sie „durch Unterscheidung hervorragt *(discretione praecipua)*".[4] Gregor

---

[4] Papst Gregor der Große, Dialogi II, 36. Die ›Dialogi‹ „wurden im mittelalterlichen Klosterleben als geistliche Lesung verwendet, zumal das 2. Buch ausschließlich von Benedikt von Nursia handelt" (M. Gerwing, Gregor I. der Große, in: Lexikon des Mittelalters IV, München/Zürich 1989, Sp. 1665). Man kann davon aus-

nimmt in seinem Lob ein Wort auf, das Benedikt selbst verwendet, wenn er den Abt mahnt, in seinen Anweisungen gut zu unterscheiden (Regula Benedicti, 2, 16; 2, 21; 63, 1; 63, 5; 64, 17–19; 70, 6).

„In seinen Befehlen sei er vorausschauend und besonnen. Bei geistlichen wie bei weltlichen Aufträgen unterscheide er genau *(discernat)* und halte Maß. Er denke an die maßvolle Unterscheidung *(cogitans discretionem)* des heiligen Jakob, der sprach: ‚Wenn ich meine Herden unterwegs überanstrenge, werden alle an einem Tage zugrundegehen' (Gen 33, 13). Diese und andere Zeugnisse maßvoller Unterscheidung, der Mutter aller Tugenden *(discretionis, matris virtutum)*, beherzige er. So halte er in allem Maß, damit die Starken finden, wonach sie verlangen, und die Schwachen nicht davonlaufen" (Regula Benedicti, 64, 17–19).

Der Spruch, die Unterscheidung sei die Mutter aller Tugenden, stammt von Cassian.[5] Er wird im Mittelalter häufig gebraucht. Unter anderem zitiert Heloise ihn in einem Brief an Abaelard.[6] Es ist der Brief, in dem er gebeten wird, eine Regel für den Nonnenstand auszuarbeiten; die Regel des hl. Benedikt sei nur für Männerkonvente geschrieben und müsse angepasst werden. Heloise preist das Unterscheidungsvermögen des hl. Benedikt; die oben aus seiner Regel zitierte Stelle wird in Heloises Brief wörtlich ins Gedächtnis gerufen (a. a. O., p. 244, Anm. 6). Es geht Heloise nicht um eine Korrektur Benedikts, sondern um eine Fortsetzung von dessen Werk.

Zweifellos sind Abaelard die zitierten Bibelstellen über die Unterscheidung zwischen Gut und Böse wohl bekannt. Zweifellos ist ihm auch die Regel des hl. Benedikt bekannt; Heloise erinnert an gut Vertrautes, um Abaelard für die erbetene Hilfe zu gewinnen. Er erfüllt die Bitte um eine Regel für Heloises Konvent.[7] Wo er aber auf die besonderen Aufgaben der Äbtissin zu sprechen kommt, scheint er den Gebrauch des Wortes 'Unterscheidung' bewusst zu vermeiden. Was Benedikt meint, ist ein praktisches

gehen, dass dieses Lob Benedikts dem Peter Abaelard wohl bekannt war. Vgl. B. M. Lambert, Discretio, in: Lexikon der Spiritualität, Freiburg 1988; A. Böckmann, Discretio im Sinn der Regel Benedikts und ihrer Tradition, in: Erbe und Auftrag, Benediktinische Monatsschrift 52 (1976) 362–373; Regula Benedicti. Die Benediktusregel lat./dt., hrsg. im Auftrag der Salzburger Äbtekonferenz, Beuron o. J. (1992), Einleitung, 37–38.

[5] Joannes Cassianus, Collationes, CSEL 13, II, p. 44: *omnium namque virtutum generatrix, custos moderatrixque discretio est.*

[6] J. T. Muckle C. S. B. (Ed.), The Letter of Heloise on Religious Life and Abelard's First Reply, in: Mediaeval Studies 17 (1955) 241–253. Das Zitat – in der üblichen Kurzform *cum omnium virtutum discretio sit mater* – findet sich p. 243.

[7] T. P. McLaughlin O. S. B. (Ed.), Abelard's Rule for Religious Women, in: Mediaeval Studies 18 (1956) 241–292.

Wissen, das auf Lebenserfahrung beruht. Dies ist auch nach Abaelards
Auffassung das, was die Äbtissin braucht.

> „Wenn sie keine große Gelehrte ist – sie lasse es sich zum Trost gesagt sein: sie ist
> nicht berufen, philosophische Vorlesungen zu halten und Übungen in der Logik zu
> veranstalten; ihre Aufgabe ist es, das regelmäßige Leben und die Ausübung der
> guten Werke zu ihrem Studium zu machen."[8]

Für praktisches Wissen will Abaelard die Wörter *discernere* und *discretio*
nicht verwenden; diese bleiben dem theoretischen Wissen vorbehalten.

Gibt es aber nicht auch ein theoriegeleitetes, begründendes Wissen vom
Guten und Bösen? Im ›Dialogus‹ und dort im Gespräch zwischen dem
Christen und dem Philosophen erhält die „Philosophus" genannte Dialog-
person Gelegenheit, philosophische Auffassungen über Tugenden und Laster darzulegen. In diesem Zusammenhang wird die Klugheit, das Wissen
von Gut und Böse, als Mutter und Ursprung aller Tugenden charakterisiert.
Aber für Abaelard ist die Unterscheidung zwischen Gut und Böse kein
praktisches Wissen, sondern ein theoretisches. Nicht das aus Lebenserfahrung gewonnene und für richtige Entscheidungen in konkreten Situationen
relevante Handlungswissen nennt er *scientia discernendi,* sondern das theoretische Wissen von den Kriterien, nach denen zwischen Gut und Böse
unterschieden wird. Wenn die Unterscheidung zwischen Gut und Böse Sache der Klugheit ist, dann ist die Klugheit, mag sie auch Mutter der Tugenden sein, selbst keine Tugend. Die Tugend ist eine Haltung, durch die der
Mensch, der sie besitzt, ein guter Mensch ist. Das Wissen, wie zwischen Gut
und Böse zu unterscheiden ist, macht jedoch noch niemanden zu einem
guten Menschen. Auch verdorbene Menschen können dieses theoretische
Wissen haben (Dial. p. 117, ll. 2018–2023; ll. 2034–2037; hrsg. v. Krautz,
169).

Doch nicht nur im Kontext der praktischen Philosophie ist die *discretio*
ein bestimmender Terminus. Auch die Trinitätslehre beruht zu einem guten
Teil, was hier en détail nicht gezeigt werden kann, auf diesem Begriff. Während der Autoritätenapparat der kritischen Ausgabe die Appropriierungen
der Macht, Weisheit und Güte bei zeitgenössischen Autoren und Augustinus nachzuweisen weiß (TSB, p. 86 zu ll. 11–20), gehört die Erläuterung
von „Weisheit" durch „Unterscheidung(svermögen)" *(discretio)* bzw. das
Verständnis der Weisheit, im Sinne der Macht zu unterscheiden, zum Ei-
gengut Abaelards.

---

[8] A. a. O., p. 253. Die Übersetzung übernehme ich von E. Brost, Abaelard. Die
Leidensgeschichte und der Briefwechsel mit Heloise, Heidelberg ⁴1979, 270.

4. „qui discretus est": Der Richter, der Philosoph und der Christ in Abaelards ›Dialogus‹

Vielleicht ist es vom Autor höchst subtil geplant, vielleicht ist es ein Zufall, der sich sinnvoll fügt: Von den vier Personen in Abaelards ›Dialogus‹ beziehen die drei, die Abaelard selbst verkörpern[9], die Fähigkeit, unterscheiden zu können, je einmal in prägnanter Weise auf sich. Den Juden kennzeichnet diese Fähigkeit nicht. Er wird als jemand dargestellt, der seine Religion praktiziert, der aber keine Theorie-Einstellung zu ihr einnimmt. Der Dialog beginnt mit einer Erzählung in Ichform. Der Autor Abaelard erzählt von einer Vision oder einem Traum, den er gehabt habe. Drei Männer seien zu ihm gekommen, ein Philosoph, ein Jude und ein Christ, alle drei Monotheisten. Sie hätten ihm berichtet, dass sie schon länger gestritten hätten, ob über die Vernunftreligion hinaus eine Offenbarungsreligion nötig sei und ob, wenn dies der Fall sei, das „Alte Gesetz" durch ein „Neues" korrigiert oder ergänzt werden dürfe. Da sie in ihrem Streit zu keinem Ergebnis gekommen seien, hätten sie beschlossen, einen Schiedsrichter zu wählen. Zwar gebe es niemanden, der in diesem Streit nicht Partei sei; jeder gehöre ja einer der drei Glaubensrichtungen selber an. Doch der Angeredete, also Abaelard, besitze so viel Geist und so gründliches Wissen, dass alle drei übereingekommen seien, ihn um seinen Spruch zu bitten (Dial., pp. 41–43, ll. 1–52). Der Richter urteilt aber nicht. Als er nach dem ersten Gespräch zwischen dem Philosophen und dem Juden um seinen Spruch gebeten wird, antwortet er:

„Es versichern beide, unseren Urteilsspruch anzunehmen. Ich aber bin eher begierig zu lernen als zu urteilen: ich antworte, zuvor die Vernunftgründe aller hören zu wollen, damit ich um so unterscheidungsfähiger *(discretior)*[10] im Urteilen wäre, je weiser ich im Zuhören würde" (Dial., p. 84, ll. 1165–1168; hrsg. v. Krautz, 97)[11].

---

[9] Vgl. H. Westermann, Wahrheitssuche im Streitgespräch. Überlegungen zu Peter Abaelards Dialogus inter Philosophum, Iudaeum et Christianum, in: K. Jacobi (Hrsg.), Gespräche lesen. Philosophische Dialoge im Mittelalter, Tübingen 1999, 157–197.

[10] Das Wort *discretus* kommt hier im Komparativ vor; es muss an dieser Stelle wohl aktivisch übersetzt werden.

[11] Es scheint, dass hier das Urteil nur verschoben wird, bis alle Gesprächskonstellationen durchgespielt sind. Ich glaube indes nicht, dass Abaelard nach dem folgenden Gespräch zwischen dem Philosophen und dem Christen noch ein Weiteres zwischen dem Juden und dem Christen zu schreiben beabsichtigt hat, und ich glaube auch nicht, dass der ›Dialog‹ insofern fragmentarisch ist, als das Richterurteil nach dem Gespräch zwischen dem Philosophen und dem Christen fehlt.

Im Gespräch zwischen dem Philosophen und dem Christen fordert der Philosoph eine vernünftig begründende Theologie. Der Christ stimmt zu, macht aber darauf aufmerksam, dass die Vernunft irrtumsanfällig ist (a. a. O., p. 94, ll. 1397–1398). Der Philosoph kann und will das nicht bestreiten; er meint aber, dass er durch seine Schulung in der Logik korrekte von inkorrekten Argumentationen wohl zu unterscheiden wisse:

„Was du aber sagtest, dass man auch beim Unterscheiden oder Erkennen von Vernunftgründen *(in rationibus quoque discernendis sive cognoscendis)* bisweilen irre, ist gewiss wahr und klar. Aber dies widerfährt nur jenen Menschen, die der Erfahrung mit rationaler Philosophie und des Unterscheidungsvermögens für Argumente *(argumentorum ... discretione)* entbehren" (a. a. O., p. 95, ll. 1438–1441; hrsg. v. Krautz, 121).

Der Christ seinerseits stimmt der Forderung des Philosophen nach einer Theologie zu, die den Glauben mit Vernunftgründen erforscht. In seiner Zustimmung bezieht er das Merkmal der Unterscheidungsfähigkeit auf die Theologie:

„Gewiss verbietet niemand, der unterscheidungsfähig ist *(qui discretus sit* – wer unterschieden ist?), den Glauben mit Vernunftgründen zu erforschen und zu diskutieren, und man beruhigt sich vernünftigerweise nicht bei dem, was zweifelhaft geblieben ist, wenn nicht ein Vernunftgrund vorausgeschickt worden ist, warum man sich beruhigen müsse" (a. a. O., p. 97, ll. 1478–1481; hrsg. v. Krautz, 123).

Der Christ erweist sich – je weiter das Gespräch mit dem Philosophen fortschreitet, desto mehr – als der bessere Philosoph. Am Ende ist der Philosoph, der anfangs als Gesprächsführer aufgetreten war, zum willigen Zuhörer geworden, der sich gern belehren lässt; durch interessierte Nachfragen fördert er die Darlegungen des Christen (vgl. a. a. O., p. 145, ll. 2758–2767). Die letzte Frage nach dem, was die Wörter 'gut' und 'schlecht' bezeichnen, wird vom Philosophen gestellt (a. a. O., p. 159, ll. 3126–3130) und vom Christen beantwortet. In seiner Antwort führt der Christ Unterscheidungen ein, die Abaelard in seinen logischen Schriften entwickelt hat. Er unterscheidet zwischen attributivem und adverbialem Gebrauch von Bewertungswörtern; den adverbialen Gebrauch 'etwas auf gute Weise/auf schlechte Weise tun' interpretiert er als 'etwas mit guter/schlechter Absicht tun' (a. a. O., p. 161, ll. 3161–3164; p. 163, ll. 3226–3232). Ist schon diese intentionalistische Einstellung zu ethischen Fragen typisch für Abaelard, so ist es mehr noch die weitere vom Christen eingeführte Unterscheidung zwischen der „Anwendung" der Bewertungswörter auf „Sachen" *(res)* und der Anwendung „auf das, was von Sachen gesagt wird, d. h. auf das Gesagte von Aussagen *(ad ipsa propositionum dicta)"* (a. a. O., p. 160, ll. 3146–3149; hrsg. v. Krautz, 267; vgl. p. 163, ll. 3214–3215; p. 167, ll. 3328–3334). Die Sprachform für die letztgenannte Verwendung ist 'Es ist gut/schlecht, dass ...'.

Dass Abaelard immer die Zurückhaltung in Urteilen geübt hat, die er dem Richter ins Rollenbuch schreibt, wird man nicht behaupten wollen. Aber die Bereitschaft, zuzuhören und zu lernen, hat Abaelard in vielfältiger Weise bewiesen.[12] Die Schrift ›Sic et Non‹, die eine für theologische Arbeit nötige Sammlung von kontroversen Zitaten zu allen Themen der Theologie ist, bezeugt dies ebenso wie die Weise, wie Abaelard seine Liebe zu Heloise in christlich-geschwisterliche Fürsorge und Gebetsgedenken umwandelte. Weder in der Logik noch in der Theologie zeigte er sich mit Erreichtem zufrieden; er arbeitete um, ergänzte, arbeitete an weiterer Klärung.

Was Abaelard den Philosophen sagen lässt, entspricht seiner Überzeugung. Argumente syntaktisch und semantisch zu analysieren und zwischen gültigen und ungültigen Argumenten zu unterscheiden, das war sein Werk als Logiker.

Dass schließlich der christliche Glaube zwar nicht in Zweifel zu ziehen sei, wohl aber mit Vernunftgründen erforscht und diskutiert werden müsse, daran hielt Abaelard trotz aller Anfeindungen fest. Er war sich darin einig mit dem anderen großen Theologen des 12. Jh., mit Gilbert von Poitiers.

Auswahlbibliographie

Quellentexte
Apol.: Petri Abaelardi Apologia contra Bernardum, ed. E. M. Buytaert O. F. M. (CCCM 11), Turnhout 1969.
Dial.: Petrus Abaelardus: Dialogus inter Philosophum, Iudaeum et Christianum, ed. R. Thomas (Stuttgart-Bad Cannstatt 1970); lat.-dt., hrsg. und übertragen von H.-W. Krautz, Frankfurt/Leipzig 1995.
Ethica: Petrus Abaelardus: Ethica, seu Nosce te ipsum, ed. D. E. Luscombe, Oxford 1971.
Hist. cal.: Abélard, Historia calamitatum, ed. J. Monfrin, Paris 1959, 1967; dt. Übers. v. E. Brost, Heidelberg [4]1979.
LNPS, Zu Porph.: Peter Abaelards Philosophische Schriften. II. Die Logica 'Nostrorum petitioni sociorum'. Die Glossen zu Porphyrius, hrsg. v. Bernhard Geyer. BGPhThMA 21, 4 (Münster 1933) 505–588.
Super 'Peri herm.': Petri Abaelardi Glossae super Librum 'Peri hermeneias', Logica 'Ingredientibus'. Eine kritische Neuedition dieses Kommentars wird von K. Jacobi und Chr. Strub vorbereitet; sie wird demnächst in der Reihe CCCM erschei-

---

[12] Vgl. die Mahnung, die Abaelard an seinen Sohn schrieb: „Sorge Dich mehr darum zu lernen als darum zu lehren; durch das eine nützt Du anderen, durch das andere Dir. Erst wenn Du nichts mehr zu lernen hast, hör auf zu lernen; aber sage nicht, Du dürfest früher aufhören … Sorge Dich nicht darum, von wem etwas gesagt wird, sondern darum, was gesagt wird" (Petri Abaelardi opera, ed. V. Cousin, tomus prior [Paris 1849], pp. 340–341).

nen. Die Texte werden hier so zitiert, wie sie in der neuen Edition zu lesen sein werden. In den Stellenangaben wird noch die frühere Edition von B. Geyer, BGPhThMA 21, 3, Münster 1927, zugrunde gelegt.

Tract. de int.: Petrus Abaelardus, Tractatus de intellectibus, ed. et trad. P. Morin, Paris 1994.

TSB: Petri Abaelardi Opera Theologica. Theologia 'Summi Boni', ed. E. M. Buytaert/ C. J. Mews, CCCM 13, Turnhout 1987; lat.-dt., hrsg. v. U. Niggli, Hamburg 1989.

Petrus Abaelardus: Dialectica, ed. crit. by L. M. de Rijk (Wijsgerige teksten en studies, t. 1), Assen ²1970.

Petrus Abaelardus: Sic et non, ed. crit. by Bl. B. Boyer/R. McKeon. Chicago/London 1977.

Sekundärliteratur

de Rijk, L. M.: Peter Abaelard (1079–1142), in: M. Dascal/D. Gerhardus/D. Lorenz/ G. Meggle (Hrsg.): Sprachphilosophie, 1. Halbband (Handbücher zur Sprach- und Kommunikationswissenschaft 7. 1), Berlin/New York 1992, 290–296.

de Rijk, L. M.: Peter Abelard's semantics and his doctrine of being, in: Vivarium 24 (1986) 85–128.

Jolivet, J. (Ed.): Abélard en son temps. Actes du colloque international organisé à l'occasion du 9. centenaire de la naissance de Pierre Abélard (14–19 mai 1979), Paris 1981.

Jolivet, J.: Abélard ou la philosophie dans le langage. Présentation, choix de textes, bibliographie, Paris 1970.

Jolivet, J.: Arts du langage et théologie chez Abélard (Etudes de philosophie médiévale 57), Paris ²1982.

Marenbon, J.: The philosophy of Peter Abelard, Cambridge 1997.

Mews, C.: On dating the works of Peter Abelard, in: AHDLMA 52 (1985) 73–134.

Thomas, R. (Hrsg.): Petrus Abaelardus (1079–1142). Person, Werk und Wirkung (Trierer theolog. Stud. 38), Trier 1980.

Tweedale, M. M.: Abailard on Universals, Amsterdam/New York/Oxford 1976.

BERNHARD VON CLAIRVAUX

Ein Lehrmeister der Liebe

Von Markus Enders

I. Eine Einführung in das Leben Bernhards

Bernhard von Clairvaux wurde im Jahre 1090 in Fontaines-lès-Dijon in Burgund als Sohn des adeligen Ritters Tescelin und der später selig gesprochenen Aleth von Montbard geboren. Im Jahre 1113 wurde Bernhard Novize in der zisterziensischen Abtei Cîteaux. Für Bernhard begann damit ein durch Liturgie, harte Handarbeit sowie durch extreme Selbstkasteiungen bestimmtes Leben der Selbstentäußerung. Im April 1114 legte er die Profess ab. Bereits am 25. 6. 1115 gründete er die Tochterabtei Clairvaux („Wermuttal") in der Diözese Langres, die sein Heimatkloster bis zu seinem Tod im Jahre 1153 geblieben ist. Dort empfing er die Abts- und vermutlich gleichzeitig auch die Priesterweihe. Die weiteren Ereignisse im äußeren Lebensablauf Bernhards sowie eine Chronologie seiner wichtigsten Werke können etwa der ausführlichen Bernhard-Biographie von Peter Dinzelbacher entnommen werden.

Im Zentrum von Bernhards Denken steht seine Theologie der Liebe, deren allmähliche Genese in ihren Grundzügen im Folgenden ohne einen Anspruch auf Vollständigkeit gleichsam entwicklungsgeschichtlich rekonstruiert werden soll.

II. Die Demutslehre und die Bedeutung der Liebe in Bernhards Traktat *›De gradibus humilitatis et superbiae‹*

In seinem wahrscheinlich 1124 verfassten ersten Traktat ›De gradibus humilitatis et superbiae‹ lassen sich schon in nuce wichtige Elemente der späteren Theologie Bernhards erkennen: Etwa die schonungslose, radikale Selbsterkenntnis als Erkenntnis des eigenen kreatürlichen Elends sowie der selbst verschuldeten Sündhaftigkeit, ohne die, wie Bernhard später sagen wird, niemand selig werden könne[1]; das Agens dieses Prozesses der Betrach-

---

[1] Vgl. Sermones Super Cantica Canticorum (= SC) 37, 1, 1 (S. Bernardi Opera,

tung der Wahrheit in uns selbst (vgl. SBO III, 20, 12 f.), d. h. des eigenen
Innenzustandes, ist die von Bernhard keineswegs verachtete Vernunft *(ra-*
tio) des Menschen, die in diesem Prozess der Selbstbeschuldigung sowohl
als Anklägerin ihrer selbst wie auch als Zeugin und Richterin auftritt und
damit das Amt der Wahrheit gegen sich selbst wahrnimmt.[2] Denn diese
vernunftgeleitete Selbsterkenntnis fungiert in diesem ersten Teil des Traktats, in dem Bernhard die Lehre von den zwölf Demuts-Stufen im 7. Kapitel
der Benediktsregel auslegt, als Ausgangspunkt für den Aufstieg des Menschen von einer Demuts-Tugend zur nächst höheren bis zum Erreichen der
äußersten Demut in der vollkommenen Selbstverleugnung, die allein durch
Gnade, durch das Einströmen des göttlichen Wortes in die von ihr selbst
entleerte Seele, zur mystischen Entrückung in der Kontemplation, zur
ekstatisch-unmittelbaren Schau der göttlichen Wahrheit selbst führt. Das
Ziel der Aufstiegsbewegung ist daher die unmittelbare Gotteserkenntnis als
Erkenntnis der Wahrheit, die ihrerseits die vollendete Frucht der Demut ist
(De grad. I, 1. SBO III, 17, 16; I, 5. SBO III, 20, 4). Die Demut aber wird
definiert als jene Tugend, durch die sich der Mensch in der wahrhaftigsten
Selbsterkenntnis selbst für gering einschätzt und deren mustergültiges Vorbild Jesus Christus ist (vgl. De grad. I, 1. SBO III, 17, 2 f.; I, 2. SBO III, 17,
21 f.). Dabei wird die Aufstiegsbewegung der Demut beschrieben als ein
Weg der sukzessiven Aufhebung der Selbstsetzung und -bewegung des eigenen, kreatürlich-natürlichen Willens, der zu einer Wandlung des menschlichen Gottesverhältnisses von einem Verhältnis der Furcht vor Gott aus
einer ängstlichen Sorge um den eigenen Selbsterhalt zu einem Verhältnis
der Liebe zu Gott führt, der keine Furcht mehr innewohnt.

Zwischen den reinigenden und daher als bitter empfundenen, mithin
durchlittenen Stufen der Demut, die die Anfänger auf dem geistlichen Weg
zu ersteigen haben, und der von den Vollendeten vollzogenen kontempla-
tiven, unmittelbaren Schau der göttlichen Wahrheit aber steht die Trost
spendende, als höchst angenehm erfahrene Liebe zu Gott in der Mitte (vgl.
De grad. II, 5. SBO III, 19, 14–21).

An die zwölf Stufen der Demut schließt sich der dreigestufte Aufstieg
zur Wahrheitserkenntnis an, der mit der Erkenntnis der Wahrheit in uns,
der Selbsterkenntnis, beginnt. Führt die *ratio* den Menschen zur Selbsterkenntnis als der ersten Stufe der Wahrheitserkenntnis, die Liebe zum Mit-

---

abgk.: SBO, mit Angabe des Bandes in röm. Zahl sowie der Seite und Zeile in
arabischen Ziffern, II, 9, 12 f.).

 [2] Vgl. De grad. VII, 21. SBO III, 32, 5–8; zu Bernhards Verständnis des richtigen
Vernunftgebrauchs vgl. SC 36. SBO II, 3–8, bes. 5, 19–24, vgl. hierzu H. G. J. Storm,
Die Begründung der Erkenntnis nach Bernhard von Clairvaux, Frankfurt a. M./
Bern/Las Vegas 1977.

leid als der zweiten Stufe der Wahrheitserkenntnis, so führt schließlich die Reinheit zur unmittelbaren Schau der Wahrheit in ihr selbst als der dritten und letzten Stufe der Wahrheitserkenntnis (vgl. De grad. VI, 19. SBO III, 31, 3–5).

Im Ganzen gesehen wird von Bernhard in diesem Traktat die Demut in der gestuften Aufstiegsbewegung ihrer Tugenden als der einzig mögliche Weg beschworen, der zum Erlangen der Liebe führt, und zwar sowohl der Liebe zu Gott wie auch der mitfühlenden Liebe zum Mitmenschen, die ihrerseits das Tor zur unmittelbaren Gotteserkenntnis ist. Es dürfte daher kein Zufall sein, dass derjenige Traktat, der diesen Weg einer freiwilligen Selbsterniedrigung in einer Abfolge von insgesamt zwölf Stufen zumindest andeutet, Bernhards Theologie der Liebe zeitlich vorausgeht.

III. Wesen und Wirkung der Liebe nach Bernhards Brief an die Kartäuser (Ep. 11)

Hatte Bernhard in seinem Traktat über die Stufen der Demut und des Stolzes nur über die Wirkung der Liebe auf dem Weg der Wahrheits- bzw. Gotteserkenntnis gesprochen, so begann er bereits in seiner etwa zur gleichen Zeit verfassten Epistola ›De Caritate ad sanctos fratres Cartusiae‹ das Wesen der Liebe selbst zu betrachten. In diesem spekulativ sehr dichten Brief an Guigo I. stellt Bernhard zunächst die wahre, selbstlose Liebe des Sohnes der falschen, eigennützigen Liebe des Guten um des eigenen Vorteils willen gegenüber, welche ihrerseits zwei verschiedene Erscheinungsformen hat: Die sog. Sklavenliebe, die nur aus Furcht liebt, und die Lohnliebe, die in ihrer Liebe etwas, d. h. einen von der Liebe und dem Geliebten verschiedenen Lohn, für sich begehrt. Demgegenüber gibt sich die echte, die Sohnesliebe, die nicht ihren Vorteil sucht, dem Vater hin, einfach, weil er gut ist (vgl. Ep. 11, XII, 34. SBO III, 148, 17–21).

Die Liebe, *caritas*, ist deshalb makellos, weil sie nichts von dem ihr Zugehörigen für sich behält: „Wer nämlich nichts Eigenes mehr hat, dessen ganzer Besitz gehört Gott. Was aber Gott gehört, kann nicht unrein sein. Das unbefleckte Gesetz des Herrn also ist die Liebe, die nicht sucht, was ihr nützt, sondern was vielen nützt" (vgl. Ep. 11, XII, 35. SBO III, 149, 13–17). Worin aber besteht genau der enteignende Charakter der wahren Liebe? Warum soll der, der Eigenes – zu fragen ist, welches Eigene – nicht mehr hat, ganz Gott gehören? Die wahre, sich hingebende Sohnesliebe enteignet den Menschen, insofern sie ihm die Wirksamkeit seines eigenen, natürlich-kreatürlichen Willens und damit seine Selbstverfügung und Selbstbestimmung nimmt; wer sich aber kraft dieser Liebe seines eigenen Willens freiwillig begibt, der lebt, so Bernhard, notwendigerweise nach dem Gesetz Gottes, d. h., dass er in seiner ganzen Existenz von der ihm erst dann uneingeschränkt geschenkten Liebe Gottes erfüllt und bewegt wird. „Gesetz des Herrn" aber ist die Liebe in zweifacher Hinsicht: Zum einen, und begründend für das andere, ist die Liebe das die Dreifaltigkeit in die Einheit ihres Wesens fügende, mithin einigende Wesen – Bernhard spricht von *substantia* – Gottes und insofern das Gesetz, nach dem er selbst lebt, und zwar in Übereinstimmung mit dem Schriftwort nach 1 Joh 4, 8: „Gott ist die Liebe" (vgl. Ep. 11, XII, 35. SBO III, 149, 17–26). Die Liebe ist aber nicht nur Gott selbst, sein eigenes, innergöttliches Wesen und Leben, sondern auch, wenn auch nur als Akzidens, Gabe Gottes, d. h. Wirkung der wesenhaften, der substantiellen Liebe. So schenkt „die Liebe die Liebe, nämlich die wesenhafte die als Eigenschaft hinzukommende". Bezeichnet die Liebe den Gebenden, so ist sie daher Name der Wesenheit. Meint sie die Gabe, so bezeichnet sie nur eine Eigenschaft (vgl. Ep. 11, XII, 35. SBO III, 149, 26 ff.). Die ewige, göttliche, substantielle Liebe ist zugleich das schöpferische und lenkende Gesetz für Maß, Zahl und Gewicht als den Strukturprinzipien des gesamten Weltalls einschließlich aller seiner Teile (vgl. Ep. 11, XII, 35. SBO III, 149, 28–150, 3). Dieser unveränderlichen Ordnung des ewigen Gesetzes kann sich weder der sklavisch Liebende, der Gott nicht liebt, noch der um eines Lohnes willen Liebende, der etwas anderes mehr liebt als Gott, entziehen. Beide haben dem ewigen Gesetz den eigenen Willen (die *propria voluntas*) vorgezogen und zu einem Gesetz gemacht. Die verkehrte Nachahmung des Schöpfers aber führt zur Selbstbestrafung des Sünders; denn seine Missachtung des göttlichen Willens vermag dessen Vollzug als dem Gesetz der Gerechtigkeit nicht zu entrinnen, sodass der von der Selbstsetzung seines eigenen Willens Bewegte der Gewalt unterworfen, des Glücks aber beraubt bleibt (vgl. Ep. 11, XIII, 36. SBO III, 150, 4–151, 1).

Im Anschluss an diese Ausführungen zum Gesetz der Liebe, d. h. zu ihrem Wesen und ihrer Wirkung, entwickelt Bernhard eine Stufenfolge des Aufstiegs, also der Höherentwicklung und Läuterung, der menschlichen Liebe von der Selbstliebe des Menschen um seiner selbst willen bis zu seiner Selbstliebe um Gottes willen, die eine nahezu identische Entsprechung in ›De diligendo Deo‹ findet und deshalb im Zusammenhang dieser Schrift mitthematisiert wird.

IV. Bernhards Theologie der Liebe in ›De diligendo Deo‹

Die für Bernhards Theologie der Liebe wichtigste Schrift ist zweifellos sein zweiteiliger Traktat ›De diligendo Deo‹. Der erste Teil des Traktats ist durch die Beantwortung dreier Fragen in drei Abschnitte gegliedert und beantwortet im ersten Abschnitt die Frage: Aus welchem Grund sollte Gott geliebt werden, wodurch verdient er unsere Liebe zu ihm?

Genau besehen, ist dieser erste Abschnitt des ersten Teils des Traktats noch einmal zweigeteilt: In seinem ersten Teil (2–6) zeigt Bernhard, warum Gott von allen Menschen geliebt zu werden verdient; in seinem zweiten Teil (6–14) wird erläutert, aus welchen Gründen Gott von den Christen geliebt zu werden verdient.

Noch innerhalb des Prologs gibt Bernhard bereits eine prägnante Antwort auf die beiden ersten Fragen, warum und wie, d. h. auf welche Weise, Gott geliebt werden soll: „Der Grund, Gott zu lieben, ist Gott. Das Maß (Gott zu lieben) ist, ohne Maß zu lieben" (De dil. Deo Prol. SBO III, 119, 19). Aus einem zweifachen Grund soll Gott um seiner selbst willen geliebt werden: weil nichts mit mehr Recht *(nihil iustius)* und weil nichts mit mehr Gewinn *(nil fructuosius)* geliebt werden kann. Gott soll nämlich geliebt werden sowohl aufgrund seiner Verdienste, die er für uns erworben hat, als auch wegen des Vorteils, den die Menschen aus ihrer Liebe zu Gott erhalten (vgl. De dil. Deo I, 1. SBO III, 120, 1–6). Zuerst betrachtet Bernhard das Verdienst Gottes: Dass Gott würdig ist, von uns geliebt zu werden, zeigt sich erstens bereits daran, dass (nach 1 Joh 4, 10) Gott uns zuerst geliebt hat. Die Größe des Verdienstes dieser vorgängigen Liebe *(praedilectio)* Gottes zu den Menschen kann umso besser ermessen werden, wenn man bedenkt, wer es ist, der den Menschen im Voraus geliebt hat, wen er geliebt hat und wie sehr er geliebt hat: Denn es ist der selbst unbedürftige Gott, dessen Liebe zu den Menschen daher nicht aus eigener Bedürftigkeit hervorgeht und folglich auch nicht ihren eigenen Vorteil sucht. Denn er liebte die Menschen, als sie aufgrund ihrer sündhaften Abkehr von ihm seine Feinde waren (nach Röm 5, 10). Welche Liebe aber kann verdienstvoller sein als die ungeschuldete Feindesliebe? Und schließlich: Wie sehr liebte er diejenigen, die sich von sich aus zu seinen Feinden gemacht hatten? Darauf antwortet Bernhard vor allem mit zwei Sätzen aus dem Johannes-Evangelium: „Denn Gott hat die Welt so sehr geliebt, dass er seinen einzigen Sohn dahingab" (Joh 3, 16). Die freiwillige, ungeschuldete Selbsthingabe des eigenen Lebens aber ist nach Joh 15, 13 die größtmögliche und daher auch verdienstvollste Liebe. Mit dieser Überlegung will Bernhard zeigen, dass der Liebe Gottes zu den Menschen in jeder möglichen Hinsicht, d. h. sowohl in Bezug auf das Subjekt als auch in Bezug auf den Adressaten und in Bezug auf die Qualität dieser Liebe, das größtmögliche Verdienst zukommt (vgl. De dil. Deo I, 1. SBO III, 120, 10–121, 5). Worin besteht nun im Einzelnen die vorgängige Liebe Gottes zu allen Menschen? Gott schenkt ungeschuldet allen Menschen das für ihren Seinserhalt Lebensnotwendige, d. h. die leiblichen Güter. Darüber hinaus schenkt Gott allen Menschen auch die hö-

heren, seelischen Güter, nämlich *dignitas, scientia* und *virtus* (vgl. De dil.
Deo II, 2. SBO III, 121, 10–19).

Im anschließenden zweiten Abschnitt dieses ersten Teils von ›De diligendo Deo‹ beantwortet Bernhard die Frage, in welchem Maß Gott geliebt
werden soll. Dass Gott ohne Maß geliebt werden soll, liegt letztlich in
Gottes wesenhafter Unermesslichkeit und Unendlichkeit begründet. Der
Mensch aber kann Gott nur mit seinem begrenzten Vermögen und damit
objektiv unangemessen lieben (vgl. De dil. Deo VI, 16. SBO III, 132, 17–
133, 9).

Der dritte Abschnitt dieses ersten Teils von ›De diligendo Deo‹ sucht
eine Antwort auf die Frage, wegen welchen Gewinnes Gott geliebt werden
soll, und ist überschrieben mit der These, dass Gott nicht ohne Lohn geliebt
wird (vgl. De dil. Deo VII, 17. SBO III, 133, 20). Wahre Liebe, die, wie
Bernhard sentenzenartig formuliert, *affectus est, non contractus* (De dil.
Deo VII, 17. SBO III, 133, 23), erhält keinen äußerlichen Lohn aufgrund
eines Vertrages, ihr verdienter Lohn ist vielmehr genau das, was sie liebt.
Weil sie sich nämlich aus freiem Willen dem Geliebten hingibt, bewirkt
und erhält sie die freie Gegenliebe des Geliebten. Wahr bzw. echt ist Liebe
daher nur dann, wenn sie nicht ihren Vorteil, wenn sie nicht einen Lohn
sucht, wenn sie das Geliebte nicht um etwas anderen willen liebt, sondern
wenn sie, wie Bernhard treffend formuliert, mit sich selbst zufrieden ist,
wenn also ihre Absicht nur auf das Geliebte gerichtet ist. Dieses Grund-
gesetz jeglicher Liebe gilt *a fortiori* auch für die Gottesliebe des Menschen:
Wahrhaftig ist die Gottesliebe der menschlichen Seele erst dann, wenn sie
keinen anderen Lohn sucht als Gott selbst (vgl. De dil. Deo VII, 17. SBO
III, 133, 21–134, 15).

Gegen Ende dieses Abschnitts kommt Bernhard noch einmal auf den
Grund der menschlichen Gottesliebe zurück, der in Wahrheit Gott selbst
ist: Denn Gott ist Wirk- und Zielursache, *causa efficiens* und *causa finalis,*
wie Bernhard ausdrücklich sagt, der menschlichen Liebe zu ihm: „Er selbst
gibt die Gelegenheit, er selbst weckt das Verlangen, er selbst erfüllt die
Sehnsucht. Er selbst hat es bewirkt, ja er ist deshalb Mensch geworden,
damit er geliebt würde … Seine Liebe bereitet die unsere vor und vergilt
sie. Sich selbst schenkt er als Belohnung, sich hält er bereit als Lohn …“
(De dil. Deo VII, 22. SBO III, 137, 17–24).

Im zweiten Teil von ›De diligendo Deo‹ entwickelt Bernhard einen Stu-
fengang der allmählichen Vervollkommnung und Läuterung der menschlichen Liebe. Als ein natürlicher Affekt realisiert sich die Liebe auf ihrer
ersten Stufe, die Bernhard die fleischliche Liebe nennt. Denn diese ist die
in der menschlichen Natur angelegte Liebe zu sich selbst um seiner selbst
willen. Sie ist das natürliche Streben des Menschen nach dem Lebensnot-
wendigen um des eigenen Selbsterhalts willen, welches Streben Bernhard

für schöpfungsmäßig gegeben und damit für gut hält. Diese fleischliche Liebe hat allerdings häufig die Tendenz zu entarten, d. h. zügellos, mithin zur Begierde zu werden (vgl. De dil. Deo VIII, 23. SBO III, 138, 12–19). Eine solche Perversion der natürlichen Selbstliebe des Menschen soll seine ebenfalls natürliche Nächstenliebe verhindern, die nicht einmal den Nöten des anderen abhilft, sondern nur seinen Freuden dient (vgl. De dil. Deo VIII, 23. SBO III, 138, 19–139, 12). Zudem ist es nur gerecht, mit dem anderen die Gaben der Natur zu teilen, mit dem man auch die Natur gemeinsam hat. Auch für diese gerechte, reine Nächstenliebe muss Gott als die Ursache gehalten werden. Denn rein, so Bernhard, kann den Nächsten nur der lieben, der ihn in Gott liebt, d. h. ihn so liebt, wie Gott ihn will und liebt. Folglich muss man Gott zuerst lieben, um erst dann in ihm den Nächsten lieben zu können (vgl. De dil. Deo VIII, 24. SBO III, 139, 22–139, 28). Gott aber bewirkt, wenn auch nicht in einer determinierenden Weise, dass er geliebt wird, indem er die menschliche Natur im Sein erhält. Dieses göttliche Wecken der Liebe des Menschen zu ihm aber geschieht dadurch, dass Gott den Menschen bisweilen absichtlich in Not geraten lässt, damit er sich seine eigene Angewiesenheit auf das seinserhaltende Wirken Gottes bewusst mache, sich Hilfe suchend an Gott wende und ihn auf diese Weise wenigstens des eigenen Vorteils willen zu lieben beginne, womit bereits eine erste Läuterung der rein selbstbezogenen natürlichen Selbstliebe des Menschen und damit die zweite Stufe der Liebe erreicht ist (vgl. De dil. Deo VIII, 25. SBO III, 139, 28–140, 17). Wird dem Menschen aber seine Hinwendung zu Gott und die Erfahrung der ihm zuteil gewordenen Hilfe Gottes zur Gewohnheit, so erfährt er, dass Gott nur deshalb in seinem Wirken liebenswert ist, weil er in sich selbst in höchstem Maße liebenswert ist. So beginnt der Mensch, Gott um seiner selbst, also um Gottes willen, zu lieben und erreicht damit die dritte Stufe der Liebe, auf der die Liebe rein, da uneigennützig und gerecht, und damit so geworden ist, wie sie von Gott empfangen wird. Wer, um mit Bernhard zu sprechen, „Gott dankt, nicht weil Gott zu ihm, sondern weil er in sich gut ist, der liebt Gott wirklich um Gottes und nicht um seiner selbst willen" (vgl. De dil. Deo IX, 26. SBO III, 140, 18–141, 27).

Ist es auf diesen drei ersten Stufen der Liebe noch seine eigene Wirksamkeit, die den menschlichen Willen in seinem Liebesstreben bewegt, so wird der Mensch auf der vierten und letzten Stufe der Liebe, wenn er sich selbst um Gottes willen liebt, seiner willentlichen Selbstbestimmung und reflexiven Selbstverfügung beraubt, indem er „trunken wird von der göttlichen Liebe" (De dil. Deo X, 27. SBO III, 142, 10), indem er sich also erfahrungshaft und nicht seinsmäßig von Gott gleichsam eingetaucht wird in die wesenhafte Liebe seiner absoluten Selbstreflexion. Hielt Bernhard in seinem Brief an die Kartäuser diese unmittelbare Gotteserfahrung noch für innerzeitlich unmöglich, so nennt er jetzt ausdrücklich „selig und heilig den, dem so etwas in diesem sterblichen Leben ganz selten oder auch nur einmal und dann ganz schnell, kaum in einem einzigen Augenblick, zu erfahren geschenkt wird" (De dil. Deo X, 27. SBO III, 142, 13–15). Denn der aktuale Verlust des Selbstbewusstseins ist keine menschliche Empfindung mehr, sondern gleichsam ein himmlischer Wandel (vgl. De dil. Deo X, 27. SBO III, 142, 17 f.; X, 28. SBO III, 143, 20–22), weil er auf einer Verwandlung menschlichen Wollens und Empfindens in das göttliche beruht. Wer aber, seiner eigenen willentlichen Wirksamkeit beraubt, in und mit der seine natürlich-kreatürliche Substanz überformenden Kraft Gottes liebt, der kann sich selbst nur um Gottes willen lieben, weil Gottes wesenhafte Liebe alles um ihrer selbst willen liebt, weshalb Gott auch alles um seiner selbst willen geschaffen hat. Vollkommen geläutert ist die Absicht des menschlichen Willens folglich erst dann, wenn ihr, wie Bernhard sagt, „nichts Eigenes mehr beigemischt" ist, d. h., wenn die Substanz des menschlichen Willens zwar nicht selbst göttlich geworden, wohl aber mit dem göttlichen Willen (mystisch) überformt ist, sodass, wie bei den Heiligen, jede menschliche Neigung eingeschmolzen ist in den göttlichen Willen (vgl. De dil. Deo X, 28. SBO III, 143, 3–22).

Ein dauerhaftes Erreichen dieser äußersten Stufe der menschlichen Liebe, auf der die göttliche Liebe selbst zum Bewegungsprinzip des menschlichen Wollens und Empfindens geworden ist, hält Bernhard allerdings nicht schon innerzeitlich, sondern erst im ewigen Leben für möglich, weil der vergängliche Leib eine Totalausrichtung der seelischen Kräfte auf Gott nicht zulasse (vgl. De dil. Deo X, 29. SBO III, 143, 28–144, 9).

Empfängt eine Seele aber diesen vierten Grad der Liebe nach ihrem zeitlichen Tode, so liebt sie in höchstem Maße, nämlich mit der Liebe Gottes, Gott allein, sodass sie auch sich selbst nur um Gottes willen liebt, der der ewige Lohn der ihn ewig Liebenden ist (vgl. De dil. Deo XI, 33. SBO III, 147, 22–25).

Zusammenfassend und rückblickend können wir festhalten, dass Bernhard in seinem Kartäuserbrief und in ›De diligendo Deo‹ das gleiche, die genannten vier Stufen der natürlichen Selbstliebe, der eigennützigen Gottesliebe, der selbstlosen Gottesliebe und der mystischen bzw. eschatologischen Gottesliebe des Menschen, umfassende Aufstiegsschema für die menschliche Liebe verwendet. Weil es sich dabei um eine Theorie der Vervollkommnung der menschlichen Liebe handelt, die die natürliche Selbstliebe des Menschen als Anfangs- und Ausgangspunkt dieser Vervollkommnung und, wie in ›De diligendo Deo‹, auch die Nächstenliebe des Menschen einschließt, scheint es mir angemessen, Bernhard als Lehrmeister der menschlichen Liebe überhaupt und nicht ausschließlich der Gottesliebe zu bezeichnen, auch wenn nach ihm die Gottesliebe auf der dritten Stufe die

Vollform menschenmöglicher und auf der vierten Stufe die höchste Form der gnadenhaft geschenkten Liebe des Menschen darstellt. Dass Bernhard ein in seiner Zeit zweifellos herausragender, wenn nicht einzigartiger Theoretiker der Liebe als solcher ist, liegt vor allem darin begründet, dass er deren Wesen mit der Substanz des trinitarischen Gottes selbst identifiziert.

Daher eignet seinen zahlreichen normativen Aussagen zu Wesen und Wirkweisen der Liebe ein eminent theologischer Gehalt, wie wir dies insbesondere im Kartäuserbrief sahen und wie es auch in einigen der berühmt gewordenen Predigten des späteren Bernhard über das Hohe Lied begegnet, von denen abschließend drei für unsere Thematik relevante Predigten betrachtet werden sollen.

V. Die Liebeslehren Bernhards in seinen Predigten 20, 50 und 83 über das Hohe Lied

1. Der *ordo caritatis* nach der 20. Predigt über das Hohe Lied

Einen etwas anders gearteten *ordo caritatis* entwirft Bernhard in seiner 20. Predigt über das Hohe Lied. In der alttestamentlichen Aufforderung zu einer ganzheitlichen Gottesliebe des Menschen nach Dtn 6,5 „Du sollst den Herrn, deinen Gott, mit ganzem Herzen, mit ganzer Seele und mit deiner ganzen Kraft lieben" sieht Bernhard drei verschiedene Formen der menschlichen Gottesliebe unterschieden: die Liebe des Herzens, die einen Gefühleifer bezeichnet, die Liebe der Seele, die den Fleiß und das Urteilsvermögen der Vernunft meint, und die Liebe der Stärke, die auf die Standhaftigkeit und Tatkraft des Geistes bezogen ist (SC 20, I, 4. SBO I, 116, 27–30). Die gefühlsbetonte Liebe des Herzens zu Gott charakterisiert Bernhard traditionell als eine fleischliche Liebe *(amor carnalis),* weil sie sich auf den inkarnierten Christus richtet und auf das, was dieser gewirkt und befohlen hat (SC 20, V, 6. SBO I, 118, 13–119, 3). Im Unterschied zu dieser noch fleischlich gesinnten, weil vom sinnlich Wahrnehmbaren bewegten Liebe bedeutet die Liebe zu Gott aus ganzer Seele eine vernüftige Liebe *(amor rationalis),* die sich in ihrer Wahrheitserkenntnis durch keine Gemütsbewegungen täuschen lässt und folglich die *ratio fidei* fest bewahrt (vgl. SC 20, V, 9. SBO I, 120, 23–121, 1). Die geistliche Liebe, der *amor spiritualis,* vermag darüber hinaus auch noch durch die Kraft des Geistes in großen Bedrängnissen zu bestehen und sogar unter Preisgabe des eigenen Lebens Gott die Treue zu halten (vgl. SC 20, V, 9. SBO I, 121, 1–5). Erst diese höchste, geistliche Form der Liebe ist stärker als der Tod (vgl. SC 20, IV, 5. SBO I, 118, 4–10).

Eine einfache Gleichsetzung dieses *ordo caritatis* mit dem Aufstiegssche-

ma der menschlichen Liebe im Kartäuserbrief und in ›De diligendo Deo‹
ist m. E. nicht möglich, zumal hier die Stufe der natürlichen Selbstliebe des
Menschen fehlt. Am ehesten entspricht hier die erste Stufe der Liebe des
Herzens zu Gott der dortigen zweiten Stufe, also der Gottesliebe um des
eigenen Nutzens und Vorteils willen; eine inhaltliche Entsprechung gibt es
auch zwischen der vernünftigen Liebe der Seele als der zweiten Stufe der
Gottesliebe in diesem *Sermo* und der Liebe zu Gott um Gottes willen als
der dritten Stufe der Liebe nach dem Kartäuserbrief und nach ›De diligendo Deo‹, deren Läuterungsbedürftigkeit in der hier noch wirksamen
Tätigkeit des menschlichen Willens liegt. Denn der vernünftigen Liebe der
Seele fehlt noch ihre Erfüllung durch den Hl. Geist Gottes, der ihr erst
jene Stärke verleiht, die sie auch den eigenen Tod nicht fürchten lässt. Eine
unmittelbare Gotteserfahrung wie auf der vierten Stufe der Liebe in der
›Epistola 11‹ und in ›De diligendo Deo‹ wird in dieser Hohe-Lied-Predigt
zwar nicht beschrieben, aber auch nicht für die von der geistlichen Liebe
bewegten Menschen ausgeschlossen.

2. Die Liebe der Tat, die Liebe des Gefühls
und das unmittelbare Empfinden der göttlichen Liebe
nach Bernhards 50. Predigt über das Hohe Lied

In der 50. Hohe-Lied-Predigt unterscheidet Bernhard in seiner Auslegung des Verses Hld. 2, 4 „Er hat in mir die Liebe geordnet" zwischen einer
Liebe, die in der Tat, und einer Liebe, die im Affekt liegt. Während die
tätige Liebe, die vom Gesetz und den Geboten befohlen wird, dem Menschen als Verdienst angerechnet wird, wird die Liebe des Gefühls ihm als
Lohn verliehen. Innerzeitlich ist die Liebe des Gefühls nicht völlig reali-
sierbar, auch wenn ein Fortschritt in ihr möglich ist (vgl. SC 50, I, 2. SBO
II, 79, 5–10). Bei dem Gefühl *(affectio)* wird von Bernhard zwischen drei
verschiedenen Arten unterschieden: zwischen dem vom Fleisch hervorgebrachten Gefühl, das sich nicht dem Gesetz Gottes unterwirft, sondern den
Eigennutz verfolgt; zweitens dem von der Vernunft geleiteten Gefühl, das,
weil es gut ist, dem Gesetz Gottes zustimmt und in dem die tätige und
heilsame Nächstenliebe ihren Sitz hat; und drittens dem von der Weisheit
begründeten Gefühl vollkommenen Glücks, welches verkostet und erfährt,
wie süß der Herr ist, das also das unbeschreibliche Glücks-Gefühl der unmittelbaren Gotteserfahrung des Menschen ist (vgl. SC 50, II. SBO II, 80,
11–22).
    Während die Liebe der Tat den geringeren Gütern wegen ihrer größeren
Bedürftigkeit den Vorzug vor den höheren gibt, beginnt die Liebe des
Gefühls, die Bernhard auch einfach die Weisheit nennt, ihre Ordnung von

oben, indem sie das als höher bewertet, was natürlicherweise höher steht (vgl. SC 50, I, 6. SBO II, 81, 22–28). Die Liebe der Tat aber soll als deren Vorstufe zum unmittelbaren Empfinden der göttlichen Liebe selbst führen, in welcher der Mensch, wie Bernhard hier formuliert, den Hl. Geist in Fülle empfängt und ganz Feuer wird, d. h. nach Maßgabe seines geschöpflichen Fassungsvermögens von diesem Geist erfüllt wird. Erst hier erkennt der Mensch, dass er selbst nur liebenswert ist, sofern er Gott gehört, erst hier lässt er Gott die alleinige Zielursache seiner Liebe sein – analog zur Selbstliebe des Menschen um Gottes willen auf der vierten Stufe des Aufstiegs der menschlichen Liebe in dem Brief an die Kartäuser und in ›De diligendo Deo‹. Wer so weit gekommen ist, liebt auch den Nächsten wie sich selbst, nämlich um Gottes willen (vgl. SC 50, III. SBO II, 81, 29–82, 13).

3. Die reine, bräutliche Liebe zwischen Christus und der Seele nach Bernhards 83. Predigt über das Hohe Lied

Den Höhepunkt von Bernhards Spekulation über die Liebe in seinen Hohe-Lied-Predigten stellt zweifelsohne die 83. Predigt dar, die vor allem die bräutliche Liebe zwischen Gott und der Seele beschreibt: In der Liebe vermählt sich die Seele mit Christus, indem sie ihn liebt, wie sie von ihm geliebt wird. Sie wird durch die Übereinstimmung ihres Willens mit dem Willen Christi ihm gleichförmig und – in der unmittelbaren Gotteserfahrung – ein Geist mit ihm (vgl. SC 83, I, 3. SBO II, 299, 21–29). Diese Einung im Willen ist auch zwischen seinsmäßig ungleichen Personen möglich, denn, wie Bernhard aus tiefer Einsicht in das Wesen der Liebe und sicher auch aus eigener Erfahrung treffend formuliert, „Liebe kennt keine Ehrfurcht. Liebe hat ihren Namen von lieben, nicht von ehren. Ehren mag der, der zurückschreckt, der erstarrt, der fürchtet, der verwundert ist; das alles fehlt beim Liebenden. Die Liebe ist sich selbst genug; wo die Liebe eintritt, zieht sie alle anderen Gefühle an sich und nimmt sie gefangen. Deshalb liebt eine Seele, die liebt, einfach und weiß nichts anderes" (SC 83, I, 3. SBO II, 300, 1–5). Diese treffende Beschreibung der Eigenschaften der Liebe ist interpretationsfähig, auch wenn Bernhard eine solche Auslegung selbst nicht mehr vornimmt: Die Liebe kennt deshalb keine Ehrfurcht, weil die Ehrfurcht auf die Wahrung eines und sogar eines großen Abstands zu ihrem Gegenüber bedacht ist, während Liebe gerade entgegengesetzt das Verlangen nach Einswerdung, nach Überwindung jeglicher Distanz und deren Vollzug ist. Liebe ist sich selbst genug, d. h., sie ist unbedürftig, weil sie in ihrer höchsten, wesenhaften Form in Gott selbst nichts anderes als vollkommene Einung und Einheit ist, der nichts fehlen kann, weil sie qua absolute Einheit nichts außer sich hat, mithin – in einem nicht quantitati-

ven, sondern wesenhaften Sinne – unendlich ist. Die einzigartige Wirk-
macht der Liebe aber beruht auf der Allmacht ihres Wesens, nämlich der
unifizierenden Kraft reiner Einheit. Dass schließlich eine vollkommen liebende Seele in dem Vollzug ihrer Liebe völlig aufgeht und nichts mehr
anderes weiß, ist bedingt durch die die Differenzstruktur jeder endlichen
Reflexion brechende Kraft der vollkommen einfachen, göttlichen Liebe, in
die die bräutlich liebende Seele in ihrer unmittelbaren Liebeseinung mit
dem göttlichen Bräutigam, d. h. mit der Liebe selbst, wie Bernhard ausdrücklich sagt (vgl. SC 83, II, 4. SBO II, 300, 12), gleichsam eingetaucht
wird. Wenn aber die wesenhafte Liebe aus dem genannten Grund vollkommenes Genüge findet an ihrem eigenen Selbstvollzug, dann ist es konsequent, dass Gott liebt, um selbst geliebt zu werden, wie Bernhard wiederholt beteuert: „Denn wenn Gott liebt, will er nichts anderes als geliebt
werden: Liebt er doch nur, um geliebt zu werden, da er ja weiß, dass alle,
die ihn lieben, durch diese Liebe selbst selig werden" (SC 83, II, 5. SBO
II, 301, 9–11). Ohne die Liebe sind Furcht und Ehre Gott gegenüber wert-
los, während die Liebe weder der Furcht noch der Ehre bedarf, weil sie
„durch sich selbst genügt, durch sich selbst gefällt und um willen ihrer
selbst ist. Sie ist sich selbst Verdienst und Belohnung. Die Liebe verlangt
außer sich selbst keinen Grund und keine Frucht. Ihre Frucht ist ihr Genuß.
Ich liebe, weil ich liebe, ich liebe, um zu lieben" (SC 83, II, 4. SBO II, 300,
23–26). Wahre Liebe hat deshalb sich selbst als Ziel und keinen außerhalb
ihrer liegenden Zweck, weil sie in ihrem innersten Wesen der trinitarische
Selbstvollzug Gottes, d. h. die vollkommene, unendliche und daher sich
selbst genügende Einheit der sich wechselseitig schenkenden und empfan-
genden Hingabe zweier Unterschiedener ist, eine Einheit, die jeder innerweltlich erscheinenden Liebe formgebend zugrunde liegt. Daher sagt
Bernhard anschließend: „Etwas Großes ist die Liebe, aber nur dann, wenn
sie zu ihrem Urgrund zurückkehrt, wenn sie sich ihrem Ursprung wieder
schenkt, wenn sie zu ihrer Quelle zurückfließt und von ihr immer empfängt, wovon sie ständig strömen kann" (SC 83, II, 4. SBO II, 300, 26–28).
Von allen Kräften, Sinnen und Gefühlen der Seele ist es daher alleine die
Liebe, durch die das Geschöpf seinem Urheber antworten, d. h. von Ähnlichem etwas zurückschenken kann (vgl. SC 83, II, 4. SBO II, 300, 28–301,
2); dies gilt allerdings nur für die reine Liebe, die nichts anderes begehrt,
der es um keinen Lohn geht (vgl. SC 83, II, 5. SBO II, 301, 17 f.); das aber
ist die bräutliche Liebe, denn: „Der Braut ist nur an einem gelegen, nur
eines erhofft sie: Liebe. An Liebe hat die Braut Überfluß, mit Liebe ist der
Bräutigam zufrieden. Weder sucht er etwas anderes, noch hat sie etwas
anderes. Deshalb ist er Bräutigam und sie Braut. Diese Liebe ist Brautleu-
ten eigen; kein anderer reicht an sie heran, nicht einmal ein Sohn" (SC 83,
II, 5. SBO II, 301, 18–22). Dieses Ideal der bräutlichen Liebe, die sich

einzig und allein der Liebe hingibt (vgl. SC 83, III, 6. SBO II, 302, 1 f.), wird Bernhard zum Inbegriff der, wie er sagt, reinen, heiligen und keuschen, der wechselseitigen, innigen und starken Liebe zwischen Gott und der menschlichen Seele, die zu einer völligen und vollkommenen geistigen Vermählung beider führt, indem Gott und Mensch ein Geist werden, indem also der Mensch erfahrungshaft eingetaucht wird in das Sich-selbst-Lieben Gottes und fortan von der göttlichen Liebe selbst geführt und bewegt wird (vgl. SC 83, III, 6. SBO II, 302, 16–20).

So ist Bernhard von einem Lehrer der Demut zu einem Lehrmeister der reinen Liebe geworden, der sich die menschliche Seele wie eine Braut öffnen und hingeben soll.

Auswahlbibliographie

Quellentexte

Sancti Bernardi Opera vol. I–VIII, edd. J. Leclercq/C. H. Talbot/H. M. Rochais, Rom 1957–1977; vol. IX (Index Biblicus in Opera Omnia S. Bernardi), ed. G. Hendrix, Turnhout 1998.

Bernhard von Clairvaux, Sämtliche Werke, dt. Übersetzung, hrsg. v. G. Winkler, Innsbruck 1990 ff.

Sekundärliteratur

Dinzelbacher, P.: Bernhard von Clairvaux. Leben und Werk des berühmten Zisterziensers, Darmstadt 1998.

Elm, K. (Hrsg.): Bernhard von Clairvaux. Rezeption und Wirkung im Mittelalter und in der Neuzeit (Wolfenbütteler Mittelalter-Studien 6), Wiesbaden 1994.

Evans, G. R.: The Mind of St. Bernard of Clairvaux, Oxford 1983.

Hendrix, G.: S. Bernard et son historiographie, in: Revue d'histoire écclesiastique 90 (1995) 80–103.

Köpf, U.: Religiöse Erfahrung in der Theologie Bernhards von Clairvaux, Tübingen 1980.

Leclercq, J.: Monks and Love in Twelfth-Century France, Oxford 1979.

Penco, G. S.: S. Bernardo tra due centenari, in: Benedictina 38 (1991) 19–33.

AVERROES

Treue zu Aristoteles

Von Josep Puig Montada[1]

Abū l-Walīd Muḥammad Ibn Rušd (latinisiert: Averroes) wurde 1126 in Cordova geboren. Averroes bekam eine juristische Ausbildung, aber auch die „Wissenschaften der Antike", die Naturwissenschaften, die Medizin und Philosophie, fanden sein Interesse. Er studierte in arabischer Übersetzung die Werke des Aristoteles und seiner griechischen Kommentatoren, während er von den arabischen Philosophen vor allem al-Fārābī (gest. 950), Avicenna (gest. 1067) und Ibn Bāǧǧa, Avempace (gest. 1139), der in al-Andalus einen bemerkenswerten Einfluss auf den jungen Averroes ausübte, rezipierte.

Im lateinischen Westen wurde er als „der Kommentator" des Aristoteles bekannt. Drei Arten von Kommentaren zu den Schriften des Aristoteles wurden von ihm verfasst: lange oder große Kommentare zu fünf Schriften, die er für die wichtigsten hielt: ›Zweite Analytica‹, ›Physik‹, ›De caelo‹, ›De anima‹, ›Metaphysik‹; mittlere Kommentare zu allen Schriften und kurze Kommentare nur zu den logischen und den naturwissenschaftlichen Werken, ferner zu ›De anima‹ und zur ›Metaphysik‹. Darüber hinaus kommentierte er in kurzer Form Platos ›Staat‹ und den ›Almagest‹ des Ptolemäus.

Averroes genoss den Schutz des Almohaden-Herrschers Abū Yaʿqūb Yūsuf (gest. 1184), der ihn zum obersten Richter von al-Andalus ernannte. Nachfolger von Abū Yaʿqūb wurde sein Sohn Abū Yūsuf Yaʿqūb (gest. 1199), der im Jahre 1197 die Philosophie verbieten ließ. Averroes wurde zuerst nach Lucena verbannt und dann nach Marrakesch bestellt, wo er in der Nacht vom 9. zum 10. Dezember 1198 starb.

Obwohl seine Arbeit als Kommentator des Aristoteles von hohem Wert und reich an originellen Gedanken ist, wurde seine Verteidigung der Philosophie gegen den Angriff muslimischer Theologen Kernstück der mittelalterlichen arabischen Philosophie. In seinem ›Endgültigen Traktat über die Harmonie der Philosophie und der Religion‹ rechtfertigte Averroes

---

[1] Der Autor bedankt sich bei Prof. G. Endreß (Bochum) für die sprachliche Überarbeitung des Beitrages.

unter Bezug auf den Koran seine Beschäftigung mit der Philosophie. Er nahm die Gegenposition zu der im Werk des Abū Ḥāmid al-Gazālī (gest. 1111) ›Zusammenbruch der Philosophen‹ aufgestellten Behauptung ein, die Philosophie widerspreche dem Islam.

In reifem Alter revidierte er seine kleinen Kommentare (Epitomen oder Kompendien) zum sechsteiligen Kern der aristotelischen Philosophie (›Physik‹, ›De generatione et corruptione‹, ›Meteorologica‹, ›De caelo‹, ›De anima‹, ›Metaphysik‹) und schrieb eine neue Einleitung zu diesen Kompendien. Sein Ziel war es, das wahre Denken des Aristoteles darzustellen. Auf Polemik gegen die Vorgänger des Aristoteles wird verzichtet, und nur seine wissenschaftlichen Beweise werden in Betracht gezogen[2].

1. Averroes sah sich in dieser Aufgabe als Kampfgenosse des Abū Ḥāmid Muḥammad al-Gazālī (Gazali), der im Jahre 1058 in Ṭūs (Iran) geboren wurde. Nach einer theologisch-juristischen Ausbildung lehrte er das schāfiʿitische Recht an der Nizāmīya-Hochschule in Bagdad und verteidigte die Orthodoxie gegen schiitische Bewegungen. Sein Ruf reichte bis an die Grenzen des Islam. Gazali schrieb auch über Philosophie und ist der Verfasser der ›Absichten der Philosophen‹, die nach Ansicht seines spanischen Übersetzers Manuel Alonso Vorläufer der Schrift ›Zusammenbruch der Philosophen‹ sind[3]. In diesem Werk greift Gazali Lehren an, die er für die Hauptthesen der avicennischen Philosophie hält, wie die Lehre der anfangslosen Schöpfung der Welt. Alonso stützt seine Meinung, die ›Absichten‹ seien nur der erste Schritt für einen Angriff auf die Philosophie, auf die Einleitung zu diesem Werke:

Ich habe es für nötig gehalten, dass dem ›Zusammenbruch der Philosophen‹ eine kurze Studie vorhergeht, welche die Absichten der Philosophen in ihren logischen, physischen und metaphysischen Wissenschaften erklärt, ohne das Wahre von dem Falschen darin zu unterscheiden[4].

Averroes' abweichendes Verständnis von dem Zweck der ›Absichten der Philosophen‹ in seiner Schrift ›Epitome der Physik‹ offenbart seine Behauptung, dass Gazali in diesem Buch das Ziel verfolge, das wahre Denken des Aristoteles darzustellen[5]. Vermutlich kannte er die Einleitung nicht, die in dem von ihm benutzten Exemplar fehlen mochte, sodass er

---

[2] Epitome in Physicorum libros (Madrid 1983) 7–8.
[3] Tahāfut al-falāsifa, ed. M. Bouyges 1927, Beirut 1960. Ed. Bouyges und englische Übersetzung M. Marmura: The Incoherence of the Philosophers, Provo, 1997.
[4] Maqāṣid al-falāsifa, Teilausgabe Georg Beer (Leiden 1888) 1, 9–11 (Arabische Seitenzahlen); deutsche Übers., ibid. 21–22.
[5] Epitome in Physicorum 8, 5.

ein Werk in Händen hatte, das Avicenna (gest. 1037) selbst hätte akzeptieren können. Wie Alonso und andere feststellten, sind die ›Absichten der Philosophen‹ geradezu ein Plagiat des avicennischen ›Buch der Wissenschaft‹[6].
Billigt Averroes Gazali auch dieselbe Absicht zu, so hat er seiner Meinung nach doch das Ziel verfehlt. Das Motiv hingegen sei für Gazali und ihn identisch: „Wir beide wünschen unseren Zeitgenossen gleichen Nutzen".[7] Was dieser Nutzen oder dieses Gut ist, wird Gegenstand unserer Untersuchung sein.
Zuerst wollen wir jedoch die Behauptung des Averroes prüfen, ob und in welchem Sinne Gazali ein Philosoph war. Dies soll uns Einsicht in das geistige Umfeld des Averroes vermitteln und seinen Begriff der Philosophie klären. Die zitierte Stelle am Anfang der ›Epitome der Physik‹ ist nicht die einzige, in der Averroes dem Gazali ein gut gemeintes Vorhaben wie auch ein echt philosophisches Streben zubilligt. Nach 1180 und vor der Revision der Kompendien schrieb er den ›Zusammenbruch des „Zusammenbruches"‹, um die Schrift des Gazali ›Der Zusammenbruch der Philosophen‹ zu widerlegen. Trotz der polemischen Natur dieser Schrift bestreitet Averroes, dass Gazali ein Sophist sei:

Gazali stand weit über jenen, die einen Betrug nach dem anderen begehen, aber vielleicht hatten ihn seine Zeitgenossen dazu gezwungen, dieses Buch [›Der Zusammenbruch der Philosophen‹] zu schreiben, um sich des Verdachtes zu erwehren, dass er eigentlich wie die griechischen Philosophen dachte[8].

Ein solcher Verdacht scheint nicht unbegründet zu sein. Averroes erwähnt ›Die Nische der Lichter‹[9], die für ihn sogar Metaphysik „gemäß der Lehre der Philosophen" ist[10]. Der Anlass für diese kurze Schrift sind jene Verse aus der Sura ›Das Licht‹, die beginnen: „Gott ist das Licht des Himmels und der Erde."[11]
Diese Sura hat die islamischen Mystiker stark beeinflusst, sodass auch ›Die Nische der Lichter‹ auf einer Exegese dieser Sura aufbaut. Gazali legt hier die Bildsprache des Koran in mystischen Begriffen aus: Die ganze

---

[6] Dānesh Nāme-ye 'Elāye. Ed. M. Mo'īn und M. Meshkāt, ND Tehran 1975. Siehe Alonso, Maqāṣid al-falāsifa o Intenciones de los filósofos (Barcelona 1962), XLV–LII.
[7] Epitome in Physicorum 8, 6–7.
[8] Tahāfut at-Tahāfut, ed. M. Bouyges (Beirut 1930, ND 1987), 159, 10–160, 2.
[9] Miškāt al-anwār [wa-miṣfāt al-asrār], ed. A.'Afīfī, Cairo 1964. Deutsche Übersetzung von 'Abd al-Ṣamad Elschazlī, Hamburg 1987.
[10] Tahāfut at-Tahāfut 117, 6–7.
[11] Koran 24: 35. Deutsche Übersetzung von R. Paret, 2. Ausg. (Stuttgart 1982) 290.

Wirklichkeit ist Licht und Finsternis, Licht ist Existenz und Finsternis das
Nichtsein. Alle Substanzen sind Lichter, und jedes Licht empfängt seine
Leuchtkraft von einem höheren Licht. Dieser Prozess geht nicht bis in das
Unendliche, sondern endet in einem ersten, wahren Licht, Gott[12]. Dass
Averroes ein eindeutig mystisches Werk als Metaphysik bezeichnet, mag
etwas überraschend sein. Er sah jedoch im Sufismus immer einen Reflex
der antiken Philosophie, und wenn wir den Einfluss des Neuplatonismus
auf die Entwicklung des Gnostizismus berücksichtigen, ging seine Auffassung schon in die richtige Richtung.

›Die Nische der Lichter‹ bildet keine Ausnahme in der reichen schrift-
lichen Produktion des Gazali; sie gibt die Leitgedanken von Gazalis
Hauptwerk ›Die Wiederbelebung der Religionswissenschaften‹[13] in kon-
zentrierter Form wieder, sodass es genug Zeugen für den Sufismus des
Gazali gibt. Aber Averroes möchte nicht nur den Sufismus des Gazali als
allegorische Form der Philosophie ansehen, sondern Gazali auch als einen
echten, wenngleich verborgenen Philosophen vorstellen, wobei er seine
Behauptung auf den philosophischen Inhalt des Kalam stützen kann:

Abū l-Ḥasan al-Ašʿarī (gest. 945) hatte dem orthodoxen Islam dieses
hervorragende Werkzeug zur Verfügung gestellt, indem er eine rationelle
Theologie im Dienste der Orthodoxie entwickelt hatte. Diese Theologie,
die von Anfang an von polemischer Struktur war, heißt *kalām*. Wenn Gazali den Kalam in Anspruch nimmt und die Philosophie von dem Standpunkt der traditionellen Theologie aus bekämpft, kann er sich der Philosophie nicht entziehen. Der Kalam besteht nicht nur aus dialektischen Argumenten, wie Averroes oft behauptet, er besteht auch aus philosophischen
Begriffen und Beweisführungen, wie sie im ›Zusammenbruch der Philosophen‹ verwendet werden.

Mehrere von Gazali übernommene Argumente des Kalam gegen die
Ewigkeit der Welt waren aus der spätgriechischen Philosophie bekannt;
Gazalis Verneinung des Kausalitätsprinzips innerhalb der Natur ist reine
Philosophie. Die zentrale These seiner Möglichkeitslehre, dass die Mög-
lichkeit auf keiner materiellen Grundlage ruhe, sondern nur eine logische
Kategorie sei, hatte die griechische Philosophie schon früher vertreten.
Nach Gazali existiert die Möglichkeit – im Sinne der Potenz – nur in dem-
selben Augenblick wie die Handlung oder Aktualisierung. „Die Existenz
von etwas im Akt (in Wirklichkeit) ist dasselbe wie seine Existenz in Potenz (in Möglichkeit)."[14] Diese Lehre ist eigentlich eine ašʿaritische und

---

[12] Mishkāt al-anwār 57–58.
[13] Iḥyā' ʿulūm ad-dīn, 4 Bde. Kairo 1312/1895. ND Beirut: Dār al-Maʿārif, ohne
Datum.
[14] Tahāfut al-falāsifa, c. XIX, 343.

entstand in der Megarikerschule, wie Averroes in seinem großen Kommentar zur ›Metaphysik‹ erläutert[15]. In diesen Fällen kann er sagen, dass Gazali der Philosophie nachgehe, wenn auch nicht der richtigen.

An anderen Stellen hören wir von Averroes, dass die Unterschiede zwischen Gazali und der aristotelischen Philosophie nur terminologisch und sprachlich sind. Dies steht im ›Endgültigen Traktat über die Harmonie der Religion und der Philosophie‹[16] und selbst im ›Zusammenbruch des „Zusammenbruches"‹. Wenn zum Beispiel die Aš'ariten den Ausdruck „Voraussetzung und Substrat" *(shart wa-mahall)* benutzen, meinen sie die erste Materie der Philosophen. Mit dem Ausdruck „geistige Eigenschaft" *(ṣifa nafsīya)* bezeichnen sie die Form der Philosophen[17], sodass also Gazali nach Auffassung des Averroes eine unpräzise Form der Philosophie betreibt.

Am Ende seines Lebens wendet sich Gazali jedoch vom Kalam völlig ab und gibt damit auch diese Art philosophischen Denkens auf. Kurz vor seinem Tode im Jahre 1111 schreibt er ein Buch, „um die einfachen Leute von der Wissenschaft des Kalam fernzuhalten"[18], weil der Kalam ihren Glauben zerstöre, und bekennt sich zur traditionellen Methode der Koranexegese. Auch schon in der ›Wiederbelebung der Religionswissenschaften‹ hatte Gazali vor der inneren Schwäche des Kalam gewarnt, denn selbst für die Gelehrten sei der Kalam von geringem Nutzen, weil er keine unmittelbare, sondern nur eine auf Indizien aufgebaute Kenntnis Gottes vermittele[19].

Die Gedankenwelt des Gazali ist also nicht frei von Widersprüchen. Averroes beschreibt dies in seinem ›Endgültigen Traktat‹ mit der ironischen Äußerung, Gazali sei ein Aš'arit mit den Aš'ariten, ein Sufi mit den Sufis und ein Philosoph mit den Philosophen[20]. Seine Ironie sollte jedoch nicht überbewertet werden, da wir nicht übersehen dürfen, dass er in seinem gesamten Werk die lautere Absicht des Gazali nie infrage stellt.

Gazali bleibt sein bester Schutz gegen den Angriff jener Zeitgenossen, die die Philosophen als Ungläubige ansahen. Averroes schrieb den ›Endgültigen Traktat‹ um 1179. In diesem Werk schützt er sich vor der Behauptung, dass die Unterschiede zwischen Philosophie und religiöser Orthodo-

---

[15] Tafsīr mā ba'd aṭ-ṭabī'at, ed. M. Bouyges, 2. Bd. (1942, Beirut 1983) 1126, 9–13.
[16] Faṣl al-maqāl, ed. und deutsche Übersetzung M. J. Müller, München 1859; 2. Ausg. der deutschen Übers. Weinheim 1991.
[17] Tahāfut at-Tahāfut, c. XVII, 521, 15–16.
[18] Kitāb ilǧām al-'awāmm 'an 'ilm al-Kalām, ed. M. al-Mu'taṣim bi-Llāh al-Baġdādī, Casablanca 1985. Spanische Teilübersetzung M. Asín Palacios, El justo medio en la creencia (Madrid 1929), „Apéndice 1", 383–417.
[19] Iḥyā' III. 1,15–16.
[20] Faṣl al-maqāl 18,1–4. Deutsche Übers. 19.

xie unüberwindbar seien. Gazali kommt hier mit seiner Schrift über den
›Unterschied zwischen dem Islam und der Häresie‹[21] zu Hilfe, wo er betont,
dass niemand des Unglaubens beschuldigt werden kann, weil seine Meinung von der der Allgemeinheit abweicht. Averroes gibt die Worte des
Gazali wie folgt wieder: „Wegen Verletzung der Konvention kann man
jemanden nur annähernd einen Ungläubigen *(takfīr)* nennen."[22] Averroes
wird später den ›Zusammenbruch des „Zusammenbruches"‹ verfassen und
beweisen, dass die Meinungen der Philosophen mit dem Glauben übereinstimmen, aber sicherheitshalber hatte er schon festgelegt, dass eine even-
tuelle Abweichung ihn des Unglaubens nicht schuldig machte.
Zweifellos war seine Annäherung an Gazali in hohem Maße eine taktische Maßnahme. Unumstritten bleibt aber die Tatsache, dass in großen
Teilen der Werke des Gazali philosophische Gehalte thematisiert werden
oder eine philosophische Methode angewandt wird. Die ›Absichten der
Philosophen‹ sind reine avicennische Philosophie, und besonders hervor-
zuheben ist, dass der ašʿaritische Kalam, dem sich Gazali einen Teil seines
Lebens widmete, philosophische Elemente enthält und Gazali hier von
Avicenna manches übernommen hat. Ferner wendete Gazali in seinen
Werken die Logik philosophischer Herkunft an, und in dieser Hinsicht
dürfen wir von einer offenen, wenn auch bedingten Akzeptanz eines Teiles
der Philosophie reden. Averroes nun sah den Sufismus als eine sekundäre,
abgeschwächte Form der Philosophie an, und da Gazali eine leitende Figur
des Sufismus war, konnte er auf diesem Umweg als Philosoph anerkannt
werden. Die Grenzen der Toleranz des Averroes waren die Grenzen des
aristotelischen Systems.

2. In der oben zitierten Einleitung zum Kleinen Kommentar zur ›Physik‹ legte Averroes Wert darauf, dass Gazali und er selbst ihren muslimi-
schen Zeitgenossen dasselbe Gut wünschten. Wir wissen, dass Gazali, nach
seinen eigenen Worten im ›Munqidh‹, die Glückseligkeit im Jenseits gewinnen wollte und der Weg dazu nur „Frömmigkeit und Enthaltung der
Seele von der Leidenschaft"[23] war. Auch nach Averroes früheren Bemerkungen im ›Endgültigen Traktat‹ ließen sich die beiden vom selben Geist
leiten. Unter der Voraussetzung der Übereinstimmung von Philosophie
und Religion erklärt Averroes als Zweck der religiösen Offenbarung, „die

---

[21] Kitāb faiṣal at-tafriqa bain al-islām wa-z-zandaqa, Kairo 1901, verfasst vor
1095. Der Text wurde von R. J. McCarthy ins Englische übersetzt in: Freedom and
Fulfillment (Boston 1980) 145–174 und ins Spanische in Auszügen von M. Asín
Palacios, El justo medio en la creencia (Madrid 1929), „Apéndice 5", 499–540.
[22] Faṣl al-maqāl 10, 3.
[23] Munqidh 38, 4–5. Deutsche Übers. 42.

wahre Wissenschaft und die wahre Praxis zu unterrichten"[24]. Mit Recht lobt er den Gazali für sein Hauptwerk ›Die Wiederbelebung der Religionswissenschaften‹, das ausdrücklich dazu geschrieben wurde, um die zur Glückseligkeit im Jenseits notwendige Wissenschaft zu lehren[25]. Diese Aussage unterscheidet sich aber von jener, die er in der ersten Fassung seiner Einleitung zu den Kompendien machte. Um 1159 bestimmt er das Ziel seiner Kompendien und seiner philosophischen Tätigkeit:

Unser Ziel in diesem Traktat besteht darin, die Bücher des Aristoteles zu studieren, um aus ihnen die zur Erlangung der menschlichen Vollkommenheit notwendigen Beweise zu entnehmen, aus denen sich diese in wesentlicher und primärer Art ergibt[26].

Der Averroes-Forscher Jamāl ad-Dīn al-'Alawī stützt sich besonders auf diese zwei Lesungen, um seine Theorie von zwei verschiedenen Stadien im Denken des Averroes zu entwickeln[27]. Wie in der zweiten Redaktion sind die positiven Beweise in den aristotelischen Schriften Ziel seiner Untersuchung, aber im Unterschied zu jener ist der Endzweck „die menschliche Vollkommenheit", die durch das in ihnen aufbewahrte Wissen vermittelt wird. Ist also dieser Endzweck verschieden von dem „Guten", welches Averroes und Gazali ihren Zeitgenossen wünschten?

Averroes bringt denselben Gedanken über die menschliche Vollkommenheit in anderen Schriften zum Ausdruck. Nicht später als 1162 schrieb er seine Zusammenfassung des ptolemäischen ›Almagest‹, die nur auf Hebräisch erhalten ist. In der Einleitung erinnert er an die Einteilung der theoretischen Wissenschaften in Hilfs- und Grundwissenschaften. Die die Astronomie des ›Almagest‹ einschließende Mathematik dient der Philosophie, die allein die menschliche Vollkommenheit hervorbringt[28]. Auch im Großen Kommentar zur ›Physik‹, der nur in Latein erhalten ist und 1186 geschrieben wurde, ist davon die Rede, daß die menschliche Vollkommenheit über die spekulative Erkenntnis zu erlangen ist[29]. Ausschlaggebend für die averroische Auslegung ist der Saragossaner Ibn

---

[24] Faṣl al-maqāl 18, 20. Deutsche Übers. 19.
[25] Iḥyā', Band I, Kitāb al-'ilm 3.
[26] Epitome in Physicorum 7–8, Fn.
[27] Al-matn ar-rušdī (Casablanca 1986) 160–167.
[28] Juliane Lay, L'Abrégé de l'Almageste: un inédit d'Averroès en version hebraïque, in: Arabic Sciences and Philosophy 6,1 (1996) 52.
[29] Für weitere Einzelheiten, siehe ›Tres manuscritos del Epítome de Física de Averroes en El Cairo‹, in: Anaquel 2 (1991) 131–138; Aristotelis Opera cum Averrois Commentariis, Bd. 4 (Venedig 1562; ND Frankfurt 1962) Fol. 1 H–1 L.

Bāǧǧa (Avempace, gest. 1039), der einen starken Einfluss auf den jungen Averroes ausübte. Die ganze Philosophie des Avempace wird von einem Gedanken beherrscht: Der Mensch wird sein Glück nur auf dem Wege seiner geistigen Vervollkommnung erlangen. Den Gedanken finden wir in seinem Brief ›Über den Zusammenschluß des Intellekts mit dem Menschen‹[30], wo Avempace den Menschen als „geistige Form" (ṣūra rūḥānīya) bezeichnet, welche ihn mit den Intelligibilia (maʿqūlāt, Verstandesobjekte) verbindet. Über diese Begriffe kann er bis zum ersten Intellekt aufsteigen und sich mit ihm vereinigen[31].

Zweifellos stimmt, was Averroes in der ersten Fassung seines Vorwortes in Jahre 1159 sagt, zum Inhalt seines Großen Kommentars zur ›Physik‹ von 1186. Es gibt aber weitere Belege für die Lehre, dass die menschliche Glückseligkeit in der Vollkommenheit des Menschen besteht und diese über rationelle Erkenntnis erreicht wird. Die Frage beschäftigte ihn in verschiedenen Schriften, insbesondere in seinen Kommentaren zu ›De anima‹. Von der Epitome gibt es zwei Versionen wie auch im Fall der Epitome zur ›Physik‹. Die erste Fassung soll kurz nach 1169 entstanden sein, während die zweite ausdrücklich auf den Großen Kommentar Bezug nimmt, sodass die Revision der Epitome nach dessen Abfassung stattfand. In seiner revidierten Fassung sagt Averroes, dass der Große Kommentar seine endgültige Lehre über das intellektuelle Vermögen enthalte[32], während die erste Fassung der Epitome propädeutischen Charakter habe. Mit dieser Lehre verbunden ist die Frage nach der menschlichen Glückseligkeit.

In einer doppelten Dimension, die über das Individuum hinausgeht, zeigt sich der menschliche Verstand als wirkender und als materieller Intellekt. Der wirkende oder aktive Intellekt, *intellectus agens,* ist immer aktiv und bringt den materiellen Intellekt aus dem Zustand der reinen Möglichkeit heraus, sodass der Mensch Kenntnisse erwirbt. Nach dieser Erfahrung befindet er sich in einem anderen Zustand als zuvor. Darüber hinaus hat der Mensch die Fähigkeit, Gedanken hervorzubringen. Diese Fähigkeit bildet den natürlichen Intellekt, *bi-l-malaka (intellectus in habitu).* Der aktive Intellekt wird zwar immer benötigt, aber der natürliche Intellekt ist direkt dafür verantwortlich, dass der Mensch „Intelligibilia erzeugen kann".[33]

Oft wird der Unterschied zwischen aktivem Intellekt und natürlichem

[30] Ittiṣāl al-ʿaql bi-l-insān, ed. und spanische Übersetzung von M. Asín Palacios, in: Al-Andalus 7 (1942) 1–47. Ed. M. Fakhry, in: Rasāʾil Ibn Bāǧǧa al-ilāhīya (Beirut 1968) 153–173.
[31] Ed. M. Fakhry 166, 9–12.
[32] Muḫtaṣar an-nafs, ed. A. F. al-Ahwānī (Kairo 195ı) 90, 11–15.
[33] CM 499, 585–586.

Intellekt mit einem Vergleich erklärt: Solange der Geometer schläft, hat er einen Intellekt *in habitu,* was die Geometrie angeht. Er kann jederzeit seine geometrischen Kenntnisse aktivieren im Unterschied zu jenem, welcher der Geometrie nicht kundig ist.

Diese Vereinfachung birgt Schwierigkeiten, die Averroes sehr beschäftigten. Vor allem seine Lehre vom materiellen Intellekt hat er tief gehenden Veränderungen unterzogen, wie H. A. Davidson gezeigt hat.[34] Anfänglich übernimmt Averroes die Lehre des Alexander von Aphrodisias, nach dem der materielle Intellekt „eine entstandene Potenz" ist, die auch wieder vergeht, folgt dann aber der Lehre des Avempace. Für Avempace liegt der materielle Intellekt im Einbildungsvermögen *(qūwa mutaḫayyila)* unserer Seele. Dieses Vermögen bereitet die denkende Tätigkeit vor. Im Anschluss an diese Lehre ortet Averroes den materiellen Intellekt in den *ṣuwar khayālīya,* jenen vom Einbildungsvermögen erzeugten seelischen Formen, und bestimmt ihn als „ihre Bereitschaft, die Intelligibilia zu empfangen".[35]

In seinem Mittleren Kommentar lehnt er die Möglichkeit ab, dass der materielle Intellekt sich mit den empfangenen Formen „vermischt". Diese Ablehnung führt ihn zur Behauptung, der materielle Intellekt sei „etwas aus der in uns vorhandenen Bereitschaft und aus einem mit dieser Bereitschaft vereinigten Intellekt Zusammengesetztes".[36] So wie im Kleinen Kommentar spricht er hier von der Bereitschaft als Merkmal des materiellen Intellektes. Zusätzlich aber führt er einen Intellekt ein, der sowohl in Bereitschaft als auch aktual sein kann. Dieser Intellekt ist kein anderer als der aktive Intellekt, sodass Averroes sich im Mittleren Kommentar dem Begriff eines materiellen Intellekts annähert, der auf derselben Ebene wie der aktive Intellekt liegt.

Am Ende seiner geistigen Entwicklung lehnte sich Averroes stark an Themistius an, obwohl er immer eine mittlere Position vertreten wollte und die wahre Lehre des Aristoteles in einer Synthese zu finden glaubte. Averroes ist fest davon überzeugt, dass für Aristoteles „der materielle Intellekt eine ewige Substanz ist".[37] Seine Substanz ist nicht so edel wie diejenige des aktiven Intellekts, da sie potentieller, nicht aktueller Natur ist. Dieser Intellekt ist der ganzen menschlichen Gattung gemeinsam.[38]

Die verschiedenen Lehren über den materiellen Intellekt in der Epito-

---

[34] Alfarabi, Avicenna, and Averroes, on Intellect, Oxford 1992. Siehe auch Jamāl ad-Dīn al-ʿAlawī, The Philosophy of Ibn Rushd, in: Handbuch der Orientalistik I. 12; The Legacy of Muslim Spain (Leiden 1992) 804–829.

[35] Muḫtaṣar, ed. Ahwānī 86, 14–15. Handschrift Kairo, fol. 209 rᵃ": 1–2.

[36] Talḫīṣ kitāb an-nafs, ed. A. L. Ivry (Kairo 1994) 124, 10–11.

[37] CM 389, 57–59.

[38] CM 407, 377.

me und im Großen Kommentar bestimmen auch die Lehren über die menschliche Vollkommenheit, die nach dem Kompendium zu ›De anima‹ in der Ausbildung der Idee *(taṣawwur)* besteht, „dieser von der Materie gelösten Form, welche reines Denken ist".[39] Um sie zu erreichen, muss der Mensch den Weg über die kontingenten Intelligibilia gehen; Bestandteil solcher Intelligibilia ist jener materielle Intellekt, der in den *ṣuwar khayālīya* vorhanden ist. Dies ist die Lehre der ältesten Handschrift, die in der revidierten Fassung vermutlich von Averroes selbst entfernt wurde[40].

Im Grunde genommen fasst er hier die Lehre des Avempace zusammen, wie sie in der ›Epistel über die Einung des Intellektes mit dem Menschen‹ dargestellt ist. Die Intelligibilia bilden eine Art Leiter: Auf der untersten Stufe stehen die Formen des Einbildungsvermögens, über ihnen stehen die praktischen Intelligibilia, über diesen die verschiedenen theoretischen Intelligibilia: zuerst die mathematischen, dann die naturwissenschaftlichen, zuletzt die metaphysischen Intelligibilia, die abstrakten, von der Materie gelösten Formen. Averroes vermisst aber in den Worten des Avempace die Erörterung einer wichtigen Frage: Sind die metaphysischen Intelligibilia ewig? Er beantwortet die Frage mit einem Hinweis auf die Beschränktheit unseres Denkvermögens. Wir können nämlich einen Begriff *(taṣawwur)* von solchen Intelligibilia „nur wegen des zwischen ihnen und den materiellen Intelligibilia existierenden Verhältnisses und ihrer Analogizität" gewinnen[41]. Unsere Erkenntnis beruht auf kontingenten Intelligibilia, die nie frei von Änderungen sind, und so müssen wir die Begriffe von materiellen Intelligibilia nehmen und sie in ihrer edelsten Existenz vorstellen, „so wie die Ursache edler als die Wirkung ist"[42].

Aber Averroes gibt die Hoffnung nicht auf, eine unmittelbare Kenntnis von diesen Substanzen zu gewinnen, die Kenntnis dieser „an sich selbst" ohne jede Materie. Im Anschluss an Avempace versteht er unter ihr das Einssein des Menschen mit dem aktiven Intellekt. Die Einung führt über das Natürliche zum Göttlichen hinauf und wird als „ein Wunder der Natur" bezeichnet. Im Zustand des Einsseins mit dem aktiven Intellekt gleicht der Mensch einem Zusammengesetzten aus Ewigem und Entstandenem, ein Zustand der Verwunderung und des Erstaunens[43].

In seinem Großen Kommentar zu ›De anima‹ wendet sich Averroes von Alexander von Aphrodisias[44] und dessen hispano-arabischem Schüler

---

[39] Muḫtaṣar, ed. Ahwānī 89, 17–18.
[40] Kairo fols. 210 v° 1–214 r° 8, bei Ahwānī auf 90–95 gedruckt.
[41] Muḫtaṣar 93, 11–12.
[42] Muḫtaṣar 93, 21.
[43] Muḫtaṣar 95, 4–8.
[44] CM 395, 228.

Avempace ab. Einen entgegengesetzten Standpunkt vertritt nach seiner Auffassung Themistius. Nach langjährigen Überlegungen hat Averroes seine eigene Meinung gewonnen, die für ihn nur die des Aristoteles ist. Wie schon gesagt, interpretiert der späte Averroes den materiellen Intellekt als eine ewige Substanz und gibt die Auffassung auf, dass dieser eine Bereitschaft in der imaginativen Form sei. Selbstverständlich bleibt die Grundlehre bestehen, dass intellektuelle Erkenntnis durch das Wirken des aktiven Intellekts auf den materiellen stattfindet, aber er wird präziser:

Der Mensch besitzt zuerst individuelle, aber keine rationalen Vermögen, um die Sinnesangaben zu koordinieren, mit ihnen ein Bild herzustellen, zwischen dem Bild und der Wirklichkeit zu unterscheiden[45] und diese Bilder im Gedächtnis zu behalten[46]. Im Lateinischen werden diese Bilder *intentiones ymaginate,* „Vorstellungsdinge", genannt und übersetzen das Arabische *al-maʿānī al-khayālīya*[47]. Der Begriff der *maʿānī,* wörtlich „Bedeutungen", spielt eine große Rolle in der arabischen Philosophie und Theologie und steht dem Begriff der Form nahe, wenn diese nur auf das intellektuelle Erfahren beziehungsweise die Vorstellungskraft bezogen wird. Der Erkenntnisvorgang besteht „in unserer Einung mit der verstandenen Bedeutung", und diese ist nichts anderes als „jener Teil der *intentiones ymaginate,* welcher in uns wie eine Form ist"[48].

Diese „Bedeutungen" sind nicht mehr die passive Grundlage für den materiellen Intellekt, sie sind umgekehrt jene aktiven Elemente, die auf den materiellen Intellekt wirken. Tätig zu werden setzt voraus, von der Möglichkeit in die Wirklichkeit überzugehen, und das geschieht nur, wenn der aktive Intellekt aus diesen *intentiones ymaginate* die aktuellen „Bedeutungen" entnimmt, die dann den materiellen Intellekt bewegen. Der aktive Intellekt „ist das, was verursacht, daß die im Einbildungsvermögen vorhandenen Bedeutungen tatsächlich den materiellen Intellekt bewegen"[49].

Ein dritter Intellekt entsteht als Ergebnis des Lernverfahrens, als „Erzeugtes",[50] der so genannte theoretische, spekulative Intellekt. Dieser Intellekt setzt sich aus der Summe unserer rationalen Kenntnisse zusammen. Diese Kenntnisse sind in Bezug auf den einzelnen Menschen vergänglich, in Bezug auf die menschliche Gattung jedoch ewig und universell.

Ein von Averroes gezeichnetes Bild hilft uns, seine Gedanken zu verste-

---

[45] Genannt *virtus cogitativa,* die auch im Körper existiert. CM 415, 39–68.
[46] CM 415–416, 70–72.
[47] Siehe ›Averroes' Middle Commentary on Aristotle's De anima‹, ed. A. L. Ivry (Kairo 1994) 34, 3–5.
[48] CM 405, 518–519.
[49] CM 406, 559–561.
[50] factum, CM 406, 571.

hen. Erkennen wird von ihm mit dem Sehen verglichen: Die Farbe – die Bedeutung in den Vorstellungsformen – kann den Sehenden – den materiellen Intellekt – nicht bewegen, solange das Licht – der aktive Intellekt – nicht die Farbe von der Möglichkeit in die Wirklichkeit bringt[51]. An einer anderen Stelle wird das Bild etwas geändert: Das Licht – der aktive Intellekt – wirkt auf das Übertragungsmedium *(diaffonum)* – den materiellen Intellekt – und bringt die Farben – *intentiones* – von der Potenz in den Akt[52]. Averroes will das Ewige und das Vergängliche, das Universelle und das Individuelle in der intellektuellen Erfahrung vereinigen. Der aktive und der materielle Intellekt sind ewig, der dritte, der erzeugte Intellekt ist ewig und vergänglich[53]. Seitens des wahrgenommenen Objektes ist er vergänglich, seitens des materiellen Intellekts ewig.

Der materielle Intellekt erhält also im Großen Kommentar eine herausragende Stellung. Unser Wissen ist gerade deshalb nicht vergänglich, weil der materielle Intellekt seinen Fortbestand sichert. Für Averroes gibt es „natürliche Grundsätze, die der menschlichen Gattung gemeinsam sind". Diese Gemeinsamkeit ist auf den Empfänger zurückzuführen, nämlich den passiven oder materiellen Intellekt. Von der Behauptung der Gemeinsamkeit dieser natürlichen Grundsätze geht dann Averroes zu der ihrer Ewigkeit über.

Die von ihm vertretene Auffassung der menschlichen Vollkommenheit steht mit der Auffassung des materiellen Intellekts in enger Verbindung. Nur weil der materielle Intellekt ewig ist, kann er Materie für den aktiven Intellekt werden. Die Einung wird nicht über unmittelbare, gnostische Erfahrungen dieses Empfängers, sondern auf dem Wege eines langwierigen Erwerbes der Wissenschaften vollzogen. Averroes selbst fragt sich, warum wir uns nicht sofort mit dem aktiven Intellekt einen: Wir sind ja immer mit dem materiellen Intellekt geeint.[54]

In der Antwort weist Averroes darauf hin, dass der Mensch die Intelligibilia erzeugt, denkt und versteht, aber nicht nur jene Intelligibilia denkt, die er erzeugt hat, sondern auch erste Intelligibilia, nämlich Prinzipien, die auf natürliche, spontane Art in jedem von uns erscheinen. Der aktive Intellekt ist die Quelle dieser ersten Aussagen oder Grundsätze; das arabische *muqaddimāt* heißt oft „Prämissen", der lateinische Übersetzer entschied sich für *primae propositiones*. Die Intelligibilia, die der Mensch frei mit seiner Willenskraft erzeugt, beruhen immer auf solchen *muqaddimāt*.[55]

---

[51] CM 401, 400–417.
[52] CM 410–411, 666–701.
[53] CM 406, 570–574.
[54] CM 488, 258–260.
[55] CM 496, 487–496.

Der theoretische Intellekt, jener dritte Intellekt, von dem vorher die Rede war[56], wird nun als „etwas vom aktiven Intellekt und von den ersten Aussagen erzeugtes" definiert[57]. Ferner wird der natürliche Intellekt, der Intellekt *in habitu (bi-l-malaka)*, integriert: Obwohl beide – der theoretische und der natürliche Intellekt – verschiedene Funktionen haben, sind sie im einzelnen Menschen identisch.

Der Mensch, als theoretischer Intellekt, ist etwas aus einer besonderen Materie, dem natürlichen Intellekt, und aus einer besonderen Form, dem aktiven Intellekt, Zusammengesetztes[58], wobei der zweite die wirkende Ursache im Denkverfahren ist. Die angestrebte Einung des materiellen mit dem aktiven Intellekt wird in dieser Analyse verständlicher, denn was unter dem natürlichen Intellekt als Substrat vorhanden ist, ist nichts anderes als der materielle Intellekt. Der natürliche Intellekt ist einerseits vergänglich, andererseits ewig. Das Vergängliche hat er von den Intelligibilia, von den Bedeutungen, das Ewige vom materiellen Intellekt. Dieser ist Subjekt sowohl des aktiven Intellektes als auch des natürlichen. Averroes erklärt diese doppelte Funktion mit einem bekannten Bild: Der materielle Intellekt ist das Übertragungsmedium, das *diaffonum,* das gleichzeitig das Licht – aktiver Intellekt – und die Farbe – Bedeutungen – empfängt.[59]

Averroes findet in dieser Struktur die Antwort auf die vorher gestellte Frage. Die Vereinigung des materiellen mit dem aktiven Intellekt muss immer über den Erwerb von Wissen, von intellektuellen Erkenntnissen erfolgen[60]. Je tiefer die Kenntnisse eines Menschen werden, desto stärker wird die Grundlage für seine Bindung an den aktiven Intellekt. Dieser wirkt nicht nur auf die *intentiones,* damit sie den materiellen Intellekt bewegen, sondern ist auch Form, weil der Intellekt des einzelnen Menschen aus Intelligibilia – Materie – und aus dem aktiven Intellekt – Form – besteht. Aktiver und materieller Intellekt sitzen im Innersten des Menschen:

Das Vertrauen in die Möglichkeit zur Einung des [aktiven] Intellektes mit uns erreicht man durch die Behauptung, dass das Verhältnis zwischen dem [aktiven] Intellekt und dem Menschen das Verhältnis zwischen der Form und der Materie ist. Das ist es, was wir in dieser Angelegenheit gesehen haben, und wenn wir noch mehr sehen, werden wir es aufschreiben[61].

Die Bestimmung des aktiven Intellektes als menschlicher Form ist Bestandteil eines Weltbildes, in dem die intellektuelle Wirklichkeit wegen ih-

---

[56] Siehe oben 16–17.
[57] CM 497, 506.
[58] CM 497, 512–517.
[59] CM 499, 565–566.
[60] CM 499, 581–585.
[61] CM 502, 661–666.

rer Eingliederung in das ebenso intellektuelle Göttliche die wahre Wirklichkeit ist. Wenn der Mensch nach dem langwierigen Gang durch Forschen und Lernen das abstrakte Wissen erlangt, vervollkommnet er seine Einung mit dem aktiven Intellekt, aber nicht als Ergebnis seiner subjektiven Anstrengungen, sondern weil die Wissenschaften die wahre Wirklichkeit widerspiegeln. Die Wirklichkeit ist nicht wahr, weil unser Intellekt sie richtig und unabhängig denkt, sondern sie ist wahr, weil das wahre Wirkliche und das Göttliche einzig Intellekt sind. Das Intellektuelle erhält von Gott sein Wesen und seine Existenz ohne Umwege, es ist Schöpfung von seinem Wissen, *entia enim nihil aliud sunt nisi scientia Eius*[62].

3. Zwischen dem philosophischen Vorhaben des Averroes in seiner Jugend und in seinem Alter besteht mit Sicherheit kein Widerspruch. Nie hat er dem Druck nachgegeben, den Gazali und seine Anhänger unter den Almohaden auf die Philosophie ausübten. Ambivalent war sein Verständnis des ašʿaritischen Kalam: Er hat seine Argumente, die für ihn nur dialektische sind, bekämpft, aber auch unterstrichen, dass manches im Kalam der Philosophie nahe liege. Ähnlich war sein Urteil über den Sufismus: Er besitze philosophische Inhalte, die mittels Allegorien zur Sprache gebracht würden. Seine Hinwendung zu Gazali kann als taktische Maßnahme ausgelegt werden, aber das schließt objektive Gründe für ein Akzeptieren mancher Aspekte nicht aus, insofern diese Aspekte im Einklang mit der Philosophie des Aristoteles stehen.

Schwieriger zu beurteilen ist das Verhältnis beider Denker, was das Ziel menschlichen Handelns sein soll. Gazali denkt an das Jenseits als letztes Ziel und stützt sich auf die Religion. Averroes hat nie die Existenz des Jenseits bestritten, setzt aber mithilfe der Philosophie ein diesseitiges Ziel. Grundsätzlich hat er seine Auffassung über dieses Ziel sein Leben lang aufrechterhalten. Nur die Philosophie kann dem Menschen das Glück bringen, das in der höchsten Vollkommenheit seines Wesens besteht. In seiner Jugend, unter dem Einfluss des Avempace, glaubte er an eine Art von Vollkommenheit als unmittelbare Einung des Menschen mit dem aktiven Intellekt, wenn er auf der Leiter der Formen, von den materiellsten zu den rein intellektuellen, aufgestiegen ist. Im Alter wird die Analyse des Denkvorganges präziser: Er definiert den Menschen als Zusammensetzung aus aktivem Intellekt und aus einem natürlichen Intellekt, der immer im Aufbau begriffen ist. Dieser Aufbau findet durch die Vertiefung unserer philosophischen, wissenschaftlichen Kenntnisse statt, die die ganze Wirklichkeit umfassen sollen. Der Mensch muss darauf bedacht sein, alles Wesent-

---

[62] Denn die Seienden sind nichts anderes als Seine Wissenschaft: CM 501, 619–620.

liche mit seinem Verstandesvermögen zu begreifen und auch dementsprechend zu handeln[63].

Das System der daraus folgenden Wissenschaften ist das aristotelische, weil nur dieses genau und wahrhaftig die Wirklichkeit beschreibt. In seinem Großem Kommentar zum Buch *Zeta* der ›Metaphysik‹ (1028a 10ff.) teilt Averroes die Metaphysik als Wissenschaft vom Seienden als Seienden in drei Kategorien ein: die Wissenschaft von der Substanz und den Akzidentien, die Wissenschaft von der Potenz und dem Akt, die Wissenschaft von der Einheit und der Vielheit[64]. Zweifellos ist die Wissenschaft der Substanz die inhaltsreichste; es gibt Substanzen, die mit der Materie verbunden sind und in den naturwissenschaftlichen Werken erforscht werden, und es gibt Substanzen, die frei von ihr existieren und Gegenstand des Buches *Lambda* der ›Metaphysik‹ sind. Die Wissenschaft von den materiellen Substanzen ist die breiteste und weiteste.

Für Averroes hängen die Teile des aristotelischen Systems eng und lückenlos zusammen, denn sie sind Schöpfung der göttlichen Wissenschaft, an der der Mensch mit seinem Verstand teilhaben darf und von der er in seinen Handlungen Gebrauch machen soll. Keiner hat das so gut verstanden wie Aristoteles selbst.

Auswahlbibliographie

Quellentexte

Philosophie und Theologie von Averroes, übers. v. Marcus J. Müller, 1859, Weinheim ²1991.

Die Epitome der Metaphysik des Averroes, übers. v. Simon van den Bergh, 1924, Leiden 1970.

Averroes' Tahafut al-Tahafut (The Incoherence of the Incoherence), englische Übers. v. Simon van den Bergh, 1954, London 1969, 1975.

Averroès, L'intelligence et la pensée. Sur le De anima, französische Übers. v. Alain de Libera, Paris 1998.

Die Mehrzahl der Averroes-Kommentare in lateinischer Übersetzung findet sich in der Giuncta Ausgabe der Werke des Aristoteles:

Aristotelis opera cum Averrois commentariis. Venedig, 1560–1562, ND Frankfurt a. M. 1962.

Commentarium magnum in De anima libros, ed. F. St. Crawford, Cambridge (Mass.) 1953 = CM. Franz. Übers. v. A. de Libera (Paris 1998).

---

[63] CM 500, 611–614.

[64] Tafsīr mā ba'd aṭ-ṭabī'a, ed. Maurice Bouyges, Bd. 2 (1942, Beirut 1983) 744–745.

Sekundärliteratur

Aertsen, J./Endreß, G. (Hrsg.): Averroes and the Aristotelian Tradition. Sources, Constitution and Reception of the Philosophy of Ibn Rushd (1126–1198), Proceedings of the Fourth Symposium Averroicum (Cologne 1996), Leiden 1999.

Arnaldez, R.: Averroès, un rationaliste en Islam, Paris ²1998.

Cruz Hernández, M.: Abū l-Walīd Ibn Rušd (Averroes). Vida, obra, pensamiento, influencia, Cordoba ²1998.

Davidson, H. A.: Alfarabi, Avicenna and Averroes on Intellect, Oxford 1992.

Gätje, H.: „Averroes als Aristoteles Kommentator", in: Zeitschrift der Deutschen Morgenländischen Gesellschaft 114 (1964) 59–65.

Jolivet, J. (Hrsg.): Multiple Averroès. Actes du colloque international … 1976, Paris 1978.

Kügelgen, A. v.: Averroes und die arabische Moderne, Leiden 1994.

Urvoy, D.: Averroès: Les ambitions d'un intellectuel musulman, Paris 1998.

MAIMONIDES

Bibel als Philosophie

Von RÉMI BRAGUE

Leben

Rabbi Moshe ben Maïmon, arabisch Mūsā Ibn Maymūn al Qurṭubī, bei den Juden auch unter dem Akronym RaMBaM bekannt, bei den Christen im Mittelalter Rabbi Moses Aegyptus, in der Neuzeit Maimonides (fallweise auch Maimuni) genannt, wurde 1138 (nicht 1135, wie früher geglaubt) im damals von den Muslimen beherrschten Córdoba geboren. Als 1148 die neue Dynastie der Almohaden Andalusien eroberte, wurden Juden und Christen vor die Wahl gestellt, zum Islam überzutreten oder das Land zu verlassen. Die Familie des Maimonides flüchtete nach Marokko und später nach Ägypten. Sie wurde vom jüngeren Bruder David unterstützt, der als Juwelenhändler tätig war. Als dieser 1173 Schiffbruch erlitt und ertrank, musste Maimonides sein Brot als Arzt verdienen. Er brachte es bis zum Leibarzt al-Fadils, eines Offiziers Saladins. In diesem Zusammenhang schrieb er auch medizinische Traktate. Zugleich bekleidete er ein Amt als Vorsitzender des rabbinischen Gerichtshofs in Fustat (Alt-Kairo). 1187 wurde ihm sein einziger Sohn Abraham geboren. Maimonides war eine moralische Autorität und genoss weltweiten Ruhm, was ihm zahlreiche Aufträge für juristische Gutachten *(Responsa)* einbrachte. Es bleibt jedoch umstritten, ob er je offiziell Haupt (Nagid) der jüdischen Bevölkerung Ägyptens war. Maimonides starb 1204 in Fustat und liegt in Tiberias begraben.

Werke:
  1159: Traktat über Logik (arabisch)
  um 1162: Brief über die Verfolgung (auf Hebräisch erhalten)
  1168: Kommentar zur Mischna (arabisch); darin Einleitung zu Pirqey Avoth („Acht Kapitel"); Einleitung zum Kap. Heleq (bSanhedrin, Kap. 10)
  kurz vor 1170: Buch der Gebote (arabisch)
  1172: Brief an die Jemeniten (arabisch)
  1180: Mishneh Torah (hebräisch)
  1190–1200: Führer der Unschlüssigen (arabisch) [hier: FU].
  1191: Traktat über die Auferstehung (arabisch)

1194: Brief an die Gemeinden Südfrankreichs über die Astrologie (hebräisch)

Unphilosophische Werke eines philosophischen Genies

In der Geschichte der mittelalterlichen Philosophie stellt Maimonides einen paradoxen Fall dar. Er kann nur schwerlich als Philosoph gelten. Das kann man auch von den großen Scholastikern sagen, die sich selbst als Theologen betrachteten. Thomas von Aquin z. B. hat aber auch Werke verfasst, die zweifelsohne zur Philosophie gerechnet werden können, wie seine Kommentare zu Aristoteles. Was Maimonides betrifft, so schrieb er keine philosophischen Werke, mit Ausnahme eines schmalen Traktats über Logik. Sein Ruhm im Judentum rührt nicht von den Werken her, die eine philosophische Thematik aufweisen: Rabbi Moshe ben Maimon, der große Adler der Synagoge, ist vor allem eine erstrangige Autorität auf dem Gebiet des Gesetzes.

Maimonides war jedoch mit der Philosophie vertraut. Für ihn wie für seine Zeitgenossen bildete „die" Philosophie ein einheitliches, vollständiges System des Wissens, das in den Werken des Aristoteles und seiner Kommentatoren vorlag. Für das ganze Mittelalter bestand die Philosophie nicht nur aus Logik, Ethik und Metaphysik. Die Physik gehörte auch dazu, sodass Philosophie als der zusammenhängende Inbegriff des menschlichen Wissens von der Welt galt. Maimonides war sich jedoch bewusst, dass die Wissenschaft im Zeitalter des Aristoteles noch nicht völlig entwickelt war: Er erwähnt zweimal die Fortschritte der Mathematik bzw. der darauf gegründeten Astronomie (FU II, 19 u. 24). Trotzdem war er von der Richtigkeit der aristotelischen Forschungsmethode überzeugt (FU II, 3).

Auf dem Gebiet der Philosophie erhob Maimonides keinen Anspruch auf Originalität. Genauso wie die anderen Philosophen auch betrachtete Maimonides das philosophische Wissen keineswegs als seinen alleinigen Besitz, sondern als das Gemeingut derjenigen Menschen, die sich als fähig erweisen, an der gemeinsamen Wahrheit teilzunehmen. Diese bilden eine Elite, die sich zu allen Zeiten und in allen Ländern findet. An diese Elite richtet sich Maimonides.

Die Quellen

Maimonides betrachtete sich als Erbe der geistigen Überlieferung Andalusiens. Das arabische Spanien war u. a. die Heimat einer erneuten Zuwendung zum „reinen" Aristotelismus, jenseits des neuplatonisch gefärbten Systems Avicennas, das sich im islamischen Orient ausbreitete. Aus Treue zu Aristoteles hatte der Andalusier al-Bitrugi versucht, ein neues

Modell der himmlischen Bewegungen zu entwerfen, das die ptolemäische
Astronomie mit ihrem rein hypothetischen Charakter ablösen und mit den
Gesetzen der aristotelischen Physik vereinbar sein sollte. Maimonides selber erzählt, dass er Astronomie zusammen mit einem direkten Schüler des
Ibn Bājja studiert hat (FU II, 9). Er preist die Juden Andalusiens wegen
ihres Hanges zur Philosophie und ihrer Abneigung gegen den Kalām (FU
I, 71). Auf der anderen Seite erwähnt er niemals andere jüdische Denker,
nicht einmal seine Landsleute, den Mystiker Bahya Ibn Paquda (um 1080),
den Dichter und Apologeten Jehuda Halevi (1075–1141) oder den Exege-
ten Abraham Ibn Ezra (1092–1167).

Unter den „Meistern" des Maimonides wie jedes Denkers aus Andalusien steht an erster Stelle al-Farabi, ein arabisch schreibender Muslim tür-
kischer Abstammung mit einem persischen Hintergrund (875–950). Der
„zweite Meister" – als der erste galt Aristoteles – war vor allem als Logiker
berühmt. Er hat die logischen Werke des Aristoteles teils kommentiert,
teils umgeschrieben. Der Andaluse Ibn Bājja – oder Avempace – (um
1080–1138) hatte diese Werke al-Farabis kommentiert. Ansonsten ist Farabi als der Verfasser mehrerer Werke bekannt, die, zumindest teilweise,
politischen Inhalts sind, wie das berühmte ›Der Musterstaat‹ (urspr. ›Buch
der Prinzipien der Meinungen der Bewohner der tugendhaften Stadt‹)
oder die ›Staatsleitung‹, das Maimonides in einem Brief an den hebräi-
schen Übersetzer des FU preist.

Maimonides benutzt die Werke von Farabi und spielt ständig auf sie an,
auch ohne sie ausdrücklich zu erwähnen. Er exzerpiert z. B. aus den ›Aphorismen des Staatsmanns‹ in den ›Acht Kapiteln‹. Wahrscheinlich ist das Aus-
maß des Gebrauchs noch größer, da manches unter den Werken von Farabi
verschollen ist. Farabis Sprachgebrauch und Fachausdrücke sind überall
bei Maimonides zu finden, auch an entlegenen Stellen. Als Beispiel kann
man hier den ›Brief über die Verfolgung‹ angeben. In diesem Trostbrief
rechtlichen und homiletischen Inhalts empfiehlt der junge Maimonides seinen Mitgläubigen, den Ort, in dem das Gesetz lax angewendet wird, zu
verlassen, um sich in eine „gute Stadt" zu begeben (IV). Nun wird dieser
Zufluchtsort gerade mit dem Fachausdruck bezeichnet, den Farabi für seinen Musterstaat verwendet, d. h. „die tugendhafte Stadt" (h. *ham-medinah
haṭ-ṭovah*: a. *al-madīna al-fāḍila*). Dabei wird das religiöse Gebot, den
strengeren Lebenswandel zu bevorzugen, auch von einer philosophischen
Pflicht mitgeprägt: Späte Neuplatoniker wie Simplikios und in ihrer Nachfolge Farabi hatten dem Philosophen empfohlen, aus der lasterhaften Stadt
zu emigrieren[1].

---

[1] Simplikios, Kommentar zu Epiktets Encheiridion, 24; Farabi, Aphorismen des
Staatsmanns, § 93.

Der Traktat über Logik

Maimonides Erstlingsschrift, abgesehen von einem kurzen Schreiben astronomischen und chronologischen Inhalts, ›Über die Berechnung des Neumondes‹ (1159), ist ein kleiner Traktat über Logik. Das Werk ist in Arabisch geschrieben und verwendet Beispiele aus der islamischen Kulturwelt. Sein vorgebliches Ziel ist es, den relevanten Fachwortschatz Liebhabern der schönen Literatur zu vermitteln, die sich insofern auch für seltene Wörter interessieren. Maimonides erklärt den Sinn der gebräuchlichsten Termini der Logik und stellt die elementarsten Gesetze des Syllogismus dar. Dabei exzerpiert er Farabis Einführungsschriften. Nach dem 7. Kap. verlässt er die Logik im engeren Sinne, um die Terminologie anderer Zweige der Wissenschaft zu erklären. So behandelt er die Erkenntnisquellen (Kap. 8), die vier Ursachen (Kap. 9), die fünf Prädikabilien (Kap. 10), Substanz und Akzidens (Kap. 11), „vor" und „nach" (Kap. 12), die verschiedenen Arten der Ambiguität (Kap. 13) und die Einteilung der Wissenschaften (Kap. 14).

Der Kommentar zur Mischna

Maimonides bleibt auch als rabbinischer Gelehrter an der Philosophie interessiert. In seiner ersten Summa, dem Kommentar zur ›Mischna‹, betont er immer wieder, wie sehr die Lehre der „Weisen" (d. h. der Rabbiner, deren Gespräche in den Talmud aufgenommen wurden) mit derjenigen der „Philosophen" (d. h. der Aristoteliker) übereinstimmt. Er bemerkt z. B., dass die vollkommenen Philosophen der Magie keinen Glauben schenken, wobei die Weisen Griechenlands und diejenigen Israels gegen den heidnischen Aberglauben gemeinsame Front machen (Kommentar zum Traktat ›Avoda Zara‹, IV, 7).

Später kommt dieselbe Geisteshaltung im Brief, den Maimonides an die Vorsteher einiger Gemeinden in Südfrankreich um 1194 richten musste, zum Vorschein. Er warnt sie vor der Gefahr der Astrologie. U. a. erklärt er den Verlust des Gelobten Landes rationalistisch. Die Anbetung der Himmelskörper – also Götzendienst – sei zur Astrologie geworden, woraufhin das Volk die Weiterentwicklung der Kriegskunst vernachlässigt habe. Dies habe zum Untergang des jüdischen Staates geführt (§ 7).

Eine besondere Stelle in der Mischna nimmt der Traktat ›Kapitel über die Väter‹ *(Pirqey Avoth)* ein, eine Blütenlese rabbinischer Aphorismen meist erbaulicher Natur. In der rabbinischen Literatur ist er der *locus classicus* für die Ethik. In seinem Kommentar zitiert Maimonides mehrmals Aristoteles, die größte philosophische Autorität in moralischen Fragen: Der

Freund sei ein anderes Ich (I, 6); die ethischen Tugenden sollten vor der
Weisheit erworben werden (III, 8); es sei töricht, Physisches mathematisch
zu beweisen und umgekehrt (V, 6); nach „den Philosophen" sei der ver-
göttlichte Mensch selten, doch nicht unmöglich; der völlig lasterhafte
Mensch sei dagegen unmöglich (V, 13).

Noch philosophisch aufschlussreicher sind die ›Acht Kapitel‹. Dort versucht Maimonides die Lehren der ›Nikomachischen Ethik‹ mit derjenigen
der Rabbiner in Einklang zu bringen. Nach Aristoteles ist die Tugend eine
Mitte zwischen zwei Extremen. Maimonides lehnt jede asketische Lehre,
da sie Maßloses fordere, ab. Das Ziel der Tora ist es zu bewirken, dass der
Mensch völlig natürlich lebe (Kap. 4). Nach Aristoteles ist der Tugendhafte,
der nur das Gute begehrt, ein besserer Mensch als der Enthaltsame, der
auch das Böse begehrt, aber diese Begierde bezwingt; die Rabbiner lehren
im Gegenteil, dass das Verdienst des Enthaltsamen größer sei. Maimonides
sucht den Widerspruch zu beseitigen, indem er eine Unterscheidung einführt: Die Rabbiner hätten das nur für den Fall der positiven Gesetze gesagt,
nicht dagegen, wo von den vernünftigen Gesetzen die Rede sei (Kap. 6).
Kap. 8 betrachtet die menschliche Freiheit: Gott straft, indem er den Bösen
um seine Freiheit bringt, sodass er zur Umkehr nicht mehr imstande ist.
Das Werk zielt darauf, die Moral als Vorbereitung zur Kontemplation verständlich zu machen: Die Laster seien Schleier, die die Schau Gottes er-
schwerten (Kap. 7).

Philosophie im Gesetz

Das erste große selbstständige Werk des Maimonides ist der ›Mishneh
Torah‹, d. h. die Wiederholung der Tora. Es gelingt ihm, die ungeheure
Fülle der rechtlichen Verhandlungen des Talmuds in eine klare und über-
sichtliche Ordnung zu bringen. Auch in diesem höchst technischen Werke
der Jurisprudenz versucht er eine Annäherung an die Philosophie.

Schon im ›Buch der Gebote‹, einer Zusammenfassung aller positiven
und negativen Satzungen des mosaischen Gesetzes, die als Einleitung zum
›Mishneh Torah‹ konzipiert wurde, spürt man Maimonides' philosophische
Anliegen. Als Beispiel kann das 3. positive Gebot zitiert werden: „Gott
lieben" wird gewöhnlich als „seine Gebote studieren" gedeutet; nun fügt
Maimonides ein paar Worte hinzu, für die sich kaum ein Beleg in der Bibel
ausfindig machen lässt: „seine Gebote *und seine Werke* studieren". Damit
wird die Erforschung der natürlichen Phänomene legitimiert. „Wissen",
das traditionell, wie ar. *'ilm*, religiöse Gelehrsamkeit bedeutete, wird um
eine profane Dimension erweitert.

Im ›Mishneh Torah‹ findet man Philosophisches vor allem im ersten
Buch, „Das Buch der Erkenntnis [Gottes]", dessen Anfang die Grundsätze

der Torah *(Yesodey hat-Torah)* behandelt. Die ersten Absätze enthalten eine Zusammenfassung der damals als wissenschaftlich gesichert geltenden Kosmologie: Die Welt besteht aus durchsichtigen Sphären, der sublunare Bereich aus vier Elementen usw. Dabei werden einige Begriffe aus der Tradition mit einem neuen Sinn erfüllt: Die Engel werden z. B. zu den Geistern, die die Himmelssphären lenken.

Philosophischer Stil

Der ›Führer der Unschlüssigen‹ (oder: *der Umherirrenden)*, unbestritten Maimonides' Meisterwerk, ist äußerst schwer zu deuten. Auf den ersten Blick ist er ein planloses Dickicht, ein Durcheinander aus allegorischer Exegese, Lexikographie, Astronomie, Jura und Religionsgeschichte – philosophische Fragen werden nur nebenbei gestreift. Diese Unordnung ist umso befremdlicher, als Maimonides für seine außerordentliche Begabung berühmt war, Klarheit und Ordnung in den dunkelsten talmudischen Diskussionen zu schaffen, ein Talent, das man auch ab und zu im FU bewundern kann, wie z. B. in seiner Darstellung der Prämissen der Philosophen und der *Mutakallimūn.* In der Einleitung gesteht Maimonides, dass er mit Absicht seine Spuren verwischt habe, insbesondere durch eine kunstvolle Verwendung des Widerspruchs.

Nach Maimonides ist diese Methode doppelt legitimiert: Einerseits ist sie die philosophische Schreibweise schlechthin, ein Vorgehen, das er als „den praktischen Teil der Philosophie" bezeichnet (Einleitung zum Kapitel Heleq, § 3). Sie ermöglicht nämlich, sich angemessen an die kleine Elite der potentiellen Philosophen und an den großen Kreis der Laien zu richten: eine streng apodiktische Beweisführung für die Auserkorenen, erbauliche Reden für die Menge. Ferner betrachtet Maimonides diese Methode als diejenige der Bibel, die neben ihrem tiefen religiösen Inhalt auch Anweisungen für die ethische und politische Gestaltung der Gesellschaft enthält.

Der Stil dieser Schrift hat zu den verschiedensten Deutungen geführt: Der ›Führer‹ gilt bis heute entweder als das Werk eines frommen Gläubigen und Mystikers oder eines reinen Aristotelikers und Freidenkers oder gar eines Skeptikers kantischer Prägung.

Die Kritik am Kalām

Maimonides treibt nicht nur Philosophie als ein Fach unter anderen. Er versucht, der philosophischen Tätigkeit eine Stelle im System des jüdischen Wissens zu sichern. Dieses System ruht nach wie vor auf dem Gesetz. „Wissen" heißt vor allem: die Gebote erforschen, um sie genauer zu erfüllen. Die jüdische Praxis bedarf andererseits aber auch einer vernünftigen Begründung und einer intellektuellen bzw. spirituellen Vertiefung. Im Mittelalter musste übrigens jede Religion demselben Problem begegnen. Jede bevorzugte eine andere Lösung: Das westliche Christentum hat, außer seiner sakramentalen Praxis, eine Theologie mit philosophischen Methoden entwickelt, der Islam seine Regeln des Alltags mit einem von der neuplatonischen Einheitsmetaphysik beeinflussten mystischen Überbau *(Sufitum)* beseelt, das spätmittelalterliche Judentum sich für Mystik *(Kabbala)* entschieden; im Zeitalter des Maimonides und seiner islamischen Vorläufer wie Farabi bildete aber auch die aristotelisch-neuplatonische Philosophie *(falsafa)* eine plausible Möglichkeit, diese intellektuellen Bedürfnisse zu befriedigen: Man konnte die Dogmen und Vorschriften der Religion als Gleichnisse für Wahrheiten auffassen, deren reine Form sich in der Philosophie fanden.

Die Philosophie sah sich aber auf demselben Gebiet der Spekulation mit einem Gegner konfrontiert, dem sog. *Kalām.* Früh hatten Christen und in der Folge Muslime versucht, ihre jeweiligen Glaubenssätze durch Methoden, die sie der Philosophie entlehnten, plausibel zu machen und zu verteidigen. Diese Kunst der Apologetik hieß *Kalām* (= Wort), deren Anhänger *Mutakallimūn* (= [Für]sprecher). Auch Juden hatten sich der Methoden des *Kalāms* bedient, wie z. B. der in Bagdad wirkende Ägypter Saadia Gaon (882–942) in seinem Hauptwerke ›Der Glauben und die Überzeugungen‹.

So muss Maimonides den *Kalām* bekämpfen, um die Philosophie zu etablieren. Das geschieht zuerst, indem er die Genealogie des *Kalāms* bloßlegt (FU I, 71). Sein Unternehmen ähnelt Nietzsches Versuch einer „Genealogie" oder der heutigen Ideologiekritik: Die Legitimität einer gedanklichen Position wird dadurch untergraben, dass gezeigt wird, aus welchen konkreten Verhältnissen sie entstand. Nach Maimonides rühren die Argumente des *Kalāms* nicht von einer eigentlich freien philosophischen Wahrheitssuche her. Die Anhänger des *Kalāms* seien nur darauf aus, Glaubenssätze, deren Wahrheit sie sowieso voraussetzten, nachträglich in ein philosophisches Gewand zu kleiden.

Maimonides unterwirft den *Kalām* auch einer inhaltlichen Kritik, indem er dessen oft stillschweigend vorausgesetzte Prämissen thematisiert (FU I, 73). Nach dem *Kalām* oder wenigstens der Schule von *al-Aš'arī*, die er bekämpft, besteht die Welt aus unteilbaren Teilchen, und zwar nicht nur materiell aus Atomen, sondern auch zeitlich aus Augenblicken und ontologisch aus Qualitäten, die sich bloß akzidentell zu Substanzen zusammenbündeln. Die *Mutakallimūn* verwerfen den Begriff einer stabilen Natur, die nach ihren eigenen Gesetzen verläuft. Jedes Phänomen hängt von einem freien Entschluss Gottes ab, der es Augenblick für Augenblick im Sein erhält; die Dauer eines Phänomens wird als Gewohnheit Gottes angesehen. Über die Möglichkeit bzw. Unmöglichkeit eines Sachverhalts entscheidet nur die Einbildungskraft, nicht die Vernunft: Was man sich einbilden kann, ist möglich. Indem Maimonides die Weltanschauung des *Kalāms* verwirft, rettet er einen ganzen Teil der Philosophie, und zwar die Physik, der er ihren Gegenstand, nämlich die Natur, und ihr Subjekt, die Vernunft, zurückgibt.

Gottes Dasein

Im Unterschied zu den *Mutakallimūn* nehmen die Philosophen Gottes Dasein nur aufgrund vernünftigen Schließens an. Maimonides stellt eine Liste der 26 Prämissen auf, deren sich die Philosophen bedienen, um Gottes Dasein zu beweisen (FU II, Einführung). Er bringt vier Argumente vor, die nicht nur Gottes Dasein beweisen, sondern auch dessen Einheit und Unkörperlichkeit (FU II, 1). (1) Der erste Beweis, direkt von Aristoteles entlehnt, gründet auf der Regel, das jedes Bewegte einen Beweger haben muss; folglich muss es einen ersten, unbewegten, unkörperlichen Beweger geben. (2) Der zweite rührt von Aristoteles auf dem Wege über Alexander von Aphrodisias her: In einem zusammengesetzten Ganzen, in dem ein Element auch getrennt vorkommt, muss das zweite Element auch getrennt vorkommen; nun beobachten wir, dass es Dinge gibt, die bewegt sind und andere bewegen, ferner, dass es auch Dinge gibt, die nur bewegt sind; folglich muss es auch Dinge geben, die nur bewegen, ihrerseits aber stillstehen. (3) Der dritte Beweis ist angeblich aristotelisch, stammt aber von Avicenna: Wenn überhaupt etwas existiert, so muss es ein Notwendig-Seiendes geben. (4) Der vierte Beweis verläuft ähnlich wie der erste, schließt aber vom beobachtbaren Vorkommen eines Übergangs von Potenz zu Aktualität auf das Dasein eines rein aktuellen Wesens.

Diese Beweise entsprechen dreien der fünf Wege zu Gott *(viae)* bei Thomas von Aquin: Die ersten zwei entsprechen den ersten zwei Wegen in ›Gegen die Heiden‹ (= CG) und dem ersten in der ›Summa Theologica‹ (= ST). Der dritte bei Maimonides ist auch der dritte in der ST, fehlt aber in der CG. Der vierte kommt bei Thomas als Nr. 3 in der CG und als Nr. 2 in der ST vor. Nur die letzten zwei thomasischen Beweise, der von den Stufen der Vollkommenheit im Sein, die eine oberste Stufe postulieren, und der von der weisen Lenkung der Dinge durch die Providenz *(gubernatio rerum)* fehlen bei Maimonides.

Ferner sind Maimonides' Beweise sozusagen „neutral". Ihre Gültigkeit hängt nicht von der Hypothese eines zeitlichen Anfangs der Schöpfung ab; umgekehrt setzt sie die Annahme einer ewigen Welt nicht außer Kraft.

Deshalb betont er, dass diese Beweise von den „besten Philosophen" stammen. Dazu kommt, dass der Gott, dessen Dasein damit bewiesen wird, eher der Erste Beweger des Aristoteles oder der Notwendig-Seiende des Avicenna ist als der biblische Schöpfer und Lenker der Geschichte. Philosophische Argumente beweisen einen philosophischen Gott.

Schöpfung der Welt oder Ewigkeit?

Der Hauptstreit zwischen den Offenbarungsreligionen und den Philosophen betraf die Schöpfung. Nach der Bibel und dem Koran hat die Welt einen Anfang in der Zeit gehabt. Aristoteles, Plotin und noch am Ende des 5. Jh. Proklos vertraten die Lehre von der Ewigkeit der Welt. Am Anfang des 6. Jh. hatte der Christ Johannes Philoponos versucht, die Argumente des Aristoteles und des Proklos rein philosophisch zu widerlegen. Sein heidnischer Gegner Simplikios hatte sie wiederum verteidigt und der Muslim Farabi hatte sich der Sichtweise des Simplikios angeschlossen[2].

Maimonides versucht, das Problem zu neutralisieren. Er zeigt, dass man Gottes Dasein auch dann beweisen kann, wenn man von der Hypothese ausgeht, dass die Welt ewig sei (FU II, 2). Thomas v. Aquin hat diese Lösung rezipiert und umgestaltet: Man könne an einen zeitlichen Anfang des Weltalls nur glauben, ihn dagegen nicht wissenschaftlich beweisen[3]. Maimonides schlägt einen anderen Weg als den des Glaubens ein. Er versucht, die Argumente der Philosophen zu entkräften und die Schöpfung plausibel zu machen. Er macht geltend, dass Aristoteles mit seinen eigenen Beweisen nicht völlig zufrieden war (FU II, 15) und er zeigt, dass mit der Annahme einer ewigen Welt, die notwendig aus Gott hervorgeht, die Erklärung der Struktur des Kosmos schwieriger wird als mit dem Glauben an eine zeitliche Erschaffung der Welt durch Gottes freien Entschluss (FU II, 19 u. 22).

Welchen Wert Maimonides seinen eigenen Argumenten beimisst, bleibt unklar. Es steht jedoch fest, dass er damit das Augenmerk auf die Fragestellung der Astronomie richtet, ja das Problem auf das Feld der Wissenschaft verlegt, wobei er der Forschung aus theologischen Gründen Vorschub leistet.

---

[2] Aristoteles, Über den Himmel I, 10–12; Plotin, Enneaden II, 1 [40], 1; II, 9 [33], 7; Proklos' Schrift ist nur bruchstückhaft erhalten; Johannes Philoponos, De aeternitate mundi contra Proclum, hrsg. v. H. Rabe, Leipzig 1899; Simplikios, In Physicam Aristotelis VIII; hrsg. v. H. Diels, CAG X, Berlin 1895; M. Mahdi, Alfarabi against Philoponus, Journal of Near Eastern Studies 26 (1967) 233–260.

[3] Thomas von Aquin, De aeternitate mundi contra murmurantes.

Rede von Gott

Nach Maimonides darf man über Gott keine positive Äußerungen machen. Gott hat keine Attribute, die sein Wesen ausdrücken würden. Solche Attribute würden seine absolute Einheit beeinträchtigen (FU I, 50). Gott als der Erste kann nicht regelrecht definiert werden, da die Elemente der Definition, Art und Gattung ursprünglicher wären als Er; als der Einfache kann Er auch nicht von einem einzigen definitorischen Element beschrieben werden, da dieses Element ein Teil von Gottes Quiddität wäre, als bestünde der Einfache aus Teilen; Er kann erst recht nicht von einer Qualität beschrieben werden, die Ihm nur als Akzidens zukommen würde, sodass Er aus einer Mehrheit bestehen würde. Zwischen Gott und den Geschöpfen gibt es überhaupt kein Verhältnis, auch „Sein" bedeutet nicht dasselbe in beiden Fällen. Nur die Attribute, die eine Wirkung Gottes ausdrücken, können ausgesagt werden (FU I, 52).

Der einzige Weg, der übrig bleibt, ist ein negativer, und zwar derjenige der doppelten Negationen: Auch die Attribute, die positiv klingen, wie z. B. „mächtig", bedeuten in der Tat nur, dass Gott „nicht ohnmächtig" ist, „seiend", dass man nicht sagen darf, es gebe keinen Gott, usw. Sie erweitern unsere Kenntnisse lediglich dadurch, dass sie falsche Vorstellungen entfernen (FU I, 58).

Diese streng apophatische Theologie macht zugleich die Bahn frei für andere Dimensionen der philosophischen Forschung. Das Studium der Natur als Schöpfung wird zum einzig möglichen Weg, indirekt zu einer gewissen Kenntnis Gottes zu gelangen (FU I, 34). Die Würdigung der Physik (vgl. FU I, 55) geht mit einer Minderung des Stellenwertes der Metaphysik einher. Negative Theologie führt zur Physik; die Physik wird wiederum zur einzigen möglichen Rede über die göttlichen Dinge, die ebensowohl „natürliche Dinge" sind (FU III, 32 Anfang).

Auf der anderen Seite gibt es zwischen uns und dem unerkennbaren Gott ein verbindendes Glied, und zwar den Intellekt. Mit einer überraschenden Kühnheit behauptet Maimonides, dass Gottes Intellekt dieselbe Struktur aufweise wie die unsere: Die Identität zwischen Akt, Subjekt und Objekt der Intellektion ist dieselbe in uns und in Gott. Es gibt sogar zwischen beiden Intellekten einen gemeinsamen Punkt, eine Tatsache, die Maimonides mit einem Zitat aus dem Psalm 36, 10 ausdrückt: „In deinem Lichte sehen wir das Licht" (FU II, 12 Ende; III, 52 Anfang). Die Tätigkeit unseres Intellekts ist durch das Ausströmen des göttlichen Intellekts ermöglicht. Wir erkennen Gott durch dasselbe Mittel, wie Er sich selbst erkennt.

Physik als Exegese

Durch diese Form der apophatischen Rede bekommen wir einen Schlüssel zum Verständnis der Bibel in Übereinstimmung mit einem von Maimonides häufig zitierten Spruch der Rabbiner: „Die Tora spricht in der Sprechweise der Menschen" (FU I, 26 usw.). Maimonides verleiht dieser Äußerung, die ursprünglich die Milde („Menschlichkeit") der Vorschriften ausdrücken sollte, einen neuen Sinn. Alles, was in der Bibel gegen die Regel der negativen Theologie verstößt, muss allegorisch gedeutet werden – ein Programm, das Maimonides selber nur teilweise verwirklicht. Er überlässt vielmehr seinen Lesern die Aufgabe, dieses hermeneutische Prinzip anzuwenden. Kurz nach seinem Tode und am Anfang des 14. Jh. sollte die übertriebene Anwendung der Allegorese einen heftigen Streit in den jüdischen Gemeinden Südfrankreichs entfachen.

Was Maimonides selber betrifft, so legt er als Probe die zwei Hauptstellen der jüdischen Esoterik physikalisch aus: das „Werk des Anfangs" (Ma'aseh Bereshit), d. h. den ersten Schöpfungsbericht (1 Mose 1), aufgrund der Lehre der vier Elemente bzw. der trockenen und feuchten Dünste (FU II, 30), und das „Werk des [Thron]wagens" (Ma'aseh Merkabah), d. h. die Darstellung des göttlichen Gespanns im ersten Kapitel Ezechiels, als eine Anspielung auf das himmlische Sphärengefüge (FU III, 1–7). Das Neue dabei ist nicht der Inhalt der Lehren, die die Bibel enthalten soll. Im Gegenteil findet sich wohl unter dem Schleier der Allegorie nur ganz übliches Gedankengut: aristotelische Meteorologie und ptolemäische Astronomie. Manche Kommentatoren haben sich mit Staunen gefragt, warum Maimonides Mühe darauf verwendet, Lehren zu verschleiern, die in jeder Schule öffentlich vor Anfängern vorgetragen wurden. Das Neue und Provozierende ist die bloße Annahme, dass die Bibel im Grunde außer den Geboten keine andere Lehre enthält als die philosophische. Bibel ist eher Physik als Theologie. Die Identität der geheimen Lehre der Bibel und der öffentlichen Lehre der Philosophen ist genau das, was geheim gehalten werden sollte.

Das Gesetz

Nach der jüdischen Orthodoxie ist das göttliche Gesetz dem Moses gegeben worden. Moses konnte es empfangen, weil er Prophet war, ja der größte unter allen, was erklärt, dass die ihm anvertrauten Regelungen für immer gültig sind. Maimonides entwirft nun eine philosophische Deutung der Prophetie. Das geschieht im Rahmen der Seelenlehre des Aristoteles. Die Kommentatoren hatten seine dürftigen Ansätze über den tätigen Intellekt zu einer differenzierten Noetik weiterentwickelt. Farabi hatte sie mit einer Kosmologie und einer Emanationslehre verbunden: Jeder Sphäre im zwiebelförmigen Weltgefüge entspricht eine Intelligenz; jede Intelligenz emaniert in die unmittelbar tiefere, bis zur zehnten und letzten Sphäre, derjenigen des Mondes. Ihre Intelligenz bildet den tätigen Intellekt, der über die ganze sublunare Welt waltet[4].

Der Prophet ist derjenige, dessen vollkommene körperliche Verfassung und sittsamer Lebenswandel ihn instand setzen, das Ausströmen des tätigen Intellekts in seiner reinsten Form zu empfangen. Je reiner der Prophet, desto unmittelbarer sein Kontakt mit dem Göttlichen. Über der obersten Stufe auf der Leiter der Prophetie steht Moses (FU II, 45). Die göttliche Emanation beeinflusst seinen Intellekt und erlaubt ihm, göttliche Dinge zu begreifen. Sie beeinflusst auch seine Einbildungskraft, was ihn dazu befähigt, das Gesehene auch bildlich darzustellen, folglich es dem Volk mitzuteilen.

So wird der Prophet zum Gesetzgeber des vollkommenen Staats. Platons „Kallipolis" wird in die Tat umgesetzt. Das geschieht nicht notwendig, indem der Staat zu einer wirklichen politischen Macht wird. Er existiert doch wenigstens als das vollkommene Gesetz, nach dem sich die Philosophen richten können – was übrigens schon Platon erklärt hatte[5]. Dieses Gesetz ist dasjenige des Moses, die vollkommene Polis ist das jüdische Volk. Das Gesetz erlaubt nicht nur, die Gesellschaft bestens zu organisieren; es verleiht zugleich dem Menschen richtige Ansichten über Gott und die Engel, damit er weise, klug und hellsichtig wird, wobei er den ganzen Bereich des Seins in seiner Wahrheit erkennen kann (FU II, 40). Das göttliche Gesetz fördert die Philosophie.

Damit ist die Möglichkeit einer realen, irdischen Verwirklichung des vollkommenen Staates nicht ausgeschlossen. Sie bleibt aber ein eschatologischer Fluchtpunkt, wobei Maimonides den Messianismus neu deutet: Das Zeitalter, das traditionell als die „Tage des Messias" bezeichnet wird, ist ein rein diesseitiges Reich des Friedens und der Befriedigung aller Bedürfnisse. Es ist nicht an und für sich wünschenswert, sondern nur, weil es einem jeden erlaubt, sich in vollkommener Seelenruhe der Kontemplation zu widmen[6]. Auch der Messianismus wird von der Philosophie her gedacht, und zwar als die Bedingung ihrer vollkommenen Entfaltung.

Die Gebote sind im Grunde vernünftig und sinnvoll. Maimonides verwirft die traditionelle Unterscheidung, die auch bei Saadia vorkommt, zwischen den Geboten, deren Gründe die Vernunft einsehen kann, und den-

[4] Aristoteles, Von der Seele III, 5; Farabi, Musterstaat, hrsg. v. F. Dieterici, Kap. 10.
[5] Platon, Staat IX, 592b.
[6] Einführung ins Kap. Heleq 5; Mishneh Torah, 1. Buch: Erkenntnis V, 9.

jenigen, die bloß Gehorsam fordern und dazu dienen, ihn zu erproben. Ein
jedes Gebot hat einen Grund. Als das Gesetz gegeben wurde, plante Gott,
das jüdische Volk aus dem Heidentum („Götzendienst") zu führen. Das
geschieht immer indirekt, aber der Umweg ist entweder chronologisch
oder strategisch. Im ersten Fall wendet Gott eine Art List an. Das zeigt er
am Beispiel der Opfer. Nach dem Gesetz sind sie zwar erlaubt, dürfen aber
nur dem Gotte Israels dargebracht werden. Das Volk konnte nicht sofort
auf die Opfer verzichten, sondern musste sich allmählich entwöhnen (FU
III, 32).

Auch die sog. „rituellen" Gebote *(ḥuqqim),* die keine Einsicht in ihre
Gründe gewähren, sind Teile einer indirekten Strategie. Maimonides rekonstruiert aufgrund einiger Bücher wie der ›Nabatäischen Landwirtschaft‹ eine angeblich universale Ur-Religion, die er Sabäismus nennt (FU
III, 29). Sie funktioniert als ein Gegenbild zur mosaischen Gesetzgebung.
Die Abwehr des Sabäismus sei der vergessene Grund der „rituellen" Gebote: Das Untersagte sei gerade die damals übliche Praxis der Götzendie-
ner. Der Aberglaube, der damit beseitigt wird, ist auch der Philosophie
abträglich. So bereitet die Bibel den Weg für die Philosophie.

Maimonides' Gesamtstrategie könnte man als untermauerndes Untergraben bezeichnen, d. h., den Bau des Judentums einerseits zu unterstüt-
zen, indem man andererseits die herkömmlichen Gründe für sein Bestehen
und Gelten aufhebt und durch neue, philosophische ersetzt. Die Tradition
wird mit untraditionellen Mitteln begründet. Am Wert des jüdischen Gesetzes hat Maimonides wahrscheinlich nie gezweifelt, ebenso wenig am
endgültigen Charakter zumindest seiner Hauptsatzungen. Sonst könnte
man seine lebenslange Tätigkeit als Fachmann und Praktiker des rabbinischen Rechts nicht mehr verstehen. Hat sich doch Maimonides ständig
bemüht, das Gesetz zu festigen und eine pünktliche Anwendung desselben
durchzusetzen. Er revidiert aber seine Grundlagen. „Das Gesetz des Herrn
ist vollkommen" (Psalm 19, 6); Maimonides gibt auch den Grund an: Weil
es vervollkommnet (Acht Kapitel, IV; FU, II, 39, Ende). Das Gesetz verhilft
dem Menschen zur höchstmöglichen Vollkommenheit.

Die Wirkung

Maimonides' Einfluss auf das geistige Leben des Judentums und indirekt auch des Christentums kann man kaum überschätzen. Jeder Jude, der
sich nach ihm mit Philosophie beschäftigte, musste zu ihm Stellung nehmen. Den philosophischen Kanon hatte er entschieden mitgeprägt: Die
Werke, die er in seinem Brief an seinen Übersetzer Samuel Ibn Tibbon
preist (Aristoteles, dessen Kommentatoren, Farabi), wurden übersetzt und

studiert; diejenigen dagegen, die er entweder tadelt (die „Lauteren Brü-
der" aus Basra und generell jeden neuplatonisch gefärbten Denker, die
christlichen Aristoteliker aus Bagdad) oder nur als zweitrangig betrachtet
(Avicenna), wurden mehr oder weniger vernachlässigt. Seine Kritik am
Kalām beendete radikal dessen Einfluss auf das jüdische Leben. Die Art
und Weise, wie er die Lehren z. B. von der Ewigkeit und der Prophetie
problematisierte, war richtungweisend. Der Provenzale Gersonides (1288–
1344) in ›Die Kriege des Herrn‹ genauso wie sein Gegner, der Katalane
Hasday Crescas (1340–1412), in ›Das Licht des Herrn‹ standen mit dem
Werk des Maimonides in ständigem Dialog, z. B. hinsichtlich der Ewigkeit
der Welt und der Natur der Seligkeit. Spinoza widerlegte Maimonides'
Deutung des Gesetzes, obwohl er sie ziemlich oberflächlich versteht. Im
modernen Judentum schrieb Moses Mendelssohn (1729–1786) einen he-
bräischen Kommentar zum ›Traktat über Logik‹ (1761). Nachman Kroch-
mal (1785–1840) betitelte sein hebräisches Hauptwerk mit einer deutlichen Anspielung auf Maimonides: ›Führer der Unschlüssigen unserer Zeit‹
(posthum 1851).

Unter den Christen gebrauchten seinen ›Führer‹ u. a. Albert der Große,
Thomas von Aquin und Meister Eckhart. Sie benutzten v. a. die Kritik des
Maimonides am *Kalām* und seine Exegese des Alten Testaments (wie z. B.
die Erklärung des göttlichen Namens oder die Deutung des Buches Job).
Noch Leibniz zitiert Maimonides' Äußerungen über den geringen Anteil
des Bösen in der Welt[7]. Die Vorläufer der vergleichenden Religionswissen-
schaft im 17. Jh. wie John Spencer lasen eifrig FU III, 37 über die „Sabäer"
und bezogen sich auf Maimonides' Theorie eines ursprünglichen einheitlichen Heidentums.

Eine zweite, breitere, aber weniger auffallende Wirkung lässt sich nach-
weisen. Sie liegt nämlich auf einer tieferen Ebene als diejenige der philosophischen Werke, deren Entstehen sie erst ermöglicht. Die Berufung auf
das Beispiel Maimonides diente nämlich dazu, das Studium der profanen
Wissenschaften in jüdischen Kreisen zu legitimieren. Diese Studien wurden nämlich, wenn nicht gerade verpönt, doch mit einem gewissen Miss-
trauen betrachtet. Wenn nun die größte Autorität in Sachen der *Halacha*
sich zugunsten des Studiums der Philosophie eingesetzt, ja selber Philosophie getrieben hatte, wer könnte es noch unterbinden? Das hat eine deutliche Spur in den Biographien der jüdischen Gelehrten aus der spätmittel-
alterlichen Periode hinterlassen: Sie erzählen des öfteren, dass sie sich
gleich nach ihrem biblischen und talmudischen Unterricht mit dem ›Führer‹ beschäftigt haben, und zwar als Einleitung zum richtigen Gebrauch

[7] Thomas v. Aquin, Gegen die Heiden I, 4 (FU, I, 34); Spinoza, Theologisch-po-
litischer Traktat, Kap. V u. VII; Leibniz, Theodizee III, § 262 (FU III, 12).

der Naturwissenschaften. Das Werk des Maimonides war der Beweis dafür, dass man auch als Jude Philosoph sein konnte.

Auswahlbibliographie

Quellentexte

Acht Kapitel. Eine Abhandlung zur jüdischen Ethik und Gotteserkenntnis, hrsg. v. M. Wolff, Hamburg 1981 [1903].

Das Buch der Erkenntnis, Berlin 1994.

Der Führer der Unschlüssigen, hrsg. v. S. Munk, Paris 1960 [1856 ff.] (mit frz. Übersetzung); engl. Übers. v. S. Pinès, Chicago 1963 [vorzüglich]; dt. Übers. v. A. Weiß, Hamburg 1972 [1923].

Sekundärliteratur

Klein Braslavi, S.: King Solomon and Philosophical Esotericism in the Thought of Maimonides [Hebräisch], Jerusalem 1996.

Kraemer, J. L. (Hrsg.): Perspectives on Maimonides. Philosophical and Historical Studies, Oxford 1991.

Pinès, S.: The Philosophic Sources of The Guide of the Perplexed, in: Moses Maimonides, The Guide of the Perplexed, Chicago/London 1963, LVII–CXXXIV.

Ravitzky, A.: History and Faith. Studies in Jewish Philosophy, Amsterdam 1997.

Strauss, L.: Philosophie und Gesetz. Beiträge zum Verständnis Maimunis und seiner Vorläufer [1935], in: Gesammelte Schriften 2, Stuttgart 1997.

Twersky, I.: Introduction to the Code of Maimonides (Mishneh Torah), New Haven/ London 1980.

Weiss, R. L.: Maimonides' Ethics. The Encounter of Philosophy and Religious Morality, Chicago/London 1991.

Wohlmann, A.: Thomas d'Aquin et Maïmonide. Un dialogue exemplaire, Paris 1988.

ROBERT GROSSETESTE

Sein Beitrag zur Philosophie

Von James McEvoy

I. Einleitung

Robert Grosseteste wurde 1168 oder kurz davor in England (vielleicht in Suffolk) geboren. Über seinen Werdegang als Lehrer der Freien Künste ist wenig bekannt. Wahrscheinlich studierte er Theologie in Paris. Er unterrichtete Theologie in Oxford zur Zeit der Gründung der Universität (1214) oder kurz danach und war Kanzler dieser Universität in ihren frühen Jahren. 1235 wurde er zum Bischof von Lincoln gewählt. Er erwies sich als aktiver und reformfreudiger Bischof und verfasste viele Pastoralschriften. Er starb 1253 im Ruf der Heiligkeit. Sein literarisches Schaffen war ausgedehnt und thematisch vielfältig. Es ist noch nicht vollständig ediert und die Chronologie seiner Werke ist noch immer Gegenstand wissenschaftlicher Kontroversen. Im Mittelpunkt stehen im Folgenden Grossetestes philosophische Interessen, wobei mit seinen zahlreichen Beiträgen zu den Freien Künsten begonnen werden soll.

II. Abhandlungen zu den Freien Künsten und verwandten Gebieten

Dieser kurze Überblick über die philosophischen und wissenschaftlichen Werke beginnt am besten mit ›De artibus liberalibus‹, einer der frühesten überlieferten Schriften Grossetestes. Die Art der in ihr vertretenen Lehrmeinung scheint es nahe zu legen, dieses Werk sehr früh in seiner Laufbahn anzusiedeln. Die psychologische Lehre dieser Schrift, die weitgehend auf der Abhandlung ›De musica‹ des Augustinus basiert, ist völlig traditionell und zeigt keinerlei Einflüsse von Aristoteles oder Avicenna. Die Mathematik wird sehr kurz abgehandelt und entspricht überdies nur der traditionellen mathematischen Wissenschaft der Lateiner, die hauptsächlich auf Boethius zurückgeht. Musik und Astronomie sind die beiden bevorzugten Wissenschaften, die Musik wegen der universellen Harmonie, die sie im Universum aufdeckt, die Astronomie wegen ihres praktischen Nutzens für Medizin und Landwirtschaft; die Astronomie ist untrennbar

verbunden mit der Astrologie. Grosseteste unterscheidet zwischen dem
affectus und dem *aspectus* der Seele, ihrem Willen und ihrer Intelligenz,
und behauptet, dass wir diese nicht vom Irrtum reinigen können, solange
der Wille falsch ausgerichtet ist. Diese typisch augustinische Idee sollte ein
Leitmotiv in seinem Leben bleiben.

Die Schrift ›De generatione sonorum‹ verrät den Einfluss der aristotelischen Psychologie; sie benutzt die dreifache Einteilung der Seelen in die
vegetative, die sensitive und die Vernunftseele. Bemerkenswert ist das Interesse, das darin der Sprache und der Phonetik entgegengebracht wird.
Wenn man sich dagegen ›De sphaera‹ zuwendet, so sieht man einen Na-
turphilosophen bei der Arbeit. Die Herleitung der Kugelgestalt des Universums (wie sie von Euklid definiert wurde) erfolgt durch die Vernunft
unter Berufung auf das *experimentum*, die Erscheinungen. Die Ergebnisse
passen ziemlich gut zum biblischen Weltbild. Grosseteste stützt sich auf die
Schrift ›De caelo‹ des Aristoteles, aber gegen den Philosophen stellt er fest,
dass die Wirkursache für die Bewegung des gesamten Himmels die *Anima
mundi* oder Weltseele ist – eine sehr unaristotelische Ursache. Offenbar
haben wir es bei ›De sphaera‹ noch mit einem frühen Werk zu tun; in
späteren Schriften werden einige seiner grundlegenden Annahmen und
Standpunkte infrage gestellt.

Von den drei Grosseteste zugeschriebenen Abhandlungen zum Kalen-
der ist nur der *Computus correctorius* von sicherer Authentizität. Er enthält
fortgeschrittenes wissenschaftliches Material, das nicht in ein elementares
Lehrbuch gehört. Im *Computus* zeigt sich ein theologisches Interesse, das
gänzlich in den frühen Werken fehlt, was für eine Datierung spricht, die
später liegt als die der bisher genannten Schriften; man kann ihn wohl
gegen 1230 ansiedeln. Grosseteste wollte die Zählung der Zeit auf die
Natur und die Vernunft gründen und alle menschlichen und kirchlichen
Zeiteinteilungen auf die sichere Grundlage der natürlichen Zeit stellen,
mit anderen Worten auf Gottes eigene Schöpfung. Sein Reformvorschlag
beruhte auf der Prämisse eines zeitlichen Schöpfungsaktes, im Gegensatz
zur heidnischen Vorstellung, dass jeder gegebenen Zeit immer noch eine
andere Zeit vorangehe. Die Lehre von der Ewigkeit der Welt wird in seinen reifen Schriften oft kritisiert.

In ›De impressionibus elementorum‹ behauptet Grosseteste, dass die
Lichtstrahlen der Himmelskörper die wichtigste Ursache der Veränderun-
gen auf der Erde seien. Der Zweck dieser kleinen Abhandlung ist die
Erklärung meteorologischer Phänomene (die Wärme der Luft, die Wolken-
bildung und die Niederschläge) durch ihre Ursache, nämlich die Wärme
der Sonne. Die Vorstellung, dass alle Arten von Niederschlägen auf die
Kondensation und das von der Sonnenwärme bewirkte Aufsteigen von
Dämpfen aus dem Wasser und vom Land zurückgehen, ist natürlich aristo-

telisch. Grosseteste spezifiziert dies dahingehend, dass die Sonne durch die Reflexion und Bündelung ihrer Strahlen erwärmt. Die Optik lehrt, dass gebündelte Strahlen ein Brennen erzeugen; die Reflexion und die Bündelung von Strahlen sind der Grund dafür, dass die Täler, obwohl weiter entfernt von der Sonne, dennoch wärmer sind als die Bergspitzen. Dies ist wahrscheinlich das früheste Werk, in der die Ursachen der Erwärmung diskutiert werden, indem die aristotelische Methode der *resolutio* und *compositio,* der Analyse und der Synthese, angewandt wird.

Grosseteste hatte Al-Kindis Buch über Brenngläser gelesen und versuchte, dessen Theorie der Lichtbrechung auf den Regenbogen anzuwenden (›De iride‹). Aristoteles hatte gelehrt, dass der Regenbogen durch die Reflexion des Lichts an Wassertropfen in den Wolken erzeugt wird. Grosseteste korrigierte ihn, indem er dieses Phänomen der Brechung des Lichts zuschrieb, er glaubte aber fälschlicherweise, die Lichtbrechung werde von der Wolke als ganzer verursacht, die wie eine große Linse wirke. Er versuchte, die Lichtbrechung quantitativ zu behandeln, jedoch ohne großen Erfolg. Er betrachtete die Farbe (›De colore‹) als Licht, das in ein materielles Medium eingeschlossen ist. Wie jedes Licht versucht es, seine Form kugelförmig zu vervielfältigen. Sein Eingeschlossensein verhindert jedoch, dass seine natürliche Tätigkeit der Selbsterzeugung stattfinden kann, sodass noch weiteres Licht von außen auf es scheinen muss, damit es das Auge affizieren kann.

›De calore solis‹ ist vielleicht das beste Beispiel für Grossetestes wissenschaftliches Vorgehen, das auf der aristotelischen Methodologie beruht. Wie erzeugt die Sonne Wärme? Drei Möglichkeiten werden erwogen. Die Sonne erzeugt die Wärme nicht wie ein warmer Körper, der aktual in Kontakt mit anderen Körpern steht; auch nicht durch ihre Bewegung, denn eine Kreisbewegung enthält keine innere Ursache für die Wärme. Die Wärme kann nur durch die Konzentration der Sonnenstrahlen bewirkt werden. Die Strahlen, die senkrecht auf einen Teil der Erdoberfläche fallen, werden auf demselben Weg um 180 Grad reflektiert und bewirken so die maximale Konzentration der Partikel und damit die Wärme. Je weiter die Strahlen außerhalb der Wendekreise des Krebses oder des Steinbocks fallen, desto stumpfer sind die Winkel, unter denen die Strahlen auf die Erde treffen und von dort reflektiert werden; daher wird wegen der geringeren Konzentration weniger Wärme erzeugt.

Grossetestes Interesse an naturwissenschaftlichen Fragen war sowohl aufrichtig als auch tief gehend. Ein Teil seines Forscherdrangs geht zweifellos auf seinen religiösen Glauben zurück. Dies zeigt sich am deutlichsten in einem Kommentar zu ›Ecclesiasticus‹ 43, 1–5 (hrsg. von McEvoy, 1974). Seine Annäherung an den heiligen Text geschah in der vollen Erwartung, dass alles, was philosophisch wahr ist, wenigstens implizit in diesem Text enthalten war, dessen eigentlicher Verfasser der Autor des Buches der Natur war. Dieser Kommentar erschien um 1230–1235.

III. Aristotelische Ausarbeitungen

Um 1230 beendete Grosseteste einen Literalkommentar zu den ›Analytica Posteriora‹ (= A. P.), der berühmt werden sollte (hrsg. von Rossi, 1981). Was ist Wissen *(scientia)* im strengsten und höchsten Sinne des Wortes und wie kann es auf sichere Weise erreicht werden? Bei seiner Interpretation der A. P. erhielt Grosseteste Hilfe von einer Version der *Paraphrasis* (oder Zusammenfassung) dieses Werkes, die von Themistius stammte. Wissenschaft im eigentlichen Sinne des Wortes beginnt mit unseren Bemühungen, die Wahrheit dessen zu erfassen, was bei einer Gattung des Seienden immer oder fast immer der Fall ist. Eine höhere Form des wissenschaftlichen Wissens nimmt den geometrischen Beweis als Vorbild und zielt auf eine Erkenntnis dessen, was immer der Fall ist. Ein Beweis besteht in der logischen Darlegung der Eigenschaften, die unveränderlich mit einer unwandelbaren Essenz verbunden sind, die ihrerseits selbst Wirkursache der Eigenschaften ist. Wie Aristoteles hielt Grosseteste daran fest, dass eine beweisende Wissenschaft in der Erfassung von Prinzipien besteht, d. h. aus Aussagen, die wahr und unabgeleitet sind und diejenigen Schlussfolgerungen erklären, die logisch aus ihnen deduziert werden.

Ein Beweis hat als Gegenstand 'Universalien, die in vergänglichen Einzeldingen lokalisiert sind'. In welchem Sinne sind Universalien unvergänglich? Grossetestes eigenes Vorgehen zur Lösung dieser Aporie ist stark durch neuplatonische Einflüsse bedingt. Er erinnert daran, dass Platon die Universalien verschieden bezeichnet hatte: als Ideen, Archetypen, Gattungen und Arten. Unglücklicherweise betrachtete er sie jedoch nicht als Inhalte des göttlichen Geistes, wo sie natürlich die letzte, allgemeine und schöpferische Quelle sowohl des Seins als auch des Wissens sind. Die allgemeinen Ideen werden in den Intellekten der Engel vervielfältigt, als geschaffene Formal- oder Exemplarursache der Dinge, die eine niedere Art der Existenz haben. Sie sind dort gleicherweise unvergänglich. Die Universalien existieren auch als wirkende Gründe der irdischen Arten in den Himmelskörpern. Im Himmel sind sie unvergänglich, in den Individuen, die sie auf Erden exemplifizieren, jedoch vergänglich. Das aristotelische Allgemeine als Formalursache der einzelnen, zusammengesetzten Seienden und als Prinzip ihrer Intelligibilität nimmt den niedrigsten Platz in der gesamten Ideenhierarchie ein. Nun beruhen Beweise und Wesensdefinitionen gerade auf Formalursachen. Natürlich wird angenommen, dass die Individuen der natürlichen Arten zahlenmäßig ungefähr konstant bleiben. In genau diesem Sinne ist das aristotelische Universum unvergänglich: Es wird unaufhörlich in der Natur instantiiert.

Man sieht hieran leicht, dass Grosseteste dem allgemeinen Schema der aristotelischen Wissenschaftstheorie folgt: Wissen ist nicht angeboren, unterscheidet sich sowohl von Meinung als auch von Anschauung und bedeutet zugleich beweisbare, auf wahre Prinzipien gegründete Erkenntnis. Andererseits erweiterte Grosseteste die Diskussion auf die gesamte christliche Metaphysik von Wissen und Sein. Alles Wissen befindet sich von Ewigkeit her im göttlichen Geist, und zwar nicht nur das Wissen der Universalien, sondern auch das der Einzeldinge, wobei diese abstrakt und ohne materielle Akzidentien gewusst werden. Das höchste Vermögen der menschlichen Seele, die *intelligentia*, die ohne ein körperliches Instrument tätig wird, hätte durch Erleuchtung und ohne Rückgriff auf die Hilfe der Sinne ein vollständiges Wissen, wenn sie nicht durch die Bedingungen beschwert und verdunkelt wäre, die für den gefallenen Menschen gelten, denn für die Söhne Adams sind die höheren menschlichen Vermögen durch das Gewicht des Fleisches 'eingelullt' (in Boethius' Metapher). Grosseteste bekräftigt eindrucksvoll den Ausspruch des Aristoteles 'ein Sinn weniger, eine Wissenschaft weniger' und damit auch die Notwendigkeit der Sinneserkenntnis als Grundlage für alle höheren Formen des Wissens. Jedoch fasst er all dies in eine christliche Perspektive, die zeigt, dass das nicht die ganze, sondern nur eine partielle und begrenzte Wahrheit ist.

Der Kommentar enthält eine Fülle wissenschaftlicher Erkenntnisse, die von Aristoteles, den Arabern und aus anderen Quellen stammen. Er untersucht ein breites Spektrum von Naturphänomenen (etwa Farbe und Sehen, den Regenbogen, die Gezeiten, die Nilschwelle, den Donner), meistens zum Zweck der Illustration der wissenschaftlichen Methode. Eine sehr einflussreiche Interpretation dieses Werkes behauptet, dass sein Autor dadurch neuen Boden betrat, dass er eine Methodologie der wissenschaftlichen Erkenntnis vortrug, die die experimentelle Verifikation von Hypothesen und den Rückgriff auf geometrische Erklärungen von Phänomenen implizierte (Crombie, 1953). Die meisten heutigen Forscher würden diese Sicht für übertrieben halten. Eine völlig andere Interpretation von Grossetestes wissenschaftlichen Errungenschaften wurde vorgeschlagen: Grosseteste machte die Lichtmetaphysik zur Grundlage der geometrischen Optik und tat damit den ersten Schritt hin zur Einführung einer mathematischen Naturwissenschaft (Koyré, 1956). Beide Einschätzungen enthalten ein Stück Wahrheit.

Grossetestes Logik war völlig aristotelisch. Er war kein Experimentator und noch nicht einmal ein herausragender Beobachter. Und doch machte er einen entscheidenden Schritt in Richtung auf eine mathematische Wissenschaft und verdient damit einen Platz in der Wissenschaftsgeschichte. In seiner Sicht ist die Mathematik weit mehr als nur eine Abstraktion von bestimmten Aspekten der physikalischen Körper, sie macht vielmehr gerade die innere Beschaffenheit der natürlichen Welt aus und regelt deren Tätigkeit.

Der Kommentar zu den A. P. hatte eine große Leserschaft bis zum Ende des Mittelalters und noch darüber hinaus. Seine Glossen zur 'Physik‹ (P) vollendete Grosseteste nicht selbst und sie wurden erst lange nach seinem Tod in Umlauf gebracht (hrsg. von Dales, 1963). Bei der Glossierung von Buch VII begann er, den Kommentar des Averroes zu benutzen, der erstmals um 1225 die lateinischen Leser erreichte. Aus seiner Beschäftigung mit P entstanden mehrere kurze Schriften. Er schrieb über die Begrenztheit von Zeit und Bewegung (›De finitate motus et temporis‹), wobei er die Implausibilität der aristotelischen Annahme darlegte, dass die Welt keinen Anfang in der Zeit habe. ›De differentiis localibus‹ behandelt einige Schwierigkeiten, die sich aus P hinsichtlich der Natur und der Objektivität des Ortes ergeben. Diese Schrift zeigt ein beachtliches Interesse an der Geometrie, besonders an den Eigenschaften der Kugel. Es wird die Vermutung vorgetragen, dass der erste Beweger vermittels des Lichts auf die Himmelssphären einwirkt. ›De motu supercelestium‹ untersucht die Natur und die Ursache der Kreisbewegung. Zur Zeit der Abfassung der Schrift (vermutlich zwischen 1230 und 1235) war Grosseteste in der Lage, die Lehre der ›Physik‹ zur Himmelsbewegung mit der der ›Metaphysik‹ zu vergleichen.

Ein wichtiger Teil der Bedeutung, die Grosseteste der Philosophie zuschrieb, resultierte aus ihren historischen, heidnischen Ursprüngen. Er stellte regelmäßig die Ausdrücke *sapientes huius mundi* („die Weisen dieser Welt', vgl. 1 Kor 1, 20 und 2, 6) und *sapientia nostra* („unsere Weisheit'), d. h. christlicher Glaube, einander gegenüber. Grosseteste hatte jedoch eine ausgeprägte Neigung zur Philosophie, und in einer ganzen Reihe von Untersuchungen benutzte er den spekulativen philosophischen Ansatz, um eine Vielzahl von Themen zu untersuchen, die aus dem Glauben und der Tradition stammten. Da einige herausragende islamische und jüdische Denker ähnliche Wege gewählt hatten, war es für ihn wie für viele seiner Zeitgenossen selbstverständlich, sich auf solche parallelen Entwicklungen wie auf Avicennas Gedanken zur Geistigkeit und Unsterblichkeit der Seele zu beziehen und Ibn Gabirols ›Fons vitae‹ sowie den anonymen ›Liber de causis‹ zur Emanation und zur transzendenten Kausalität zu konsultieren.

IV. Die Lichtmetaphysik

Der Ausdruck 'Lichtmetaphysik' wurde 1916 von Clemens Baeumker geprägt und wird seitdem vielfach, wenn auch nicht unumstritten, benutzt.

Er bezeichnet ein ganzes Spektrum von Themen, eine Strömung des philosophischen und religiösen Denkens, das durch die europäische Kultur vom Altertum bis hin zur Renaissance verläuft (Hedwig, 1980). Diese Strömung implizierte die Vorstellung, dass das physikalische Universum aus Licht besteht, sodass seine gesamte Mannigfaltigkeit einschließlich des Raumes, der Zeit, der unbelebten Dinge und der Lebewesen, der Himmelssphären und der Sterne in verschiedenen Formen besteht, die eine einzige grundlegende Energie annimmt.

Es war nun gerade diese philosophische Intuition, die die Abfassung von Grossetestes ›Tractatus de luce‹ (Abhandlung über das Licht) inspiriert hat (hrsg. von Baur, 1912). Dieses kurze Werk enthält eine Kosmogonie, d. h. eine theoretische Darstellung, wie das physikalische Universum entstand und seine Form annahm. Ohne irgendetwas Präexistentes, d. h. weder mit Zeit noch Raum noch irgendeinem Material, schuf Gott einen einzelnen Punkt, aus dem die gesamte physikalische Ordnung durch Ausdehnung und Ausbreitung entstehen sollte. Dieser erste, dimensionslose Punkt war das Licht; es war eines und einfach und enthielt die Materie implizit in ihrer Lichtform. Natürlich breitet Licht sich durch Selbstfortpflanzung aus. Bei seiner Ausbreitung schuf dieses ursprüngliche Licht den Raum und dehnte die in ihm vorher enthaltene Materie in die drei Dimensionen einer großen Kugel aus. Die Multiplikation oder Selbstfortpflanzung des Lichts kann nach Grosseteste nur durch das mathematische Modell der Unendlichkeit verstanden werden, denn die Einheit, die am Anfang keine räumlichen Dimensionen eingenommen hat, kann die Dreidimensionalität nur durch unendliche Selbsterzeugung erschaffen. Das Ergebnis dieser unendlichen Selbstfortpflanzung muss jedoch selbst endlich sein, da die Kraft des Lichts in die Materie eintritt und so die unendliche Fortpflanzung quantitativ bestimmt. Nun scheut die Natur ein Vakuum; wie andere mittelalterliche Philosophen mit ähnlichen Interessen zitiert Grosseteste gerne alte, teleologisch gefärbte Aussprüche über die Natur, wie etwa 'Die Natur macht nichts vergeblich' und 'Die Natur vollbringt nichts mit vielen Mitteln, was sie mit wenigen erreichen kann'. Aus diesem Grund muss die Weltkugel ein Kontinuum geformter Materie sein, denn die Ausstrahlung des Lichts findet eine natürliche Grenze an dem Punkt, an dem Licht und Materie in vollkommenem Gleichgewicht sind und eine weitere Ausbreitung ein Vakuum zwischen den Partikeln des Kontinuums hervorrufen würde. Die Tätigkeit des Lichts erschöpft dessen Energie jedoch nicht an der Oberfläche der Kugel, sondern fängt an, eine Art Blasebalgbewegung zwischen der Peripherie und dem Mittelpunkt zu erzeugen, denn das Licht (*lumen*, das Erzeugnis der *lux*) wird zum Ursprungspunkt seiner Ausbreitung zurückgeworfen und das *lumen*, das zum Mittelpunkt des Systems zurückeilt, verdichtet die Materie, um die Erdkugel zu formen. Das Licht schafft weiterhin durch abwechselnde Ausdehnung und Kontraktion nacheinander die Himmelssphären und die konzentrischen Kugeln der drei übrigen Elemente. Verglichen mit der ersten Sphäre, in der die einfachste und vollständigste Verwirklichung der Möglichkeiten von Form und Materie zu finden ist, ist jede nachfolgende Sphäre weniger einfach, weniger einheitlich, vielfacher und körperlicher. Diese Kosmogonie schließt damit, dass das Universum um seinen Mittelpunkt herum in Bewegung gesetzt und die kreisförmige Himmelsbewegung von der geradlinigen Bewegung der oberen Elemente, also Feuer und Luft, unterschieden wird.

Man sollte in Grossetestes Kosmogonie des Lichts eine spekulative Interpretation des biblischen Schöpfungsberichts sehen: 'Es werde Licht; und es ward Licht' (Gen 1, 3). In ›De luce‹ wird das Licht als die erste körperliche Form beschrieben. Der innere Zusammenhang zwischen ›De luce‹ und dem Licht der Genesis (das dem ersten Tag im biblischen Schöpfungsbericht zugeordnet wird) ist evident. Grosseteste selbst nennt die Sphären, die von der ersten Ausdehnung des Lichts geformt werden, 'Firmament' und benutzt so bewusst den biblischen Ausdruck, um dem Leser zu verstehen zu geben, dass ›De luce‹ eine theoretische Darstellung der Schöpfung von Himmel und Erde enthält, d. h. vom Schöpferwerk Gottes während der ersten drei Tage der Schöpfung, vor der Erschaffung von Sonne, Mond und den anderen Leuchtkörpern.

Wie die anderen theologischen Gelehrten seiner Zeit studierte Grosseteste die Genesis durch die Tradition der Kommentare zum Sechstagewerk, der Hexaemeron-Kommentare der Kirchenväter. Man kann sehr leicht die Einflüsse vor allem des hl. Augustinus und des hl. Basilius auf sein Denken verfolgen. Augustinus hatte geschlossen, dass das von Gott geschaffene Licht im Werk aller sechs Tage anwesend ist. Nach Basilius schuf das erste Wort Gottes das Licht, das jedoch nur schien, um die schon gebildeten Himmel zu erleuchten; es selbst war tatsächlich nicht das Erstgeschaffene. Einmal geschaffen, ergoss sich das Licht augenblicklich selbst, um den Äther und die Himmel zu erfüllen. Der Einfluss dieser beiden Autoritäten zusammen ermutigte Grosseteste, den Befehl *fiat lux* auf die Konzeption eines reinen Lichtes anzuwenden, das der Erschaffung der Sonne voranging, und legte ihm den Begriff einer einfachen und homogenen, einzigartig tätigen Substanz nahe, die sich selbst augenblicklich im Raum ergießt, die anderen Elemente in Richtung auf ein geistiges Sein transzendiert und der ganzen 'Weltmaschine' Schönheit verleiht. All dies bleibt jedoch weit hinter der *prima forma* und ihrem mathematischen Verhalten zurück, wie Grosseteste es erdenken sollte.

Die erste körperliche Form und die Materie von ›De luce‹ haben unmittelbare Wurzeln in arabischen und jüdischen Spekulationen. Avicenna, Algazali und Averroes haben alle eine Theorie der allgemeinen Körperlichkeit als des aktiven Erzeugers der Dreidimensionalität entwickelt, zu der noch die *forma specialis* hinzugefügt werden muss. Der Einfluss des Ibn Gabirol (Avicebrol) auf Grosseteste ist wahrscheinlich noch stärker als der Einfluss Avicennas. In Avicebrols umfangreicher Abhandlung ›Fons vitae‹ werden die allgemeine Form und die allgemeine Materie als zwei Substanzen dargestellt, die sich in ihrem Wesen unterscheiden: 'Das Eine' (ein Echo Plotins) bewirkt, dass die allgemeine Form sich wie das Licht über die Materie ergießt, in der die Form körperlich, zur *prima forma substantialis* wird. Wie Avicebrol dachte auch Avicenna, dass die erste körperliche Form die Materie in drei Dimensionen ausdehnt. Diese Ansicht, die von Grosseteste übernommen wurde, bot die Möglichkeit, den allgemeinsten Aspekt des materiellen Seins, die reine Ausdehnung, in geometrischen Ausdrücken zu betrachten. Es scheint jedoch, dass Grossetestes Identifikation des Lichts mit der *prima corporeitas* recht originell war. Gleichermaßen scheint sein Argument, das sich auf die mathematische Unendlichkeit (und relative Unendlichkeiten) beruft, seine eigene Erfindung zu sein, jedenfalls soweit unser heutiges Wissen reicht.

Wenn ›De luce‹ und die verschiedenen Abhandlungen über Lichtphänomene (die Farben, das Verhalten der Strahlen, der Regenbogen, die Sonnenwärme, das Wetter), für die es eine Art von Rahmentheorie bildet, alle Gedanken Grossetestes zum Licht enthalten würden, dann gäbe es natürlich überhaupt keinen Grund, den Ausdruck 'Lichtmetaphysik' auf sein Denken anzuwenden. Tatsächlich aber berief sich Grosseteste auf den Lichtbegriff auch in anderen Bereichen seines Denkens außerhalb der Kosmologie und Naturphilosophie, was sicherlich eine gewisse Rechtfertigung dafür liefert, von einer Lichtmetaphysik statt von einer Lichtphysik zu sprechen. Wie der hl. Augustinus und der hl. Anselm betrachtete er den menschlichen Intellekt als ein geschaffenes geistiges Licht und benutzte das optische Modell in seiner Analyse des Erkenntnisaktes, ein Modell, das Augustinus vom griechischen Neuplatonismus übernommen hatte. Der Philosoph aus Oxford teilte die Überzeugung Augustins, dass die Gewissheit der Erkenntnis von der Erleuchtung des geschaffenen Geistes durch das ungeschaffene Licht, Gott, abhängt. Wenn man jedoch Grossetestes Lichtkosmologie und seine Erkenntnistheorie als eine Art Diptychon zusammennimmt, so hätte man durch diese Zusammenstellung doch noch nichts, was man vernünftigerweise eine Lichtmetaphysik nennen könnte. Es ist nun einmal so, dass Grosseteste selbst seine verschiedenen Gedankengänge zum Licht nicht in einer systematischen Abhandlung zusammengefasst hat. Doch liefern bei näherer Untersuchung viele seiner Schriften Gedanken, die tatsächlich den Rahmen für eine metaphysische Sicht abgeben.

Das zweifellos zentrale Thema der Lichtmetaphysik wird beispielsweise

gut im ›Hexaemeron‹ entwickelt, dass nämlich Gott Licht ist (1 Joh 1, 5).
Wenn nun Gott wahrhaft (und nicht nur in einem metaphorischen oder
poetischen Sinne) Licht ist, dann muss offensichtlich alles, was ihm ähnlich,
und besonders das, was nach seinem Bilde geschaffen ist, eine bestimmte
Art von Licht sein. Dann ist das gesamte Sein Licht, da das absolute Sein
und das absolute Licht zusammenfallen und eins sind. Grosseteste hielt an
der Überzeugung Augustins fest, dass Gott nicht nur in einem metaphorischen, sondern in einem wesentlichen Sinne Licht ist. Unter dem Einfluss
der transzendenten Tendenz insbesondere des christlichen neuplatonischen Denkens betrachtete er die Umkehrung der begrifflichen Richtung
als eine wichtige Forderung, um die ontologische Differenz auszudrücken,
die zwischen dem allgemeinen, hervorbringenden Wert des Schöpfungsaktes und dem Geschöpf besteht, das in seiner radikalen Abhängigkeit vom
absoluten Prinzip aller Existenz gesehen wird. In einer Dialektik nach
idealistischer oder platonischer Art, in der das Denken sich von den *sen-
sibilia* zu den *intelligibilia* bewegt, ist eine Umkehrung des anfänglichen,
erfahrungsabhängigen Begriffs oder der Metapher notwendig. In dieser
grundlegenden Perspektive hat jedes Geschöpf einen inneren Bezug zum
Schöpfer und eine Ähnlichkeit mit ihm, dessen unendliches, wahres und
wesentliches Licht es in seiner eigenen endlichen Form spiegelt oder sym-
bolisiert. Daraus folgt, dass die *lux prima* auf eine unvergleichlich wahrere
Art *lux* ist als beispielsweise die Sonne oder ihr Licht. Wenn wir den tief-
sten Dimensionen von Grossetestes Denken gerecht werden wollen, dann
muss die Lichtmetaphorik so gedacht werden, dass sie eine entscheidende
ontologische Grundierung in der Form der Lichtmetaphysik erhält. In anderen Worten: Diese übertrifft jene und gibt ihr die Begründung.

In einer sehr bemerkenswerten Diskussion des Lichts in seinem ›Hexaemeron‹ (I, 8, 2) behauptet Grosseteste, dass jede existierende Form ein *aliquod genus lucis,* 'eine Art Licht' sei. Die Begründung, die er für diese
Behauptung gibt, besteht darin, dass die Natur des Lichts das Anleuchten,
das Manifestieren *(manifestativa)* von Dingen einschließt. Werden und Veränderung ergeben sich aus dem generativen Vermögen des Lichtes, das auf
die Materie einwirkt. Das Licht (oder die Form) hat dieses Vermögen und
die Energie latent in sich. Das kann man im Falle des sichtbaren Lichts
beobachten, das sich, sobald es existiert, kugelförmig fortpflanzt. Grosseteste nennt dieses Vermögen *generavitas* und seine Ausübung *replicatio,* die
Fähigkeit, sich fortzupflanzen, sich zu erzeugen oder sich zu reproduzieren.
Ich glaube, dass man diese Metapher, die natürlich von der Fortpflanzung
der Lebewesen stammt, am besten verstehen kann, wenn man das Licht so
denkt, dass es augenblicklich (denn die Lichtgeschwindigkeit wird als unendlich angesehen) einen Raum ausfüllt, etwa ein Zimmer. Dies geschieht
nach Grosseteste deshalb, weil das Licht an jedem beliebigen Punkt, um

sich über diesen Punkt hinaus zu bewegen, fähig sein muss, dasjenige Licht aus sich heraus zu erzeugen, das räumlich über es selbst hinausgeht, und dieses Licht wiederholt seinerseits die Fortpflanzung usw. Dieser Prozess kann in Analogie zum Leben Erzeugung oder Fortpflanzung genannt werden, insofern in jeder Phase etwas Neues entsteht und dieses Neue exakt dieselbe Natur hat wie seine Ursache. Dialektisch gesprochen ist das neu erzeugte Licht sowohl identisch mit dem Licht, von dem es stammt, als auch nicht identisch mit ihm. Es ist identisch, weil es völlig die eine Natur des Lichts teilt; es ist jedoch nicht identisch dasselbe Licht, sondern eine neue Äußerung desselben. Licht multipliziert mit anderen Worten sein eigenes Sein; sobald es existiert, reproduziert es sich *(se replicat)*. Ausgehend von einem Punkt strahlt es kugelförmig um sich. Hinsichtlich seiner eigenen Natur kann das Licht daher als das Vermögen, sich selbst zu erzeugen, definiert werden. Die Wirkung der Selbsterzeugung, nämlich Formen und Farben sichtbar zu machen, folgt auf die Natur des Lichts wie ein Akzidens auf die Substanz. Darüber hinaus ist das Licht, das das Universum konstituiert, die Quelle aller wahrnehmbaren Schönheit. Es hat eine natürliche Schönheit ungefähr auf die Weise, wie die Sonne sie besitzt, denn ebenso wie die sichtbare Sonne ist das sichtbare Licht einfach, da es ein Gegenstand oder eine Essenz ohne Teile oder irgendwelche inneren Differenzierungen ist. Grosseteste beschließt seine Erörterung mit den Worten: 'Unter den körperlichen Dingen ist es das Licht, das durch ein Beispiel den evidentesten Beweis für die höchste Trinität liefert.'

Wie alle christlichen Theologen musste auch Grosseteste den Versuch unternehmen, in einem einzigen, umfassenden dialektischen Begriff den Gedanken zusammenzudenken, dass Gott wesensmäßig und seiner Natur nach einer und gleichzeitig drei Personen ist. Grosseteste setzte von Anfang an voraus, dass Gott in sich selbst absolutes Sein ist. In Gott gibt es keine Andersheit; obwohl Gott anders, ganz anders ist als alles, was nicht Gott ist, so gibt es in der Gottheit trotzdem kein *aliud aliquid,* keine innere Differenz seiner Natur, keine Selbstnegation. Daher muss Gott einfach sein, d. h. ganz mit sich selbst gleich in allem, was er ist *(sui ad se omnimoda similitudo).* Wie kann man diese einzigartige Selbstidentität zusammen mit der Differenz der drei Personen in einem einzigen Gedanken besser denken als mithilfe des Lichtbegriffs?

Das Licht, wie Grosseteste es dachte, ist vollkommen einfach und unzusammengesetzt, und doch erzeugt es durch seine Reproduktion etwas von ähnlicher Natur einfach dadurch, dass es ist, was es ist; und es hat dieselbe Natur wie das, was ihm gleich ist, was *lumen de lumine,* Licht vom Licht ist. Darüber hinaus liefert uns die gleichzeitige Anwesenheit dreier Faktoren im sichtbaren Licht, nämlich von Licht, Glanz und Wärme (die alle wesensmäßig gleich sind, aber im Denken unterschieden werden können), ein Modell (eine *demonstratio per exemplum*, um Grossetestes Ausdruck zu gebrauchen), um die Trinität Gottes zu denken. Die Erzeugung der zweiten Person aus dem absoluten, anfangslosen Ursprung der Gottheit ('Vater') kann bis zu einem gewissen Grad im Modell der Ausstrahlung und Reflexion des Lichts gedacht werden. In einer zusammengefassten, dialektischen Darlegung der innertrinitarischen Verhältnisse heißt es: 'Einer bringt einen Zweiten aus sich selbst hervor; der Zweite aber spiegelt sich im Ersten wieder zurück und bringt seine eigene Widerspiegelung aus sich selbst in den Ersten zurück. Der Erste wird sogar durch den Zweiten in sich selber widergespiegelt, und diese Widerspiegelung geht vom Ersten und vom Zweiten zugleich hervor' (III. 3.5).

Wie Grosseteste an einer Stelle bemerkt: Wenn Gott Trinität ist, dann ist Gott Licht. Was in die ursprüngliche, unendliche Ausstrahlung widergespiegelt wird, ist gerade ihre eigene Natur, eine Natur, die sie niemals verlassen hat, um etwas Zusätzliches, anfangs noch nicht Vorhandenes, aufzunehmen, denn das widergespiegelte Bild muss ein getreues Abbild sein. Die Einheit und Identität dessen, was durch die gemeinsame Tätigkeit von Quelle und Bild ausgestrahlt, empfangen und dann widergespiegelt wird, ist seinerseits ein dritter Faktor oder Aspekt der unendlichen dynamischen Natur Gottes. Die göttliche Dynamik ist nicht als Vervollständigung Gottes durch die Hinzufügung von etwas zu denken (denn genau genommen ist die Trinität keine Zahl), sondern als die unerschöpfliche Intelligibilität der Seinsfülle, d. h. einer Intelligibilität, die zugleich ein Manifestieren alles dessen, was in der Gottheit ist, und ein Manifestiert- und volles Ausgedrücktsein ist, einschließlich der untrennbaren Einheit beider.

Licht, Sein und Form werden von Grosseteste in eine umfassende und komplexe Bedeutungseinheit zusammengefasst (Dictum 55). Seine Schöpfungslehre führt auf die urbildhafte Konzeption Gottes als erster allgemeiner Form zurück *(forma omnium et prima forma)*. 'Jede Form drängt nach der Einheit und tendiert zu ihr hin *(omnis forma trahit et tendit ad unitatem)*' und bezieht so jedes Seiende auf das wesentliche Licht, den einzigartigen und anfangslosen Ursprung der Geschöpfe. Gerade so, wie die Einheit in jeder Zahl anwesend ist, ohne jedoch ihre Einfachheit zu verlieren, so manifestiert sich die *lux prima* in jeder endlichen Form. Grosseteste verallgemeinert die Gleichsetzung von Licht und Sein: 'Alles Licht ist Manifestation oder etwas sich Manifestierendes oder etwas Manifestiertes oder das aufnehmende Subjekt der Manifestation.' Diese vierfache Unterteilung hat Implikationen für jede Dimension des Seins. 1. Die sichtbare Sonne ist das herausragendste Beispiel eines Lichts, das sowohl sich selbst manifestiert als auch materielle Gegenstände sichtbar macht, während es für sich selbst nicht manifest ist, sondern nur für ein höheres Licht. 2. Die Farbe ist einfach ein Licht, das in Materie inkorporiert wurde und vom

Licht manifest gemacht wurde. Das Auge, das die Farbe wahrnimmt, ist selbst tätig und strahlt infolge des Lichtes, das seine Energie ausmacht, selbst aus. Jeder der Sinne ist tätig durch das Licht, das in ihn einströmt, aber keiner von ihnen ist sich selbst manifest, obwohl jeder auf seine eigene Weise die Manifestation seiner Objekte aufnimmt. 3. Die Intelligenz ist ein Licht, dem andere Gegenstände manifest sind und das sich selbst manifest ist, die aber noch ein höheres Licht der Manifestation benötigt: Der Geist, ob beim Menschen oder Engel, benötigt eine Erleuchtung durch das ursprüngliche Licht, an dem jedes Geschöpf teilhat. Die Intelligenz ist das spirituelle Licht und 'in gewisser Weise alles' (cf. Aristoteles, De anima), da die Erleuchtung, die sie von Gott empfängt, ihrem Verständnis alle Realitäten öffnet. 4. Das höchste und wesentliche Licht wird schließlich beschrieben als 'das Licht, das sich selbst für sich selbst manifestiert, während ihm alle anderen Dinge in ihm selbst manifest sind'. Mit anderen Worten fallen in der vollkommenen Einfachheit des ersten Lichts die Prinzipien des Erkennens *(principia cognoscendi)* und die Prinzipien des Seins *(principia essendi)* zusammen.

Die Lichtmetaphysik ist eng verbunden mit der Theorie des Schönen. Das Erbe Plotins machte aus dem Licht sowohl die Substanz der Farbe als auch die Bedingung ihrer Sichtbarkeit. Diese eher sinnenhafte Idee der Schönheit wurde dem Hochmittelalter durch Basilius, Ambrosius, Augustinus, Pseudo-Dionysius und Scotus Eriugena vermittelt. Nach dieser Tradition ist das Licht gerade aufgrund seiner Natur schön und die Quelle der Schönheit in allen materiellen Dingen, die es formt. Je vortrefflicher ein Ding ist, desto schöner ist es.

Grossetestes Philosophie des Lichts wurde von ihm niemals in einer voll ausgearbeiteten Weise dargestellt oder in einem einzelnen Buch niedergelegt, sondern muss aus verschiedenen Schriften und Gedankenzusammenhängen rekonstruiert werden. Dennoch bildet sie ein recht kohärentes Ganzes. Und obwohl sie viel dem christlichen Platonismus verdankt (besonders dem hl. Augustin und Pseudo-Dionysius), hat sie doch eine offenkundig originelle Qualität, besonders in der Kosmologie von ›De luce‹. Das Grundgerüst der Lichtphilosophie war dem hl. Bonaventura bekannt durch eine Zusammenfassung, die wahrscheinlich Grossetestes Mitarbeiter Adam Marsh verfasst hat. Darin wurde der Versuch unternommen, die Lichtmetaphysik zu systematisieren, indem die verschiedenen Gedanken in Beziehung zueinander gesetzt werden, die Grosseteste selbst niemals in einer einheitlichen Behandlung zusammengebracht hatte. Eine offenkundige Vorwegnahme von Huygens Ideen über die Fortpflanzung des Lichts ist in den einschlägigen Ideen des mittelalterlichen Lichtphilosophen enthalten. Tatsächlich lässt Grossetestes Darstellung des absoluten Ursprungs des Kosmos aus einem dimensionslosen

Punkt unendlich komprimierter Energie den zeitgenössischen Leser spontan an die Urknalltheorie des Weltanfangs denken. Aus dem Englischen übersetzt von Thomas Dewender.

Auswahlbibliographie

Quellentexte

Die philosophischen Werke des Robert Grosseteste, Bischofs von Lincoln, hrsg. v. L. Baur, Beiträge zur Geschichte der Philosophie des Mittelalters 9, Münster 1912.

Roberti Grosseteste Episcopi Lincolniensis Commentarius in VIII Libros Physicorum Aristotelis, hrsg. v. R. C. Dales, Boulder 1963.

Robert Grosseteste, Hexaëmeron, hrsg. v. R. C. Dales/S. Gieben, London 1982 (Complete English translation: Robert Grosseteste: On the Six Days of Creation. A Translation of the Hexaëmeron, by C. F. J. Martin, Oxford 1996).

The Sun as Res and Signum: Grosseteste's Commentary on Ecclesiasticus ch. 43, vv. 1–5, hrsg. v. J. McEvoy, in: Recherches de Théologie ancienne et médiévale 41 (1974) 38–91.

Robertus Grosseteste, Commentarius in Posteriorum Analyticorum Libros, hrsg. v. P. Rossi, Florenz 1981.

Sekundärliteratur

Callus, D. A. (Hrsg.): Robert Grosseteste, Scholar and Bishop, Oxford 1955.

Crombie, A. C.: Robert Grosseteste and the Origins of Experimental Science 1100– 1700, Oxford 1953.

Gieben, S.: Robert Grosseteste and Adam Marsh on Light in a Summary Attributed to St Bonaventure, in: Aspectus et Affectus. Essays and Editions in Grosseteste and Medieval Intellectual Life in Honor of Richard C. Dales, hrsg. v. G. Freibergs, New York 1993, 17–35.

Hedwig, K.: Sphaera Lucis. Studien zur Intelligibilität des Seienden im Kontext der mittelalterlichen Lichtspekulation, Kap. 5: Robert Grosseteste: Sphaera Lucis, Beiträge zur Geschichte der Phil. und Theol. des Mittelalters N. F. 18, Münster 1980, 119–156.

McEvoy, J. (Hrsg.): Robert Grosseteste: New Perspectives on His Thought and Scholarship, Steenbrugge 1995.

McEvoy, J.: Robert Grosseteste, Exegete and Philosopher, Aldershot 1994.

McEvoy, J.: Robert Grosseteste and Early Oxford Thought, Oxford 2000.

McEvoy, J.: The Philosophy of Robert Grosseteste, Oxford 1982 ([2]1986).

Southern, R. W.: Robert Grosseteste. The Growth of an English Mind in Medieval Europe, Oxford 1986 ([2]1992).

Speer, A.: Licht und Raum. Robert Grossetestes spekulative Grundlegung einer scientia naturalis, in: Raum und Raumvorstellungen im Mittelalter, hrsg. v. J. A. Aertsen/A. Speer, Miscellanea Mediaevalia 25, Berlin/New York 1998, 77–100.

ALBERT DER GROSSE

Der Entwurf einer eigenständigen Philosophie

Von Georg Wieland

Albert als Philosophen vorzustellen, das bedeutet, ihn in einer begrenzten Perspektive zu betrachten. Denn er beginnt sein wissenschaftliches Werk mit theologischen Schriften und beschließt es auch mit solchen Abhandlungen. Von den mehr als 70 dem großen Gelehrten zugeschriebenen Werken behandeln immerhin über 30 theologische Gegenstände.[1] Und man kann darüber hinaus den ganzen Lebensgang Alberts als wesentlich auf das Studium und die Lehre der Theologie ausgerichtet beschreiben.

Er wurde um 1200 in Lauingen an der Donau geboren[2] und trat während seines Studiums in Padua – wie viele Studenten an den gerade entstandenen Universitäten Europas – um 1223 in den Dominikanerorden ein. Dies war der Beginn einer Existenzform, für welche die Theologie eine ganz zentrale Bedeutung hatte. Nach einer ordensinternen theologischen Ausbildung wirkte Albert von 1233 an als Lektor an verschiedenen Konventen der deutschen Dominikanerprovinz Teutonia (Hildesheim, Freiberg, Regensburg, Straßburg). Zu Beginn der 40er-Jahre wurde er nach Paris geschickt, um an der dortigen Universität den Magistergrad der Theologie zu erwerben. Nach dessen Erwerb 1245 lehrte Albert drei Jahre in Paris, bis er 1248 vom Generalkapitel seines Ordens nach Köln gesandt wurde, um dort ein *studium generale* der deutschen Dominikanerprovinz zu gründen. Hier entstand die erste akademische Institution auf deutschem Boden, welche die modernen Lehr- und Lernformen der Scholastik pflegte.[3] Und Köln wurde die Stadt, mit der Albert zeit seines Lebens verbunden blieb, wenn er seine Stadt auch immer wieder verlassen musste.

Von 1254 bis 57 war er Provinzial der deutschen Ordensprovinz. Er wirkte 1256 bis 57 als Lektor an der päpstlichen Kurie von Anagni und lehrte 1257 bis 60 wieder in Köln. 1260 berief ihn Papst Alexander IV. zum Bischof von Regensburg, ein Amt, das Albert jedoch nach einem Jahr wieder aufgab. 1263 bis 64 predigte er im päpstlichen Auftrag den Kreuzzug

---

[1] Zu den Werken Alberts vgl. Weisheipl und neuesten Anzulewicz, De forma, 3.
[2] Zum Leben Alberts vgl. Weisheipl und Lohrum.
[3] Zu der Bedeutung dieses Vorgangs vgl. Sturlese, 332–42.

in Deutschland, übrigens mit geringem Erfolg. Dann war er wieder als Lektor tätig, und zwar in Würzburg und Straßburg, bis er 1270 nach Köln zurückkehrte, wo er 1280 starb. Es war ein reiches Leben, das durch zahlreiche Friedenssprüche und Vermittlungen unmittelbar auch in die bürgerlich-politische Welt hineinwirkte.[4] Alberts Ansehen und Gewicht als Philosoph beruht im Wesentlichen auf seiner kommentierenden und interpretierenden Arbeit an den Werken des Aristoteles. Er hat zu allen aristotelischen Schriften umfangreiche Kommentare verfasst, die in der Regel den vorliegenden Text auf selbstständige Weise rekonstruieren. Bei der Realisierung dieses Vorhabens lässt Albert sich nicht einfach von den ihm in lateinischer Übersetzung zugänglichen Schriften des Stagiriten leiten.[5] Vielmehr legt er seiner Interpretationsarbeit ein Disziplinenschema der Philosophie zugrunde, das sich zwar an der Wissenschaftseinteilung des Aristoteles orientiert, aber im Resultat über den Bestand des aristotelischen Corpus hinausgeht. Das gilt für die Logik, bei der Albert neben dem Organon auch Schriften des Porphyrius und des Boethius sowie das Werk ›De sex principiis‹ (Ps.-Gilbert von Poitiers) kommentiert. Das gilt auch für die Mathematik; Aristoteles hat sich um diese Wissenschaft nicht bemüht, Albert nimmt die Geometrie des Euklid in sein Kommentarwerk auf. Auch in der Naturphilosophie und Metaphysik gibt es Ergänzungen, so die Schriften ›Über die Natur der Örter‹ und ›Über die Mineralien‹ sowie ›Über die Ursachen und den Hervorgang des Alls aus der ersten Ursache‹, einen Kommentar zum ›Liber de causis‹; diese Schrift galt den Zeitgenossen Alberts als ein Werk des Aristoteles, das jedoch Auszüge aus der ›Elementatio theologica‹ des Neuplatonikers Proklos enthält.[6]

Neben diesen kommentierenden Werken hat Albert einige selbstständige philosophische Abhandlungen verfasst, so die Schriften ›Über die Einheit des Intellekts‹, ›Über die Natur und den Ursprung der Seele‹ und ›Über fünfzehn Probleme‹. Es geht darin um kontroverse Thesen, die vor allem die Seelen- und Intellektlehre sowie die Kosmologie betreffen, um „Artikel" – so heißt es in der Schrift ›Über fünfzehn Probleme‹ –, „welche Pariser Magister, die in der Philosophie einen Namen haben, in den Schulen vortragen".[7]

---

[4] Zu Alberts Wirken als Friedensstifter vgl. Lohrum 68–75.

[5] Physica I 1,1: *Taliter autem procedendo libros perficiemus eodem numero et nominibus, quibus fecit libros suos Aristoteles. Et addemus etiam alicubi partes librorum imperfectas et alicubi libros intermissos vel omissos, quos vel Aristoteles non fecit vel forte si fecit, ad nos non pervenerunt* (Ed. Colon. IV 1: 1, 36–41).

[6] Zum ›Liber de causis‹ und dessen Rezeption bei Albert und den Lateinern vgl. de Libera 55–72.

[7] De quindecim problematibus, prol.: *Articulos, quos proponunt in scholis magistri Parisienses, qui in philosophia maiores reputantur, vestrae paternitati ... transmittens dignum duxi* (Ed. Colon. XVII 1:31, 5–9).

Vergleicht man diesen schriftstellerischen Befund mit Alberts Biographie, dann stellt sich die Frage: Wie kommt ein Ordensmann, ein Mann der Kirche, ein Theologe dazu, fast zwanzig Jahre seines Lebens der Erschliessung und Interpretation des peripatetischen Denkens zu widmen? Der Vergleich mit den wichtigsten Zeitgenossen lässt die Besonderheit und Größe der Leistung Alberts sichtbar werden. Bonaventura (1217/18–74), auch er Pariser Magister der Theologie und Ordensmann, hat keine philosophischen Werke verfasst und keine Aristoteleskommentare geschrieben. Er kennt Aristoteles natürlich, das ist im Paris der Vierziger- und Fünfzigerjahre unvermeidlich, aber er spricht der philosophischen Weltweisheit keine selbstständige Bedeutung zu. Philosophie kann ihren geordneten Gang nur in den ihr von der Theologie gewiesenen Grenzen gehen.

Thomas von Aquin (1224/25–74), wie Albert und Bonaventura Pariser Theologe und Bettelmönch, hat selbstständige philosophische Abhandlungen und Kommentare zu zwölf Werken des Aristoteles geschrieben. Es fällt auf, dass die Aristoteleskommentare des Thomas in wenigen Jahren am Ende seiner akademischen Tätigkeit entstanden sind, und zwar zu einer Zeit, in der an der Pariser Artistenfakultät der Gedanke einer autonomen Philosophie entwickelt wurde. Die Intention des Aristoteleskommentators Thomas zielt deshalb in zwei Richtungen: (a) Es geht ihm einmal um die Wahrheit der aristotelischen Philosophie, nicht primär um die *intentio auctoris*. Und in dieser Perspektive agiert Thomas als Philosoph, der sich – auf philosophischer Ebene – mit der Legitimität konkurrierender Philosophiekonzepte in der Artistenfakultät auseinander setzt. (b) Man darf jedoch nicht übersehen, dass seine Kommentare auch eine theologische Absicht verfolgen; das gilt nachweisbar für seine Auslegungen zu ›De anima‹ und zur ›Nikomachischen Ethik‹, Kommentare, die im Zusammenhang mit der Arbeit in der ›Summa theologiae‹ entstanden sind.[8]

Das philosophische Werk des Kölner Meisters unterscheidet sich genau in dieser doppelten Hinsicht von dem des Thomas. Albert plant und realisiert sein Werk nicht in der Absicht, konkurrierenden zeitgenössischen Philosophiekonzepten ein anderes, besseres an die Seite oder gegenüberzustellen; ein solches Konzept liegt im lateinischen Westen noch gar nicht vor. Er muss deshalb die Philosophie auf der Grundlage der meist aristotelischen Texte „den Lateinern überhaupt erst verständlich machen"[9]. Und Alberts Werk steht weder als Ganzes noch in seinen Teilen im Dienst der

---

[8] Zur Bedeutung der Aristoteleskommentare des Thomas vgl. F. Cheneval/ R. Imbach (Hrsg.), Thomas von Aquin, Prologe zu den Aristoteleskommentaren, Frankfurt 1993, Einleitung LVII–LXIV.

[9] Physica I 1,1: *nostra intentio est omnes dictas partes facere Latinis intelligibiles* (Ed. Colon. IV 1: 1,48 sq.).

Theologie, wenn es auch gelegentlich Aussagen gibt, die den Nutzen philosophischer Diskussionen für die Theologie betonen. Deshalb noch einmal die Frage: Wie kommt ein Ordensmann und Theologe dazu, einen großen Teil seiner wissenschaftlichen Tätigkeit der Philosophie, dem peripatetischen Denken zu widmen?

Albert gibt uns dazu eine gewissermaßen persönliche Auskunft, die nur zum Teil befriedigen kann: Er habe sein philosophisches Werk auf Bitten seiner Mitbrüder in Angriff genommen.[10] Warum aber suchen Mitglieder eines religiösen Ordens Kenntnisse, grundlegende Kenntnisse in der Naturphilosophie und Metaphysik? Als Albert sich an die Aristotelesparaphrase macht, schickt sich die Pariser Artistenfakultät an, fast das gesamte aristotelische Œuvre in ihren Vorlesungs- und Prüfungsplan aufzunehmen. Aristoteles, Inbegriff und Repräsentant einer umfassenden nicht-christlichen, nicht-religiösen Natur- und Weltauslegung, steht spätestens seit der Mitte des 13. Jh. so eindrucksvoll und so herausfordernd auf dem Programm der intellektuellen Kultur des Westens, dass kein Weg an ihm vorbeiführt. Albert, Bonaventura und Thomas stellen Typologien möglicher Reaktionen auf diese Herausforderung dar: Bonaventura den Typus eindeutiger und ausschließlich theologischer Kompetenz und Thomas den einer relativen Selbstständigkeit der Philosophie, die ihre Autonomie nicht ohne Bezug zur Theologie und deren Normativität behaupten kann; demgegenüber bildet Alberts Werk den Typus vollständiger philosophischer Autonomie, losgelöst von theologischen Vorgaben.

Diese deutliche Bereichstrennung von Philosophie und Theologie hat Albert in methodischen Reflexionen vorbereitet. Sie finden sich bereits in den theologischen Werken seiner Pariser Zeit und dann vor allem in seinen Kölner Dionysius-Kommentaren – Arbeiten, die der Aristotelesparaphrase unmittelbar vorausgehen. Es scheint so, als habe Albert gerade auf diesem Feld ein wachsendes Methodenbewusstsein entwickelt. In seiner frühesten Schrift, ›De natura boni‹, spielt der Topos von dem alten Mütterchen oder dem einfachen Mann „im Dienste Christi", die „durch Wort und Lebensführung" die größten Gelehrten zu widerlegen vermögen, eine bedeutsame Rolle[11]; dieser Topos bringt die umfassende Überlegenheit des Glaubens über das menschliche Wissen zum Ausdruck. Demgegenüber deutet sich im Pariser Sentenzenkommentar die Bereichstrennung schon deutlich an. Wenn Albert hier den hl. Augustinus zur Autorität in Glaubenssachen und Aristoteles oder andere Experten der Naturwissenschaft zu Gewährsleu-

---

[10] A. a. O. (Ed. Colon. IV 1: 1,9–14).
[11] De natura boni, tr. 2 p. 3 c. 2: ... *ut vetula quandoque inspiciat, quod litteratus non capit, quia captivare intellectum et ad obsequium Dei inclinare mentem contemnit* (Ed. Colon. XXV 1: 57,89–92).

ten in Fragen der Natur erklärt[12], dann enthält diese Aussage die Konsequenz, dass der Glaube und die auf ihm beruhende Theologie im Bereich der Naturkunde keine Kompetenz beanspruchen können. In den Dionysius-Kommentaren finden sich zahlreiche Aussagen über den formalen Unterschied von Theologie und Philosophie. „Die leitende Grundeinstellung im ganzen Bereich der Theologie ist der Glaube. Mit den Grundsätzen der Vernunft allein ist in der Theologie nichts auszurichten"[13], heißt es dort. Und an anderer Stelle: „Die Wahrheit der Hl. Schrift geht über die Grundsätze der Vernunft hinaus; sie lässt sich nicht durch schlussfolgerndes Vorgehen aus ihnen ableiten."[14] Demgegenüber lässt sich philosophisches Wissen, das allein auf der Vernunft beruht, „durch Selbststudium und Unterricht zur Genüge erwerben"[15].

In seinen Aristoteleskommentaren verdeutlicht Albert die Möglichkeiten (und Grenzen) der Philosophie: „Philosophieren heißt, für eine bekannte Wirkung die richtige Ursache klar und sicher festzustellen, den Beweis für dieses ursächliche Verhältnis beizubringen, wie auch dafür, dass es gar nicht anders sein kann."[16] Diese Aufgabenbeschreibung schließt selbstverständlich methodisch jede göttliche Einwirkung in die Welt aus der philosophischen Betrachtung aus. Der Philosoph kümmert sich nicht „um Wunder durch Gottes Eingreifen"[17], stattdessen sucht er zu erforschen, „was im Bereich der Natur durch natureigene Kräfte auf natürliche Weise alles möglich ist"[18]. Albert hat sich bei der Realisierung seines philosophischen Programms streng an diese methodischen Grundsätze gehal-

[12] II Sent. D 13 a. 2 (Ed. Borgnet XXVII, 217 a).

[13] Super Dionysium, De cael. hier. 1 § 1, dubium 4: *Dicimus quod universalis habitus regens in omnibus theologicis est fides, quoniam in ea non possumus per principia rationis* (Ed. Borgnet XIV, 8 b). Die hier und im Folgenden vorgelegte Übersetzung stützt sich z. T. auf: A. Fries, Albertus Magnus. Ausgewählte Texte, lateinisch-deutsch, Darmstadt 1981, hier: nr. 36.

[14] Super Dionysii epistolas, VII: *veritas sacrae Scripturae est supra principia rationis; unde non deducitur ex illis per aliquas conexiones argumentorum* (Ed. Colon. XXXVII 2: 502, 83–85).

[15] Super Dionysium, De divinis nominibus III: *Quaedam enim est de his quorum cognitio subiacet rationi, et ista scientia sufficienter potest accipi per studium et doctrinam* (Ed. Colon. XXXVII 1: 104, 80–82).

[16] De vegetabilibus et plantis II 2,1: *Philosophari enim est, effectus iam cogniti certam et manifestam et veram causam investigare, et ostendere, quomodo illius causa est, et quod impossibile est aliter se habere* (Ed. E. Meyer/C. Jessen, Berlin 1867, 139, n. 89).

[17] De generatione et corruptione I 1, 22: *nihil ad me de Dei miraculis, cum ego de naturalibus disseram* (Ed. Borgnet IV, 363b).

[18] De caelo et mundo I 4, 10: *Nec nos in naturalibus habemus inquirere, qualiter Deus opifex ... creatis ab ipso utatur ad miraculum ..., sed potius quid in rebus*

ten und alles zu vermeiden getrachtet, was nach philosophischer Grenz-
überschreitung aussehen könnte. „Damit haben wir hier nichts zu schaffen.
Denn wir sprechen jetzt nicht über die theologischen, sondern über die
natürlichen Tugenden."[19] Aussagen dieser Art finden wir häufig im ganzen
philosophischen Werk Alberts.

Ein radikales philosophisches Autonomieprogramm hat allerdings ein-
schneidende Folgen für die Theologie. Denn es bleibt nicht aus, dass sich
theologische und philosophische Wahrheitsansprüche gegeneinander im-
munisieren, dies besonders auch dort, wo es um unvermeidlich gemeinsame Bereiche beider Disziplinen geht, wie etwa bei der Frage der Intelligenzen und der Engel, bei dem Thema menschlicher Vollendung und
Glückseligkeit oder bei der damit zusammenhängenden Thematik der
Gotteserkenntnis. Eine Theologie, die den philosophischen Vernunftan-
spruch ganz oder weitgehend außer sich hat, vermag die von ihr verwaltete
Aufgabe einer Rechtfertigung des Glaubens kaum noch angemessen zu
erfüllen. Über Alberts Theologiebegriff gibt es am Ende dieses Beitrages
noch einige Erwägungen.

Albert verwirklicht sein Programm auf der Grundlage eines Philoso-
phieverständnisses und einer Einteilung der philosophischen Disziplinen,
die im Wesentlichen auf Aristoteles zurückgehen (Met. VI 1). Die Instanzen, die dieses Verständnis und diese Einteilung dem lateinischen Westen
vermittelt haben, brauchen an dieser Stelle nicht näher benannt zu werden.
Es genügt darauf hinzuweisen, dass Albert hier im Wesentlichen an das
anknüpft, was die Einleitungen in die Philosophie, welche um die Mitte
des 13. Jh. entstanden, als *opinio communis* präsentieren.[20] Doch seine Bestimmung der Philosophie ist zunächst stärker theologisch geprägt: Sie sei
der Versuch des Menschen, „den letzten Ursachen nachzuspüren" und sich
dabei auf „die Grundsätze der menschlichen Vernunft" zu stützen.[21] Die
Betonung menschlicher Mühe und Selbstständigkeit erwächst natürlich
aus der Perspektive des Theologen, der andere Formen der Weisheit und
Einsicht kennt.

Ganz dem üblichen Verständnis der artistischen Einleitungsliteratur ent-

---

naturalibus secundum causas naturae insitas naturaliter fieri possit (Ed. Colon. V 1:
103, 7–12).

[19] Ethica I 7,5: *dicemus quod nihil ad nos, quia non de theologicis, sed de physicis
disputamus* (Ed. Borgnet VII, 114b).

[20] Vgl. dazu Cl. Lafleur, Quatre introductions à la philosophie aux XIIIe siècle,
Montréal/Paris 1988.

[21] I Sent. d. 1 a. 4: *Aliae autem scientiae, quae a philosophis sunt inventae, etsi
sapientiae dicantur, quia sunt de altis, non tamen sunt altissimo modo, sed potius per
principia quae sub ratione sunt* (Ed. Borgnet XXV, 19a).

spricht die Einteilung der Philosophie, die sich nach den Gegenstandsbereichen philosophischer Bemühung richtet.[22] Albert nimmt die aristotelische Grundunterscheidung von praktischer und theoretischer Philosophie auf. Danach gibt es Seiendes, das vom Menschen abhängt; damit befassen sich die praktischen Disziplinen Ethik, Ökonomik, Politik. Die theoretische Philosophie hat es zu tun mit dem Seienden, das von Natur aus ohne menschliches Zutun da ist. Auch hier gibt es drei Disziplinen, die sich nach dem Grad ihrer Loslösung von der Materie voneinander unterscheiden. Die Physik befasst sich mit dem Seienden, das dem Sein nach, also in Wirklichkeit, und dem Begriff nach „in das Materielle eingelassen" ist, dem ganzen Bereich der raumzeitlichen Realität. Die Mathematik betrachtet das Seiende, insofern es zwar dem Sein nach materiell (arithmetische und geometrische Größen existieren nicht getrennt von der materiellen Wirklichkeit), dem Begriff nach jedoch davon losgelöst ist. Die Metaphysik schließlich handelt vom Seienden, sofern es dem Sein und dem Begriff nach vom Materiellen gelöst ist.

Diese Auskunft bleibt – wie gesagt – konventionell und sagt nichts oder doch nur wenig über die Originalität des albertschen Denkens. Diese wird deutlicher, wenn man der Frage nachgeht, wie Albert den Zusammenhang der drei für die theoretische Philosophie bedeutsamen Realitätsbereiche denkt. Eine nahe liegende Interpretation des ontologischen Fundierungsverhältnisses schließt er von vornherein als „Irrtum Platons" aus[23]: Die Dinge der Natur, also die Gegenstände der Physik, haben ihren Ursprung nicht in der Wirklichkeit des Mathematischen. Dieses, nämlich die an der körperlichen Realität abgelesenen Dimensionen sind nicht Prinzipien des physischen Körpers; sie ergeben sich vielmehr aus dessen Wirklichkeit.

Physik und Mathematik müssen die Existenz, die Gegebenheit ihrer jeweiligen Gegenstände voraussetzen, weil diese philosophischen Disziplinen nur über die Kenntnis ihrer eingeschränkten Seinsbereiche verfügen. Aus dieser Kenntnis – Albert sagt: „aus ihren eigenen Prinzipien" – „lässt sich das Sein selbst nicht erweisen, dieses muss vielmehr aus den Prinzipien des Seins schlechthin erwiesen werden".[24] Damit ist die Aufgabe der Metaphysik umrissen. Sie betrachtet das Sein nicht, insofern es „auf dieses oder jenes eingeschränkt ist (etwa auf die raumzeitliche Wirklichkeit), sondern eher sofern es das erste Ausfließen Gottes und das erste Geschaffene

[22] Vgl. Metaphysica I 1,1 (Ed. Colon. XVI 1: 1–3, 26); Physica I 1,1 (Ed. Colon. IV 1: 1,43–3,21).

[23] Metaphysica I 1,1: *Cavendus autem hic est error Platonis, qui dixit naturalia fundari in mathematicis et mathematica in divinis* (Ed. Colon. XVI 1: 2,31–33).

[24] A. a. O.: *ex suis propriis principiis esse ipsum probare non potest, sed oportet, quod esse probetur ex principiis esse simpliciter* (a. a. O.: 2, 78–80).

ist, vor dem es nichts anderes Geschaffenes gibt".[25] Die Betrachtung des
Verhältnisses der drei theoretischen Teildisziplinen der Philosophie leitet
so wieder über zu dem ontologischen Fundierungszusammenhang der differenten Wirklichkeitsbereiche. Die Wirklichkeit der verschiedenen Welt-
dinge gründet in dem aller Differenz vorausliegenden einfachen Sein, das
seinerseits als das „erste Geschaffene" bezeichnet wird.

Betrachtet man die bisher vorgetragenen Überlegungen zur Metaphysik,
dann drängt sich der Eindruck auf, dass Albert diese philosophische
Grundlegungsdisziplin im Wesentlichen als Ontologie begreift. Denn das
Sein als Erstgeschaffenes „zeichnet sich ... durch seine von keiner Materie,
Bewegung und Größe eingeschränkte, umfassende Allgemeinheit aus"[26].
Und dieses universale Sein ist der Gegenstand der Metaphysik. Man darf
sich hier durch die Sprache Alberts nicht verwirren lassen. Aussagen wie
„Gegenstand (der Metaphysik) ist das Seiende als Seiendes"[27] meinen genau die durch keine Kategorialität eingeschränkte Universalität des aller
nicht-göttlichen Wirklichkeit zugrunde liegenden „Seins". – Im gleichen
Sinne muss man die Begriffe der „Trennung" oder des „Getrennt-Seins"
auslegen; diese Merkmale der Metaphysik sind nicht theologisch zu interpretieren, so als wolle Albert damit einen von der Weltwirklichkeit getrennten göttlichen Bereich bezeichnen. „Getrennt-Sein" meint vielmehr
die dem einfachen Sein wesentlich zukommende Freiheit von allen ein-
schränkenden Art- und Formbestimmungen, betont also ebenfalls den Gedanken der Universalität des Seins oder Seienden.

Trotz dieser Gedankenführung kann man Alberts Metaphysik nicht ausschließlich, ja nicht einmal primär als Ontologie auslegen, so als ginge es
ihm bei der Betrachtung und Erklärung der Wirklichkeit vor allem um eine
Analyse der maßgebenden ontologischen Begrifflichkeit wie Form, Materie, Potenz, Akt, Sein, Wesen usw. So wichtig diese Begriffe auch sein mögen, Alberts eigentliches Interesse zielt doch auf eine theologische Metaphysik.[28] Das zeichnet sich schon am Beginn seines Metaphysikkommentars dort ab, wo er über den Unterschied von Gegenstand (*subiectum*)
einer Wissenschaft und dem in ihr Gefragten (*quaesitum*) handelt. „Gegenstand" im technischen Sinne ist der die Einheit einer Wissenschaft stiftende
Gesichtspunkt, auf den „als auf ein gemeinsames Prädikat" alle differenten

---

[25] A. a. O.: *Esse enim, quod haec scientia considerat, non accipitur contractum ad
hoc vel illud, sed potius prout est prima effluxio dei et creatum primum, ante quod
non est creatum aliud* (a. a. O.: 3, 1–4).

[26] Wieland, Untersuchungen, 10. 63 f.

[27] Metaphysica I 1,2: *cum omnibus Peripateticis vera dicentibus dicendum videtur,
quod ens est subiectum inquantum ens* (Ed. Colon. XVI 1: 4,51–53).

[28] Vgl. Craemer-Ruegenberg 61. 66.

Themenbereiche der jeweiligen Disziplin zurückgeführt werden.[29] In dieser strengen Bedeutung kann nur das transkategoriale Sein oder Seiende „Gegenstand" der Metaphysik sein, nicht Gott oder das Göttliche. Daraus folgt jedoch nicht, dass davon in der ersten Philosophie keine Rede sein könne oder dürfe. „Vielmehr wird in dieser Wissenschaft nach Gott und dem getrennten Göttlichen gefragt."[30] (Hier muss man „getrennt" selbstverständlich theologisch interpretieren.) Die formale Gegenstandsbestimmung schließt also eine Deutung der Metaphysik als Theologik nicht aus. Wie sehr Albert in seiner Metaphysik letztlich eine Theologik im Auge hat, zeigt sich vor allem an seinem Gottesbegriff und an der Integration des ›Liber de causis‹ (›Buch über die Ursachen‹) in sein metaphysisches Konzept. – Im elften Buch des albertschen Metaphysikkommentars handelt der zweite Traktat über die „unsinnliche und unbewegliche Substanz", also über den unbewegten Beweger des Aristoteles. Craemer-Ruegenberg hat schon vor zwanzig Jahren auf die „Umdeutung des Aristotelischen Gottesbegriffs"[31] hingewiesen, die Albert hier vornimmt. Im sechsten Kapitel dieses Traktats heißt es von der ersten Substanz, dass sie „reiner Intellekt" sei, eine universale, also eine sich auf die ganze Wirklichkeit erstreckende Wirkung entfalte, alle Vollkommenheiten austeile, wesenhaft tätig sei und sich selbst mitteile. Darüber hinaus sei die erste Substanz das am meisten Geliebte, welches durch das so erzeugte Begehren Ursache aller Bewegung ist. Der erste Beweger – so schreibt Albert, an das Bild vom Sonnenlicht und seiner Leben spendenden Wärme anknüpfend – gieße sein ihm wesenseigenes Licht über die Himmelssphären und das gesamte Sein aus. Diese Bestimmung macht aus dem rein selbstbezüglichen unbewegten Beweger des Aristoteles einen überreich schenkenden, mitteilsamen Schöpfergott.[32] Doch dieser Gott ist weit entfernt von dem der Bibel. Denn dort erscheint die Welt als Resultat göttlichen Ratschlusses, hier jedoch als Ausfluss göttlichen Wesens; dort als ein Werk freier Entscheidung, hier als Wirkung eines notwendigen Ursachenzusammenhangs.

Eine genauere Analyse der Wirkweise der ersten Substanz findet sich im Kommentar zum ›Liber de causis‹. Dort beschreibt Albert den Hervorgang des in sich gestuften Universums aus dem ersten Prinzip.[33] In seiner

[29] Metaphysica I 1,2: *subiectum est in scientia, ad quod sicut ad commune praedicatum reducuntur partes et differentiae* (Ed. Colon. XVI 1: 3,64–66).

[30] A. a. O.: *deus autem et divina separata quaeruntur in scientia ista* (a. a. O.: 4,40 sq.).

[31] Craemer-Ruegenberg 61–66.

[32] Metaphysica XI 2,6 (Ed. Colon. XVI 2: 489,63–490,94).

[33] De causis et processu universitatis I 4,8: *De ordine eorum quae fluunt a primo principio, secundum omnem gradum entium universorum* (Ed. Colon. XVII 2: 55, 62–58,30).

Textvorlage trifft er auf den Begriff der *causa universalis* und auf eine genaue Charakterisierung der Wirkungsbreite der hierarchisch aufeinander folgenden Ursachenstufen. Danach ist die Reichweite der ersten Ursache schlechthin unbegrenzt, also nicht auf einen bestimmten Seins- oder Wirklichkeitsbereich eingeschränkt. Dort trifft er auch auf die Verknüpfung der Lichtmetapher mit der ersten Ursache.[34] Betrachtet man also den von Albert entwickelten Begriff der ersten Substanz oder Ursache, dann zeigt sich schnell, wie sehr dieser Begriff von neuplatonischen, vor allem über den ›Liber de causis‹ vermittelten Vorstellungen geprägt ist.

Diese Feststellung ist allerdings noch kein zureichender Beleg für die These, dass Alberts Metaphysik wesentlich Theologik sei. Dazu bedarf es eines zweiten Schritts, nämlich des Nachweises, dass Albert den ›Liber de causis‹ nicht nur als integralen Bestandteil, sondern als Vollendung der ersten Philosophie betrachtet.[35] Dies tut Albert nun tatsächlich und ausdrücklich, und zwar gleich zu Beginn des zweiten Buches, wo er einen David Judaeus als Autor bzw. Kompilator der Textvorlage nennt und vier Gründe dafür anführt, weshalb der ›Liber de causis‹ mit Recht als ein Text der Metaphysik zu gelten habe. Denn dieser Text handle von Gegenständen, die weder materiell noch ausgedehnt noch bewegt seien; er handle zweitens von Prinzipien des Seienden schlechthin; drittens handle er nur von den göttlichen Substanzen, „nämlich von der ersten Ursache, der Intelligenz (= erste Stufe der Emanation) und von den edlen (Welt-) Seelen (= zweite Stufe der Emanation) – das ist Sache der Theologik“, welche den letzten und vollkommensten Teil der Metaphysik darstellt; schließlich behandle der ›Liber de causis‹ diese Gegenstände „gemäß der vollen Wahrheit“. „Deshalb muss man dieses Buch mit der ersten Philosophie verknüpfen, damit diese daraus ihre letzte Vollendung erfährt.“[36]

Man kann also den folgenden Gedankengang festhalten: Albert betrachtet die Metaphysik als „erste Philosophie“, weil sie „die Gegenstände und Prinzipien aller anderen Wissenschaften zu befestigen (und zu begründen) hat“[37].

[34] Ich beziehe mich auf den Text des ›Liber de causis‹ in der Edition von Alberts Kommentar: De causis II 1, 6 (Ed. Colon. XVII 2: 67, 73–78) = Ursachenstufung; II 1,25 (a. a. O.: 91, 53–56) = Lichtmetaphysik.

[35] Vgl. de Libera, 55 ff.

[36] De causis II 1,1: *non determinatur hic nisi de divinis substantiis, scilicet causa prima, intelligentia et nobilibus animabus, quod ad theologiam pertinet, quam in ultima parte sui et perfectissima considerat metaphysica. ... determinatur hic de separatis substantiis secundum plenam veritatem ... Propter quod et iste liber Philosophiae primae coniungendus est, ut finalem ex isto recipiat perfectionem* (Ed. Colon. XVII 2: 59,31–60,5).

[37] Metaphysica I 1,1: *ista scientia stabilire habet et subiecta et principia omnium aliarum scientiarum* (Ed. Colon. XVI 1: 2,80 sq.).

Der Begründungsprozess kommt dann zu einem Abschluss, wenn er ein Prinzip ausmachen kann, „dessen Sein nicht von einem anderen abhängt", sondern zu seiner eigenen Substanz und seinem eigenen Wesen gehört[38]. Diesen Begründungsprozess leistet allein die Philosophie. Albert weist deshalb Versuche zurück, den philosophischen Argumentationsgang mit theologischen Versatzstücken auszustatten, also z. B. die Intelligenzen, die erste Stufe der Emanation, mit den Engeln zu identifizieren. Die Engelordnungen beruhen aber auf der Offenbarung und dienen der Vollkommenheit des Himmelreiches. Darüber steht der Philosophie kein Urteil zu, sie hat ihre Aufgabe unabhängig von theologischen Annahmen zu betreiben[39].

Der Gedanke philosophischer Autonomie, den Albert methodisch von langer Hand vorbereitet hat und der in den Kommentaren zur Metaphysik und zum ›Liber de causis‹ seine sachliche Begründung erfährt, wird begleitet von einer geradezu emphatischen Betonung des Gedankens der menschlichen Vollendung. Die Parallelität dieser beiden Gedankenreihen gibt dem Begriff der philosophischen Autonomie überhaupt erst jene vollendete Gestalt, die wir mit ihm verbinden. Denn methodisch behauptete Selbstständigkeit und die metaphysische Figur einer Letztbegründung machen die Philosophie noch nicht autonom, wenn nicht auch der Philosoph als Subjekt an diesem Prozess teilhat.

Von Beginn seines philosophischen Unternehmens an lässt Albert seine Leser nicht im Zweifel darüber, dass der Philosoph – ohne theologische Hilfestellung – allein durch die Philosophie zur Vollendung gelangen kann[40]. Eine solche Vollendung ist – natürlich – eine philosophische, nämlich der der Vernunft angemessene Zustand der Betrachtung: „Der Intellekt des Menschen gelangt, indem er sich von sich aus unaufhörlich auf Höheres erstreckt, durch die Betrachtung der himmlischen Welt endlich zur Betrachtung des Göttlichen; wenn er darin auf vollkommene Weise verharrt, steht er unerschütterlich da wie die Sonne."[41] Dieser Satz enthält in kurzer Fassung das ganze Programm des philosophischen Lebens und der darin liegenden Vollendung. Zwar ist der menschliche Intellekt in seinem Erkennen von Natur aus auf Raum und Zeit verwiesen. Physik und Mathematik sind die diesen natürlichen Bedingungen angemessenen Wis-

---

[38] De causis I 1, 8: *Et ex hoc sequitur, quod esse non habeat nisi a seipso et quod esse eius non pendeat ex alio* (Ed. Colon. XVII 2: 16, 66 sq.).

[39] Vgl. Sturlese 350–62.

[40] Vgl. G. Wieland, Albertus Magnus und die Frage nach dem menschlichen Glück – zur ersten Kölner Ethikvorlesung, in: J. Aertsen (Hrsg.), Albert der Große in Köln, Köln 1999, 23–33.

[41] Metaphysica XI 1,9: *Et intellectus hominis continue extendendo se a seipso superius, tandem per contemplationem caelorum devenit in contemplationem divinorum et in illis perfecte contemplans stat sicut sol* (Ed. Colon. XVI 2: 473, 4–7).

senschaften. Doch für die „wahre Weisheit" bedeuten sie nur Stufen und Handreichungen. Denn im Menschen gibt es etwas Göttliches, durch das er über Raum und Zeit hinausragt. Und die Metaphysik „ist die Vollendung des göttlichen Intellekts in uns"[42]. Was Albert in seiner Metaphysikparaphrase vorträgt, findet seine Bestätigung bereits in dem frühen Kölner Ethikkommentar. Diese Feststellung ist in zweifacher Hinsicht bedeutsam: Sie zeigt erstens, dass Albert von Anfang an Philosophie als eine selbstständige, von theologischen Einmischungen und Vermengungen freie Angelegenheit begreift; sie zeigt zweitens insbesondere, dass Albert der Philosophie auch unter der ethischen Perspektive, unter dem Gesichtspunkt menschlichen Handelns und Lebens, eigentlich alles zutraut, dessen der Mensch zu seiner Vollendung bedarf.

Doch hier zeigt sich eine grundlegende Schwierigkeit jeder Ethik, die die menschliche Vollendung als ihr eigentliches Ziel im Auge hat. Einerseits ist der Mensch wegen seiner Geistigkeit auf ein unendliches Gut verwiesen, das allein ihn wirklich und endgültig zu erfüllen vermag; andererseits bewegt sich Ethik ausschließlich im Rahmen menschlichen Handelns, dessen Endlichkeit und Begrenztheit niemals ein Unendliches erwirken können. Darin liegt das entscheidende Problem: Kann Ethik überhaupt das leisten, wofür sie eigentlich da ist, nämlich die absolute Vollendung oder das unendliche Glück aufzuweisen, dessen der Mensch zu seiner Erfüllung bedarf und das er selbst durch seine eigene Tätigkeit hervorbringt? Unter dem Gesichtspunkt der Autonomie ergibt sich das folgende Dilemma: Entweder zeigt die Philosophie (insbesondere die Ethik) den Weg zum unendlichen Glück, aber dann muss sie den Menschen über die Endlichkeit seines Daseins erheben; oder die Philosophie trägt der menschlichen Endlichkeit Rechnung, dann muss sie jedoch auf das unendliche Glück verzichten; also: wenn Ethik die absolute Vollendung zeigt, dann ist sie zwar autonom, aber keine Ethik mehr; wenn sie dem menschlichen Handeln Rechnung trägt, dann ist sie zwar Ethik, aber nicht autonom, weil sie nämlich von sich aus keinen handlungsleitenden Begriff unendlichen Glücks entwickeln kann.

Vor diesem Hintergrund gewinnt Alberts Ethik ein eindeutiges Profil. Sie ist autonom und zielt auf Vergöttlichung und „Verunendlichung" des Menschen. Diese Deutung lässt sich gut an einer Frage exemplifizieren, die Albert im Anschluss an die aristotelische Aussage erörtert, dass das Glück „das Endziel allen Handelns" (operatorum existens finis) sei[43]. Die Frage

---

[42] A. a. O. I 1,1: *Et ipsa est intellectus divini in nobis perfectio, eo quod est de his speculationibus quae non concernunt continuum vel tempus* (Ed. Colon. XVI 1: 3,20–23).
[43] EN 1097b 21.

lautet, „ob das höchste Gut ein durch Handeln erwirktes Gut sei"[44]. Die Antwort unterscheidet zwischen einem absoluten und einem relativen Höchsten. Das absolut Höchste ist Gott; darum geht es in der ethischen Fragestellung aber nicht. Der Ethiker fragt vielmehr nach dem relativ Höchsten, dem Flucht- und Zielpunkt menschlichen Handelns, dem bürgerlichen Glück. Doch dieses bleibt hingeordnet auf das kontemplative Glück, in welchem der Mensch kraft seines Intellekts zur wahren Vollendung kommt. Diese Vollendung erlangt der Mensch – wie wir gesehen haben – durch die Philosophie, speziell durch die Metaphysik. Deshalb nehmen die Philosophen – schaut man auf die Ordnung der Natur – einen höheren Rang ein als die Herrscher, deren Vorrang nur für die politische Welt gilt. Der Mensch geht aber im Politischen nicht auf.[45] Er kann kraft seines Intellekts die Welt des Göttlichen erreichen, wo er seine wahre menschliche Bestimmung erfährt.

Dem Philosophen, und nur ihm, steht also der „Himmel" offen. Und die Philosophie weist denen, die ihr zu folgen vermögen, den verlässlichen Weg dorthin – einen Weg, der den Emanationsprozess zu seinem Ursprung zurückverfolgt. Albert räumt der Philosophie nicht nur den hohen Rang ein, er gibt ihr das höchste Maß an Selbstständigkeit, welche das aristotelische Material und der neuplatonische Interpretationsansatz überhaupt zulassen. Und er hält an dieser Rangzuweisung vom Anfang bis zum Ende seiner Aristotelesparaphrase fest. Es ist nun einer eigenen Frage wert, ob sich aus der philosophischen Unabhängigkeit und Selbstständigkeit Konsequenzen für das Theologiekonzept des Theologen Albert ergeben. Diese Frage kann hier zwar nicht breit erörtert, soll aber wenigstens skizziert werden.

Dazu mag ein kurzer Blick auf die ›Summa theologiae‹ nützlich sein, die nach 1268 entstanden ist, also nach Abschluss der Aristotelesparaphrase.[46] Albert entwickelt hier ein Verständnis von Theologie, das die Differenz zur Philosophie in allen entscheidenden Hinsichten ausdrücklich hervorhebt[47]. Selbstverständlich ist Gott Gegenstand auch der Offenbarungstheologie, aber der Unterschied tritt sogleich hervor, wenn man diesen Gegenstand und die mit ihm wesentlich verbundenen Eigenschaften ins Auge fasst. Die erste Philosophie betrachtet dann das Seiende sowie Eines und Vieles, Potenz und Akt, Notwendigkeit und Möglichkeit; die Theologie

[44] Super Ethica I 7: *utrum summum bonum sit operatum bonum* (Ed. Colon. XIV 1: 32,17–33,53).
[45] A. a. O. X 13 (Ed. Colon XIV 2: 761, 68–82).
[46] Zum Problem dieser Schrift vgl. R. Wielockx: Zur „Summa theologiae" des Albertus Magnus, in: Ephemerides Theologicae Lovanienses 66 (1990) 78–110.
[47] Summa theologiae I tr. 1 q. 3 c. 1: De subiecto theologiae (Ed. Colon. XXXIV 1: 9,68–11,87).

Christus und die Kirche „mit allen ihren Sakramenten"[48]. Eine besonders wichtige Differenz hebt Albert in der Quaestio hervor, die „von der der Theologie eigenen Methode" handelt[49]. Er erinnert daran, dass diese Wissenschaft auf Frömmigkeit beruht, zum menschlichen Heil notwendig und deshalb praktisch ist. Darin liegt beschlossen: Theologie richtet sich – anders als Philosophie – an alle Menschen, mögen sie weise oder töricht sein[50], und deshalb muss sie auf eine Weise vermittelt werden, die auch allen zugänglich ist, also eher „historisch" oder „gleichnishaft" oder „metaphorisch" als wissenschaftlich und gemäß den Regeln der Kunst.

Alberts eigene Theologie hält sich zwar nicht an diese Empfehlung, sie bleibt im Wesentlichen Schultheologie; aber es gibt doch Hinweise darauf, dass er den rationalen Anspruch dieser Disziplin zurücknimmt zugunsten einer Plausibilitätsstruktur, die der intellektuellen Fassungskraft einer größeren Menge gerecht wird. Als Beispiel für diese Annahme mag die Behandlung der Gottesbeweise durch Albert dienen[51]. Einen strengen Beweis auf diesem Felde hält er nicht für möglich, sondern nur einen Aufweis (ostensio) ohne den Anspruch logisch korrekter Form. Er führt dann sieben solcher Aufweise vor, die „aber sachlich nicht sonderlich überzeugend" ausfallen[52]. Könnte es sein, dass Albert sich hier an seine theologische Methodenempfehlung hält? Ich will den schwierigen Text der ›Summa theologiae‹ nicht mit Vermutungen belasten, aber er passt in seinem rational zurückhaltenden Anspruch zu dem großen Programm, das Albert in seiner Aristotelesparaphrase verwirklicht hat.

Auswahlbibliographie

Quellentexte
Albertus Magnus, Opera omnia, ed. A. Borgnet, Paris 1890–99 (38 Bände).
Albertus Magnus, Opera omnia, Editio Coloniensis, Münster 1951 ff. (auf 40 Bände berechnet).

[48] A. a. O.: *Si vero dicatur subiectum secundo modo, de quo probantur passiones et quod per passiones determinatur, Christus et ecclesia est subiectum sive verbum incarnatum cum omnibus suis sacramentis quae perficit in ecclesia* (a. a. O.: 10, 94–11,4).

[49] A. a. O., q. 5: *De modo theologiae proprio* (a. a. O.: 15, 71–22,86).

[50] A. a. O.: *omnibus enim (sacra scriptura) necessaria est ad salutem et sapientibus et idiotis* (a. a. O.: 16,44 sq.).

[51] A. a. O., tr. 3, q. 17 und 18 (a. a. O.: 83,65–88,54).

[52] Craemer-Ruegenburg 55; dort (50–56) auch weitere Informationen zu den Gottesbeweisen der ›Summa theologiae‹.

Sekundärliteratur

Anzulewicz, H.: Neuere Forschung zu Albertus Magnus. Bestandsaufnahme und Problemstellungen, in: Recherches de Théologie et Philosophie médiévales 66 (1999) 163–206.

Anzulewicz, H.: De forma resultante in speculo. Die theologische Relevanz des Bildbegriffs und des Spiegelbildmodells in den Frühwerken des Albertus Magnus, Teil I, Münster 1999, 4–17 (zu Leben und Werk Alberts).

Craemer-Ruegenberg, I.: Albertus Magnus, München 1980.

Fauser, W.: Die Werke des Albertus Magnus in ihrer handschriftlichen Überlieferung, I: Die echten Werke, Münster 1982.

Libera, A. de: Albert le Grand et la philosophie, Paris 1990.

Lohrum, M.: Albert der Große. Forscher – Lehrer – Anwalt des Friedens, Mainz 1991.

Sturlese, L.: Der philosophische und naturwissenschaftliche Rationalismus Alberts des Großen, in: ders.: Die deutsche Philosophie im Mittelalter, München 1993, 324–388.

Weisheipl, J. A.: Albert der Große – Leben und Werke, in: Entrich, M. (Hrsg.): Albertus Magnus. Sein Leben und seine Bedeutung, Graz 1982, 9–60.

Wieland, G.: Untersuchungen zum Seinsbegriff im Metaphysikkommentar Alberts des Großen, Münster ²1992.

Wieland, G.: Zwischen Natur und Vernunft. Alberts des Großen Begriff vom Menschen, Münster 1999.

ROGER BACON

Scientia experimentalis

Von Klaus Hedwig

Es dürfte kaum einen anderen mittelalterlichen Philosophen geben, den man derart leicht missverstehen kann wie Roger Bacon, nicht weil er uns zu fremd wäre, sondern weil er die Moderne in vielen Hinsichten vorwegzunehmen scheint und doch einer vergangenen Welt angehört. Die Probleme des Verstehens, die sich hier ergeben, scheinen die üblichen Strategien der Hermeneutik geradezu umzukehren. Eine Interpretation, die Bacon problemgeschichtlich angemessen zu erschließen sucht, wird daher die Differenz zwischen der Gegenwart und dem Vergangenen offen halten müssen, die Diskontinuität, die es erlaubt, einen historischen Denkstil in seiner kontingenten, aber doch eigenen Gestalt zu rekonstruieren.

1. Zum Diskussionsstand

Die neuere Rezeption der *scientia experimentalis* beginnt mit W. Whewells[1] ›Geschichte der induktiven Wissenschaften‹, einem Werk, das in seiner deutschen Übersetzung (1840) einen nicht geringen Einfluss auf die beginnende Diskussion über den „empirischen Standpunkt" in der Philosophie hatte. In Bacon hat Whewell eine Vorstufe der modernen Naturwissenschaft gesehen. Diese Einschätzung wurde in England, Frankreich und Deutschland gleichermaßen geteilt.

Einen ersten, philologisch kritischen Zugang zu Roger Bacon finden wir bei V. Cousin (1848), dann später in der Edition von J. S. Brewer (›Opus tertium‹, ›Opus minus‹, ›Compendium studii philosophiae‹, 1859) und in den Studien zur Geschichte der Optik (F. Wiedemann). Die Ausgaben des ›Opus maius‹ (J. H. Bridges, 1897/1900) und der ›Opera hactenus inedita‹ (R. Steele, 1905–1940) haben die thematische Breite des Werkes sukzessiv erschlossen. In dieser frühen Forschungsphase bereits hat P. Duhem[2] auf

---

[1] W. Whewell, History of the Inductive Sciences from the Earliest to the Present Time, 3 vols., London 1837 (ND London ³1857, II, 275).

[2] P. Duhem, Le système du monde III, Paris 1915, 442.

die Grenzen Bacons hingewiesen: „Il n'a jamais compris ce que c'est que la méthode expérimentale." Der Durchbruch zur Wissenschaftsgeschichte geschieht mit L. Thorndike[3], der wie A. G. Little (1914), R. Steele (1924) und G. Sarton (1931) erstmals das historische Umfeld der *scientia experimentalis* untersucht hat. Seitdem ist die Naturphilosophie Bacons, von einigen Ausnahmen (S. Vogl, L. Baur) abgesehen, eine Domäne der angelsächsisch-amerikanischen Forschung geblieben. Auch die Interpretationen der „expérience" durch R. Carton[4] haben daran nichts geändert. Einen neuen, auf die Werkgeschichte zentrierten Ansatz vertritt – neben Th. Crowley (1949) – St. C. Easton[5], der die Suche nach einer „Universalwissenschaft" als Leitthema Bacons annimmt. In diese Zeit fällt die bekannte, auch für das Verständnis Bacons wichtige Arbeit von A. C. Crombie[6] über die „Anfänge der Experimentalwissenschaft". Die Kontroversen, die mit A. Koyré[7] beginnen, dauern bis heute an. Es ist das Verdienst der Beiträge und Texteditionen von D. C. Lindberg[8], die Diskussion versachlicht zu haben. Die frühen, überzogenen Einschätzungen Bacons lassen sich heute nicht mehr halten.

Der gegenwärtige Forschungsstand wird durch die sorgfältigen Arbeiten von J. Hackett markiert, der die „Ambiguität" der Erfahrungswissenschaft betont: „The expression *scientia experimentalis* is ambiguous … It has to be taken to mean both an experimental science und a science of experience."[9] Dieser doppelte Aspekt, dass die *scientia experimentalis* beides, Erfahrung und Experiment unterstellt, ist für die Wissenschaftskonzeption Bacons entscheidend. Allerdings lässt dieses Verhältnis noch weitere, vor allem philosophische Klärungen zu.

[3] L. Thorndike, Roger Bacon and Experimental Method in the Middle Ages, in: Philos. Review 23 (1914) 271–298; A History of Magic and Experimental Science II, New York 1929, 616–720.

[4] R. Carton, L'expérience physique chez R. Bacon. L'expérience mystique de l'illumination intérieure. La synthèse doctrinale de R. Bacon, Paris 1924.

[5] St. C. Easton, Roger Bacon and the Search for a Universal Science, New York 1952, 75.

[6] A. C. Crombie, Robert Grosseteste and the Origins of Experimental Science, 1100–1700, Oxford 1953, ND 1962.

[7] A. Koyré, Die Ursprünge der modernen Wissenschaft, in: Diogenes 4 (1957) 421–448.

[8] Roger Bacon's Philosophy of Nature. A Critical Edition, with English Translation, of De multiplicatione specierum and De speculis comburentibus, hrsg. v. D. C. Lindberg, Oxford 1983, 408 f.

[9] J. Hackett, The Meaning of Experimental Science (scientia experimentalis) in the Philosophy of R. Bacon, Diss. Toronto 1983; Scientia experimentalis, in: J. Mc Evoy (Hrsg.), R. Grosseteste, Turnhout 1995, 89 ff.; Experientia, Experimentum, in:

2. Chronologische Fragen

Wir wissen über Roger Bacon wenig – weder den Geburtsort noch das Geburtsjahr, noch das Jahr seines Todes. Eine unscheinbare, leider auch unklare Notiz im ›Opus tertium‹ dient seit Jahrzehnten dazu, die Biographie zu rekonstruieren: „Viel habe ich in den Wissenschaften und Sprachen gearbeitet, schon vierzig Jahre sind vergangen, da ich zuerst das 'alphabetum' lernte, und ich habe immer studiert; mit Ausnahme von zwei Jahren dieser vierzig Jahre bin ich immer 'in studio' gewesen" (Brewer 65). Nicht die Datierung dieses Textes – 1267– ist das Problem, sondern die Bedeutung von *alphabetum* und *in studio;* damit kann die Schule oder die Universität gemeint sein. Die Bestimmung des Geburtsjahres hängt von der Lesart ab. Es konkurrieren mehrere chronologische Modelle: Ch. Jourdain nimmt 1210 als Geburtsjahr an, A. G. Little dagegen 1214, ebenso Th. Maloney und J. Hackett, während Th. Crowley und D. C. Lindberg 1220 vorziehen, wobei als Geburtsort Ilchester in Somerset oder Bisley in Gloucestershire möglich, aber nicht sicher ist. Es besteht ein gewisser Konsens[10] darüber, dass Bacon zunächst (nach 1233) in Oxford studierte, dass er um 1240 den Magister erwarb, aber vor 1245 in Paris war. Hier, während dieser Zeit, sind die Vorlesungen (oder *reportationes*) über Aristoteles anzusetzen, vermutlich auch ›De causis‹ und ›De plantis‹. Die Jahre nach 1247 markieren einen Einschnitt: Bacon verlässt die Fakultät, geht in seinen Studien über Aristoteles hinaus und befasst sich mit neuen Richtungen: Das ›Secretum Secretorum‹, Seneca, arabische Quellen, auch die Philosophie Grossetestes werden wichtig. Er widmet sich in den nächsten zwei Jahrzehnten, wie er sagt, der „Weisheit" *(sapientia)* und gibt dafür sein Vermögen (von 2000 Pfund) aus – *propter libros secretos, et experientias varias et linguas, et instrumenta, et tabulas, et alia* (Brewer 59). Hier sind die „biographischen" Anfänge der *scientia experimentalis* anzusetzen. Um 1257 tritt Bacon, ohne dass wir die Motive kennen, in den Franziskanerorden ein. Um diese Zeit – um 1260 – lässt sich ›De multiplicatione specierum‹ und ›De speculis comburentibus‹ datieren. Sicher ist, dass er 1267 an Clemens IV. (den er aus Paris kannte) das ›Opus maius‹ und ›Opus minus‹ schickt. Auch das ›Opus tertium‹ fällt in diese Jahre. Die Reaktion des Papstes ist nicht bekannt. In den folgenden, historisch dunklen Jahren werden die ›Communia mathematica‹, die ›Communia naturalium‹, das ›Compendium studii philosophiae‹ (1272) geschrieben und das ›Secretum Secretorum‹[11] ediert. Die

---

J. Aertsen/A. Speer (Hrsg.), Raum und Raumvorstellungen im MA, Berlin 1998, 101 ff.; vgl. Bibliographie.

[10] Vgl. Crowley (1949), Lindberg (1983) und Hackett (1997).

[11] Vgl. St. J. Williams, Roger Bacon and the Secret of Secrets, in: Hackett 365–391.

Frage der Gefangenschaft ist schwer zu beantworten. Nach 1292, während er das ›Compendium studii theologiae‹ verfasst, ist Roger Bacon gestorben. Über die letzten Tage seines Lebens wissen wir, anders als bei Grosseteste, nichts.

3. Die historischen Vorlagen

Es gibt keine Arbeit, die für das Mittelalter die Terminologien von *experientia, experimentum, experimentatio, experimentator* oder *expertus* hinreichend untersucht hätte. Die begriffsgeschichtlichen Zusammenhänge sind weitgehend unerforscht.

Die philosophischen Vorausetzungen, auf die Bacon seine Konzeption der *experientia* stützt, gehen, wie häufig, zunächst auf Aristoteles zurück (Met. 980b 21ff. u. Anal. Post. 100a 5f., 88a 3f.). Die „Erfahrung" *(empeiria)*, die der „Kunst" *(technē)* und „Wissenschaft" *(epistēmē)* voraufgeht, ist bei Aristoteles retrospektiv angelegt. Aus den vielen, wiederholten und im Gedächtnis aufbewahrten Erinnerungen an dasselbe Geschehen ergibt sich die *empeiria* als ein elementares, lebensweltlich vertrautes Wissen über den Einzelfall *(kat hekaston)*, darüber, „dass" *(hoti)* etwas ist. Aber dieses Erfahrungswissen ist für Aristoteles letztlich nur ein Umschlagsplatz *(dia)*, durch den Kunst und Wissenschaft hindurchgehen, da sie das Allgemeine *(katholou)* und die „Ursache" *(aitia)* suchen, „warum" *(dioti)* etwas ist. Dagegen gewinnt die *empeiria* in den praktischen Wissenschaften (NE, 1142a 23) durchaus an Gewicht, weil sie die „Klugheit" *(phronēsis)* leitet, die auf das Einzelne blickt, das im Handeln zu realisieren ist.

Es ist interessant, dass Bacon diese Vorlagen des Aristoteles kommentiert und korrigiert hat (Steele X, 8 ff.; XI, 16 ff.; XVI, 121 ff.). Dabei wird zunächst die retrospektive, auf das Gedächtnis sich stützende Genese der *experientia* relativiert. Die exklusive Bindung der Erfahrung an das Vergangene tritt zurück. Aber noch wichtiger dürfte es sein, dass für Bacon die *experientia* oder das *experimentum* (Steele XI, 16) als Grundlage der Ursachenforschung und abstraktiven Begriffsbildung, der *acceptatio universalis singularium*, nicht nur induktiv am Anfang der Wissensschaft steht, sondern auch deduktiv am Ende: nämlich als die letzte, operative, weil prüfend verifizierende Applikation der theoretischen Bestimmungen *ad opus* (Steele XI, 18). Das heißt, dass die „Erfahrung" der einzige Ort ist, an dem Allgemeinbegriffe und Ursachen gefunden, aber auch verifiziert werden können.

Wenn man diese frühe Weichenstellung berücksichtigt, dann wird verständlich, warum Bacon die historischen Quellen der *scientia experimentalis* von einem wissenschaftstheoretisch geänderten, operativen Standpunkt rezipiert: Aristoteles (›Meteorologie‹), Euklid (›Elementa‹), Ptolemaeus

(›Almagest‹), Ps.-Ptolemaeus (›Centiloquium‹, ›De dispositione sphaerae‹), Seneca (›Quaestiones naturales‹), Alhazen (›De aspectibus‹), Al-Betrugi, Galen, Haly Abbas, Plinius, Abu Ma'shar, Avicenna und das ›Secretum secretorum‹ werden nicht nur zitiert, sondern uminterpretiert. Die Forderung etwa, dass eine Ursache wie bei Grosseteste (Comm. Post Anal. I, 14, ed. Rossi) aus der Erfahrung als *universale experimentale* zu erheben sei, wird von Bacon durch die empirische Prüfung dieser Annahme ergänzt. Dabei ist es aufschlussreich, dass Bacon in der Optik Alhazens auf eine Fassung der *experientia (i'tibar)*[12] trifft, die mit Testverfahren arbeitet. Die *scientia experimentalis* wird dann konsequent theoretische und praktisch-verifikative Implikate aufweisen.

Es scheint, obgleich hier weitere Untersuchungen nötig wären, dass sich im Spätmittelalter diese, bei Bacon noch unproblematische Bindung löst und die Begriffe *experientia* und *experimentum* auseinander treten[13]. Der Terminus *experimentum* geht in die Naturwissenschaften, aber auch in Astrologie und den Okkultismus ein, wie die Einschätzung Roger Bacons als *magus* am Beginn der Neuzeit zeigt. In der Renaissance kehrt offensichtlich die antike Grundbedeutung der Erfahrung *(experientia)* als „Gefahr" *(periculum)*[14] wieder.

4. Wissenschaftstheoretische Entwicklungen

Die methodologischen Überlegungen, die bei Bacon in einer fast modernen Pluralität die historischen, kulturellen, pädagogischen, politischen und ethischen Implikate des Wissens – auch die „Ursachen der Irrtümer" – berücksichtigen, dürfen nicht darüber hinwegtäuschen, dass die Wissenschaftslehre traditionelle, patristische, aber in Oxford übliche Züge trägt: Die Weisheit ist in der Hl. Schrift „enthalten" (Brewer 81), Philosophie und Theologie sind „konvenient" verfasst (424), das Wissen, das dem „Gut der Seele" dient, muss auch der Gesellschaft, dem Staat, letztlich der Kirche „nützlich" sein (19 ff. 395 ff.) und *in sacro usu* gebraucht werden (83). Andere Autoren – etwa Thomas von Aquin (Scg. II, 4) – waren hier weitaus kritischer.

In den ›Communia naturalium‹ (Steele II, 1 ff.) gibt Bacon eine „Klassifikation der Wissenschaften" (Hackett, 1997, 49 ff.), in der die Mathematik, Naturphilosophie, Metaphysik und Moralphilosophie als Leitdiszipli-

---

[12] I. Sabra, The Optics of Ibn al-Haytham, London 1989, 18 f.
[13] J. Murdoch/E. Sylla (Hrsg.), The Cultural Context of Medieval Leaning, Dordrecht/Boston 1973, 265 ff. (Thesen von H. Oberman und C. Schmitt).
[14] Thes. Lat. V, 2, 1654 f.

nen, als *scientiae magnae* auftreten. Es sind zwei Korrekturen, die Bacon
gegenüber der Tradition vornimmt und die für das eigene Reformpro-
gramm der Wissenschaften typisch sind: Die Naturphilosophie oder Physik,
die zu den neuen, an den Universitäten gelehrten Wissenschaften gehört,
nimmt die handwerklichen, in der Wertschätzung niedrigen *artes mechanicae* in sich auf: *perspectiva, astronomia, scientia ponderum, alkemia, agri-
cultura, medicina* und *scientia experimentalis*. Ferner wird die Position der
Metaphysik (Steele II, 3 ff., XVI, 1 f.) im Verhältnis zu den Einzeldisziplinen
neu bestimmt. In der Kommentierung einer „Aporie" des Aristoteles (Met.
995b 5 ff.), die genau dieses Problem betrifft, weist Bacon der Metaphysik
die Untersuchung des *ens universale* zu, während die Sachwissenschaften
in die Kausalanalyse des Seienden eingehen: *sic quelibet scientia IV causas
habet considerare, naturalis specialiter materiam et alias per reductionem ad
istam, metaphysicus efficientem, mathematicus formam, moralis finem, et
quilibet istorum omnes alias per reductionem ad istas* (Steele XI, 105). Das
heißt, dass die metaphysischen Ursachen am Leitfaden sachwissenschaftli-
cher Kriterien ausgelegt werden: die Materie durch die Physik, die Form
durch die Mathematik, das Ziel durch die Ethik, während die Metaphysik
die Wirkursache untersucht, die das „Sein den seienden Dingen" (*esse rebus
entibus,* Steele XII, 90) verleiht.

Die Integration der Naturwissenschaften – vor allem der Mathematik
und der Physik – in die metaphysische Kausalanalyse erlaubt es, den Gegenstandsbereich der Metaphysik empirisch zu erschließen und zu quantifizieren. In diesem Interferenzgebiet von Metaphysik, Naturwissenschaften
und *artes mechanicae* wird sich die *scientia experimentalis* bewegen.

5. Die ontologischen Implikate

Aber auch die strukturellen Voraussetzungen des Naturgeschehens werden neu bestimmt. Bacon öffnet das ältere, eidetisch feste und teleologisch
geschlossene Weltbild des Aristoteles durch zwei Lehrstücke, die ihre kon-
zeptuelle Sprengkraft dadurch gewinnen, dass sie ineinander übergreifen:
die Lehre der *rationes seminales* und die Theorie der *multiplicatio specierum,* die auf die immanente, ontologische Kraft der Dinge, auf die *species*
übertragen wird. Die Verschränkung beider Thesen ist folgenreich.

Der Begriff *species* – ursprünglich *eidos,* „Anblick", „Erkenntnisbild"
(P. Engelhardt) – erfährt bei Bacon, der auf Grosseteste, Avicebron und
Alkindi zurückgreift, eine Uminterpretation: Die *species* bezeichnet die
„erste Wirkung" (De mult. spec. I, 1; 2, 28), die von einem Ding hervorgebracht wird. Auch hier geht Bacon zunächst auf Aristoteles zurück (De
gen. et corr. 323b 30 ff.). Im Verhältnis von „Hervorbringen und Erleiden"

(poiein kai paschein) ist das *agens* von „Genus" her dem *patiens* „gleich", der „Species" *(eidos)* nach „ungleich", während im Akt des Wirkens die beiden Prinzipien „angeglichen" werden. Diese *assimilatio* (I, 1; 6, 83 f.) geschieht nun aber für Bacon nicht – wie bei Aristoteles – dadurch, dass das *patiens* die „Form" *(eidos, species)* des *agens* empfängt, sondern umgekehrt: Die *species* wird, wenn eine Ursache gegenwärtig ist, aus der „aktiven Potenz" der Materie „hervorgeführt" *(eductio ... de potentia activa materie patientis,* I, 3; 46, 52). Das Feuer zum Beispiel bewirkt, dass aus dem Holz als aktiver Potenz die *species* des Feuers hervorgeht, die dann als Wirkung der Ursache gleicht. In diesem Zusammenhang arbeitet Bacon zahlreiche kategoriale und funktionale Differenzierungen aus, die die Genese der *species* präzisieren: Dann, wenn eine Ursache direkt oder indirekt präsent ist, wird im Ding oder auch im Medium die *species* „generiert" und univok „multipliziert": *Et hec multiplicatio est actio univoca agentis et speciei, ut lux generat lucem et lux generata generat aliam, et sic ulterius* (II, 1; 90, 6 ff.). Die „Multiplikation" der Kausaleffekte, die Bacon am „Modell" *(exemplum)* des Lichtes demonstriert, unterläuft die eidetisch teleologische Naturordnung, die nunmehr am Leitfaden einer „Strahlengeometrie" (D. C. Lindberg) interpretierbar ist, auch wenn man die Leistungsfähigkeit der Mathematik bei Bacon zurückhaltend beurteilen muss.

Es ist nun entscheidend, dass Bacon diese Konzeption, nach der die *species* aus der „aktiven Potenz" der Dinge generiert wird, mit der Ontologie der *rationes seminales* verbindet *(racio seminalis et potencia idem est penitus,* Steele II, 84). Das, was ein Ding „keimhaft" enthält, was in ihm als *essentia materiae incompleta* angelegt ist, wird durch die Gegenwart einer äußeren Ursache aus der Potentialität in den Akt überführt, *sicut semen in arborem* – ein Gedanke, den später auch die ersten Theoretiker der Deszendenztheorie (Th. Huxley) vertreten haben. Wie G. Mensching[15] zu Recht betont, finden wir bei Bacon eine Ontologie der „produktiven Natur", die in einem fast modernen Vorgriff die „Invariabilität der Substanzen" aufzulösen beginnt, sie „öffnet" und die es auch erlaubt, die Artefakte als Perfektionen in den Naturprozess selbst einzubinden.

Wenn für Bacon das Wissen vorrangig „operativ" ist, wenn es dem Menschen „nützen" muss, dann auch deswegen, weil der Wissenschaftler in die kategorial geöffneten, dynamischen Strukturen der Dinge eingreifen kann. Die Erfahrungswissenschaft (die *scientia experimentalis*) wird diesen Eingriff theoretisch reflektieren und praktisch vollziehen.

---

[15] G. Mensching, Metaphysik und Naturbeherrschung im Denken R. Bacons, in: A. Zimmermann/A. Speer (Hrsg.), Mensch und Natur im MA, I, Berlin 1991, 129–142.

6. Scientia Experimentalis

Es ist bekannt, dass Bacon im ›Opus maius‹, VI (Bridges II, 167–222) den Aufbau und die Ziele der *scientia experimentalis* dargelegt hat. Dabei fällt auf, dass die Analysen und die methodologischen Überlegungen über die angeschnittenen Themen weit hinausführen und in andere Disziplinen übergehen – Optik, Medizin, Alchemie, Mathematik, Theologie, Politik. Anfänglich scheint die *scientia experimentalis* sogar ein Kriterium der Astrologie gewesen zu sein (Bridges I, 246 ff.). Und doch sind Bacons Ausführungen wissenschaftstheoretisch zumindest verwunderlich.

Wenn man nämlich nach dem „Gegenstandsgebiet" *(subiectum)* der *scientia experimentalis* fragt, dann wird man keine Antwort finden. Es scheint, dass die *scientia experimentalis* keine eigenständige Wissenschaft ist, dass sie nicht neben, vor oder über den anderen Disziplinen anzusetzen ist, sondern eher die Stilform, gleichsam die *proprietas* des spezifisch operativen Wissens bezeichnet. Man könnte sagen, dass das Forschungsgebiet einerseits in den bereits bestehenden Wissenschaften vorgegeben ist, dass aber andererseits – und dies ist das Neue – die *scientia experimentalis* als eine verifikativ, aber auch inventiv arbeitende Wissenschaft sozusagen aufgegeben ist. Die *scientia experimentalis*, die zwar auch beschreibende Verfahren *(descriptiones)* einsetzt, dient letztlich der Praxis, einem operativen Wissen, das die Konklusionen auf die Erfahrung zurückbezieht, sie dort prüft und erweitert. Die Behauptung zum Beispiel, dass das Feuer zerstörend wirkt, kann nur dann „gesichert" werden *(certificatur)* und dem Menschen „nützlich" *(utilis)* sein, wenn sie „durch die Erfahrung" bestätigt wird. In dieser praktischen Verifikation gelangt der Intellekt in sein Ziel, die „Schau der Wahrheit" *(veritas),* in der er „ruht".

Die Konsequenzen reichen weit. Die „Wahrheit" lässt sich nicht mehr als Adäquation des Urteils an eine vorliegende, ontologisch stabil verfasste Wirklichkeit definieren. Die *scientia experimentalis,* die vielmehr darauf abzielt, die Wahrheit hervorzubringen *(produxit in lucem),* ist in ihrer Logik und Methode „produktiv" ausgelegt *(novit producere):* etwa im Arrangement der Versuchsbedingungen (Bridges II, 173), der Instrumente (II, 174) und Experimente (II, 175 ff., 201), die der Wissenschaftler durchführt, der nunmehr selbst ein *experimentator* ist (II, 173, 201) und die „Herstellung" von Geräten beherrscht (Steele XVI, 44 ff.). Das theoretische, zweckfreie Paradigma der Wissenschaft tritt zurück.

Es fällt auf, dass bereits bei Bacon der „Erfahrene", also der *expertus*[16] – anders als bei Aristoteles (Met. 981a 1 ff.) – die Wahrheit des nur Faktischen *(nudam veritatem sine causa)* überschreitet und den Begriff, ebenso wie die

---

[16] Th. Kobusch, Der Experte und der Künstler, in: PhJ 90 (1983) 57–82.

Ursache eines Geschehens, *per experientiam* kennt (*loquor de experto, qui rationem et causam novit per experientiam,* Bridges II, 168). Nicht mehr das theoretische Wissen der Metaphysik, sondern die Erfahrungswissenschaft ist die *domina scientiarum speculativarum* (II, 202), ihr ist die „Macht" *(potestas)* über die Weisheit gegeben (II, 221), ihr dienen die anderen Wissenschaften als *ancillae* (II, 221; Brewer 44). Die epistemische Stilform der Erfahrungswissenschaft trägt daher Züge, die typisch „präskriptiv" sind: Sie „befiehlt" (*imperat,* Bridges II, 221), „beurteilt" (*iudicat,* II, 221) und bezieht eine operative Position, von der her sie „vorschreibt" (*praecipit,* II, 221; Brewer 44), was die anderen Wissenschaften ausführen (Steele II, 9). *Nam haec se habet ad alias, sicut navigatoria ad carpentariam, et sicut ars militaris ad fabrilem* (Bridges II, 221; Brewer 44). Dieser präskriptive Stil, den Bacon – wie die Beispiele zeigen – von Aristoteles übernimmt (NE, 1094a 5 ff.), hat seine Fortsetzung in der Ethik gefunden. In einem interessanten Motivationsverlauf muss der theoretische Intellekt, der selbst „nichts bewegt", durch den Willen auf das Gute hin „gebeugt" werden (*ut flectatur animus,* Massa 251), letztlich auf das „Glück" *(felicitas),* das Bacon darin sieht, dass der Mensch in einem geordneten Verhältnis mit sich, dem Nächsten und mit Gott lebt (Massa, 4 ff.).

Das Programm der *scientia experimentalis* weist drei *praerogativa* auf, *dignitates* (Bridges II, 172 ff., 215), die gleichsam axiomatische Vorgaben oder Vorzeichnungen der Leistungsfähigkeit der Erfahrungwissenschaft sind. Es geht dabei erstens um theoretische Erkenntnisse, die im Rekurs auf die Erfahrung getestet, konkretisiert und erweitert werden. Dann zweitens betont Bacon, dass die *scientia experimentalis* zwar „innerhalb" der einzelnen Wissenschaften, aber doch „außerhalb" *(extra)* der üblichen Ursachen nach Erkenntnissen sucht, die den Menschen „nützlich" sind: Astrolabien, Längen- und Breitengrade, neue Substanzen, Retardierung des Alterns, Verlängerung des Lebens. Hier sprechen sich sehr konkrete, auch zeitgeschichtlich aufschlussreiche Bedürfnisse aus (Steele IX, 1 ff.). Und schließlich wird die *scientia experimentalis* sozusagen ihre „eigene Macht" ausspielen, um die „Geheimnisse" *(secreta)* der Natur zu entschlüsseln, um Vergangenheit, Gegenwart und Zukunft zu durchschauen und neue Gegenstände, Instrumente und Artefakte zu erfinden – Bäder, Lampen, Kriegsgeräte, Gase, Öle, Klangmaschinen, Magnete, Explosive. Diese Forderungen sind berühmt geworden, weil sie nahe legen, dass Bacon in ihnen die Erfindungen der Moderne vorweggenommen habe. Und doch muss man mit dieser Einschätzung vorsichtig sein.

7. Der problemgeschichtliche Kontext

Es ist bekannt, dass die mittelalterlichen Theorien der Erfahrung und des Experimentes nicht von Experten, nicht von Praktikern entworfen worden sind. Die Analysen der Erfahrung – auch der *scientia experimentalis* – weisen neben empirischen und experimentellen Daten immer auch philosophische und theologische Implikate auf. Der ältere Begriff der *experientia* ist daher nicht eindeutig.

Es dürften drei verschiedene, aufeinander nicht reduzierbare Problemstränge gewesen sein, die in die mittelalterliche Konzeption der *experientia* eingehen und ihr eine überraschende Breite, aber auch eine verwirrende Vieldeutigkeit verliehen haben. Im Schnittpunkt dieser Richtungen, die Bacon rezipiert, aber auch korrigiert und überschreitet, steht die *scientia experimentalis,* die man daher nicht auf eine einzige, traditionelle oder moderne Tendenz festlegen kann. Die historische und systematische Hermeneutik muss die Vielschichtigkeit dieser Konzeption berücksichtigen.

Es ist zunächst die auf Aristoteles zurückgehende *empeiria,* die Bacon rezipiert, aber durch die Annahme einer operativen und inventiven Zielsetzung des Wissens entscheidend ändert. Das, was „ohne Zweifel" feststeht, ist nicht mehr der „Satz" der theoretischen Wissenschaften, sondern die „Erfahrung", die das entscheidende Kriterium der Verifikation liefert: *ut quiescat animus in intuitu veritatis* (Bridges II, 167). Ferner finden wir im Mittelalter die *experientia* in der unmittelbaren Selbstwahrnehmung der Seele, der *cognitio experimentalis,* die etwa Bonaventura (Sent. III, d. 23, q. 5; III, 505) subtil beschreibt und die eine lange Geschichte in der Spiritualität hat. Sogar noch später, in den Gedankenexperimenten bei Descartes besitzt das *Cogito ergo sum* eine Selbstevidenz, die „erfahren" wird (*quod apud se experiatur,* AT VII, 140). Auch Bacon kennt neben der „äußeren" diese „innere Erfahrung" (Bridges II, 169 f.), die „sicher" ist und verschiedene „Grade des Wissens" erreicht. Aber es handelt sich hier – anders als in der Neuzeit – um eine „innere Erleuchtung", die theologisch zu interpretieren ist. Und schließlich gehören zum mittelalterlichen Verständnis der *experientia* noch die ganz anderen, auch durch arabische Vorbilder angeregten Erfahrungen, Versuche und Proben, in denen überraschenderweise der Begriff *experimentum* gerade nicht verwendet wird. Die Terminologien, die hier auftauchen, leiten sich aus handwerklichen Tätigkeiten, aus Arbeitsprozessen oder einfachen Versuchen her: *per artificium demonstrare, per instrumentum attingere, tali modo invenire, si applicarem modum, si sinerem cadere* und Ähnliches mehr. Die Philosophie hat sich leider nie sonderlich für die handwerklichen Versuche interessiert, nicht für die Vorrichtungen und Tests, die abseits der Theoriebildung angestellt wurden: Petrus Peregrinus (Magnetismus), Jordanus (Statik), Gerhard von Brüssel (Kinematik) haben vielfältig experimentiert, ohne eine Theorie vorauszuschicken. Und doch verdanken wir den *artes mechanicae* die Erfindung des Pfluges, die Gewichträderuhr, Metalltechniken, die Windmühle, das Heckruder, den Spitzbogen – nicht einmal die Brille, die um 1300

in Norditalien erfunden wurde, lässt sich direkt aus der optischen Theoriebildung herleiten. Noch Galilei hat seine Linsen selbst geschliffen. Im einfachen Ausprobieren von Gläsern, Linsen und Tautropfen hat Dietrich von
Freiberg – durchaus im „Affront gegen die Optik" (L. Sturlese) – die
Strahlenverläufe des Haupt- und Nebenregenbogens gefunden. Hier, in
diesen Versuchen und Vorrichtungen abseits der Theorie, liegt ein neuer,
eigenständiger Erkenntnisweg, der von außen zur Wissenschaft führt, ein
Faktor, der sich auch gegenüber philosophischen und theologischen Forderungen als resistent erweist.

Es ist anzunehmen, dass Bacon, der Petrus Peregrinus als *dominus ex-
perimentatorum* preist (Brewer 46), selbst Experimente ausgeführt hat.
Aber die Grenzen sind zu beachten: „His application of an experimental
methodology to perspectival problems was, at best, spotty" (Lindberg, in:
Hackett 1997, 272). Man wird daher sagen können, dass Bacon mit der
scientia experimentalis die Weichen der mittelalterlichen Wissenschaft in
eine neue, operative und inventive Richtung gestellt, aber ihre philosophischen und theologischen Voraussetzungen nicht verlassen hat.

8. Zwischen Tradition und Moderne

Die Kriterien der modernen Experimentalwissenschaft werden nicht
von Roger Bacon formuliert, sondern später von Francis Bacon, der zwischen *experientia* und *experimentum* methodisch streng unterscheidet: Eine
„Erfahrung" *(experientia),* die nur beliebig oder „vagabundierend" aufge-
griffen wird, ist zufällig, wird sie aber in einer explizit vorausgeplanten
Versuchsanordnung „gesucht", geht sie in das „Experiment" über: *si quae-
sita sit, experimentum est* (Nov. Org. I, 82). Die Wissenschaft – wie F. Bacon
postuliert – arbeitet daher nicht mit gesammelten Erfahrungsberichten,
sondern mit Ergebnissen, die methodisch kontrolliert gewonnen, in Tabel-
len festgehalten, quantifiziert und in Versuchsreihen erweitert werden *(ab
experimentis ad experimenta).* Aus diesen gesicherten Daten lassen sich die
Naturgesetze („Axiome") abheben, die selbst wiederum durch weitere Experimente geprüft und ergänzt werden *(ex axiomatibus constitutis rursus
experimenta nova).* Das Neue dieser systematisch geplanten Erfahrung
liegt darin, dass in ihr die komplexen lebensweltlichen Situationen künst-
lich isoliert und als Sektoren abgetrennt werden, um sie dann beliebig zu
wiederholen und an festliegenden Parametern zu messen. Nur auf diese
gesicherten Erkenntnisse – auf keine anderen Voraussetzungen – stützen
sich die modernen Wissenschaften, die in der Theoriebildung mit kontrol-
lierten Daten und mit Methoden der Mathematik, der Quantifikation, arbeiten.

Allerdings ist dies nicht gänzlich neu. Man meint am Beginn der modernen Wissenschaften die Sprache Roger Bacons – auch Grossetestes – zu hören, wenn Galilei sagt, das Buch der Natur sei in „mathematischer Schrift" geschrieben, die Buchstaben seien Dreiecke, Kreise und andere Figuren. Diese Sprache wird nun eingesetzt, um theoretisch über Hypothesen und operativ über Experimente die Natur zu befragen. Es sind Fragen, die der sinnlichen Wahrnehmung – etwa der lebensweltlichen Erfahrung, dass die Erde ruht – „Gewalt" antun: *tanta violenza al senso* (Galilei, Opere VII, 355). Und durch genau die epistemische Gewalttätigkeit installiert sich die moderne Naturwissenschaft, der es gelingt, die Gesetze der Natur freizulegen, zu quantifizieren und – wie wir heute wissen – technologisch fortzuschreiben: Eine Wissenschaft, die auf Spezialgebieten überaus erfolgreich war und ist, weil sie die vorgegebene, vertraute „Lebenswelt" als Horizont des Verstehens ausgeblendet hat. Aber gerade diese Vertrautheit des Menschen im Umgang mit den Dingen der Welt, auch mit sich selbst, ist die philosophische Stärke der mittelalterlichen Theorien der *experientia* gewesen.

Auswahlbibliographie

Quellentexte
Opera quaedam hactenus inedita, hrsg. v. J. S. Brewer, London 1859. ND 1965.
The Opus Majus of Roger Bacon, hrsg. v. J. H. Bridges, 3 Bde., London 1900, ND 1964 (engl. Übers. R. B. Burke, Philadelphia 1928, ND 1962).
Opera hactenus inedita, hrsg. v. R. Steele/F. M. Delorme, Oxford 1905–1940.
Moralis philosophia, hrsg. v. E. Massa, Zürich 1953.
Compendium of the Study of Theology, hrsg. u. übers. v. Th. S. Maloney, Leiden 1988.
Roger Bacon's Philosophy of Nature. A critical Edition, with English Translation, of De multiplicatione specierum and De speculis comburentibus, hrsg. v. D. C. Lindberg, Oxford 1983.
La scienza sperimentale, hrsg. u. übers. v. F. Bottin, in: I Classici dei pensiero, Sez. II: Medioevo e Renascimento, Mailand 1990.
Roger Bacon and the Origins of Perspectiva in the Middle Ages: A Critical Edition and English translation of Bacon's Perspectiva with Introduction and Notes, hrsg. v. D. C. Lindberg, Oxford 1996.
Roger Bacon's Opus tertium, hrsg. v. G. Molland (in Vorbereitung).

Sekundärliteratur
J. Hackett (Hrsg.): Roger Bacon and the Sciences. Commemorative Essays, Leiden 1997 (mit ausführlichen bibliographischen Angaben).

HEINRICH VON GENT

Von einer Ontologie der Relation
zur Relationsontologie

Von Jos Decorte

Geht die Relation den Relativa voran, oder gehen umgekehrt die Relativa der Relation voran? Diese Frage hat Heinrich von Gent ernsthaft beschäftigt, und sie wird auch uns beschäftigen. Heinrich von Gent (1235/1240–1293) war 1276–1293 *magister actu regens* an der theologischen Fakultät der Pariser Universität. Traditionell wird er als einer der bedeutendsten Repräsentanten der (neo)augustinischen Strömung am Ende des 13. Jh. beschrieben. Als Mitglied der aus sechzehn Theologen bestehenden Kommission war er unter Leitung von Bischof E. Tempier an der großen Verurteilung des lateinischen Averroismus/Aristotelismus in 219 Artikeln vom 7. März 1277 beteiligt. Wie Tempier stand auch Heinrich der eigenständigen Entwicklung des philosophischen Lehrbetriebes und dem massiven Einbruch des Aristotelismus in die Theologie voll Ablehnung gegenüber. Nach Heinrich kann der Aristotelismus nie den geeigneten begrifflichen Rahmen für eine *christliche* Metaphysik bieten; dafür beruft er sich auf Augustin, Bonaventura und Avicenna und vor allem auf eine persönliche Ausarbeitung von Themen, die er aus der Tradition aufgreift – wie dieser Beitrag am Thema der Relation zu verdeutlichen versuchen wird.

Auf den ersten Blick scheint die oben erwähnte Frage nicht nur eine banale, sondern auch eine einfach lösbare zu sein. Denn wie kann der Sinn einer solchen Frage mehr als eine scholastische Spitzfindigkeit sein? Und wer sieht nicht ein, dass der Zustand oder die Beziehung „A ist ebenso weiß wie B" (also Identitätsrelation) das Weiß-sein von A und B und natürlich auch das Sein von A und B überhaupt voraussetzt? Wie kann es eine Relation ohne Relativa geben, wie kann eine Beziehung den Elementen oder Fundamenten dieser Beziehung vorangehen? Heinrich wird jedoch das Gegenteil behaupten: In bestimmten Fällen geht die Relation den Relativa voran.

1. Die erste Definition Heinrichs

Schon in seiner ersten Behandlung des Themas 'Relation' (innerhalb der göttlichen Trinität: Quodl. III, qu. 4) verweist Heinrich auf die aristotelischen und avicennischen Definitionen des *ad aliquid*. Im berühmten Kap. 7 der ›Categoriae‹ erwähnt Aristoteles zwei Definitionen. Die erste lautet: *Ad aliquid vero talia dicuntur quaecumque hoc ipsum quod sunt aliorum dicuntur, vel quomodolibet aliter ad aliud* (6a 36–37, vgl. 6b 6–7). Dieser Definition nach sollten aber einige (erste oder zweite) Substanzen als Relativa angesehen werden, denn sie werden als Teile eines Ganzen in Bezug auf das definiert, wovon sie ein Teil sind: Das Haupt ist das Haupt eines lebendigen Wesens. Dieser Definition nach ist es also „sehr schwierig, ja geradezu unmöglich zu beweisen, dass keine Substanz relativ ist", wie Aristoteles wortwörtlich sagt (8a 29–31). Darum schlägt er eine zweite, vollständigere und adäquatere Definition vor: *sunt ad aliquid quibus hoc ipsum esse est ad aliquid quodam modo habere* (8a 32, vgl. 8a 39–b1). Diese Definition ist besser als jene, denn obwohl jene auf alle Relativa anwendbar war, gab sie den eigentlichen Grund der Relativität selbst nicht an. Man sieht jedoch leicht ein, dass das Faktum, dass ein Ding von einem anderen ausgesagt wird, jenes nicht zu etwas wesentlich Relativem macht. Etwas *ist* nicht seinem Wesen und seiner Natur nach relativ, nur weil es von einem anderen *ausgesagt* wird. 'Haupt' wird von einem anderen *ausgesagt (animal), ist* aber kein Relativum. Nicht alles, was in relativer Prädikation von einem anderen ausgesagt wird oder werden kann, ist aufgrund dieser Prädikation auch relativ.

Damit sind zwei entscheidende Gesichtspunkte der aristotelischen Relationenlehre dargelegt: die zwei Definitionen, eine logische ('auf etwas hin' sind Dinge, die von einem anderen *ausgesagt* werden) und eine ontologische ('auf etwas hin' sind Dinge, deren *Sein und Wesen* von einem Verhältnis zu einem anderen konstituiert ist), wobei diese jene an Vollkommenheit übertrifft; die unverkennbare Absicht des Aristoteles: Er will um jeden Preis beweisen, dass keine Substanz *(ousia)* ein Relativum *(pros ti)* ist und vice versa.

Heinrich will aber gerade das Umgekehrte beweisen, nämlich dass jede Substanz relativ ist. Er übt hier am schärfsten Kritik an Aristoteles, mehr noch an den ihm nachfolgenden christlichen Denkern: Ihnen wird eine Art von ontischer Kurzsichtigkeit vorgeworfen. Denn Aristoteles sah das Seiende primär als Substanz; die Akzidentien haben nur einen geringeren, und die Relation als das schwächste Seiende *(ens debilissimum)* eben den geringsten Seinsgehalt. Die aus Materie und Form zusammengesetzte Substanz wird weiter erklärt bezüglich ihrer innerlichen dynamischen Evolution und ihrer Aktivitäten, aus ihrer eigenen Form und bezüglich ihrer

Existenz aus der Form einer gleichartigen Substanz. Jede Erklärung des Seins und Tuns einer solchen Substanz bleibt also immanent, innerweltlich – wenn man auch zugestehen muss, dass man, da es auf diesem Weg keinen *regressus ad infinitum* geben kann, früher oder später auf ein erstes Prinzip stoßen muss. Ein wirklich christlicher Metaphysiker denkt das Seiende aber nicht als Substanz; er denkt es als Geschöpf. *Creatura* besagt: Eigenständigkeit, Subsistenz, aber zugleich auch Relation als ein vom Schöpfer verursachtes Ding. Der Name *creatura* ist dem formalen und vervollkommnenden Prinzip dieses Dinges entnommen: seiner ursächlichen Relation zum Schöpfer. Durch diese ursächliche Relation ist das Geschöpf ein Bild Gottes, d. h. mehr als eine bloße Ähnlichkeit (Quodl. IV, qu. 2: Differenz *imago – similitudo*). Diese Relation ist das das eigentliche Sein des Seienden konstituierende Prinzip, obwohl es zusammen mit der Substanz eine untrennbare Einheit bildet. Daraus erhellt, dass das Geschöpf (Einheit an Substanz und Vielheit an Relationen) Bild seines Schöpfers ist (denn Gott ist eine Unitrinität aus der Einheit von Substanz und Essenz sowie der Dreiheit der Personen); dass Substanz oder Ding und Relation oder Seinsweise im Geschöpf nicht real trennbar oder zu unterscheiden sind; dass die Relation dem relativen Seienden logisch (nicht chronologisch) vorangeht: Denn die Relation der Abhängigkeit vom Schöpfer bringt das Geschöpf, d. h. das Seiende, erst in das Sein.

Im 10. Kapitel des 3. Buches seiner ›Metaphysica‹ fragt Avicenna nach dem ontologischen Status der Relation. Diesen Status bestimmt er auf zweierlei Weise: 1. Relation ist etwas Reales und ist ein Akzidens, d. h., ihr Sein ist ein Inhärieren *(esse in subiecto);* 2. Relation ist kein drittes 'Ding' zwischen den beiden Extremen oder Relativa, das die gegenseitige Beziehung dieser beiden verursachen würde. Relation kann also nur Ausrichtung *(intentio)* des Fundaments auf etwas anderes sein. Diese Ausrichtung ist zusammen mit dem Fundament gegeben, sofern sich ein zweites Ding darbietet, worauf diese Ausrichtung sich beziehen kann. Relation ist also keineswegs ein von dieser Ausrichtung und von dem Fundament verschiedenes Ding (oder Essenz eines Dinges). Sie ist nichts anderes als diese Ausrichtung selbst *(intentio est relatio per se, non per aliam relationem).* Sie ist also nichts anderes als das doppelte Sein dieses Fundaments: ein Inhärieren im Subjekt *(esse in alio),* das zugleich ein Ausgerichtetsein auf ein Ähnliches *(esse ad aliud)* ist.

In seiner ersten Auseinandersetzung mit der Relation (anlässlich der trinitarischen Problematik) zitiert Heinrich (Quodl. III, q. 4) die zwei aristotelischen Definitionen sowie neun Passagen aus Avicennas ›Metaphysica‹ (III, c. 10). Aus seiner ausführlichen Untersuchung ergibt sich, dass „die zweite aristotelische Definition identisch mit Avicennas Definition der realen Relation ist" (ed. 1518, I, f. 51vO). Heinrich übernimmt Avicennas

Kennzeichnung. Reale Relationen sind fundiert in einem Akzidens mit
einem doppelten Sein (f. 51vP). Das Ebenso-weiß-sein von A und B gründet in dem doppelten Sein des Fundaments dieser Relation, d. h. in der
Weiße, die einerseits in A ist *(esse absolutum, esse in alio* der Relation als
Akzidens) und andererseits auf B ausgerichtet ist *(esse respectivum, esse
ad aliud)*. Reale Relationen haben also zwei *esse:* das Sein eines Akzidens,
auf dem die Relation fundiert ist, und das auf etwas anderes Ausgerichtetsein eben dieses selben Fundamentes (f. 52rR).

2. Der trinitarische Hintergrund

Wie seine Zeitgenossen debattiert Heinrich über das Wesen und den
ontologischen Status der Relation im weiteren Rahmen des Problems der
Trinität. Dort gab es für mittelalterliche Denker ein unlösbares Rätsel: Es
ging um die Frage, wie innerhalb Gottes die göttlichen Personen mit der
göttlichen Substanz und Essenz identisch und trotzdem voneinander verschieden sein können. Eine wahre Quadratur des Kreises, für deren Lösung keine der aus der Antike überkommenen Relationstheorien Hilfe
leisten konnte. Selbstverständlich können wir hier nicht den Besonderhei-
ten dieser äußerst technischen und sehr verwickelten Debatte folgen. Wir
beschränken uns daher auf eine ganz kurze Angabe der Verschiedenheit
der Positionen, um uns danach auf eine Kontroverse um den Begriff 'Ordnung' *(ordo)* zu konzentrieren.

Die *communis opinio* lässt sich folgendermaßen zusammenfassen: Es
gibt eine reale Identität zwischen den Personen und der göttlichen Natur,
während es einen realen Unterschied zwischen den Personen untereinander gibt. Darüber konnten sich alle christlichen Theologen verständigen
und grenzten so die Orthodoxie von der Scylla der sabellianischen (Vater,
Sohn und Geist sind nur namentlich unterschieden) wie von der Charyb-
dis der arianischen Häresie (essentielle und substantielle Differenz der
Personen, also eine Art von Tritheismus) ab (Heinrich: Summa, art. 55,
q. 6).

Über den Grund dieses realen Unterschieds zwischen den Personen
untereinander einigten sie sich aber keineswegs. Die Väter (vor allem
Augustin und Boethius) hatten diesen realen Unterschied auf die Relationen selbst zurückgeführt, indem sie die Relationen als konstitutiv für
die Personen selbst ansahen. In ›De Trinitate‹ hatte Boethius dies sehr
prägnant formuliert: Substanz behält die Einheit, Relation multipliziert
die Trinität *(substantia servat unitatem, relatio multiplicat trinitatem)*. Gegen Ende des 12. Jh. forderte Richard von Sankt Viktor diese allgemein
angenommene Auslegung heraus. Richard erklärt die reale Verschieden-

heit zwischen den Personen durch Emanationen oder Ausflüsse *(emanationes),* d. h. durch Ursprungsmodalitäten *(modi originis).* Im Allgemeinen kann man sagen, dass Thomas von Aquin der augustinisch-boethianischen Linie folgt (die von Ägidius von Rom modifiziert wird), während Bonaventura der richardischen Linie verpflichtet ist (die von Heinrich von Gent modifiziert wird).

Thomas von Aquin löst die Frage im Rahmen seiner allgemeinen Kategorientheorie, nach der für ihn jede Kategorie aus *ratio* und *esse* zusammengesetzt ist. Daraus erhellt – was wir hier nicht weiter auslegen können –, dass im Falle Gottes die *ratio* der Relation mit dem *esse* ihres Fundamentes, also mit der göttlichen Substanz selbst, zusammenfällt und dass demzufolge göttliche Relationen substantielles Sein haben. Nun kann etwas sich auf mehrere Weisen zu sich selbst verhalten. Es kann sich selbst nachahmen und hervorbringen, über sich selbst nachdenken, sich selbst lieben. Selbsthervorbringung, Selbstreflexion und Selbstliebe sind daher drei Beziehungen des Göttlichen zu sich selbst. Es handelt sich also um drei Relationen, die in drei verschiedene Aktivitäten münden: Hervorbringen, Denken, Wollen. Man erhält also drei verschiedene Manifestationen, Charakterisierungen oder Identitäten *(proprietates:* abstrakte Namen) und drei verschieden Charakter, Gesichter oder Mienen *(prosōpa, personae:* konkrete Namen) des Göttlichen. Auf diese Weise konstituieren Relationen Äußerungen, Ausdrücke, Manifestationen des Göttlichen in 'Charakteren' oder 'Personen'; ebenso konstituieren 'Personen' (d. h. *natura,* erste Entelechie) die ihrer Natur angemessenen Aktivitäten *(operatio,* zweite Entelechie). Eine gewisse Relation des Göttlichen zu sich selbst verursacht also den Vater, und weil der Vater Vater ist, ist seine Aktivität die seiner Natur angemessene Aktivität des Hervorbringens.

Bonaventura dreht diese augustinisch-thomistische Ordnung *(relatio – persona – actio)* gerade um. Er folgt – wie schon gesagt – der von Richard von Sankt Viktor und der griechischen Theologie vertretenen Auslegung, nach der nicht Relationen, sondern Modalitäten des Ursprungs oder des Entspringens *(modi originis)* die reale Verschiedenheit der Personen konstituieren. Die Eigentümlichkeit der Art des Entspringens aus der göttlichen Natur konstituiert also die Eigenart der Person. Die aus der göttlichen Urquelle herausfließende Wirkung *(emanatio)* des Hervorbringens konstitutiert die göttliche Person, die – der Natur dieser Aktivität des Hervorbringens gemäß – nur die Person des Vaters sein kann. Bonaventura schlägt so eine neue begriffliche Ordnung vor: Für Thomas geht die Relation der Person und die Person der Wirkung voran, für Bonaventura geht umgekehrt die Wirkung der Person und die Person der Relation voran.

Ägidius von Rom kämpft mit demselben Problem im ersten Buch seines Sentenzenkommentars (dist. 33, qq. 1–3), das er mit einer eigenartigen Relationstheorie lösen zu können glaubt. Reale und rationale Relationen unterscheiden sich voneinander aufgrund eines vorangehenden Unterschieds zwischen realer und rationaler Ordnung. Eine Ordnung ist real, wenn sie sich auf zwei real verschiedene Gegenstände (A und B) oder quidditative Komponenten *(rationes quidditativae)* bezieht. In allen anderen Fällen ist sie rein logisch oder rational: Die Relation Identität ist die Beziehung eines A auf sich selbst. Es ergibt sich also, dass der Unterschied real – rational weder aus dem Sein des Fundaments noch aus dem des Akzidens hervorgehen kann, denn in „A ist identisch mit A" und in „A ist ebenso weiß wie B" ist jenes Fundament (A) ebenso real wie dieses (A), und inhäriert jene Beziehung 'auf etwas hin' ebenso real (in der Seele) wie diese (in A). Der Unterschied muss demnach durch den *terminus* B verursacht sein: Ein von seinem Fundament verschiedener *terminus,* entweder ein vom Fundament verschiedenes Ding oder ein von einem anderen verschiedener quidditativer Teil der Natur desselben Dinges, macht die Ordnung real und daher auch die das Fundament und den *terminus* B aufeinander beziehende Beziehung zu einer realen.

So entsteht hier ein Problem: Denn eine solche Beziehung ist real, etwas Wirkliches außerhalb der Seele, also ein Etwas, und ist als 'auf etwas hin' ein Auf-etwas. Wie kann ein 'Auf etwas hin' zugleich ein Etwas sein? Dieser Sachverhalt setzt zwei verschiedene Betrachtungen von 'Ordnung' voraus. 'Ordnung' kann man betrachten als 'Ordnung auf etwas anderes', und auf diese Weise betrachtet sind Ordnung und Relation real und ist die quidditative Natur dieser Relation ein Ding. Oder man kann sie nur als 'Ordnung auf (etwas)' in einem absoluten Sinne *(absolute)* und auf sich selbst *(ad se)* betrachten, also als reine Ausrichtung-auf ohne Verweisung auf irgendeinen Gegenstand, auf den sie ausgerichtet ist; und so betrachtet sind Ordnung und Relation rational. Ähnlichkeit oder Gleichheit *ist* also auf zweifache Weise: Einmal auf sich selbst bezogen und mit nichts verglichen ist ihre quidditative Natur nur eine rein logische Möglichkeit, also nur eine Seinsweise; ein andermal ist sie tatsächliche Ausrichtung auf etwas anderes und daher ein Ding oder ein wirklich relativ Seiendes *(relativum ut relativum),* obwohl dieses Ding nur als quidditative Komponente der Natur Relation und nie gesondert existieren kann. Also ist die quidditative Natur (die *ratio quidditativa*) der Relation, d. h. ihre Ausrichtung auf etwas, gleichzeitig Ding und Seinsweise, gleichzeitig real und rational.

Genau dieser Sachverhalt einer gleichzeitig realen und rationalen Relation ist für Heinrich von Gent völlig unannehmbar und wird von ihm scharf kritisiert. Die Relation muss natürlich real sein, aber dies besagt nicht notwendig, dass es ein relatives Ding, ein quidditatives Etwas geben muss, das als 'Ausrichtung-auf' einer Natur hinzuzufügen ist. Beziehung ist vielmehr ein Ausgerichtetsein auf, also nicht eine Quiddität, sondern eine Seinsweise

(Quodl. III, q. 4, ad 1ᵐ). Die ganze Problematik der Relation ist eine Problematik hinsichtlich der Seinsweisen der relativen Dinge und nicht bezüglich ihrer quidditativen Strukturen.

Avicenna folgend löst Heinrich dieses
Problem im Sinne einer doppelten Seinsweise des relativen Dinges: einer
die Relation im *subiectum* verwurzelnden und einer dieses *subiectum* auf
ein anderes beziehenden Seinsweise.

Von entscheidender Bedeutung für Heinrich ist dabei, dass das relative
Ding seiner eigenen Natur oder Wesenheit nach 'bezogen-auf' ist. Relativa
sind Dinge, die ihrer Wesenheit nach nur auf andere Dinge bezogen sind.
In dieser ihrer Bezogenheit liegt ihr ganzes Sein. Relationen stiften daher
Ordnung: Es gibt *ordo*, gerade weil es relative Dinge gibt, die *ordo* aus
einer Seinsweise hervorbringen, die ihrer wesentlich relativen Quiddität
gemäß ist. Ägidius vertritt die umgekehrte Ansicht. Für ihn sind Relationen monolithische quidditative Seiende, die der nicht-relativen Quiddität
als ein quidditatives Element hinzugefügt werden, falls sie in eine schon
im Voraus gegebene reale Ordnung aufgenommen wird. Ein Relativum ist
dann ein aus zwei quidditativen Elementen real Zusammengesetztes. Für
Ägidius gibt es also nur Relativa, weil es *ordo* gibt. Gegen Ägidius erhebt
Heinrich darum den ernsthaften Vorwurf eines Zirkelschlusses: Ägidius
erklärt die Relativität der relativen Dinge aus der (realen) Ordnung; diese
ist aber selbst erst durch die Relativität der relativen Dinge zu erklären.

3. Die zweite Definition Heinrichs

Anhand dieser überwiegend avicennischen Definition der Relation arbeitet Heinrich dann weiter eine *divisio entis* oder Deduktion der Kategorien aus (besonders in Quodl. V, q. 2, Quodl. VII, qq. 1–2 und Summa
quaest. ordin., art. 32, q. 2 und 5). Aber die Entdeckung des Kommentars
des Simplicius zu den Kategorien veranlasst ihn, sein Relationsdenken
noch prägnanter zu formulieren und seine Deduktion noch besser zu struk-
turieren.

Simplicius (6. Jh.) kennt drei Theorien über die Relation: eine metaphysische (die Relation ist eine Form, an der die Relativa teilhaben und in
denen sie die Ausrichtung auf ein anderes hervorbringt: Platon, Plotin,
Iamblichus); eine logisch-konzeptualistische (die Analyse des objektiven
Begriffs des relativen Dinges enthält eine Verweisung auf etwas anderes:
Aristoteles); eine nominalistische (die Relation entstammt dem die Dinge
vergleichenden Intellekt: die Stoiker). Simplicius schließt sich der metaphysischen Tradition an, denn Relation ist seiner Ansicht nach aus Charakter *(charaktēr)* und Ausrichtung auf etwas anderes *(aponeusis pros he-
teron)* zusammengesetzt. Diese Ausrichtung *(aponeusis, respectus)* ist das

formelle Element: Es konstituiert die Relation als Relation, indem es das Worauf der Beziehung konstituiert. Andererseits kann die Ausrichtung nicht auf sich selbst bestehen, braucht sie ein materielles Fundament, ein *Etwas*, das auf etwas anderes ausgerichtet sein kann: den Charakter. Jede der anderen neun Kategorien kann also als Charakter der Relation dienen.

Die Kategorien spielen dann angesichts der Relation eine doppelte Rolle: einerseits die der Materie als das materielle Substrat der Ausrichtung; andererseits die der Form oder spezifischen Differenz, denn in Kombination mit dieser Ausrichtung differenzieren sie als verschiedene Charaktere die verschiedenen Arten der Relation.

Auf diese Weise entdeckt Simplicius die Ausrichtung als das allen Kategorien Einheit verleihende Prinzip. Denn Relation besteht auf zwei Weisen: einerseits als Form *(eidos)* und formelles Prinzip *(logos)*, an dem die relativen Dinge teilhaben; andererseits als die in den relativen Dingen bestehende Teilhabe an dieser Form. Die Relation-Form einigt also die verschiedenen Arten von relativen Dingen.

Jedenfalls erhellt hieraus überdeutlich die Herkunft von Heinrichs zweiter Definition: *Respectus characterizatus* als Kennzeichnung des Wesens der Relation ist dem Kommentar des Simplicius entnommen, wohl als buchstäbliche Übersetzung. In der Tat besagt der technische Ausdruck 'charakterisierte Beziehung' *(respectus characterizatus)* nichts anderes als das vorher von Heinrich Gemeinte, nur ist eine avicennische durch eine simplicianische Formulierung ersetzt.

Weiter scheinen Heinrich auch die Argumente des Simplicius gegen eine nominalistische Auffassung der Relation tief beeindruckt zu haben: nicht nur als Kritik der stoischen Auffassung, sondern vor allem, weil sie das ontologische Schwergewicht der Relation so stark herausstellen. Es handelt sich um *reductiones ad absurdum,* die alle diese gemeinsame Prämisse haben: „Wenn es keine (reale) Relation gäbe, dann ..." Nach Simplicius würden in diesem Fall die Seienden und die *genera* des Seienden (die Kategorien) keine Gemeinschaft mehr haben, denn sie würden eines Einheitsprinzips entbehren; Gott würde keineswegs noch Gegenstand des Verlangens sein, denn es würde keine Beziehung zwischen Ersehnendem und Ersehntem mehr geben; es würde keine Gemeinschaft zwischen primären und sekundären Dingen, z. B. zwischen Substanzen und Akzidentien mehr geben, denn die einzige Gemeinschaft, die es zwischen Hypostasen geben kann, ist nicht eine wesentliche, sondern nur eine relationale; es würde kein Prinzip der Zusammensetzung der zusammengesetzten Dinge mehr geben. Kurz und bündig: die Relation ist sowohl aus ontologischer als auch aus theologischer Perspektive unentbehrlich. Relation bringt Ordnung hervor, stiftet Ordnung *(syntaxis).* Resümierend gilt für Heinrich: *relatio* ist *ordo*, und *ordo* ist *relatio.*

4. *Heinrichs Deduktion der Kategorien (divisio entis)*

Jetzt sind wir imstande, alle bisherigen Argumentationslinien wieder aufzunehmen. Heinrich setzt sich von Aristoteles ab, indem er alles Geschaffene als bezogene Substanz denken will. Avicenna hilft Heinrich, Relation
als zweifaches Sein zu denken, und bestimmt auch seine von Ägidius her-
ausgeforderte Kritik an der essentialistischen Auffassung des Wesens der
Relation. Schließlich verhilft Simplicius Heinrich zu einer technisch präzi-
seren Formulierung seines Relationsdenkens. Aber der Einfluss des Simplicius ist noch viel bedeutender. Simplicius'
doppelter Gebrauch der *aponeusis/respectus* als Relation-Form und als al-
len Kategorien inhärierende Ausrichtung spielt Heinrich das Prinzip seiner
divisio entis zu. Für Thomas von Aquin ist die Natur des Seienden für den
Seinsgehalt maßgebend. Das Sein folgt der Form *(esse consequitur formam)*. Demnach ist das den eigentlichen Seinsgehalt bestimmende Prinzip
die Form. Das zusammengesetzte Ding, z. B. die Kategorie, besteht daher
aus einem materiellen Prinzip, dem *esse,* und aus einem formalen Prinzip,
der *ratio essendi* oder Natur des betreffenden Seienden. Für Heinrich aber
ist die Wesenheit das materielle Prinzip *(res),* und die Beziehung, das auf
etwas (im Falle Gottes: auf sich selbst) Ausgerichtetsein, das formale Prinzip *(respectus).* Nun ist *respectus* Seinsweise; bei ihm ist *ratio* daher nicht
Form, sondern *modus essendi* dieser Form.

Bei Heinrich finden wir folglich Relation im doppelten Sinne von bezo-
gener Wesenheit, also von relativem Ding und von konstituierendem Prinzip, also von formalem Element der Seinsweise *(respectus).* Diesen doppelten Gebrauch von *respectus* hat Simplicius ihm ermöglicht. Jedes Seiende kann nämlich in der großen Ordnung des Seins einerseits als etwas
Verursachtes, andererseits als etwas Verursachendes betrachtet werden. Als
Verursachtes ist es etwas Eigenständiges, aus *res* und *ratio essendi* oder
respectus Zusammengesetztes. Als etwas Verursachendes muss es aber
Ordnung verursachen, muss ihm also ein neuer *respectus* hinzugefügt werden. Dieser neue *respectus* ist aber nichts anderes als eine neue Seinsweise
desselben Dinges, das zugleich ein einheitliches neues Seiendes konstituiert. Das Prinzip von Heinrichs *divisio entis* ist also darin zu sehen, dass
verschiedene *respectus* sich in Verbindung mit einer *res* aufschichten lassen
und jedesmal doch nur ein einziges aus *res* und *ratio* zusammengesetztes
Seiendes oder eine Kategorie bilden. Jedesmal wiederholt sich also derselbe Prozess: $res_1 + respectus_1 = ens_1$, denn *respectus* ist kein von seinem
Fundament real verschiedenes Prinzip. Nun kann man dieses Seiende in
Bezug auf eine andere Seinsweise dieses selben Dinges wiederum als *res*
betrachten, d. h. $ens_1 = res_2$, und $ens_1/res_2 + respectus_2 = ens_2$. Und ens_2/res_3
$+ respectus_3 = ens_3$, usw. Heinrichs *divisio entis* gleicht sich also einer kom-

positionellen Funktion an: Wenn y = 2x und z = 3y, so ergibt sich z = 3(2x). Denn eine *res* kann verschiedene aufeinander folgende Seinsweisen oder Beziehungen haben. Je mehr Beziehungen sie hat, desto 'reicher' ist sie. In der Tat schreitet Heinrichs *divisio entis* gemäß diesem Prinzip fort. Der erste und allgemeinste Begriff *(primus conceptus communissimus)* ist *res;* er ist wahren sowohl wie falschen Begriffen gemeinsam und das noematische Korrelat eines noetischen Denkaktes. Ein solches Ding steht dem reinen Nichts *(purum nihil)* gegenüber und umfasst fiktive wie auch wahre Begriffe. Es ist ein Etwas *(aliquid)* ohne weitere Bestimmung *(absque determinatione)* der Seinsweise in irgendeiner Kategorie (ohne *ratio praedicamenti).* Daher ist einem solchen Etwas jede Seinsweise ganz gleichgültig *(nec est nec natum est esse neque in re extra neque in intellectu sive conceptu);* ein solches Etwas hat dann auch kein eigentliches Sein, ist kein eigentliches Seiendes, geht vielmehr dem Sein jedes Seienden als sein Ding oder sein Etwas, d. h. als nur eines der zwei Prinzipien seiner Komposition, voran.

Zweiter Schritt. Ein solches Etwas ist, wie gesagt, immer etwas Denkbares. Nur kontradiktorisch zusammengesetzte Ideen (wie z. B. der quadratische Kreis) sind ausgeschlossen: denn als kontradiktorische Ideen sind sie undenkbare Ideen, also ganz und gar keine Ideen, und daher das reine Nichts selbst. Ein unbestimmtes Etwas deckt sich völlig mit Denkbarkeit, mit der Möglichkeit gedacht zu werden *(cogitabilitas). Res/aliquid = cogitabile.* Denkbares setzt also Beziehung von Denkbarkeit zu einem denkenden Intellekt voraus *(respectus quidam).* Diese Beziehung bringt also das Etwas als rein Denkbares hervor und geht diesem Ding daher voran, nicht im chronologischen, sondern im logisch-ontologischen Sinne. Nun kann diese Beziehung auf einen Intellekt eine Beziehung von Denkbarkeit oder Nachbildbarkeit *(respectus imitabilitatis)* auf den göttlichen Intellekt oder das göttliche Denken oder nur eine Beziehung auf irgendeinen (menschlichen) Intellekt sein. Im ersteren Falle konstituiert diese Beziehung von Nachahmbarkeit in Hinblick auf die göttliche Essenz eine reale Teilnahme am göttlichen Sein *(participatio quaedam divini esse).* So kommt das zustande, was Heinrich die *res a ratitudine* oder die *natura* nennt: aus der Zusammensetzung eines Dinges, das die *ratio idealis* oder *ratio exemplaris* aller weiteren geschöpflichen Dinge ist (also: göttliche Idee im zweiten Sinne), und einer Beziehung, die diesem Ding eine Seinsweise verleiht. Dieses Sein hat dieses Ding nicht aus sich selbst, sondern durch Teilnahme am göttlichen Exemplar (göttliche Idee im ersten Sinne; Quodl. IX, q. 2: *res non habet esse ex se, sed ex participatione exemplaris sui).* Dieses Sein ist ein objektiv-begriffliches, definitorisches oder wesentliches, quidditatives Sein: das Sein der Essenz *(esse essentiae, esse intentionale, esse quidditativum).* Natur oder Essenz ist also, ihrer ontologischen Komposition nach, zusammengesetzt aus einem *res*-mäßigen Etwas (dem *quod est* oder der *ratio realitatis a reor reris*) und aus einer *respectus*-mäßigen Seinsweise (dem *quo est* oder der *ratio esse eius quidditativi*). Im letzten Falle, also wenn der unbestimmten *res* eine Beziehung von Nachahmbarkeit in Hinblick auf den göttlichen Intellekt fehlt, gibt es wohl eine Beziehung auf einen Intellekt, aber diese bringt kein objektives quidditatives Sein außerhalb dieses Intellekts, nur ein imaginäres Sein-in-der-denkenden-Seele hervor: also nur ein *ens imaginarium*, ein *ens in anima (solum)*. Beispiele von dergleichen fiktiven Seienden sind der Bockhirsch *(hircocervus)* oder der goldene Berg *(mons aureus)*.

Dritter Schritt. Aktuell Seiendes entsteht aus der 'Zusammensetzung' von Essenz und aktuellem Sein in je einer seiner Modalitäten. Wie gesagt haben die *res a ratitudine* am göttlichen Denken teil durch einen *respectus* in Hinblick auf diesen göttlichen Intellekt. Die meisten *res a ratitudine* beziehen sich auf diese Weise auf etwas anderes, als sie selbst sind. Aber eine ganz besondere und nur eine *res a ratitudine* bezieht sich so auf sich selbst. Das bedeutet, dass diese *res* also nicht nur (quidditatives) Sein hat, sondern das Sein selbst *ist;* und nicht nur einfaches Sein schlechthin, sondern notwendiges Sein *(res quae ipse est esse, non simpliciter esse, sed necesse esse)*. Die anderen *res haben* ein Sein, auch ein notwendiges Sein, aber ein von einem anderen abhängiges, also hypothetisch notwendiges Sein *(necesse esse ab alio)*. Die *res a ratitudine* teilen sich daher in zwei Klassen: in eine nur aus einer *res a ratitudine* bestehende Klasse, deren *res* das *necesse esse* selbst *ist* (das *ens increatum* oder Gott); und in eine aus allen anderen *res a ratitudine* bestehende Klasse, deren *res* ein *necesse esse* hat, also dieses von einem anderen empfangen hat *(ab alio):* die *res omnis creaturae*, die *quidditas* oder *natura cuiuslibet creaturae*.

Auf diese Weise interpretiert Heinrich das berühmte avicennische Zitat, dass *res, ens* und *necessarium* die drei ersten Begriffe des menschlichen Verstandes sind, aus denen alles andere folgt und alles andere zusammengesetzt ist; ferner übernimmt Heinrich hier den bekannten avicennischen Unterschied zwischen *necesse esse a se* und *necesse esse ab alio*.

Vierter Schritt. Diesen ein *esse essentiae* besitzenden *res a ratitudine* kann aber auch eine andere Ausrichtung als diejenige auf den göttlichen Intellekt zukommen: nämlich ein *respectus* auf den göttlichen Willen. Dieser *respectus* gibt den bezogenen *res* das *esse existentiae*. Im Falle der göttlichen Natur konstituiert dieser *respectus* auf den Willen aufs Neue eine Selbstbezogenheit, d. h. ein *necesse esse a se*. Gottes Essenz kann also nur aktuell sein, wenn seine Essenz seine Existenz ausmacht. Im Falle aller anderen Naturen konstituiert dieser *respectus ad aliquid aliud* nur ein *necesse esse ab alio:* Sie haben hypothetisch notwendiges aktuelles Sein, falls Gott es – in aller Freiheit seines Willens – so entscheidet.

Fünfter Schritt. Dieser ein *esse existentiae* besitzenden *res cuiuslibet crea-turae* kann nochmals ein *respectus* zufallen: entweder auf sich selbst oder auf etwas anderes. Das selbstbezogene *ens creatum* hat daher ein subsisten-tes *esse in se* oder ein auf ein anderes Geschöpf bezogenes *esse in alio*, nämlich die allen Akzidentien gemeine *ratio* oder Seinsweise des inhärie-renden Seins. Diese Differenz von *respectus* bringt also den Unterschied zwischen Substanz und Akzidens und damit auch die Substanz und das Akzidens selbst hervor.

Sechster Schritt. Innerhalb der kategorialen Seienden gibt es drei Seins-weisen oder *modi essendi: (a) esse in se, (b) esse in alio* und *(c) esse ad aliud*. Der dritte *modus* ist mit jedem der zwei ersten kompatibel, obwohl die zwei ersten einander gegenseitig ausschließen. Also (a) + (b) vertragen sich nicht *(omnino repugnantes)*, obwohl (a) + (c) und (b) + (c) sich sehr gut vertragen. In der Tat ist die dritte relative Seinsweise ein transzenden-tales Kennzeichen jedes kategorialen Seienden. Und wie man weiter aus dem beigefügten Schema ableiten kann, bringt die wiederholte Anwen-dung des Grundprinzips der Beziehung auf sich selbst *(absolute)* versus die Beziehung auf etwas anderes *(relative)* das ganze kategoriale Schema her-vor. *Respectus* ist also der zentrale Begriff, der alle Seienden und den Un-terschied zwischen ihnen hervorbringt. *Respectus* ist das formale Prinzip, das zusammen mit der materialen *res* das Seiende und alle seine Unter-schiede zustande bringt. Heinrichs Ontologie darf daher eine *respectus-* oder eine Relationsontologie genannt werden: Denn *respectus* ist der *logos* des *on*, d. h. seine *ratio* oder sein Grund.

5. Schluss

Zum Schluss noch zwei Bemerkungen.

Erstens geht aus dem Gesagten klar hervor, dass und wie für Heinrich die Relation den relativen Dingen vorangeht.

Zweitens: Gott ist Liebe. Liebe ist Bezogenheit: auf sich selbst und auf das oder den anderen. Gott ist also Selbstbezogenheit als Dreieinigkeit von Personen und zugleich Bezogenheit auf die Schöpfung. Diese Bezogenheit Gottes konstituiert die Dynamik und Aktivität des Göttlichen: innertrini-tarisch sowohl als auch schöpferisch. Sie ist also das Leben Gottes. Zu-gleich konstituiert die Ausrichtung des Geschöpfes auf Gott die Dynamik und Aktivität des geschöpflichen Seienden. Sie ist das Leben, das Ziel, das Glück dieses Geschöpfes. Ohne Beziehung oder Relation kann ein christ-licher Metaphysiker das Leben Gottes und der Geschöpfe nicht denken.

DIE PRINZIPIEN DER 'DIVISIO ENTIS'

1. Allgemeine Prinzipien

a) respectus = $\begin{cases} \text{ad se ipsum (absolute)} \\ \text{ad aliquid aliud (relative)} \end{cases}$

b) respectus   +   res   →   ens/genus primum compositium
    forma   materia
    ratio   res
    modus essendi
    quo est   quod est

c) kompositionelle Funktion:

x	$=$	$2y$	$res_1 + respectus_1$	$=$	ens_1/res_2
y	$=$	$3z$	$res_2 + respectus_{1(2,3,...)}$	$=$	ens_2/res_3
x	$=$	$2(3z)$	$res_3 + respectus_{1(2,3,...)}$	$=$	ens_3/res_4

Aktualität	intentionelle Zusammensetzung	intentionelle	aktuelle
Einheit	Ebene der metaphysischen Analyse	Zusammensetzung	Einheit

REALITÄT | REALITÄT

2. Die ersten Schritte

RESPECTUS RES	RESPECTUS RATIO/MODUS ESSENDI	ENS
1) res/aliquid absque deter- min. ($= res_1$)	–	–
2) res_1	respectus ad intellectum (1) – ad se ipsum (non divinum) – ad aliquid aliud (divinum)	[res a reor reris, ens in anima] [res a ratitudine, natura, $= res_2$]
3) res_2	respectus ad intellectum divinum (2) – ad se ipsum: necesse esse a se – ad aliud: necesse esse ab alio	[res_3] ens increatum, Deus [quidditas cuiuslibet creaturae, $= res_4$]
4) res_3 ($= res_2 + resp._2$)	respectus ad voluntatem divinam (3) – ad se ipsum: necesse esse a se	[res_5] ens increatum, Deus
5) res_5 ($= res_4 + resp._3$)	respectus – ad se ipsum: subsistendo – ad aliud: inhaerendo	substantia accidens

[ ] = nicht-aktuelle Seiende

RES	RESPECTUS/RATIO/MODUS ESSENDI	NATURA/ENS
RES { Res quae est necesse esse	necesse-esse (abs.$_1$) in se	DEUS
RES { Res quae habet esse ab alio = possibile = ens participatum	esse ab alio/esse participatum (rel.$_1$)	CREATURA
– res subsistens/substantialitas	– subsistere in se (abs.$_2$)	– substantia
	– existere (abs.$_3$)	– substantia
	– substituere alii (rel.$_3$)	
– res inhaerens/accidentalitas	– subsistere in alio = inhaerere (rel.$_2$)	– accidens
	– absolute: esse in alio secundum se et abs. (abs.$_4$)	– accidens absolutum
– res inhaerens quae mensurat = accidentalitas mensurans	– mensurare (rel.$_5$)	– quantitas
– res inhaerens quae afficit = accidentalitas afficiens	– afficere (abs.$_5$)	– qualitas
	– relative: esse in alio in respectu ad aliud = habitudo ad aliquid (rel.$_4$)	– accidens relativum = relatio (lato sensu)
accidentalitas affic + mens.	– in se et absolute (abs.$_6$)	– relatio (stricto sensu) = ad aliquid
accidentalitas mens. solum	– in connexione ad motum (rel.$_6$) = in connexione cum alio	– sex principia
	– movendo/motus in se (abs.$_7$) = in connexione cum movente	
	– in se (abs.$_8$)	– actio
	– ad aliud (rel.$_8$)	– passio
	– disponendo mobile (rel.$_7$) = in dispositione acquisita in mobili per motum	
	– in connexione cum tempore (abs.$_8$) (respectus rei temporalis ad tempus)	– quando
	– in connexione cum termino ad quem = respectus locati ad locum (rel.$_9$)	
	– continentia passiva locati ad locum (abs.$_{10}$)	
	– simpliciter (abs.$_{11}$)	– ubi
	– secundum ordinem diversum (rel.$_{11}$)	– situs
	– continentia passiva contenti ad continentem (rel.$_{10}$)	– habitus

Auswahlbibliographie

Quellentexte

Quodlibeta Magistri Henrici Goethals a Gandavo doctoris solemnis, a Iodoco Badio
    Ascensio, Parisiis 1518, 2 Bde. (ND Louvain 1961).
Magistri Henrici a Gandavo ... Aurea Quodlibeta ..., ed. M. Vitalis Zuccolius,
    Venetiis 1608, 2 Bde. (Venetiis ²1613, 2 Bde.).
Summa queastionum ordinariarum theologi ... Henrici a Gandavo, ed. a Iodoco
    Badio Ascensio, Parisiis 1520, 2 Bde. (ND New York 1953, 2 Bde.).
Magistri Henrici a Gandavo ... Summa, ed. M. Scarparius, Ferrariae, apud Francis-
    cum Succium 1640–1643, 3 Bde.
Henrici de Gandavo Opera omnia, editionem coordinat R. Macken, Leuven 1979 ff.
    (bis jetzt sind fünfzehn Bände erschienen: die Quodlibeta I, II, VI, VII, IX, X,
    XII, XII q. 31, XIII, und aus der Summa die Artikel 31–34, 35–40, 41–46).

Sekundärliteratur

Bayerschmidt, P.: Die Seins- und Formmetaphysik des Heinrich von Gent in ihrer
    Anwendung auf die Christologie. Beiträge zur Geschichte der Theologie und
    Philosophie des Mittelalters 36, 3–4, Münster 1941.
Decorte, J.: Studies on Henry of Ghent. The Relevance of Henry's Concept of Re-
    lation. Recherches de Theologie et Philosophie Medievales 64/1 (1997) 230–238.
Gómez Caffarena, J.: Ser participado y ser subsistente en la metafísica de Enrique
    de Gante (Analecta Gregoriana 93), Roma 1958.
Henninger, M.: Relations. Medieval Theories 1250–1325, Oxford 1989, 40–58.
Marrone, St.: Truth and Scientific Knowledge in the Thought of Henry of Ghent,
    Cambridge, Mass. 1985.
Paulus, J.: Henri de Gand. Essai sur les tendances de sa métaphysique (Etudes de
    philosophie médiévale 25), Paris 1938.
Porro, P.: Enrico di Gand. La via delle proposizioni universali, Bari 1990.
Schönberger, R.: Relation als Vergleich. Die Relationstheorie des Johannes Buridan
    im Kontext seines Denkens und der Scholastik. Studien und Texte zur Geistes-
    geschichte des Mittelalters 43, Leiden, New York 1994, 87–102.
Vanhamel, W. (Hrsg.): Henry of Ghent. Proceedings of the International Colloquium
    on the Occasion of the 700th Anniversary of his Death (1293), Leuven 1996.

BONAVENTURA

Die Gewissheit der Erkenntnis

Von ANDREAS SPEER

1. Kritik der Philosophie

Im Allgemeinen genießt Bonaventura unter Philosophen nicht unbedingt den besten Ruf. Daran ist er nicht ganz unschuldig, denn er ist – insbesondere in seinen letzten Pariser Universitätspredigten – nicht gerade freundlich mit den Philosophen umgegangen. Unfähig, sich von Finsternis und Irrtum zu trennen, hätten sich die Philosophen in noch größere Irrtümer verstrickt, „und indem sie sich weise nannten, wurden sie zu Toren; indem sie auf ihr Wissen stolz waren, wurden sie zu Gefolgsleuten Luzifers" – so Bonaventura zu Beginn seiner vierten ›Collatio in Hexaemeron‹, der vierten Ansprache zum Sechstagewerk (Hex IV, 1 [V 349a]). Und ist die Gefahr schon groß, die von den Summen der Magister ausgeht – Bonaventuras Polemik in einer späten Predigt macht also auch vor seinen ehemaligen Kollegen an der theologischen Fakultät nicht Halt –, in die größte Gefahr begibt sich, wer zur Philosophie herabsteigt. „Die Magister sollen sich daher hüten, die Aussagen und Thesen der Philosophen allzusehr zu empfehlen und zu schätzen, damit das Volk bei dieser Gelegenheit nicht nach Ägypten zurückkehre oder durch ihr Beispiel die Wasser Siloes verlasse, wo die größte Vollkommenheit herrscht, und zu den Wassern der Philosophen ziehe, wo ewige Täuschung ist" (Hex XIX, 12 [V422a]). Auch wer bei den biblischen Anspielungen nicht mehr mit allen Einzelheiten vertraut ist, dürfte doch einen ersten Eindruck von der Sprachgewalt des siebten Ordensgenerals der Franziskaner erhalten haben, des vormaligen Pariser Theologieprofessors und Kollegen des Thomas von Aquin. Bonaventura, der Mitte der Dreißigerjahre des 13. Jh. nach Paris kommt und dort unter anderem bei Alexander von Hales studiert, steht der Rhetorik durchaus wohlwollend gegenüber, denn durch sie wird der Geist fähig zu überzeugen und geneigt zu machen (Hex IV, 21 [V 353a])[1].

Die Zitate sind, wie bereits angedeutet, den zwischen dem 9. April und

---

[1] Zur Einführung in Bonaventuras Ansprachen zum Sechstagewerk siehe R. Imbach, Bonaventura: Collationes in Hexaemeron, in: K. Flasch (Hrsg.), Interpretatio-

dem 28. Mai 1273 in Paris gehaltenen ›Collationes in Hexaemeron‹ entnommen, die Bonaventura vorzeitig abbrechen muss, als er zum Kardinals-
bischof von Albano ernannt wird. Der Plan dieser groß angelegten Predigt-
reihe stellt eine umfassende Synthese dar: Am Leitfaden der sechs Schöp-
fungstage soll die Stufenfolge der menschlichen Erkenntnis bis zur
Vollendung in der *visio beatifica* entfaltet werden. Bereits zum dritten Mal
innerhalb von sechs Jahren war Bonaventura nach Paris zurückgekehrt,
um in öffentlichen Ansprachen und Predigten Stellung zu beziehen. Denn
das intellektuelle Klima zu Beginn des letzten Drittels des 13. Jh. ist auf-
gewühlt. Gleich zu Beginn seiner Vortragsreihe spricht Bonaventura von
den falschen Stellungnahmen der *artistae* (Hex I, 9 [V 330b]). Damit sind
zweifellos jene Philosophieprofessoren an der Universität zu Paris gemeint, die, wie beispielsweise Siger von Brabant oder Boethius von Dacien,
in mehr oder weniger deutlicher Weise unter Berufung auf die Autorität
des Aristoteles und seines Kommentators Averroes mit zentralen Glau-
bensgrundsätzen unvereinbare Lehrmeinungen verfochten haben. Bonaventura fasst die hauptsächlichen Streitfelder zusammen: die Leugnung der
göttlichen Providenz zugunsten der Schicksalsnotwendigkeit, die Ewigkeit
der Welt, die Einheit des Intellekts, die Leugnung von Schuld und Strafe
und daraus folgend die Leugnung einer Glückseligkeit nach diesem Leben
(Hex VI, 3–4 [V 361ab] und VII, 1–2 [V 363ab])[2]. Damit tritt er auf die
Seite der prominenten Kritiker der Artesmagister und gilt vielen als Ge-
folgsmann des Pariser Bischofs Étienne Tempier, der am 10. Dezember
1270 einen ersten Syllabus mit 13 verurteilten Thesen veröffentlicht – der
Vorbote der besser bekannten Verurteilung von 219 Thesen am 7. März
1277 durch denselben Bischof, die von nicht wenigen als eine Art Wasser-
scheide für die Emanzipation einer eigenständigen Philosophie angesehen
werden[3]. Gegenüber diesen Emanzipationsbewegungen erscheint Bonaventura als Vertreter eines integralen antiaristotelischen Augustinismus,
der nach Joseph Ratzinger in den ›Collationes in Hexaemeron‹ sogar eine
Zuspitzung zu einem Antiphilosophismus und prophetischen Antischola-

nen, Hauptwerke der Philosophie: Mittelalter, Stuttgart 1998, 270–291; zum Œuvre
Bonaventuras im Überblick J. G. Bougerol, Introduction à Saint Bonaventure, Paris
1988.
    [2] Zu den Verurteilungen von 1270 siehe F. Van Steenberghen, Die Philosophie
im 13. Jahrhundert, 442–445 [Frz.: La philosophie au 13ème siècle, 2ème édition
(Philosophes médiévaux 28), Louvain/Paris 1991, 411–415].
    [3] Siehe hierzu die Beiträge von Alain de Libera, Philosophie et censure. Remar-
ques sure le crise universitaire de 1270–1277, und Luca Bianchi, 1277: A Truning
Point in Medieval Philosophy?, in: J. A. Aertsen/A. Speer (Hrsg.), Was ist Philosophie im Mittelalter? (Miscellanea Mediaevalia 26), Berlin/New York 1998, 71–89
und 90–110.

stizismus erfährt[4]. Dieses Bonaventurabild hat maßgeblich dazu beigetragen, dass Bonaventura in den meisten Philosophiegeschichten lediglich
eine marginale Rolle spielt, wenn er dort überhaupt präsent ist.

Ihren Ursprung hat die Augustinismusthese in dem Versuch Étienne
Gilsons, der thomistischen Synthese als affirmativer Antwort auf die aristotelische Herausforderung die im Grundsatz gegen Aristoteles gerichtete
Synthese Bonaventuras aus dem Geist des Augustinus gegenüberzustellen,
eines Augustinismus jedoch, der nicht auf einer Unkenntnis des Aristoteles
beruht und somit als bloß rückständig abgetan werden kann, sondern in
der Auseinandersetzung mit dem aristotelischen Denken seine spekulative
Denkkraft gewinnt. Neben Thomas erscheint Bonaventura damit als ein
gleichberechtigter Gipfelpunkt scholastischen Denkens, mit dem zugleich
der entscheidende Differenzpunkt zwischen den beiden Lehrrichtungen
zutage tritt: Dieser liegt nicht so sehr in unterschiedlichen Auffassungen
hinsichtlich bestimmter Fragestellungen und philosophischer Probleme,
sondern muss vor allem in dem größeren Zusammenhang des grundsätzlichen Ringens um die Einheit der christlichen Weisheit gegenüber der
Zweiheit von Philosophie und Theologie gesehen werden. Dem aristotelischen Weisheitsverständnis, das auf der Erkenntnis der durch Differenz-
bildung konstituierten Prinzipienordnung beruht, steht das augustinische
integrative Weisheitsmodell gegenüber, das die Zuordnung der Wissens-
bereiche nach Art der den Gegenstand selbst betreffenden sachlichen
Aufhebung des Untergestellten in ein Höheres vorzunehmen scheint. Bonaventuras eigener Denkentwurf muss vor diesem Hintergrund gesehen
werden. Er bildet keinen Sonderweg, der etwa auf einer Umformung des
philosophischen Denkens in eine „franziskanische Philosophie" beruht,
sondern muss in den intellektuellen Zusammenhang des 13. Jh. gestellt
werden – und das heißt, wie Fernand Van Steenberghen nachdrücklich
gezeigt hat, insbesondere in den Zusammenhang der universitären Auseinandersetzungen in Paris[5]. Dies gilt nicht nur für die während Bonaventuras
Pariser Lehrtätigkeit entstandenen Schriften, sondern, wie wir bereits gesehen haben, auch für die großen ›Collationes‹, die öffentlichen Universitätspredigten der späten sechziger und frühen siebziger Jahre.

---

[4] J. Ratzinger, Die Geschichtstheologie des Heiligen Bonaventura, München
1959, 136–159.

[5] E. Gilson, Die Philosophie des Heiligen Bonaventura, Hellerau 1929, 98–126
(„Das Bonaventura-Problem") [Frz.: La philosophie de saint Bonaventure (Études
de philosophie médiévale 4), Paris 1924, 59–75 („Le problème bonaventurien")].
Dagegen F. Van Steenberghen, Die Philosophie im 13. Jahrhundert, 185–253, mit
Bezug auf Gilson bes. 188–199 [Frz.: La philosophie au 13ème siècle, 177–244, be-
züglich Gilson bes. 180–203].

Doch hat der Theologe Bonaventura überhaupt eine Philosophie vorzu-
weisen, die über die sprichwörtliche Dienstfunktion einer *ancilla theologiae*
hinausreicht?[6] Gerade vor dem Hintergrund der aristotelischen Leitvor-
stellung für das Selbstverständnis einer Wissenschaft, das sich an dem in
den ›Zweiten Analytiken‹ erhobenen Anspruch begründeten Wissens aus
eigentümlichen und als gewiss erkannten Prinzipien orientiert, bedarf Gilsons Antwort – auch in der durch Van Steenberghen modifizierten Form
– einer Präzisierung. Entscheidend für die Beurteilung von Bonaventuras
Philosophieverständnis ist demnach vor allem jene Begründungsleistung,
der gemäß dem philosophischen Denken und seinen systembildenden Elementen ein genauer Platz in der im letzten theologisch bestimmten Synthese angewiesen werden kann. Gibt es eine eigenständige Bedeutung der
Philosophie im ganzen, unabhängig von der Theologie und nicht auf sie
rückführbar – so wie etwa die Frage der Bewegung zur Physik und die
Frage der Schlussfiguren zur Logik gehören?

Bonaventuras Antwort nimmt ihren Ausgang von der Gewissheitsproblematik – dies soll im Folgenden gezeigt werden. Zunächst werden drei
Antworten vorgestellt, in denen Bonaventura die Problemstellung schließlich bis zu dem Punkt verschärft, dass die Frage nach der Gewissheit der
Erkenntnis zu einer Grenze für die Philosophie wird. Diese Grundlegung
eröffnet einen Blick auf Bonaventuras Metaphysikkonzeption sowie auf
sein Philosophieverständnis, das – wie abschließend deutlich wird – durch
die Spannung zwischen Philosophie und Weisheit bestimmt ist.

2. *Die Existenz Gottes als unbezweifelbare Wahrheit*

Eine erste Antwort auf die Frage nach der Gewissheit der Erkenntnis
gibt Bonaventura – dies mag überraschen – zu Beginn seiner ›Quaestiones
disputatae de mysterio Trinitatis‹ aus dem Jahre 1254. Dort nämlich fragt
er nach den Voraussetzungen für die Erforschung des Glaubensgeheimnis-
ses der Trinität – sieht man einmal von der Notwendigkeit der Gnade ab.
Hierzu stellt er zwei Grundsätze *(praeambula)* auf. Ein erster Grundsatz
zielt auf das Fundament jeder Erkenntnis, die Anspruch auf Gewissheit
erhebt, ein zweiter auf das Fundament jeder Glaubenserkenntnis. Zwischen beiden Grundsätzen besteht ein Begründungsverhältnis, denn der
Glaube an die Dreifaltigkeit als „das Fundament jeder Glaubenserkenntnis" ruht auf dem „Fundament aller gewissen Erkenntnis": dass die Existenz Gottes eine unbezweifelbare Wahrheit ist (Mys Trin, prol. [V 45ab]).

---

[6] Hierzu A. Speer, Bonaventure and the Question of a Medieval Philosophy, in:
Medieval Philosophy and Theology 6 (1997) 25–46.

Diese Suche nach Erkenntnisgewissheit stellt für Bonaventura die er-
kenntnistheoretische Ausgangsfrage dar und zieht sich als ein konstantes
Leitmotiv durch seine Schriften. Der grundlegende Charakter der Gewissheitsproblematik zeigt sich auch in den drei Obersätzen, die Bonaventura
in seinen Quästionen über das Geheimnis der Trinität seinem Beweisgang
voranstellt: (1) dass jede Wahrheit, die einem jeden Geist eingeprägt ist,
unbezweifelbar wahr ist; (2) dass jede Wahrheit, die eine jede Kreatur verkündet, unbezweifelbar wahr ist; (3) dass jede in sich vollkommen sichere
und evidente Wahrheit unbezweifelbar wahr ist (Mys Trin, q. 1, a. 1 [V
45a]). Die Formulierung dieser Obersätze bringt Bonaventuras Beweisin-
teresse klar zum Ausdruck. Dieses zielt nicht so sehr auf einen bloßen
Existenzbeweis Gottes, sondern auf den erkenntnistheoretischen Aufweis,
Grundlage aller Sicherheit beanspruchenden Erkenntnis sei, dass die Existenz Gottes eine unbezweifelbare Wahrheit ist. Gemäß den drei Obersätzen etabliert Bonaventura drei Wege mit je zehn Argumenten: (1) über die
Evidenz der von Natur aus eingepflanzten Wahrheit, die etwa in dem Streben nach Wissen und Glück zum Ausdruck kommt; (2) über die so genannten disjunktiven Seinsbestimmungen – jedes Seiende ist entweder früher
oder später, vollkommen oder unvollkommen, einfach oder zusammengesetzt, etc. –, welche die Annahme eines schlechthin ersten, vollkommenen,
wirklichen und unwandelbaren Seienden voraussetzen, ohne das es überhaupt keinen Begriff eines endlichen und wandelbaren Seienden geben
kann; sowie (3) über den anselmschen Gottesbegriff, zu dessen wider-
spruchsfreier Denkmöglichkeit die Existenz notwendig gehöre, im Verein
mit dem augustinischen Retorsionsargument, dem zufolge die Leugnung
der Wahrheit zu einem performativen Selbstwiderspruch führt (Mys Trin,
q. 1, a. 1, f. 1–29 [V 45a–48a]).
   Dieses Beweisergebnis hat nach Bonaventura Aussagekraft gegen jede
Form des Zweifels: gegen den fundamentalen Zweifel, der sich sowohl auf
den Erkenntnisgegenstand, den Beweisgrund als auch auf das Erkenntnissubjekt bezieht und auf einen Verstoß gegen den Satz vom Widerspruch
hinausläuft (Mys Trin, q. 1, a. 1, c [V 50a]), wie auch gegen den Zweifel
aufgrund einer Schwäche der Vernunft, der allein aufseiten des Erkenntnissubjekts besteht und seine Ursache beispielsweise in einem falschen
Gottesbegriff, in der möglichen intellektuellen Beschränktheit des Toren
oder in einer mangelhaften Anwendung der Erkenntnisanalyse *(resolutio)*
hat (Mys Trin, q. 1, a. 1, c [V 49a–50a])[7]. Dagegen kann die auf der Grundlage der drei Wege gewonnene Wahrheit des Daseins Gottes nicht ange-

---

[7] Zu diesem Beweisgang siehe A. Speer, Triplex veritas. Wahrheitsverständnis
und philosophische Denkform Bonaventuras (Franziskanische Forschungen 32),
Werl, Westf., 1987, 84–86.

zweifelt werden, ja, seine Nichtexistenz erweist sich als denkunmöglich
(Mys Trin, q. 1, a. 1, c [V 50a]).

Dieses Untersuchungsergebnis entspricht auch der Analyse der vernünftigen Seele, die in der Ordnung der Quästio am Anfang der Antwort steht.
Der vernunftbegabten Seele nämlich ist die Erkenntnis dieser Wahrheit
eingeboren, sofern sie die Bestimmung des Abbildes *(ratio imaginis)* besitzt; auch alles natürliche Streben richtet sich auf die Verwirklichung dieser *imago*-Natur. Denn sofern sie Abbild ist, erstrebt die Vernunftseele das,
deren *imago* sie ist, um darin ihre glückselige Vollendung zu erfahren (Mys
Trin, q. 1, a. 1, c [V 49a]).

3. Die zweifache Bedingung der Erkenntnisgewissheit

Auch in der vierten ›Quaestio disputata de scientia Christi‹ – Vom Wissen Christi – bildet die Würde des Erkennenden *(dignitas cognoscentis)*
zusammen mit der geforderten Vortrefflichkeit der Erkenntnis *(nobilitas
cognitionis)* den Schlüssel für das Verständnis der Erkenntnisgewissheit.
Die insgesamt sieben zwischen November 1253 und Frühjahr 1254 entstandenen und vom Autor sorgfältig redigierten Quästionen, die gewissermaßen Bonaventuras Pariser Antrittsvorlesung darstellen, artikulieren in pro-
grammatischer und umfassender Weise die Frage der Gewissheit und damit
verbunden die Frage der Reichweite der Erkenntnis.[8] Nimmt man die Ausgangsfrage der vierten Quästio, dass alles, was mit Gewissheit erkannt wird,
im Licht der ewigen Ideen erkannt wird, zum Maßstab, so scheint Bonaventura seine Antwort bei Augustinus zu suchen. Doch finden sich neben
den einleitend angeführten mehr als dreißig *rationes Augustini* – Argumenten im Geist des Augustinus – beinahe ebenso viele, die sich explizit oder
dem Geiste nach auf den „Philosophen", also auf Aristoteles, berufen.
Diese durch die Ordnung der Quästio vorgegebene Struktur bleibt nicht
bloß äußerlich, sondern setzt sich in der Exposition der Antwort fort. Ausdrücklich weist dort Bonaventura zunächst die Auffassung zurück, dass es
keine sichere und gewisse Erkenntnis ohne die evidente Klarheit des ewigen Lichtes als die ganze und alleinige Maßgabe des Erkennens geben
könne. Auf diese Weise würde jeder Unterschied zwischen exemplarischer
Erkenntnis und Erkenntnis gemäß der eigenen Gattung, zwischen wissenschaftlicher und weisheitlicher Erkenntnis aufgehoben. Eine solche Position führe letztlich zur radikalen Skepsis der neuen Akademie, gegen die
schon Augustinus vorgegangen ist: Denn da jene nur denkbare Welt dem

---

[8] Siehe hierzu ausführlich die Einleitung in der von mir besorgten Ausgabe von
›De scientia Christi – Vom Wissen Christi‹, Hamburg 1993 (PhB 446).

menschlichen Geist verborgen ist, könne man im Grunde überhaupt nichts wissen. Andererseits könne der Einfluss des Lichtes nicht auf die Gnade beschränkt werden – weder im allgemeinen noch im speziellen Sinne; denn auch in diesem Falle würde die Möglichkeit einer natürlichen Erkenntnis faktisch aufgehoben (Sc Chr, q. 4, c [22b–23b]). Um diese Frage aber geht es Bonaventura vorrangig bei seinem Versuch der Reformulierung der so genannten Illuminations- oder Erleuchtungslehre. Hierzu präzisiert er die Fragestellung: Wie kann ich mit Gewissheit erkennen, was etwas ist? Indem ich es vollkommen erkenne, d. h. unter allen Bedingungen, unter denen sowohl dieser Erkenntnisgegenstand wie auch mein Erkennen steht. „Dann nämlich wissen wir", so Bonaventura unter Berufung auf Aristoteles, „wenn wir den Grund zu kennen glauben, dessentwegen ein Ding ist, und wenn wir wissen, daß es sich unmöglich anders verhalten kann" (Chr mag 6 [V 568b–569b], vgl. Anal. post. I, 2 [71b 10–11]).

Die Vortrefflichkeit der Erkenntnis *(nobilitas cognitionis)* hängt also an einer doppelten Bedingung: an der Unwandelbarkeit *(immutabilitas)* aufseiten des Erkenntnisobjeks und an der Unfehlbarkeit *(infallibilitas)* aufseiten des Erkenntnissubjekts (Sc Chr, q. 4, c [23b]). Da aber das natürliche Erkenntnislicht nicht im Allgemeinen aufgrund seiner eigenen Kraft unfehlbar und mithin die geschaffene Wahrheit nicht schlechthin unveränderlich ist, bedarf es zur vollen Erkenntnis *(cognitio plena)* eines Rückgangs auf eine im Ganzen unveränderliche und feststehende Wahrheit, die dem Erkenntnisobjekt Unveränderlichkeit gibt, und auf ein im Ganzen unfehlbares Licht, das dem Erkenntnissubjekt Unfehlbarkeit verleiht; dies ist die *ars superna,* die oberste schöpferische Kunst. Die Dinge verfügen demnach über ein dreifaches Sein: sofern sie im Verstande *(in mente),* in ihrer eigenen Gattung *(in proprio genere)* und in der ewigen schöpferischen Kunst *(in arte aeterna)* sind. Mithin erfordert eine gewisse und sichere Erkenntnis, dass die erkennende Seele die Dinge nicht nur begrifflich und kategorial in ihrem – wandelbaren – eigenen oder gattungsmäßigen Sein erfasst, sondern „auf irgendeine Weise berührt, sofern sie in der ewigen schöpferischen Kunst sind" (Sc Chr, q. 4, c [23b–24a]). Was sich hinter dieser Formulierung verbirgt, wird – in philosophischer Terminologie – mit Bezug auf die Prinzipien- und Ideenerkenntnis klar. Die Ideen nämlich sind nicht selbst Gegenstand der Erkenntnis, der erkannt wird *(obiectum quod);* sie sind Gegenstand der Erkenntnis lediglich in dem Sinne, dass durch sie etwas erkannt wird *(obiectum quo).* Die Ideen werden folglich nur reflexiv erfasst. Als Formalprinzip des Erkennens verbürgen sie die Sicherheit aufseiten des Erkenntnisgegenstandes wie aufseiten des Erkennenden, die spezifizierenden Eigenschaften und Materialprinzipien aber entstammen der Erfahrung (Sc Chr, q. 4, c [23b–24a]). Ebenso ist uns auch die ewige Maßgabe *(ratio aeterna)* nicht speziell durch sich selbst bekannt, sondern

lediglich allgemein in ihren Prinzipien. Sie ist uns jedoch gleichwohl am
meisten gewiss, da unser Intellekt auf keine Weise zu denken vermag, dass
es jene nicht gibt (Sc Chr, q. 4, ad 16 [24b]).

Die gleichen Überlegungen hinsichtlich der Würde aufseiten des Erkenntnissubjekts *(dignitas cognoscentis)* führen zur genaueren Bestimmung des systematischen Ortes der erkenntnistheoretischen Fragestellung
sicherer Erkenntnis. Es ist die *imago*-Natur des Menschen, die eine Mitt-
lerstellung in der dreifachen Beziehung einnimmt, in der die Kreatur zu
Gott steht: Als Spur *(vestigium)* verhält sich die Kreatur zu Gott wie zu
einem Prinzip, sofern sie von ihm ist, als Abbild *(imago)* wie zu einem
Objekt, wenn sie Gott erkennt, als Ähnlichkeitsbild *(similitudo)* schließlich
wie zu einer eingegossenen Gnadengabe, sofern Gott in ihr wohnt (Sc Chr,
q. 4, c [24a]). Aus dieser dreifachen Stufung folgt ein dreifacher Grad der
göttlichen Mitwirkung, nämlich nach der Weise eines schaffenden Prinzips
in einem nach Art der Spur verrichteten Werk und auf die Weise einer
eingegossenen Gnadengabe in einem verdienstlichen Werk nach Art des
Ähnlichkeitsbildes. „In einem Werk aber, das von einem Geschöpf nach
Art des Abbildes *(imago)* verrichtet wird, wirkt Gott nach Art einer bewe-
genden Maßgabe; von solcher Art ist das Werk der gewissen und sicheren
Erkenntnis" (Sc Chr, q. 4, c [24a]).

4. Die Frage nach dem Ersterkannten

Eben jene Struktur liegt auch den drei Grundstufen *(aspectus principa-
les)* des geistigen Aufstiegs zu Gott zugrunde, den Bonaventura in seinem
›Itinerarium mentis in Deum‹ beschreibt – seiner vielleicht bekanntesten,
im Oktober 1259, also zwei Jahre nach seiner Wahl zum Generalminister
der Minderbrüder *(fratres minores)* verfassten Schrift, die Kurt Ruh mit
Recht zu den Höhepunkten spekulativen Denkens im christlichen Abend-
land zählt[9]. Die Erkenntnisbewegung, die vom Untersten zum Obersten,
vom Äußeren zum Inneren und vom Zeitlichen zum Ewigen führt, entfaltet die Möglichkeiten der *imago*-Natur des Menschen (Itin I, 4 [V 297ab]).
Hierbei vergleicht Bonaventura die Gesamtheit der Dinge *(universitas rerum)* einschließlich der erkennenden Seele selbst mit einer Leiter, auf der
wir zu Gott emporsteigen können (Itin I, 2 [V 297ab]). Allerdings beschränkt er diese „Jakobsleiter", sofern sie über die Dinge führt, auf die
beiden ersten Stufen: Spur *(vestigium)* und Abbild *(imago)*. Die letzte Stufe, welche die Geistseele *(mens)* über sich hinaus zur Betrachtung des ers-

---

[9] Zu Bonaventuras ›Itinerarium‹ siehe K. Ruh, Geschichte der abendländischen
Mystik, Band 2, München 1993, 412–428.

ten Prinzips gemäß den beiden primären göttlichen Namen des Seienden und des Guten führt, scheint dagegen eine unmittelbare, und d. h. gnadenhafte Formung durch das Licht der ewigen Wahrheit selbst vorauszusetzen (Itin V, 1 [V 308a]; Sc Chr, q. 4, c [V 24a]).

Der erste Schritt in der Erkenntnisanalyse des ›Itinerarium‹ gemäß der ersten Grundstufe erfolgt nach Art des Eintritts der Welt, des Makrokosmos, in unsere Seele, den Mikrokosmos. Dabei löst die erkennende Seele die zusammengesetzten Dinge, die nicht der Substanz nach, sondern durch ihre Wahrnehmungsbilder *(similitudines)* durch die Pforten der Sinne in die Seele eingehen (Itin II, 4 [V 300b]), in die einfachen Teile auf, um sie schließlich judikativ auf ihre Ursachen zurückzuführen. Denn das Beurteilen ist eine Tätigkeit, welche das sinnfällige, vermittels der Sinne empfangene Erkenntnisbild *(species)* reinigt und ablöst und so in das Erkenntnisvermögen gelangen lässt. Auf diese Weise tritt die ganze Welt durch die Tore der Sinne in die menschliche Seele ein (Itin II, 6 [V 301a]).

Die erste vestigiale Stufe ist jedoch nicht allein auf die sinnlich wahrnehmbaren Dinge beschränkt, sondern umfasst auch die geistigen Dinge (I Sent, d. 3, a. 1, q. 2, ad 4 [I 73a]). Die Allgemeinheit des Spurseins verweist – in Entsprechung zu den am meisten allgemeinen und erkennbaren Eigenschaften jedes Seienden, nämlich Einheit, Wahrheit und Gutheit – auf die dreifache schöpferische Kausalität, sofern Gott Wirkursache, Exemplarursache und Zielursache ist (I Sent, d. 3, a. 1, q. 2, ad 4 [I 73ab]). Auf diese Weise entspricht die Aufstiegsbewegung vom Spursein zu Gott einer Rückführung *(resolutio)* der Dinge auf das erste Prinzip gemäß der von Bonaventura vom „wahren Metaphysiker" geforderten Aufgabe, sich von der Betrachtung des „Seins aus einem anderen, gemäß einem anderen und eines anderen wegen" zu einem „Sein aus sich, gemäß seiner selbst und um seinetwillen" zu erheben, das den Sinngehalt von Ursprung, Urbild und Ziel hat (Hex I, 12 [V 331ab]). Wir erkennen die Argumentationsstruktur aus ›De mysterio Trinitatis‹ wieder. Zudem tritt mit der *resolutio* eine für Bonaventuras Denken zentrale Denkfigur hervor, die insbesondere in Verbindung mit der Transzendentalienlehre weit mehr ist als eine formale Methode.[10]

Dies zeigt sich insbesondere im Zusammenhang der zweiten Grundstufe der Aufstiegsbewegung zu Gott, die im Unterschied zur Allgemeinheit der vestigialen Betrachtungsweise allein der vernunftbegabten Kreatur zukommt; denn nur sie vermag Gott nicht nur als Ursache, sondern auch als *obiectum* zu erfassen (I Sent, d. 3, a. 1, q. 2, ad 4 [I 73a]; Itin III, 2 [V 304a]).

---

[10] Zur Transzendentalienlehre Bonaventuras siehe J. A. Aertsen/A. Speer, Die Philosophie Bonaventuras und die Transzendentalienlehre, in: Recherches de Théologie et Philosophie médiévales 64 (1997) 32–66, bes. 49–63.

Am Anfang steht die Hinwendung zu sich selbst. „Kehre also bei dir ein", so fordert Bonaventura in augustinischer Tradition die *imago* auf, „und siehe, dass dein Geist sich selbst ganz glühend liebt. Er könnte sich aber nicht lieben, wenn er sich nicht erkennte, und er würde sich nicht erkennen, wenn er sich nicht seiner erinnerte; denn wir erfassen mit dem Verstande nur, was in unserer Erinnerung gegenwärtig ist" (Itin III, 1 [V 303b]). Die Eigentümlichkeit der bonaventuranischen Erkenntnisanalyse tritt am deutlichsten in den Ausführungen zu der auf Wahrheit ausgerichteten Erkenntniskraft *(virtus intellectiva)* zutage. Dies gilt insbesondere mit Blick auf das Erfassen der Begriffe durch den Verstand *(intellectus)*, der ersten und auch für das Erfassen der Sätze und Schlüsse grundlegenden Denkoperation (Itin III, 3 [V 304a]).

Das Modell für das Erfassen der Begriffe durch den Verstand ist die Definition. Jener nämlich versteht die Bedeutung der Begriffe, wenn er erkennt, was ein jedes Ding seiner Definition nach ist. Da aber eine Definition durch allgemeinere Begriffe gebildet werden muss, wird ein Ding, welches beispielsweise als Elefant erkannt wird, zugleich auch implizit als Tier, Lebewesen, körperliche Substanz und als Seiendes erkannt. Folglich setzt jede „definitive" Erfassung eines Begriffs die Rückführung unserer Konzepte auf die schlechthin höchsten *(suprema)* und allgemeinsten *(generalissima)* voraus, die implizit in jedem Begriff miterfasst werden. Dies sind für Bonaventura „seiend" und seine Grundbestimmungen *(conditiones)* „eins", „wahr" und „gut", mit denen „Seiendes" stets zusammen erkannt wird (Itin III, 3 [V 304a]). Doch bleibt diese Analyse *(resolutio)*, die zu den transzendentalen Seinsbestimmungen führt, für Bonaventura in gewisser Hinsicht innerhalb der Betrachtung der Dinge „in ihrer Gattung". Sie ist vor allem deshalb unvollständig, weil sie den Begriff des Seienden noch nicht hinreichend bestimmt hat. Denn unser Elefant wird in der Erkenntnisanalyse nicht nur als Seiendes, sondern zugleich auch als endliches, unvollkommenes und abhängiges Seiendes erkannt. Für eine vollkommene und vollständige *resolutio* bedarf es somit eines weiteren Schrittes, denn „Seiendes" lässt sich – in den bereits bekannten disjunktiven Begriffen – stets als unvollständiges und vollständiges denken, als unvollkommenes und vollkommenes, in Potenz und in Akt, durch ein anderes und durch sich selbst, als abhängiges und absolutes, späteres und früheres, zusammengesetztes und einfaches. Nun können jedoch, wie Bonaventura unter Berufung auf Averroes feststellt (In De anima III, text 25), Privationen und Defekte nur durch positive Bestimmungen erkannt werden. Deshalb vermag unser Verstand im Zuge einer vollständigen Erkenntnisanalyse *(intellectus plene resolvens)* die Bedeutung irgendeines geschaffenen Seienden nur zu erfassen, wenn er durch die Einsicht in das lauterste, wirklichste, vollendetste und absolute Sein unterstützt wird (Itin III, 3 [V 304a]).

Die sich in zwei Schritten vollziehende Erkenntnisanalyse führt also nicht nur zur Erkenntnis eines ersten, allgemeinen Begriffs des Seienden *(ens per se)* und seiner mit ihm vertauschbaren Grundbestimmungen *(conditiones)*, sondern setzt die Bezugnahme auf den Begriff eines ersten Seienden voraus, dem als lauterstes, wirklichstes, vollendetstes und absolutes Sein nicht nur kognitive, sondern auch ontologische Priorität zukommen muss. Wie anders – so fragt Bonaventura – sollte der Intellekt ohne die Kenntnis eines solchen Seins ohne jeden Mangel überhaupt erkennen können, was ein mangelhaftes und unvollständiges Seiendes ist (Itin III, 3 [V 304b])? „Wenn also das Nicht-Seiende nur durch das Seiende erkannt werden kann", so fasst Bonaventura seine Antwort zusammen, „und das der Möglichkeit nach Seiende nur durch das In-Wirklichkeit-Seiende und wenn Sein die reine Aktualität des Seienden bezeichnet: dann ist es also das Sein, das als erstes in unseren Verstand einfällt, und dieses Sein ist reiner Akt". Dieses Sein aber ist nicht das partikuläre Sein in den Dingen außerhalb *(extra nos)*, denn ein solches Sein wäre, da mit Potentialität vermengt, ein beschränktes Sein. Es ist auch nicht ein analoges Sein wie das intramentale Sein *(intra nos)*, weil dieses nur in einem geringen Maße Aktualität besitzt, da es kaum *(minime)* ist. „Also bleibt übrig, dass dieses Sein das göttliche Sein ist" (Itin V, 3 [V 308b–309a])[11]. Dieses Sein aber, das, wie Bonaventura unter Rückgriff auf Anselms Argument zu zeigen versucht, unmöglich als nicht-seiend gedacht werden kann (Itin V, 3 [V 308b]), vermögen wir nur „oberhalb von uns" *(supra nos)* zu finden. Folglich kann, wenn der Verstand vollkommen auflöst, nichts erkannt werden, ohne dass das erste Seiende erkannt wird (I Sent, d. 28, dub. 1 [I 504ab]) und der Verstand auf diese Weise auch die Beziehung zur Ursache, und das heißt zum Wahren und Guten miterfasst (II Sent, d. 1, p. 2, dub. 2 [II 52a]). Hier nun – und darin liegt nach Ludger Oeing-Hanhoff die Besonderheit der bonaventuranischen *resolutio*-Lehre[12] – gelangt die vollständige Erkenntnisanalyse *(plena resolutio)* an ihr Ziel, die im Ausgang von der Begriffsanalyse die metaphysische Konstitution der Dinge erschließt.

---

[11] Siehe hierzu W. Goris, Die Anfänge der Auseinandersetzungen um das Ersterkannte im 13. Jahrhundert: Guibert von Tournai, Bonaventura und Thomas von Aquin, in: Documenti e studi sulla tradizione filosofica medievale 9 (1998) 355–369.

[12] Cf. Oeing-Hanhoff, Die Methoden der Metaphysik im Mittelalter, in: P. Wilpert (Hrsg.), Die Metaphysik im Mittelalter (Miscellanea Mediaevalia 2), Berlin 1963, 71–91, bes. 79–81 und 89–91.

5. *Exemplaristische Metaphysik*

Dieses Ergebnis der Erkenntnisanalyse besitzt eine für das Metaphysikverständnis grundlegende Bedeutung, wie Bonventura selbst hervorhebt:
Das Ersterkannte ist nicht das Sein im Allgemeinen, sondern das erste, das
göttliche Sein (Hex X, 6 [V 387a]). Dieses wird nicht nur in seiner kognitiven Priorität, sondern auch in seiner ontologischen Erstheit erkannt und
affirmiert. Gerade in dieser Identität von Seins- und Erkenntnisprinzip
(Hex I, 13 [V 331b]) erweist sich das göttliche Sein als das Ersterkannte.
Allerdings enthält diese im ›Itinerarium‹ im Vergleich mit der ersten Antwort in ›De mysterio Trinitatis‹ festzustellende Zuspitzung der Fragestellung nach der Erkenntnisgewissheit zugleich eine fundamentale Metaphysikkritik. Denn anders als der Aufweis der Existenz Gottes *(Deum esse),*
der zweifelsfrei in den Bereich der natürlichen Erkenntnis fällt (Mys Trin,
q. 7, a. 2, ad 8 [V 109b]), erschließt sich der Begriff eines göttlichen Seins
(divinum esse) erst auf der dritten Grundstufe der Erkenntnisanalyse in
der Aufdeckung des Ersterkannten; hierzu bedarf es jedoch, wie Bonaventura mit Nachdruck betont, einer besonderen Erleuchtung (Itin V, 1 [V
308ab]). Damit aber vermag die Metaphysik das Fundament unserer Erkenntnis letztlich nicht adäquat auszuweisen.[13]

Gleichwohl richtet sich diese Metaphysikkritik nicht grundsätzlich gegen die Möglichkeit von Metaphysik überhaupt, sondern vielmehr gegen
eine bestimmte Form der Metaphysik. Dies zeigt sich besonders deutlich
hinsichtlich der Limitierung, die Bonaventura mit Bezug auf die Grundlegung der natürlichen Erkenntnis durch die Rückführung auf die ersten und
allgemeinsten Denkinhalte, die Transzendentalien, vornimmt. Bonaventura
bedient sich dieses in der aristotelischen Denktradition entwickelten Lehr-
stücks zu einer Auseinandersetzung mit den Grundlagen der aristotelischen Ontologie. Als erste Konzepte bleiben die Transzendentalien auf die
Stufe der unvollkommenen *resolutio* beschränkt. Die Metaphysik kann
demnach nicht als eine Untersuchung verstanden werden, die ihren Ausgang von einem rein formalen Gegenstand wie dem Seienden als solchen,
dem *ens inquantum ens,* nimmt, der nur einen intramentalen Status besitzt.
Die Metaphysik wird von Bonaventura vielmehr auf den Weg der Ursächlichkeit vom Geschaffenen zum Ungeschaffenen verwiesen. Sie betrachtet,
wie er in seiner Schrift ›De reductione artium ad theologiam‹ feststellt,
„alles Seiende, das sie auf ein Prinzip zurückführt, von dem es seinen idea-
len Gründen gemäß ausgegangen ist, nämlich auf Gott, sofern dieser Prin-

---

[13] Siehe hierzu A. Speer, 'Principalissimum fundamentum'. Die Stellung des Guten und das Metaphysikverständnis Bonaventuras, in: W. Goris (Hrsg.), Die Metaphysik und das Gute (RTPM Bibliotheca 2), Leuven 1999, 105–138.

zip, Ziel und Urbild ist". Daraus folgt die exemplaristisch-resolutive Gestalt der Metaphysik; darüber aber und insbesondere über die Annahme
der Ideen gebe es allerdings, wie Bonaventura eingesteht, unter den Me-
taphysikern „manche Kontroverse" (Red art 4 [V 321a]). Zu Recht, möchte man angesichts der Metaphysikentwürfe sagen, die im 13. Jh. – inspiriert
vor allem von Aristoteles und seinen arabischen Kommentatoren – diskutiert werden.

Gerade gegenüber dem im weitesten Sinne aristotelischen Metaphysik-
modell wird die Andersartigkeit von Bonventuras Metaphysikentwurf
deutlich. Ausgangspunkt seiner exemplaristischen Metaphysik ist, wie wir
bereits gesehen haben, ein zweifaches Verständnis von Sein: als „Sein aus
sich, gemäß seiner selbst und um seinetwillen" und als „Sein aus einem
anderen, gemäß einem anderen und eines anderen wegen". Mithin ist es
die vorrangige Aufgabe der Metaphysik, das Verhältnis zwischen notwen-
digem und kontingentem Sein zu bedenken (Hex I, 12 [V 331ab]). Ihr
ausgezeichneter Gegenstand ist das Sein unter der Maßgabe der alles umfassenden Urbildlichkeit *(exemplaritas)*. Denn das Sein hinsichtlich seines
alles hervorbringenden Ursprungs – die *causa efficiens* – wird primär in
der Physik erforscht, das Sein in Hinblick auf das letzte Ziel – die *causa
finalis* – hingegen ist vor allem Gegenstand der Ethik. Allein der Metaphysiker hat jedoch das Privileg, das Sein unter den Bedingungen der Exemplarität zu erforschen; darin kommt er mit keinem überein, ist er „wahrer
Metaphysiker" (Hex I, 13 [V 331b]). Eine solche Betrachtung des Seienden
hinsichtlich seines Ursprungs, seines Ordnungszusammenhanges und seiner Vollendung führt aber, wie Bonaventuras Erkenntnisanalyse gezeigt
hat, notwendigerweise auf jenes erste Sein *(esse primum)*, das allen geschaffenen Seienden vorausliegt und von diesen repräsentiert wird (Hex
X, 18 [V 379b]).

In seiner ersten Universitätspredigt über das Sechstagewerk fasst Bonaventura sein Metaphysikverständnis programmatisch zusammen. Mit der
Aussage „Dies ist unsere ganze Metaphysik" leitet er die Aufzählung einer
Reihe von Kriterien für eine Metaphysik ein, die diesem Anspruch wahrhaft zu genügen vermag. Für den wahren Metaphysiker besteht die auf das
zugrunde liegende Prinzip zurückführende metaphysische Mitte in der
Lehre von der Emanation, der Exemplarität und der Vollendung; denn das
bedeutet, „erleuchtet zu werden durch die geistigen Strahlen und zurückgeführt zu werden zum Höchsten" (Hex I, 17 [V 332b]). Konsequent führt
Bonaventura daher auch die 1270 verurteilten Irrtümer der Philosophen
auf einen philosophischen Grundirrtum zurück: auf die falsche Bestimmung eben jener metaphysischen Mitte. „Denn einige leugneten", so Bonaventura zu Beginn seiner sechsten ›Collatio in Hexaemeron‹, „dass es
in der ersten Ursache Urbilder der Dinge gebe. Deren Anführer war of-

fenbar Aristoteles, der am Anfang und am Ende seiner 'Metaphysik' sowie an vielen anderen Stellen die Ideen Platons verwirft" (Hex VI, 2 [V 360b]). Daraus folge ein dreifacher Irrtum, nämlich die Bestreitung der Urbildlichkeit, der göttlichen Vorsehung und der göttlichen Einrichtung des Weltlaufes sowie eine dreifache Blindheit: Die erste betrifft die Ewigkeit der Welt, die zweite die Einheit des Intellekts; aus beiden folge schließlich die dritte Form der Blindheit, dass es nach diesem Leben weder Glückseligkeit noch Strafe gebe (Hex VI, 3–4 [V 361ab] und VII, 1–2 [365ab]). Zwar könne Aristoteles für die Annahme der Ewigkeit der Welt entschuldigt werden, sofern er als Philosoph von der Natur geredet habe, und auch hinsichtlich der Einheit der Vernunft könnte gesagt werden, diese beziehe sich nur auf die Einstrahlung des Lichts, nicht jedoch auf die Vernunft selbst, sofern sie einem Träger zugerechnet wird. Dies ändert aber nichts an der Tatsache, dass andere Philosophen erleuchtet waren und deshalb die Ideen annahmen. Zu diesen zählt Bonaventura unter anderem den edlen Plotin aus der Schule Platons und Cicero aus der Schule der Akademie (Hex VII, 3 [V 365b]). „Und so schienen diese erleuchtet und durch sich das Glück *(felicitas)* besitzen zu können. Aber noch", so Bonaventura, „waren sie in der Finsternis, weil sie nicht das Licht des Glaubens hatten" (Hex VII, 3 [V 365b–366a]). – Ein nicht unproblematisches Philosophenlob!

Denn wie steht es angesichts dieses doppeldeutigen Resümees, das die philosophische Kritik gewissermaßen theologisch konterkariert, mit den Möglichkeiten der Gewissheit und Reichweite der natürlichen Erkenntnis? Basiert Bonaventuras „erleuchtete" Metaphysik letztlich nicht doch auf einer theologischen Grundannahme, und wird damit nicht alle Philosophie letztlich auf die Theologie zurückgeführt? Ist dann aber Bonaventuras Denkentwurf im Grunde genommen nicht doch nur der restaurative Versuch einer Erneuerung des augustinischen Konzepts einer theologischen Einheitswissenschaft angesichts der aristotelisch-arabischen Herausforderung? – so eine häufig anzutreffende Auffassung. In der Tat, wenn wir die mit dem aristotelischen Wissenschaftsmodell verbundene Idee wissenschaftlichen Fortschritts zum Maßstab nehmen, dann hat Bonaventura insbesondere in seinen späten Universitätspredigten deutlichen Einspruch erhoben. Klarsichtiger vielleicht als manche Zeitgenossen artikuliert er die Grenzen dieses Wissens. Nachdrücklicher fordert er eine klare Rechenschaftsabgabe über die Gewissheitsgründe jeglichen Wissens. Damit steht er in der Tradition einer von Augustinus inspirierten Kritik, die sich bereits im ersten lateinischen Kommentar zu den ›Zweiten Analytiken‹ findet. Pointiert kann man die kritische Anfrage des Kommentators Robert Grosseteste, ob eine prädikative Allgemeinheit der Universalien nicht ihre ontologische Priorität voraussetzt, als Verschärfung der Gewissheitsforderung begreifen, die Aristoteles selbst hinsichtlich der Notwendigkeit und der Ewigkeit der Prämissen erhebt[14]. Wir erkennen unmittelbar das gemeinsame epistemologische Motiv. Beiden, Robert wie Bonaventura, geht es nicht um einen plumpen Antiaristotelismus. Das Gegenteil ist der Fall. Die aristotelische Analyse begründeten Wissens führt vielmehr zu einer produktiven Auseinandersetzung mit den Grundlagen der augustinischen Erkenntnislehre, die sich nun am argumentativen Anspruch des Aristoteles messen lassen muss. Und dies genau geschieht. Damit aber erscheint das traditionelle Schwarzweißschema Augustinismus versus Aristotelismus obsolet. Die Art und Weise, wie Grosseteste und Bonaventura oder später Heinrich von Gent die Frage der Erkenntnisgewissheit zum Ausgangspunkt ihrer epistemologischen Analyse machen, verweist vielmehr auf die intrinsisch philosophischen Motive, die zu einer augustinisch inspirierten Aristoteleslektüre bzw. zu einer aristotelischen Annäherung an die augustinische Erkenntnislehre führen.

6. Philosophie und Weisheit

Wie Bonaventura in den ›Collationes de septem donis Spiritus Sancti‹ – Von den sieben Gaben des Heiligen Geistes –, der zweiten der drei späten Pariser Predigtreihen aus dem Frühjahr 1268, deutlich macht, gilt diese Erkenntniskritik jedoch nicht nur der natürlichen, der philosophischen Erkenntnis, sondern auch dem theologischen Glaubenswissen und selbst dem durch die Gnade der Heiligkeit vermittelten glorienhaften Wissen. Ausgangspunkt dieser Erkenntniskritik ist die jeder Form des Wissens vorausliegende Unterscheidung in das eingeborene oder natürliche Licht des Urteilsvermögens bzw. der Vernunft, welches den vernunftbegabten Geschöpfen eingeprägt ist, und in das eingegossene Licht des Glaubens (Don Spir IV, 2 [V 474a]). Besteht das philosophische Wissen (scientia philosophica) in der gewissen Kenntnis einer nachprüfbaren Wahrheit, so das theologische Wissen (scientia theologica) in der frommen Kenntnis einer glaubbaren Wahrheit (Don Spir IV, 5 [V 474b]). Und wie bereits in den ›Quaestiones disputatae de Mysterio Trinitatis‹ aus Bonaventuras Zeit als Pariser Theologieprofessor bildet die Frage nach dem Fundament jeder Erkenntnis, die Anspruch auf Gewissheit zu erheben vermag, die notwendige Voraussetzung auch für die theologische Analyse und die Glaubenserkenntnis. Die Frage nach der Erkenntnisgewissheit ist für Bonaventura zweifellos eine philosophische Aufgabe, die ihrerseits eine Fundierung des philoso-

---

[14] Robert Grosseteste, Commentarius in Posteriorum Analyticorum libros, I, 7 (cf. Anal. post. I, 8 [75b 24–25]), ed. P. Rossi, Florenz 1981, 139–141.

phischen Wissens in diesen eigentümlichen Prinzipien erfordert. Hierbei kommt der natürlichen Gotteserkenntnis eine besondere Bedeutung zu, entspricht doch die Suche nach Erkenntnisgewissheit der Aufstiegsbewegung des Geistes zu Gott als dem ersten Prinzip. Die Gotteserkenntnis als Ernstfall des Erkennens weist der natürlichen Erkenntnis jedoch zugleich seine unüberschreitbare Grenze an: Diese liegt – wie wir gesehen haben – im Schritt vom Aufweis der Existenz Gottes *(Deum esse)* als Gewissheitsfundament unseres Erkennens zur Erschließung des göttlichen Seins *(divinum esse)* als des Ersterkannten, dem gegenüber der menschliche Verstand – wie die Fledermaus oder der Nachtvogel (Met. II, 1 [993b 9–11]) – in einer wundersamen Blindheit verharrt, ist es doch an sich das Offenbarste, ohne das nichts erkannt werden kann (Itin V, 4 [V 309a]; Mys Trin, q. 7, a. 2, ad 8 [V 109b]).

Der Weg zur Aufdeckung des Gewissheitsfundaments besteht in der vollständigen Erkenntnisanalye, der *plena resolutio* – das große Leitmotiv des bonaventuranischen Denkens. Auch die den „drei primären Strahlen der Wahrheit" folgende Einteilung der Philosophie ist Ausdruck jener natürlichen Gotteserkenntnis, die unmittelbar mit der vollständigen Auflösung und Analyse jeder Erkenntnis gegeben ist (I Sent, d. 3, p. 1, a. 1, q. 4, ad 1 [I 76b]; Hex IV, 5 [V 349a]). Gemäß dieser Einteilung der einen „sicheren und festen Wahrheit" in die Wahrheit der Dinge *(veritas rerum)*, die Wahrheit der Sprache *(veritas vocum sive sermonum)* und die sittliche Wahrheit *(veritas morum)* unterteilt Bonaventura das philosophische Wissen nach dem Modell der akademisch-stoischen Wissenschaftseinteilung *(divisio philosophiae)* in Physik, Logik und Ethik in eine *scientia naturalis, scientia rationalis* und *scientia moralis,* je nachdem sich das philosophische Wissen auf die Ursache des Seienden *(causa essendi),* den Grund des Verstehens *(ratio intelligendi)* und die Ordnung des Lebens *(ordo vivendi)* erstreckt (Don Spir IV, 6–7 [V 474b–475a]). Diese in wiederum jeweils drei Disziplinen unterteilten Bereiche der Philosophie beschreiben den Horizont natürlichen Wissens.[15] „Die Philosophen gaben neun Wissenschaften und versprachen, eine zehnte zu geben, nämlich die Schau *(contemplatio)*", so leitet Bonaventura seine erneute Philosophenkritik ein (Hex IV, 1 [V 349a]). „Danach wollten sie zur Weisheit gelangen, und die Wahrheit zog sie dorthin. Und sie versprachen, die Weisheit zu geben, das ist die Glückseligkeit, d. h. einen zur vollkommenen Einsicht gelangten Intellekt *(intellectus adeptus)*." Dies, so sagt Bonaventura, versprachen die Philosophen ihren Schülern (Hex V, 22 [V 357b]). „Aber", so fügt er hinzu, „es gibt keinen sicheren Übergang vom Wissen zur Weisheit" (Hex XIX, 3 [V 420b]). Denn die Philosophen verfügen nur über „Straußenfedern".

---

[15] Hierzu ausführlich A. Speer, Triplex veritas (wie Anm. 7), 48–52 und 114–120.

Darum auch behaupten sie einen falschen Kreislauf der Glückseligkeit
(Hex VII, 5 [V 367a]). Es ist mithin vor allem die Unfähigkeit der Philosophie, den Menschen zu seinem letzten Ziel, d. h. zur Glückseligkeit zu
führen, die ihre Begrenztheit ausmacht. Diese Kritik trifft sogar die er-
leuchteten Platoniker.

Um zur Weisheit zu gelangen, bedarf es abermals der richtigen Bestimmung der Mitte *(medium):* Diese ist die Heiligkeit *(sanctitas).* Der Übergang *(transitus)* aber ist ein Exerzitium, eine Übung, die vom Streben nach
Wissen zum Streben nach Heiligkeit und sodann vom Streben nach Heiligkeit zum Streben nach Weisheit führt (Hex XIX, 3 [V 420b]). In diesem
eminent praktischen Weisheitsexerzitium kommt der Philosophie nur eine
begrenzte Rolle zu, denn die Weisheitskompetenz der Philosophie ist beschränkt. Bonaventuras Kritik richtet sich gegen jeden Anschein, als könne
die Glückseligkeit in dieses Leben versetzt werden (Hex VII, 2 [V 365ab]),
etwa durch ein Leben nach Art des Philosophen, der – so Boethius von
Dacien in seinem Traktat ›Über das höchste Gute oder das Leben des
Philosophen‹ *(De summo bono sive de vita philosophi)* – sein Leben in das
Studium der Weisheit setzt, „der nach der richtigen Ordnung der Natur
lebt und der das Beste sowie das letzte Ziel des menschlichen Lebens
erreicht hat".[16] Auch wenn die Metaphysik sich bis zum höchsten Sein und
bis zu den höchsten Substanzen erstreckt, so bleibt die Philosophie für
Bonaventura doch nur der Weg zu allem wahrhaft weisheitlichen Wissen;
„wer dort (d. h. bei der Philosopie) stehenzubleiben trachtet, fällt in die
Finsternis" (Don Spir IV, 12 [V 476a]). Somit gibt es letztlich nur einen
unbestreitbaren Platz für die Philosophie: insofern sie die Frage nach der
Gewissheitsgrundlage unseres Erkennens stellt und zugleich dessen Reichweite aufzeigt – nach Art eines Wissenden, sofern der Intellekt auf die
erkenntnisleitenden Maßgaben stößt, nach Art eines Weisen, sofern diese
das Erkennen auf ein letztes Prinzip zurückführen und darin zur Ruhe
bringen. Dies ist aber nur wenigen vorbehalten, wie Bonaventura einräumt,
und „deswegen sind auch nur wenige weise, mögen auch viele wissend
sein" (Sc Chr, q. 4, ad 19 [V 26a]).

---

[16] Boethius von Dacien, De aeternitate mundi (ed. N. G. Green-Pedersen, Boethii Daci Opera VI,2), 374 und 377 [dt. K. Flasch, in: G:schichte der Philosophie in
Text und Darstellung, Bd. 2: Mittelalter, Stuttgart 198?, 368 und 371].

Auswahlbibliographie

Quellentexte

Werke und verwendete Kurztitel

Die Werke Bonaventuras werden zitiert nach der so genannten Quaracchi-Edition:
Bonaventurae doctoris seraphici Opera omnia, 10 Bände (und Registerband),
Quaracchi 1882–1902. Bei Zitation im Text werden die folgenden Kurztitel verwendet:

Chr mag	Sermo IV: Christus unus omnium est magister (Opera omnia V, 567–574)
Don Spir	De septem donis Spiritus sancti (Opera omnia V, 457–503)
Itin	Itinerarium mentis in Deum (Opera omnia V, 296–313)
Hex	Collationes in Hexaemeron (Opera omnia V, 329–449)
Mys Trin	Quaestiones disputatae de mysterio Trinitatis (Opera omnia V, 45–115)
Sc Chr	Quaestiones disputatae de scientia Christi (Opera omnia V, 3–43)
I–IV Sent	Commentarii in quatuor libros Sententiarum (Opera omnia I–IV)

Deutsche Übersetzungen

Quaestiones disputatae de scientia Christi – Vom Wissen Christi, übersetzt, kommentiert und mit Einleitung hrsg. von A. Speer, Hamburg 1992 (PhB 446).

Itinerarium mentis in Deum – Pilgerbuch der Seele zu Gott – und De reductione artium ad theologiam – Die Zurückführung der Künste auf die Theologie, eingeleitet, übersetzt und erläutert von J. Kaup, München 1961.

Collationes in Hexaemeron – Sechstagewerk, übersetzt und eingeleitet von W. Nyssen, München 1964. – Eine gute Teilübersetzung der Collationes in Hexaemeron III, V, VI und XIX (in Auszügen) findet sich ferner in: K. Flasch (Hrsg.), Geschichte der Philosophie in Text und Darstellung, Bd. 2: Mittelalter, Stuttgart 1982, 333–354.

Übersetzungen von ausgewählten Texten zur Gewissheitsproblematik (aus De mysterio Trinitatis, De scientia Christi, Christus unus omnium est magister und aus dem ersten Buch des Sentenzenkommentars) finden sich bei M. Schlosser, Über den Grund der Gewißheit. Ausgewählte Texte (übersetzt und mit Erläuterungen versehen), Weinheim 1991.

Sekundärliteratur

Bougerol, J. G. (Hrsg.): S. Bonaventura 1274–1974. Volumen commemorativum anni septies centenarii a morte S. Bonaventurae Doctoris Seraphici, 5 Bde., Grottaferrata 1973 (mit umfassender Bibliographie).

Bougerol, J. G.: Introduction à Saint Bonaventure, Paris 1988.

Gilson, É.: Die Philosophie des Heiligen Bonaventura, Hellerau 1929 [Frz.: La philosophie de saint Bonaventure (Études de philosophie médiévale 4), Paris 1924].

Imbach, R.: Bonaventura: Collationes in Hexaemeron, in: K. Flasch (Hrsg.), Interpretationen, Hauptwerke der Philosophie: Mittelalter, Stuttgart 1998, 270–291.

Ratzinger, J.: Die Geschichtstheologie des Heiligen Bonaventura, München 1959.

Ruh, K.: Geschichte der abendländischen Mystik, Band 2, München 1993 (zu Bonaventura bes. 406–445).

Speer, A.: Triplex veritas. Wahrheitsverständnis und philosophische Denkform Bonaventuras (Franziskanische Forschungen 32), Werl, Westf., 1987.

Speer, A.: Bonaventure and the Question of a Medieval Philosophy, in: Medieval Philosophy and Theology 6 (1997) 25–46.

Speer, A.: 'Principalisimum fundamentum'. Die Stellung des Guten und das Metaphysikverständnis Bonaventuras, in: W. Goris (Hrsg.), Die Metaphysik und das Gute (RTPM Bibliotheca 2), Leuven 1999, 105–138.

Van Steenberghen, F.: Die Philosophie im 13. Jahrhundert, München 1977 (zu Bonaventura bes. 185–253. 403–405) [Frz.: La philosophie au 13ème siècle, 2ème édition (Philosophes médiévaux 28), Louvain/Paris 1991 (zu Bonaventura bes. 177–244. 385–387)].

THOMAS VON AQUIN

Alle Menschen verlangen von Natur nach Wissen

Von Jan A. Aertsen

Einleitung

In seinem relativ kurzen Leben (1224/5–1274) hat Thomas von Aquin ein umfangreiches Œuvre geschaffen. Es wird in der noch immer nicht vollendeten Neuausgabe seiner ›Opera omnia‹, der so genannten ›Leonina‹, mehr als 50 Bände umfassen. Wie gewinnen wir einen Zugang zu diesem scholastischen Monument?[1] Lässt sich bei Thomas *ein* Gedanke auffinden, der seine Schriften durchzieht und das Grundlegende seines Denkens darstellt?

In der Forschung hat man mehrfach versucht, „das Wesen des Thomismus" zu bestimmen. In der ersten Hälfte unseres Jahrhunderts wurde dieses Wesen vor allem im Aristotelismus gesucht, in der Weiterführung der Lehre von Akt und Potenz. Das thomasische Denken wurde als der Höhepunkt des „christlichen Aristotelismus" gedeutet.[2] Nun ist es wahr, dass die wichtigste geistesgeschichtliche Entwicklung des 13. Jh., die Aristoteles-Rezeption, das Denken des Thomas nachhaltig geprägt hat. Er selbst hat sich intensiv mit „dem Philosophen" beschäftigt und – höchst bemerkenswert für einen Theologen – zwölf Kommentare verfasst, unter anderem zu den ›Zweiten Analytiken‹, der ›Physik‹, ›Metaphysik‹ und ›Ethik‹. Dennoch wäre es verfehlt, den Thomismus einfach als eine Weiterführung des Aristotelismus zu betrachten. Zu dieser Einsicht hat eine Wende in der Thomasforschung seit den Fünfzigerjahren beigetragen. Sie stellt nach dem Aristoteliker Thomas den Platoniker in den Vordergrund.

Mehrere Studien haben darauf hingewiesen, dass die charakteristischsten Thesen des Thomas durch den platonischen Grundbegriff der „Teil-

---

[1] Eine ausgezeichnete Einführung in das Leben und Werk des Thomas bietet J.-P. Torrell, Magister Thomas. Leben und Werk des Thomas von Aquin, aus dem Franz. übers. von K. Weibel in Zusammenarbeit mit D. Fischli und R. Imbach, Freiburg im Breisgau 1995. Das Buch enthält (345–373) ein Verzeichnis aller Schriften des Thomas (mit Angabe der Editionen und vorhandener Übersetzungen).

[2] G. Manser, Das Wesen des Thomismus, Freiburg ³1949.

habe" *(participatio)* dominiert werden, also jenen Begriff, den Aristoteles einer scharfen Kritik unterzogen hatte.[3] Der Neuplatonismus war Thomas durch zwei Kommentare gut bekannt, durch seinen Kommentar zu der stark von Proklos abhängigen Schrift ›Über die göttlichen Namen‹ (›De divinis nominibus‹) des Ps.-Dionysius Areopagita und durch seinen Kommentar zu dem anonymen ›Buch der Ursachen‹ (›Liber de causis‹). Thomas war der erste im Mittelalter, der entdeckte, dass diese Schrift, welche Albert der Große noch Aristoteles zugeschrieben hatte, in Wahrheit einen Auszug aus der ›Elementatio theologica‹ des Proklos darstellt.

Die Auseinandersetzungen über das „Wesen des Thomismus" sind unbefriedigend, insofern sie versuchen, Thomas auf eine bestimmte Denktradition festzulegen. Deshalb folgen wir in unserer Analyse einer anderen Annäherung. Sie nimmt nicht eine inhaltliche Lehre zum Ausgangspunkt, sondern vielmehr die Dynamik des Denkens selbst. Der „Grundgedanke" des „natürlichen Wissensverlangens" ermöglicht es, den Denkweg des Thomas – in seinem Anfang, Fortschreiten und Ende – zu verfolgen.

I. Das Verlangen nach Wissen und die Legitimität der Philosophie

An mehreren Stellen in seinen Werken und in unterschiedlichen Begründungszusammenhängen verweist Thomas auf den berühmten Eröffnungssatz der ›Metaphysik‹ des Aristoteles (980a 21): „Alle Menschen verlangen von Natur nach Wissen." Offensichtlich zeigt sich nach Thomas in der Aussage „des Philosophen" eine grundlegende Dimension des Menschseins. Betrachten wir die Elemente des aristotelischen Satzes etwas näher. „Verlangen" besagt ein Streben nach dem, was man noch nicht besitzt. Es drückt mithin eine Dynamik aus, die eine Nicht-Identität zu überwinden sucht. Diese Dynamik ist zielorientiert: Ziel des Verlangens ist „Wissen". Der Mensch nimmt Phänomene, z. B. eine Sonnenfinsternis, wahr und wundert sich über das, was er sieht. Das Staunen ist der Anfang der Wissbegierde: Es ruft das Verlangen hervor, die Ursachen des Gesehenen zu wissen. Dieses Verlangen ist „natürlich", d. h. in der Natur des Menschen verwurzelt. Gerade weil der Mensch, ein vernunftbegabtes Sinnenwesen ist, strebt er nach Erkenntnis als seinem Ziel. Darum kann Aristoteles auch sagen, dass „alle" Menschen nach Wissen verlangen.

Im Unterschied zu Aristoteles führt Thomas in seinem Kommentar zur

[3] C. Fabro, La nozione metafisica di partizipazione secondo S. Tommaso d'Aquino, Turin [3]1963; ders., Participation et causalité selon S. Thomas d'Aquin, Louvain/Paris 1961; L. B. Geiger, La participation dans la philosophie de S. Thomas d'Aquin, Paris [2]1953.

›Metaphysik‹ mehrere Argumente für das Verlangen nach Wissen an (In I Metaph., lect. 1, 1–4). Das erste gründet sich auf die Überlegung, dass jedes Ding von Natur nach seiner Vollkommenheit *(perfectio)* strebt. Etwas ist vollendet, wenn seine natürlichen Möglichkeiten verwirklicht sind. Was heißt das für den Menschen? Das ihm eigentümliche Vermögen, durch welches er sich von den Tieren unterscheidet, ist die Vernunft. Durch seine geistigen Vermögen besitzt der Mensch Weltoffenheit, allerdings nur der Möglichkeit nach. Er besitzt keine angeborene Erkenntnis, sondern hat sich die Welt geistig anzueignen. Erkenntnis ist die Verwirklichung der natürlichen menschlichen Potentialitäten, die Vollendung seiner Natur. Deshalb verlangt der Mensch von Natur nach Wissen.

Aus diesem Argument ergibt sich – und Thomas zieht den Schluss explizit (In I De anima, lect. 1, 3) –, dass „jedes Wissen gut ist" *(omnis scientia bona est),* da Erkenntnis die Vervollkommnung des Menschen als Menschen sei, die Erfüllung seines natürlichen Verlangens.

Mit diesem Wissenskonzept stellt sich Thomas einer in monastischen Kreisen vorherrschenden Tradition gegenüber, die im Menschen eine lasterhafte Wissbegierde beklagt, die „Neugierde" *(curiositas)*. Ein Vertreter jenes Wissenskonzeptes ist Bernhard von Clairvaux (12. Jh.), der in einer Predigt bemerkt: „Du sollst wissen, zu welchem Ziel man die Dinge erkennen muss: nicht zur Neugierde, sondern zur Erbauung. Denn es gibt Leute, die wissen wollen, nur um zu wissen, und das ist ekelhafte Neugierde."[4] *Curiositas* ist die Versuchung, Erkenntnis nur um der Erkenntnis willen zu suchen.

Diese Ansicht geht auf Augustin zurück, der im X. Buch seiner ›Bekenntnisse‹ (›Confessiones‹) vom Laster der Neugierde handelt. Er bezeichnet (c. 35) die *curiositas* als „eine eitle Begierde, die mit dem großen Namen 'Wissenschaft' bemäntelt wird *(palliata)*". Wissen ist nach Augustin kein Ziel in sich, sondern soll dem menschlichen Heil und dem Glauben dienstbar sein. Von dieser Perspektive her kritisiert er die Philosophen, welche die Natur der Dinge untersuchen. „Wegen einer morbiden Neugierde (…) bemüht man sich, Naturerscheinungen, die außerhalb unseres Bereiches liegen und deren Kenntnis keinerlei Nutzen bringt, zu erforschen. Von nichts anderem als bloßer Wissbegierde lässt man sich treiben."

Für Thomas jedoch ist die menschliche Wissbegierde kein Laster. Aristoteles folgend, sieht er das Verlangen nach Wissen als „natürlich" und als den Weg zur menschlichen Vervollkommnung an. Das augustinisch-monastische Wissenskonzept spielt deshalb in seinem durch die „Scholastik" geprägten Werk keine Rolle. In dem Teil der ›Summa theologiae‹, der vom

---

[4] S. Bernardi Opera II, Sermo 36, ed. J. Leclercq/C. H. Talbo/H. M. Rochais, Rom 1958, 5.

Thema der *curiositas* handelt, behauptet Thomas, „das Studium der Philosophie sei an sich legitim und lobenswert" (S. th. II–II, 167, 1 ad 3).

II. Der Anfang des Wissens: die Lehre von den Transzendentalien

Wissbegierde drückt eine Unvollkommenheit aus: Wer nach Wissen verlangt, weiß noch nicht. Deshalb, so lehrte bereits Platon (Symposion 204a), „philosophiert von den Göttern niemand"; sie sind ja wissend und weise. Philosophieren ist dem Menschen eigentümlich; er ist auf dem Wege zum Wissen. Thomas widmet dem Anfang des Denkweges große Aufmerksamkeit. Er stellt die Frage nach einem Ersten in kognitiver Hinsicht, das die Bedingung für jede weitere Vernunfterkenntnis ist.

Dieses Erste lässt sich nur durch eine reflexive Analyse des Gewussten, durch eine *resolutio* oder *reductio,* gewinnen. Was heißt *scientia?* Wir übersetzen das Wort gemeinhin mit „Wissenschaft", aber der Terminus hat in der aristotelischen Tradition eine präzise Bedeutung. *Scientia* bezeichnet eine begründete Erkenntnis, ein Wissen aufgrund eines Beweises. Wissenschaftlich erkennbar im eigentlichen Sinne ist deshalb nur der Schluss eines Beweises. Diese Struktur impliziert, dass *scientia* abgeleitete Erkenntnis ist: Der Schluss des Beweises wird durch Prämissen, die vorher bekannt sein müssen, begründet. Wissenschaft setzt Vorkenntnisse voraus.

Die Erkenntnis der Prämissen kann das Ergebnis eines vorangehenden Syllogismus sein, aber dieser Rückgang auf früher Gewusstes kann nicht bis ins Unendliche weitergehen. Das Unendliche ist ja nicht zu durchlaufen. *Scientia* erfordert die Endlichkeit der Begründungsreihe, sie muss letztlich auf ein Erstes zurückgeführt werden, das nicht mehr durch etwas Anderes, sondern unmittelbar einsichtig ist. Das erste Prinzip des Wissens ist nach Aristoteles der Satz vom Widerspruch: „Es ist unmöglich, dass etwas zugleich und in derselben Hinsicht ist und nicht ist." Er nennt (Metaph. IV, 1005 b14) dieses Prinzip, das jedem menschlichen Reden zugrunde liegt, das „Voraussetzungslose" (anhypotheton) des Denkens, eine Bezeichnung, die Platon für die Idee des Guten verwendete.

Ein im Vergleich zu Aristoteles neues Element bei Thomas ist der Gedanke einer Analogie zwischen der Ordnung des demonstrativen Wissens und der Ordnung der Begriffserkenntnis. In einem klassischen Text in De veritate (q. 1, art. 1) legt er dar, dass auch in diesem Bereich die Rückführung auf ein Erstes notwendig sei.

Die Erkenntnis der Wesenheit eines Dinges (z. B. „Mensch") erfordert Vorkenntnisse, denn eine Definition wird aus den Begriffen der Gattung und der Differenz gebildet. „Mensch" wird auf etwas Allgemeineres („Sin-

nenwesen") zurückgeführt, das bekannter als der zu definierende Begriff
sein muss, damit die Definition ihre Erklärungsfunktion erfüllen kann. Die
Rückführung auf allgemeinere Begriffe kann jedoch nicht bis ins Unendliche weitergehen. Ein unendlicher Regress würde die Bildung von Definitionen unmöglich machen. Die *resolutio* führt zu einem ersten Begriff,
der durch sich selbst evident ist. Dieses Ersterkannte, das in jedem Begriff
miterfasst wird, ist „Seiendes" *(ens)*.

Die Analogie zwischen der Ordnung des Beweises und der Ordnung der
Begriffe ist allerdings nicht eine Originalidee des Thomas. Sie ist dem arabischen Denker Avicenna entnommen, der in seiner ›Metaphysik‹ (I, c.5)
die Lehre von den Erstbegriffen einführt. Im Vergleich zu Avicenna und
seiner eigenen Darstellung in ›De veritate‹ geht Thomas im Kommentar
zur ›Metaphysik‹ des Aristoteles (IV, lect. 6, 605) einen Schritt weiter. Es
gibt nicht nur eine Analogie zwischen der Beweisordnung und der Be-
griffsordnung, sondern ein Begründungsverhältnis. Der oberste Grundsatz
des Wissens, das Nicht-Widerspruchsprinzip, gründet sich auf das, was der
Verstand als Erstes erfasst und ohne welches nichts verstanden werden
kann, nämlich „Seiendes". Thomas gibt dem anhypotheton des Aristoteles
eine philosophische Fundierung.

„Seiendes" ist das Ersterkannte; etwas ist nur erkennbar, insofern es
Sein besitzt. Daraus zieht Thomas (De veritate 1,1) sofort den Schluss:
„Deshalb müssen sich alle anderen Begriffe des Verstandes aus einer Hin-
zufügung zu dem des 'Seienden' auffassen lassen." Aber wie ist solch eine
Addition möglich? Zu „Seiendes" kann nicht etwas hinzugefügt werden
wie ein außerhalb seiner liegender Gehalt; außerhalb des Seienden gibt es
nichts. Eine Differenzierung des „Seienden" ist nur durch eine innere Auslegung möglich, d. h. durch eine Explikation desjenigen, was implizit im
Seinsbegriff enthalten ist. Andere Begriffe können in dem Sinne etwas zu
„Seiendes" hinzufügen, dass sie eine Seinsweise *(modus essendi)* ausdrücken, die durch das Wort „Seiendes" selbst noch nicht zum Ausdruck gebracht wird.

Diese modale Explizierung kann auf zwei Weisen stattfinden. Was ausgedrückt wird, kann erstens eine *besondere* Seinsweise sein. Jene „Beson-
derung" geschieht durch die höchsten Genera, welche Aristoteles die „Kategorien" nannte. Nach Aristoteles lassen sich die Naturdinge in zehn Kategorien einteilen, die Substanz und die neun Akzidentien (wie Quantität
und Qualität). Die zweite Explizierung betrifft eine *allgemeine* Seinsweise,
die jedwedem Seienden zukommt. Sie geschieht durch die sog. transzendentalen Begriffe *(transcendentia)*.

"Transzendental" im mittelalterlichen Sinne steht – anders als bei Kant
– „kategorial" gegenüber. Die im 13. Jh. herausgebildete Lehre von den
Transzendentalien ist eine Lehre von den ersten und umfassendsten Be-

griffen, die wegen ihrer Allgemeinheit die Kategorien übersteigen.[5] In ›De veritate‹ q. 1, a. 1 gibt Thomas eine systematische Ableitung der *transcendentia*, die den Sinn des Seienden explizieren; die wichtigsten sind „das Eine" *(unum)*, „das Wahre" *(verum)* und „das Gute" *(bonum)*. Das „Eine" drückt etwas aus, das jedes Seiende in sich betrifft; es besagt, dass jedes Seiende, insofern es ist, ungeteilt ist. Das „Wahre" und das „Gute" sind dagegen Bestimmungen, die das Seiende in dessen Hinordnung auf ein anderes betreffen. Die Bedingung für diese relationale Seinsweise ist etwas, das von Natur geeignet ist, mit jedem Seienden übereinzustimmen. Von dieser Art ist nach Thomas die menschliche Seele. In seiner Ableitung der Transzendentalien kommt die Sonderstellung des Menschen im Kosmos zum Ausdruck. Der Mensch verhält sich in seinem Erkennen und Streben zum Seienden im Ganzen; er ist das Wesen, das durch eine transzendentale Offenheit gekennzeichnet ist. Das Übereinstimmen eines Seienden mit dem Verstand, seine Intelligibilität, drückt das Wort „Wahres" aus, das Übereinstimmen mit dem Streben das Wort „Gutes".

III. Der Fortschritt des Wissens: die Geschichte der Seinsfrage

Die Erstbegriffe sind der Anfang des Wissens, sie bilden „die Keime *(semina)* der Wissenschaft" (De verit. 11, 1). Jedes weitere Wissen hat der Mensch durch Fragen und Forschen zu erwerben. Erst allmählich, nach manchmal mühsamen Untersuchungen, gelangt er zur Einsicht. Die menschliche Erkenntnisweise ist nicht die des *intellectus,* der unmittelbar, in einer Wesensschau, die Wahrheit der Dinge fasst. Die „intellektuelle" Erkenntnisweise ist den rein geistigen Wesen eigen; der Mensch steht jedoch auf der Grenzscheide *(horizont)* des Geistigen und Körperlichen. Für ihn als *animal rationale* ist die eigentümliche Erkenntnisweise die der *ratio*. Diese hat zwei Merkmale: die Abhängigkeit von der sinnlichen Erfahrung und die Diskursivität, das Fortschreiten vom einen zum anderen, vom Bekannten zum noch Unbekannten.[6]

Der diskursive Prozess gilt nicht nur für den einzelnen Menschen, sondern auch für die Menschheit als ganze. Wir bauen auf demjenigen auf, was von unseren Vorgängern geleistet worden ist (S. th. I–II,97,1). Die Geschichte der Philosophie ist selbst ein „Diskurs". In einem Text in der

---

[5] Zur Transzendentalienlehre J. A. Aertsen, Medieval Philosophy and the Transcendentals. The Case of Thomas Aquinas, Leiden/New York/Köln 1996.

[6] Zum Unterschied zwischen *ratio* und *intellectus* siehe die materialreiche Studie von J. Peghaire, Intellectus et Ratio selon St. Thomas d'Aquin, Paris/Ottawa 1936.

›Summa theologiae‹ (I, q. 44, a. 2) stellt Thomas seine Sicht des Fortschritts der Philosophie dar, den er auf die Geschichte der Seinsfrage zuspitzt. Der Aquinate erhebt die Frage: „Ist die erste Materie von Gott erschaffen?" In der Fragestellung werden Begriffe aus zwei verschiedenen Traditionen aufeinander bezogen. „Erste Materie" ist in der Physik und in der Metaphysik des Aristoteles ein Schlüsselbegriff, der eine gemeinsame Überzeugung des griechischen Denkens, nämlich „aus Nichts wird Nichts" *(ex nihilo nihil fit)*, auf philosophische Weise fasst. Jedes Werden setzt etwas voraus; dieses Zugrundeliegende ist letztendlich „die erste Materie", die selber ungeworden ist. Die Annahme eines Werdens der ersten Materie würde, so legt Aristoteles dar, zu der Ungereimtheit führen, dass sie bereits da sein müsste, bevor sie werden würde, da jedes Entstehen ein Zugrundeliegendes erfordert. „Schöpfung" dagegen ist ein Grundbegriff aus der christlichen Tradition. Schon früh im christlichen Denken wurde das Einzigartige dieser Hervorbringung mit der Formel *creatio ex nihilo* ausgedrückt. Schöpfung ist ein Hervorgang, der nichts im Hervorgebrachten voraussetzt. Gerade die Möglichkeit des Schöpfungsgedankens hatte der arabische Philosoph Averroes mit aristotelischen Argumenten verneint.[7] Wo nichts da ist, kann auch nichts werden.

In seiner Beantwortung der Frage skizziert Thomas den Fortschritt der Philosophie. Er unterscheidet in der Reflexion über den Ursprung der Dinge drei Phasen, mit denen jeweils verschiedene Auffassungen über die Struktur und das Werden der Dinge verbunden sind.

Einen ersten Versuch zur Seinserhellung finden wir bei den Vorsokratikern. Sie waren dem Sinnlichen noch so sehr verhaftet, dass sie meinten, nur das, was stofflich sei, existiere. Dies sei aus „Substanz" und „Akzidens" zusammengesetzt. Die ersten Philosophen waren der Ansicht, dass die „Substanz" der Dinge ein Urstoff sei, z. B. Wasser (Thales) oder Luft (Anaximenes), den sie als ungeworden und unvergänglich betrachteten. Die Differenzierung zwischen den Dingen sei auf akzidentelle Formen zurückzuführen. Die Konsequenz dieser Betrachtungsweise ist, dass das Werden der Dinge nichts anders als eine akzidentelle Veränderung *(alteratio)* eines immerwährenden Urstoffs ist. Werden bezieht sich nur auf die akzidentellen Formen einer Ursubstanz.

Die zweite Stufe in der Geschichte der Seinsfrage beginnt, als sich die philosophische Analyse auf das Seiende im eigentlichen Sinne, die Substanz, richtet und sie in Materie und (Wesens-)Form auflöst, die sich wie Potenz (Möglichkeit) und Akt (Wirklichkeit) zueinander verhalten. Die Materie ist das unbestimmte Moment in der Seinsstruktur, das erst durch

---

[7] Thomas weist darauf in seinem Kommentar zur ›Physik‹ (VIII, lect. 2, 973) hin. Cf. Averroes, In Physic. VIII, c. 4, Venedig 1562 (ND Frankfurt 1962) fol. 341 ra–b.

die Form zur Wirklichkeit geführt wird. Die Unterscheidung zwischen Materie und Form ermöglicht es, ein Werden der Substanzen *(generatio)* anzuerkennen. Während für die Vorsokratiker der Urstoff ein bereits verwirklichtes, geformtes Seiendes ist und Werden nur die Akzidentien betrifft, wird in der zweiten Stufe der Seinsfrage die Materie als ein rein Potentielles betrachtet und eine grundlegendere Weise des Werdens, welche die Substanz betrifft, aufgedeckt. Thomas sieht es als das Verdienst des Aristoteles, durch seine Lehre von der Potentialität der ersten Materie das Problem der Genese der Substanzen gelöst zu haben.

Thomas betont jedoch, dass auch die aristotelische Betrachtungsweise nicht die letzte Phase in der Seinsanalyse sein kann. Sie bedeutet sicher einen Fortschritt im Vergleich zur „materialistischen" Betrachtungsweise der Vorsokratiker. Aber auch in der zweiten Stufe wird die Seinsfrage nicht radikal genug gestellt, weil das Werden der Substanzen immer ein Zugrundeliegendes voraussetzt. Die Philosophen der ersten Stufe sowie die der zweiten haben das Seiende von einem partikularen Gesichtspunkt aus betrachtet, nämlich entweder als ein so-beschaffenes Seiendes *(tale ens)* aufgrund der Akzidentien oder als ein bestimmtes Seiendes *(hoc ens)* aufgrund der Wesensformen, nicht aber insofern es Seiendes *(ens)* ist. Ihre Analysen beschränken sich jeweils auf eine Kategorie des Seienden, das Akzidens (1. Phase) oder die Substanz (2. Phase). Eine umfassendere Betrachtungsweise ist deshalb notwendig, eine, die nach dem Ursprung des Seienden *als Seienden* fragt.

Diese Frage ist nach Thomas charakteristisch für die dritte Stufe in der Geschichte der Philosophie, als „einige *(aliqui)* sich zu der Betrachtung des Seienden als Seienden erhoben".[8] Die Formulierung „Betrachtung des Seienden als Seienden" greift eine der Bestimmungen auf, die Aristoteles in seiner ›Metaphysik‹ (IV, c. 1) vom Gegenstand der Ersten Philosophie gegeben hatte. Der Fortschritt in der dritten Phase besteht in der metaphysischen Betrachtung der Dinge. Man könnte sie auch „transzendental" nennen, da sie sich nicht auf eine Kategorie des Seienden beschränkt, sondern das, was der Mensch zuerst erkennt, Seiendes, reflexiv erfasst.

Diese Philosophen betrachteten den Ursprung der Dinge nicht nur, insofern sie „so-beschaffen" oder „dieses Bestimmte" sind, sondern auch insofern sie „seiend" sind. Jener universale Ursprung kann deshalb kein Werden sein, da er nicht etwas Präexistierendes voraussetzt. Die Hervorbringung des Seins in einem absoluten Sinne heißt „Schöpfung" *(creatio)*.

---

[8] Wen meint Thomas mit den *aliqui*? Wahrscheinlich hat er an Avicenna gedacht, denn in einem anderen Text behauptet Thomas, dass „einige Philosophen" wie Avicenna durch Beweisführung erkannt haben, Gott sei der Schöpfer der Dinge (In III Sent. 33, 1, 2, obj. 2).

In der Sicht des Thomas ist für die Geschichte der Philosophie der Fortschritt von einer partikularen zu einer universalen Seinsbetrachtung bezeichnend. Der entscheidende Schritt ist der Übergang von der zweiten zur dritten Stufe. Die aristotelische Lehre von der Ungewordenheit der ersten Materie bezieht sich auf das natürliche Werden der Dinge. Auf dieser Ebene gilt „aus Nichts wird Nichts". Dieser Satz ist wahr, so bemerkt Thomas, *secundum naturam*. Die metaphysische Betrachtungsweise der dritten Stufe bezieht sich auf die Schöpfung („aus dem Nichts"), die universale Ursächlichkeit des Seins. Wegen des grundsätzlichen Unterschieds zwischen Natur und Schöpfung kann Thomas zugleich behaupten, die erste Materie sei ungeworden, jedoch nicht ungeschaffen. „Wir reden jetzt vom Hervorgang der Dinge aus dem universalen Prinzip des Seins. Von diesem Hervorgang ist auch die erste Materie nicht ausgeschlossen" (S. th. I, 44, 2 ad 1).

Auf der Ebene der metaphysischen Betrachtungsweise arbeitet Thomas seine originellsten Lehren aus. Der Fortschritt der Reflexion über den Ursprung der Dinge führt zu einer vertieften Analyse ihrer Seinsstruktur. Bereits in seiner Frühschrift ›De ente et essentia‹ vertritt Thomas die These, dass in jedem geschaffenen Seienden eine Differenz zwischen zwei Prinzipien anzunehmen sei: der Wesenheit *(essentia),* wodurch etwas ist, *was* es ist, und dem Sein *(esse),* wodurch etwas *ist.* Was ein Ding ist, schließt nicht sein Sein ein. Die Dinge sind kontingent, sie haben das Sein nicht aus sich.

Der Unterschied zwischen Wesenheit und Sein war bereits in der arabischen Philosophie eingeführt worden; neu ist jedoch die Art und Weise, wie Thomas das Verhältnis zwischen beiden Komponenten deutet. Das Sein ist nicht ein Akzidens der Wesenheit, eine hinzutretende Eigenschaft, wie Avicenna meinte, sondern vielmehr die Verwirklichtheit *(actualitas)* der Essenz. Wesen und Sein verhalten sich zueinander wie die Potenz zu dem sie verwirklichenden Akt. Thomas überträgt das Begriffspaar Möglichkeit/Wirklichkeit, das Aristoteles auf das Verhältnis der Materie zur Form anwandte, auf das Verhältnis zwischen Wesenheit und Sein. Er versteht „Sein" nicht als „dasjenige, was der Fall ist" (Wittgenstein), sondern als die Verwirklichung der jeweiligen Form oder Natur, als die Bedingung jeder wesenhaften Vollkommenheit. Mit persönlichem Nachdruck bekundet Thomas sein Seinsverständnis: „Was ich 'Sein' nenne, ist der Akt aller Akte und deshalb die Vollkommenheit aller Vollkommenheiten" (De potentia 7, 2 ad 9).

Auffallend in Thomas' Darstellung der Geschichte der Seinsfrage ist es, dass der Schöpfungsgedanke als die Vollendung des *inneren* Entwicklungsgangs der Philosophie erscheint. Die Schöpfungsidee, welche dem griechischen Denken unbekannt war, ist danach nicht nur eine Grundgegebenheit des christlichen Glaubens, sondern auch ein philosophischer Begriff. Thomas deutet das Seinsverhältnis zwischen Gott und den Geschöpfen durch den platonischen Begriff der „Teilhabe" (cf. Quodl. II, 2, 1). In Gott sind Wesen und Sein identisch; er ist Sein durch seine Wesenheit *(per essentiam)*, das subsistierende Sein selbst *(ipsum esse subsistens)*. Die Geschöpfe dagegen werden durch eine Nichtidentität zwischen Wesen und Sein gekennzeichnet; Sein gehört nicht zu ihrer Wesenheit. Sie haben das Sein durch Teilhabe *(per participationem)*.

IV. Das Endziel des Wissens: die Frage nach der menschlichen Glückseligkeit

In seinem Kommentar zur ›Metaphysik‹ führt Thomas noch weitere Argumente für den Satz „Alle Menschen verlangen von Natur nach Wissen" an. Das dritte Argument (In I Metaph., lect. 1, 4) ist von besonderem Interesse, weil es den aristotelischen Satz mit einer Grundlehre des Neuplatonismus verknüpft. Thomas legt dar, dass es für jedes Ding verlangenswert ist, mit seinem Prinzip oder Ursprung vereinigt zu werden, denn darin besteht die Vollkommenheit jedes Dinges. Aus diesem Grund ist, wie Aristoteles im VIII. Buch der ›Physik‹ nachweist, die Kreisbewegung *(circulatio)* die vollkommenste Bewegung, weil sie das Ende mit dem Anfang verbindet. Nun kann der Mensch durch seinen Verstand mit dem Anfang verbunden werden – im Erkennen gleicht sich ja der Verstand dem Erkannten an. Das letzte Ziel des Menschen besteht mithin in dieser Einigung. Daher ist im Menschen ein Verlangen nach Wissen.

In diesem Argument führt Thomas das Kreismotiv ein. Aristotelisch ist der Gedanke, die Kreisbewegung sei die vollkommenste Bewegung – im Gegensatz zu einer geradlinigen Bewegung ist sie voll-endet; es lässt sich nichts hinzufügen. Die Idee, dass die Dynamik der Gesamtwirklichkeit kreisförmig ist, hat Thomas jedoch dem Neuplatonismus entnommen. Die ganze Welt durchzieht ein „Eros" zu dem Einen oder Guten, aus dem die Dinge hervorgegangen sind. Aller Ziel ist die Rückkehr zum Ersten, die in der Einigung mit dem Ursprung vollendet wird. Ursprung und Ende, Prinzip und Ziel sind identisch.

Das Kreismotiv ist für das Weltverständnis des Thomas grundlegend. Er hat die neuplatonische Lehre von dem Ausgang *(exitus)* und der Rückkehr *(reditus)* der Dinge in sein Denken integriert, allerdings nicht ohne gewisse Umformungen. Die Dinge kommen zum Dasein, nicht durch eine stufenweise Emanation aus dem ersten Prinzip, sondern, wie er in seiner Geschichte der Seinsfrage dargestellt hatte, durch „Schöpfung". Der „Autorität" des ›Liber de causis‹, bemerkt Thomas (De potentia 3, 4 ad 10), ist nicht zu folgen in der Idee, dass die niederen Geschöpfe durch die Ver-

mittlung der höheren Substanzen zum Dasein gelangt seien. Alle Dinge
sind unmittelbar von der universalen Seinsursache, Gott, erschaffen worden.

Im Prozess der Rückkehr der Dinge zu Gott nimmt der Mensch eine
Sonderstellung ein. Allein das vernunftbegabte Geschöpf ist fähig, sich
„ausdrücklich" Gott zuzuwenden. Allein der Mensch kann sich durch seine
Tätigkeit Gott angleichen. Diese Rückkehr vollzieht sich im menschlichen
Verlangen nach Wissen.

Diesen Gedanken arbeitet Thomas im III. Buch der ›Summa contra
Gentiles‹ (c. 25) aus. „Von Natur aus wohnt allen Menschen das Verlangen
inne, die Ursachen dessen, was sie sehen, zu erkennen: Daher begannen
die Menschen aus Verwunderung über das, was man sah, dessen Ursachen
aber verborgen waren, erstmals zu philosophieren; wenn sie aber die Ursache fanden, gaben sie Ruhe." Wissen ist eine begründete Erkenntnis, eine
Erkenntnis der Ursachen von etwas. Was deshalb am meisten zu wissen
verlangt wird, ist die erste Ursache, der Ursprung aller Dinge. „Die Untersuchung steht nicht still, bis man zur ersten Ursache vorgedrungen ist (...)
Der Mensch verlangt also von Natur aus als letztes Ziel, die erste Ursache
zu erkennen." Da die erste Ursache von allem Gott ist, „besteht das letzte
Ziel des Menschen darin, Gott zu erkennen". Wir sehen hier, wie Thomas
vor dem Hintergrund des Kreismotivs das natürliche Verlangen nach Wissen als ein Verlangen nach Gotteserkenntnis deutet.

Dadurch ist er zugleich in der Lage, das Wissensverlangen mit einem
Hauptthema der klassischen Philosophie zu verbinden, der Frage nach der
menschlichen Glückseligkeit. „Das letzte Ziel des Menschen, das nur um
seiner selbst willen verlangt wird, heißt 'Glückseligkeit'." Das natürliche
Verlangen nach Wissen erweist sich letztendlich als das menschliche Verlangen nach Glück, das in der Gotteserkenntnis besteht.

Hinsichtlich dieses Ergebnisses seiner Analyse sieht Thomas eine Kon-
kordanz zwischen Evangelium und Philosophie. Er verweist auf die Selig-
sprechungen in Matthaeus 5,8, wo es heißt: „Selig, die reinen Herzens sind,
denn sie werden Gott schauen." Ziemlich problemlos fügt er hinzu: „Mit
dieser Lehre stimmt auch Aristoteles im letzten Buch der *Ethik* überein,
wo er sagt, die letzte Glückseligkeit des Menschen sei betrachtend, insofern
sie sich auf die Betrachtung des höchsten Verstehbaren richte" (S. c. G. III,
25). Das höchste Gut des Menschen bestehe in der Betrachtung des höchsten Gegenstandes, d. h. des Göttlichen.

Die entscheidenden Fragen sind jetzt: In welcher Art von Gotteserkenntnis besteht die Glückseligkeit? Und: Ist der Mensch fähig, zu jener
Gotteserkenntnis zu gelangen? Kann das natürliche Wissensverlangen erfüllt werden, der Mensch sein Ziel erreichen? In Thomas' Beantwortung
dieser Fragen zeigen sich die Grenzen der Philosophie.

V. Grenzen der Philosophie

Eine Lehre vom Göttlichen, eine „Theologie" oder „Erste Philosophie",
und eine Reihe von Gottesbeweisen hatten bereits die antike und die arabische Philosophie überliefert. Am Anfang der ›Summa theologiae‹ (I, q. 2,
art. 3) sammelt Thomas aus dieser Tradition fünf „Wege" *(quinque viae)*,
die das Dasein Gottes beweisen. Diese Gottesbeweise haben alle eine gleiche Struktur. Sie gehen von Grundphänomenen unserer Welt (z. B. im ersten „Weg" von der Bewegung) aus und zeigen, dass diese nicht aus sich
selbst erklärt werden können, sondern auf ein Erstes als Ursache (z. B. ein
Erstbewegendes) zurückzuführen sind, das „alle" mit dem Namen „Gott"
bezeichnen.

Besteht nun die menschliche Glückseligkeit in der Gotteserkenntnis,
welche die Philosophen durch Beweisführung gewonnen haben? Ein Zeit-
genosse des Thomas und Magister in der Pariser Artes-Fakultät, Boethius
von Dacien, hatte in seiner Schrift ›De summo bono‹ (›Über das höchste
Gut‹) diese Frage bejaht. Nur „sehr wenige Männer", die Philosophen,
erreichen das höchste menschliche Gut. Das Leben des Philosophen sei
das einzig richtige Leben.

Thomas kritisiert diese Auffassung. Aus mehreren Gründen kann die
Glückseligkeit nicht in der philosophischen Gotteserkenntnis bestehen (S.
c. G. III, 39). Erstens, „nur wenige" gelangen zu jener Erkenntnis. Das
Glück ist jedoch ein allgemeines Gut *(bonum commune)*, das nicht den
„happy few" vorbehalten ist, sondern allen Menschen erwachsen kann.
Alle Menschen verlangen von Natur nach der Glückseligkeit; sie ist das
Ziel der menschlichen Art *(species)*. Zweitens, die philosophische Gotteserkenntnis ist mit einer großen Ungewissheit verbunden: Das beweist die
große Verschiedenheit der Lehren über das Göttliche. Die Glückseligkeit
muss jedoch eine vollkommene Erkenntnis sein. Drittens, die philosophische Gotteserkenntnis ist sehr beschränkt und kann deshalb nicht das
Ende des Wissensverlangens bilden. Dieses letzte Argument ist für Thomas
schwerwiegend. Seine Philosophiekritik ist mit einer Vernunftkritik verbunden.

Das Verlangen nach Wissen wirkt sich in einem Fragen aus. Jede Frage-
stellung lässt sich nach Aristoteles (Anal. Post. II, 1) letztlich auf zwei
Fragen zurückführen, nämlich die Frage „ob etwas ist" *(an est)* und die
Frage „was es ist" *(quid est)*, und zwar in dieser Ordnung. Nun geben die
Gottesbeweise eine Antwort auf die erste Frage, aber nicht auf die Frage,
was Gott ist; die Wesenheit der unstofflichen Substanzen bleibt der
menschlichen *ratio* verborgen. Thomas' Begründung dafür ist immer die
Abhängigkeit der rationalen Erkenntnis von der sinnlichen Erfahrung.
Durch Argumente, die von den sichtbaren Wirkungen ausgehen, kann der

Mensch auf das Dasein der ersten Ursache schließen. So betrachtet er in der Metaphysik Gott, insofern dieser die Ursache des Seienden als Seienden ist; die Wesenheit Gottes ist jedoch dem Philosophen nicht zugänglich. Jene beschränkte Gotteserkenntnis kann das natürliche Wissensverlangen aber nicht zur Ruhe bringen. Das Glück des Menschen, so folgert Thomas, kann deshalb nicht „in der Betrachtung der theoretischen Wissenschaften bestehen" (S. th. I–II, q. 3, a. 6).

Der Mensch ist nicht vollkommen glücklich, solange ihm etwas zu verlangen und zu suchen bleibt. Wenn also der menschliche Verstand von Gott nur erkennt, dass er ist *(an est),* dann verbleibt ihm noch das Verlangen, von Gott zu wissen, was er ist *(quid est).* Die vollkommene Glückseligkeit des Menschen, die Erfüllung seines natürlichen Verlangens nach Wissen, kann nur in der Betrachtung der göttlichen Wesenheit, in der Anschauung Gottes *(visio Dei)* bestehen (S. th. I–II, q. 3, a. 8).

Es zeigt sich eine Diskrepanz zwischen dem Endziel des Wissensverlangens und dem natürlichen Erkenntnisvermögen des Menschen. Im III. Buch der ›Summa contra Gentiles‹ (Kap. 40–45) setzt Thomas sich ausführlich mit den griechischen Aristoteleskommentatoren und den arabischen Philosophen auseinander, die behaupteten, es gebe noch einen anderen Weg zur Gotteserkenntnis als den durch Beweisführung. Die letzte Glückseligkeit bestehe in der menschlichen Erkenntnis, welche auf einer unmittelbaren Verbindung *(continuatio)* mit den rein geistigen Substanzen beruht. Nach Thomas bietet diese Alternative überhaupt keine Lösung. Der Mensch besitzt keine intuitive Erkenntnis des rein Geistigen; er verfügt in diesem Leben nicht über einen anderen Erkenntnisweg als den der betrachtenden Wissenschaften. Auch Aristoteles, so Thomas, hatte dies eingesehen. Darum meinte „der Philosoph", dass der Mensch die Glückseligkeit nicht vollkommen erlange, sondern nur „auf menschliche Weise", das heißt, unvollständig und unvollkommen.

In aller Klarheit werden hier die Grenzen der Philosophie ersichtlich. „Bedrängnis" *(angustia)* ist das Wort, mit dem Thomas die Lage charakterisiert: „Es ist hierbei genügend deutlich, in welche große Bedrängnis diese hervorragenden Geister gerieten" (S. c. G. III, 48). Die Philosophen bieten keine Aussicht auf Erfüllung des natürlichen Verlangens nach Wissen. Die Schau der göttlichen Wesenheit übersteigt die Möglichkeiten der natürlichen Vernunft.

Diese philosophische Unmöglichkeit heißt jedoch nicht, dass der Mensch nie zu seiner Glückseligkeit gelangen kann.[9] Das wäre wider die Vernunft *(contra rationem).* Zur Begründung dieses Gedankens beruft Thomas sich auf den aristotelischen Grundsatz, ein natürliches Verlangen

---

[9] Cf. den Kommentar des Thomas zu Matth. 5, 8.

könne nicht vergeblich sein, denn die Natur tue nichts umsonst. Es wäre aber ein vergebliches Verlangen der Natur, wenn es niemals erfüllt werden kann. Das natürliche Wissensverlangen des Menschen ist also im Prinzip erfüllbar. Außerdem ist die Unmöglichkeit der Gottesschau wider den Glauben *(contra fidem)*. Die Schau wird dem Menschen in der Hl. Schrift versprochen, wenn auch nicht in diesem Leben. „Jetzt schauen wir durch einen Spiegel rätselhaft, dann aber schauen wir von Angesicht zu Angesicht" (1 Kor. 13,12). Nicht aus seiner natürlichen Kraft, sondern durch Gottes Gnade kann der Mensch sein Endziel erreichen. Der Glaube befreit den Menschen von der Verzweiflung der Philosophie. Eigentümlich für den Denkweg des Thomas ist es, dass das Endziel des *natürlichen* Wissensverlangens mit der Eschatologie des *christlichen* Glaubens zusammenfällt.

Schlussbetrachtung

Unverkennbar hat sich das Philosophieverständnis bei Thomas gewandelt. Sein Denkweg zeigt die Grenzen der Philosophie. Das antik-arabische Ideal erweist sich als unmöglich. Die philosophische Betrachtungsweise führt nicht zum Endziel des Wissensverlangens und ist deshalb nicht der exklusive Weg zur menschlichen Glückseligkeit.

Diese Begrenzung der Philosophie ist in erster Linie eine Selbstbegrenzung, das Ergebnis einer kritischen Untersuchung der Möglichkeiten der menschlichen Vernunft. Das Erste in der Erkenntnisordnung sind (wie wir im II. Teil gesehen haben) die allgemeinsten Begriffe wie „Seiendes". Thomas verneint die Auffassung seines Zeitgenossen Bonaventura, das göttliche Seiende sei das Ersterkannte (In Boethii De trinitate q. 1, art. 3). Das Erste in der kognitiven Ordnung ist nicht transzendent, das Göttliche, sondern dasjenige, was allen Dingen gemeinsam, d. h. transzendental, ist.

Noch eine weitere Entwicklung ist für das Philosophieverständnis im 13. Jh. wichtig: Die Entstehung der christlichen Theologie als einer von der Philosophie verschiedenen Wissenschaft. Aufschlussreich für diese Grenzziehung ist Thomas' Kommentar zu der Schrift ›De trinitate‹ des Boethius, in der in jener versucht, die Lehre von der Dreieinheit Gottes rational zu begründen. Thomas führt in seinem Kommentar (q. 2, art. 2) einen der Abhandlung des Boethius fremden Unterschied zwischen zwei Arten von Theologie ein. Die eine ist die Theologie, welche von den Philosophen überliefert worden ist und auch „Metaphysik" heißt, die andere ist die Wissenschaft derjenigen, die durch Glauben am göttlichen Wissen teilhaben und „Theologie der Hl. Schrift" genannt wird. Diese Distinktion enthält eine implizite Kritik an Boethius. Dessen Voraussetzung, die philoso-

phisch-theologische Betrachtungsweise sei dem Gegenstand seiner Untersuchung angemessen, ist nach Thomas unhaltbar. Die göttliche Trinität ist
der philosophischen Vernunft nicht zugänglich, sondern nur durch Offenbarung bekannt.

Thomas beginnt seine ›Summa theologiae‹ (q. 1, a. 1) mit einer Erörterung der Notwendigkeit der Theologie. Ist diese Wissenschaft nicht über-
flüssig angesichts der Tatsache, dass die philosophischen Disziplinen von
allen Bereichen des Seienden, auch von Gott, handeln? In seiner Antwort
betont Thomas, dass außer den philosophischen Wissenschaften eine auf
göttliche Offenbarung beruhende Lehre für das menschliche Heil notwendig sei. Der Mensch ist auf ein Ziel ausgerichtet, das die Fassungskraft der
Vernunft übersteigt. Damit er seine Handlungen auf das Endziel einstellen
kann, mussten ihm darum durch Offenbarung Wahrheiten bekanntgemacht
werden.

Philosophie und Theologie, obwohl verschiedene Wissenschaften, bleiben dennoch bei Thomas eng miteinander verbunden. Was beide zusam-
menbindet, ist die Kontinuität des natürlichen Wissensverlangens des Menschen. Das Verhältnis zwischen Philosophie und Theologie wird durch eine
Komplementarität gekennzeichnet, für die zwei allgemeine Prinzipien bestimmend sind.

Das erste lautet: „Der Glaube setzt die natürliche Erkenntnis voraus,
wie die Gnade die Natur" (S. th. I, 2, 2 ad 1). Die natürliche Erkenntnis ist
grundlegend, und das heißt auch, dass die Eigenständigkeit und Legitimität
der Philosophie völlig anerkannt wird. Von Natur aus verlangt der Mensch
die Ursachen der Dinge zu wissen und stellt die Seinsfrage (s. Teil III). Das
Werk des Thomas bezeugt, dass er, Theologe von Beruf, den Anspruch der
Philosophie ernst genommen hat. Das zweite Prinzip heißt: „Die Gnade
vernichtet die Natur nicht, sondern vervollkommnet sie" (S. th. I, 1, 8 ad
2). Der Glaube hebt die menschliche Rationalität nicht auf; er ist vielmehr
die Vollendung der natürlichen Erkenntnis. Die Offenbarung zeigt dem
Menschen die Erfüllung seines natürlichen Wissensverlangens. Das Modell
des Thomas ist eine der bemerkenswertesten Synthesen in der Geschichte
des abendländischen Denkens.

Auswahlbibliographie

Quellentexte

Thomas von Aquin: Opera omnia, iussu Leonis XIII P. M. edita (Ed. Leonina), Rom 1882 ff.

Thomas von Aquin: Opera omnia, ed. S. E. Fretté/P. Maré (Ed. Vivès), Paris 1871–1882, ²1889 f.

Thomas von Aquin: Summa theologiae. Die sogenannte Deutsche Thomas-Ausgabe plante eine Ausgabe in 37 Bänden; davon sind bis heute 29 erschienen (Graz/Köln/Wien, seit 1933).

Sekundärliteratur

Aertsen, J. A.: Medieval Philosophy and the Transcendentals. The Case of Thomas Aquinas, Leiden/New York/Köln 1996.

Bernath, K. (Hrsg.): Thomas von Aquin Bd. I: Chronologie und Werkanalyse, Darmstadt 1978.

Chenu, M.-D.: Das Werk des Thomas von Aquin, Heidelberg/Köln 1960.

Heinzmann, R.: Thomas von Aquin. Eine Einführung in sein Denken mit ausgewählten lateinisch-deutschen Texten, Stuttgart 1994.

Kluxen, W.: Philosophische Ethik bei Thomas von Aquin, Hamburg ²1980.

Kretzmann, N./Stump, E. (Hrsg.).: The Cambridge Companion to Aquinas, Cambridge 1993.

Mensching, G.: Thomas von Aquin, Frankfurt/New York 1995.

Metz, W.: Die Architektonik der Summa Theologiae des Thomas von Aquin. Zur Gesamtsicht des thomasischen Gedankens, Hamburg 1998.

Oeing-Hanhoff, L. (Hrsg.): Thomas von Aquin 1274/1974, München 1974.

Torrell, J.-P.: Magister Thomas. Leben und Werk des Thomas von Aquin, aus dem Franz. übers. von K. Weibel in Zusammenarbeit mit D. Fischli und R. Imbach, Freiburg im Breisgau 1995.

Zimmermann, A.: Thomas von Aquin lesen. Eine Einführung in sein philosophisches Denken, Stuttgart-Bad Cannstatt 1999.

MEISTER ECKHART

Denken und Innewerden des Einen

Von Rolf Schönberger

1. Zugänge zu Eckhart

Bei keinem Denker des Mittelalters war die Wirkungsgeschichte ähnlich wechselvoll wie im Falle Meister Eckharts. In der universitären Philosophie trifft man fast nirgends auf Spuren seines Denkens. Dass die Rezeption seines Denkens derartig kärglich war – und zwar ebenso vor wie nach der Verurteilung von 1329 –, ist umso auffälliger, als Eckhart, wie zuvor nur Thomas von Aquin, zweimal als Magister der Theologie in Paris tätig war. Im außeruniversitären Bereich hingegen lassen sich in den Generationen nach ihm durchaus Spuren seines Einflusses auffinden. Eckhart wird dort – meist in eher moderater Form – rezipiert, vor allem aber im Hinblick auf seine persönliche Integrität gerühmt, manchmal aber auch vehement kritisiert. Nicht selten bleiben seine positiven Einflüsse anonym. Nicolaus Cusanus war es dann, für den Eckharts Schriften – auch seine lateinischen – große Bedeutung gewonnen haben. Als, wiederum einige Jahrhunderte später, Franz von Baader Predigten von Eckhart gefunden hatte und davon Hegel mitteilte, bemerkte dieser: „Da haben wir es ja, was wir wollen."[1] Eckhart hat keine Denkschulen inspiriert, aber umso nachhaltiger einzelne Köpfe. Wie kaum ein anderer der großen Gestalten des mittelalterlichen Denkens, dessen Texte Opfer kirchlicher Verurteilung geworden sind, ist er, nach der allmählichen Erschließung der Texte, Opfer vielfältiger gegensätzlicher Inanspruchnahmen geworden.[2]

Eckharts Werke haben auch außerhalb der einschlägigen Fächer nicht bloß Aufmerksamkeit, sondern vielfach sogar Enthusiasmus erweckt. Dieser lässt indes leicht verkennen, dass ein unmittelbares Verständnis eines

---

[1] Cf. F. v. Baader, Aus Gesprächen, ed. F. Hoffmann, Sämtliche Werke XV, Leipzig 1857, ND Aalen 1963, 159.

[2] Längst sind zwar die rassistischen und marxistischen Vereinnahmungen Vergangenheit, doch zielt immer noch ein ansehnlicher Teil der Eckhart-Literatur zwar auf weit weniger absurde, jedoch unverkennbar vereinseitigende Inanspruchnahmen: etwa auf die Überzeugung, das eigentlich Belangvolle am Glauben sei die religiöse Erfahrung – oder was man dafür hält.

historischen Textes unmöglich ist. Religionspädagogische und andere mystisch-enthusiasmierte Literatur tun ein Übriges, um die Leser darin zu bestärken. Man sagt: Da Eckhart von einer ganz einzigartigen Erfahrung rede, müsse man, um ihn zu verstehen, dieselbe Erfahrung gemacht haben. Kritische Analyse und historische Forschung griffen demgegenüber zu kurz. Für die Behauptung, dass ein historischer Text von oder aus einer Erfahrung redet, kann eine entsprechende Erfahrung jedoch nicht hinreichend sein. Wollte Eckhart nur zu spiritueller Erfahrung anleiten, blieben sein Aufwand an Spekulation und die Überfülle an Gelehrsamkeit gänzlich unverständlich.

Da es sich um überlieferte Texte handelt, kann man sich der Mühe nicht entledigen, Meister Eckhart in seinen geschichtlichen Kontext und seine Gedanken in einen kohärenten Zusammenhang zu stellen. Doch geben Traditionen und geschichtliche Umstände naturgemäß nur einen Rahmen. Die Eigenart eines Gedankens ist dann dadurch zu gewinnen, dass man zeigt, wie ein Denker – wenn Denken ein freier Akt ist – sich zu diesem Rahmen verhält. Jener Kontext kann also nicht seine zureichende Bedingung sein.

2. Leben und Werk

Eckhart ist wohl in den 60er-Jahren des 13. Jh. in Tambach in Thüringen geboren.[3] Von adeliger Herkunft tritt er in den damals intellektuell führenden Orden der Predigerbrüder, und zwar in Erfurt, ein. Er studiert die Artes und Theologie, sogar an der erst wenige Jahrzehnte zuvor in Köln von Albertus Magnus gegründeten Ordenshochschule *(studium generale)*. Ob er in dieser Zeit auch schon einmal in Paris studiert hat, ist nicht sicher, für 1286 jedoch wahrscheinlich. Gesichert hingegen ist seine dortige Funktion als *lector sententiarum* im Jahre 1293/94. Einige der erhaltenen Texte stammen aus dieser Zeit, doch hat sich die Begeisterung, auch seinen Sentenzenkommentar aufgefunden zu haben, leider als verfrüht herausgestellt.

Anschließend übernimmt Eckhart das Amt des Priors des Erfurter Klosters und des Vikars von Thüringen – wird also Stellvertreter des damaligen Provinzials Dietrich von Freiberg. In den in dieser Zeit, also in der zweiten Hälfte der 1290er-Jahre entstandenen ›Reden der Unterweisung‹ (abends vor den Brüdern) zeigt sich bereits einiges, was man für Eckhart als typisch ansehen kann. 1302/3 amtiert Eckhart als Magister der Theologie in Paris. Aus dieser Zeit stammt ein Teil der sog. Pariser Quästionen, in denen er

---

[3] W. Trusen, Eckhart vor seinen Richtern und Zensoren, in: Meister Eckhart: Lebensstationen – Redesituationen, hrsg. v. K. Jacobi, Berlin 1997, 335–352, hier 336 f.

mit allem Nachdruck den geistigen und nichtpartikulären Charakter des göttlichen Seins vertritt. Auf zeitgenössische Autoren geht er hier und auch später nur äußerst spärlich ein. Wieder in Deutschland wird er Provinzial der norddeutschen Ordensprovinz. Wohl bereits in dieser Zeit[4] nimmt Eckhart ein Projekt in Angriff, das wie viele andere der mittelalterlichen Geisteswelt überdimensionale Ausmaße angenommen hätte, wenn es denn realisiert worden wäre. Das Werk von triadischer Architektonik *(Opus tripartitum)* sollte Folgendes enthalten:

1. *Opus propositionum:* eine metaphysische Grundlegung in axiomatischer Form, aufgeteilt in 14 Traktate, in denen Grundbegriffe des Denkens im Verhältnis zu ihren Gegenbegriffen bestimmt werden sollten;

2. *Opus quaestionum:* ein zweiter Teil mit Problemerörterungen nach dem Vorbild der ›Summa theologiae‹ des Thomas von Aquin (Eckhart ist aber trotz vieler Verweise kein Thomist, wenngleich auch nicht wie Dietrich von Freiberg ein Antithomist);

3. ein dritter Teil *(Opus sermonum)* ist selbst wieder untergliedert in eine Sammlung von Bibelkommentaren und einen Teil mit Predigten. Trotz häufiger Querverweise geht die Forschung heute davon aus, dass Eckhart nicht wesentlich mehr realisiert hat, als heute noch vorliegt.[5] Diese Verfahrensweise hat zum Ziel, dem Prediger Gedanken zu vermitteln; sie hat zur Voraussetzung, dass erstens die göttliche Offenbarung (wie später bei Hegel) eine Totaloffenbarung ist und nicht unter einem spezifizierenden Zweck, etwa der Heilsbedeutsamkeit, steht[6] und zweitens eine Wahrheit zuletzt auf alle anderen Wahrheiten verweist, da sie diese implizit enthält[7]. Damit gewinnt die Exegese einen Freiraum, dessen Inanspruchnahme den buchstäblichen Sinn nicht nur hinter sich lässt, sondern weitgehend relativiert; die Umkehrung der Bevorzugung der zuhörenden („kontemplati-

---

[4] So jedenfalls nach den Forschungen von L. Sturlese, Meister Eckhart in der Bibliotheca Amploiiana. Neues zur Datierung des „Opus tripartitum", in: Misc. Med. 23 (1995) 434–446.

[5] L. Sturlese, a. a. O. [4] 444 f. Die beabsichtige Gesamtkommentierung der Bibel sollte ganz restriktiv jeweils einige Stellen herausgreifen. Von den etwa 440 Versen im ›Buch der Weisheit‹ behandelt Eckhart etwa 80 (Meister Eckhart, Kommentar zum Buch der Weisheit, eingel., übers. und erl. v. K. Albert, Sankt Augustin 1988, 147), von den 1530 Versen des Buches Genesis 92, von den 880 Versen des Johannes-Evangeliums 130 (H. Fischer, Meister Eckhart. Einführung in sein philosophisches Denken, Freiburg/München 1974, 27). Im Fall des einzigen Kommentars zu einem Evangelium wird etwa die Passionsgeschichte fast gänzlich ausgeblendet.

[6] Pred. 29 (DW II, 83 f.).

[7] Proc. col., art. 9. Édition critique des pièces relatives au Procès d'Eckhart contenues dans le manuscrit 33b de la bibliothèque de Soest, hrsg. v. G. Théry, AHDLMA 1 (1926) 215: *nihil est verum quod non includat omnem veritatem.*

ven") Maria vor der tätigen Magdalena (Pred. 86) ist hierfür nur das bekannteste Beispiel. Eckharts Werk zeigt eine ganz einmalige Verknüpfung einer (Programm gebliebenen) axiomatischen Metaphysik mit einer zugleich inständigen und auf ein Thema hin finalisierten Aneignung und Inanspruchnahme biblischer Texte. Die lateinischen Predigten, die heute vorliegen, sind bis auf wenige Ausnahmen Predigtskizzen. Das umfangreiche deutschsprachige Œuvre von ca. 150 Predigten[8] und einigen Traktaten[9] gehört sicherlich nicht zum geplanten Projekt.

Zurück zum Lebensgang. Mit seiner Wahl zum Provinzial der durch Aufgliederung der zu groß gewordenen Provinz Teutonia entstandenen Saxonia (1303) wird er zu einem der führenden Köpfe in dem damals viele tausend Fratres umfassenden Orden; 1307 übernimmt er noch zusätzlich die Aufgabe des Generalvikars der böhmischen Provinz. Entgegen der Gepflogenheit der Dominikaner und der Bettelorden überhaupt, möglichst vielen begabten Brüdern die Feuertaufe einer Pariser Promotion zu ermöglichen – was eine relativ rasche Rotation erforderlich macht – entsendet ihn der Orden ein zweites Mal als Magister nach Paris. Anders als im einzigen Parallelfall Thomas von Aquin lassen sich die hierfür entscheidenden Motive nur vermuten.

Nach dieser zweiten Professur 1311–1313 ist Eckhart ungefähr ein Jahrzehnt in Straßburg. Aus dieser Zeit stammt ›Das Buch der göttlichen Tröstung‹ (1318) und die selbst redigierte Lesepredigt ›Vom edlen Menschen‹. Während Eckhart in Paris das Buch der Begine Margarete von Porete, deren Verbrennung bei lebendigem Leib ein Jahr zurücklag, kennen lernte, wird er in Straßburg unmittelbar konfrontiert mit der Bewegung der Beginen und Begarden, mit Menschen also, die, ohne in einen der Orden eingetreten zu sein, doch einen ordensähnlichen Lebensstil praktizieren: soziologisch eher der Oberschicht entstammend, mit beachtlicher Bildung und von enormem religiösem Eifer beseelt.

1322/23 geht er dann wieder nach Köln, wobei nicht klar ist, welche Funktion er an der dortigen Ordenshochschule ausgeübt hat.[10] Auch hier hat es Eckhart in der Seelsorge mit der Bewegung der „freien Geister" zu tun. Innerhalb des Ordens scheint er von den Reaktionen auf die Bestrebungen betroffen zu sein, die Observanz im Orden wieder zu stärken. In

---

[8] K. Ruh, Meister Eckhart. Theologe, Prediger, Mystiker, München [2]1989, 61. Die kritische Ausgabe wird 113 Predigten aufnehmen.

[9] Die Echtheit des Traktates ›Von abegescheidenheit‹ hat sehr plausibel gemacht: M. Enders, Abgeschiedenheit des Geistes – höchste „Tugend" des Menschen und fundamentale Seinsweise Gottes, in: Theol. u. Philos. 71 (1996) 63–87.

[10] W. Senner, Eckhart in Köln, in: Jacobi, a. a. O. [3] 207–210.

diesem Zusammenhang wird Eckhart, nicht von konkurrierenden Franziskanern, sondern von eigenen Mitbrüdern der Irrlehre bezichtigt. Der Kölner Erzbischof eröffnet – dies weiß man erst seit wenigen Jahren mit rechtshistorischer Gewissheit – einen regelrechten Ketzerprozess. Das heißt: es geht um Leben und Tod. Eckhart werden Listen mit Sätzen aus seinen Schriften vorgelegt, zu denen er Stellung zu nehmen hat. Er beteuert, dass er auf seinen Thesen, sofern deren Verdächtigung nicht auf Ignoranz beruhe, nicht „hartnäckig" bestehen will (was zusammen mit der festzustellenden Abweichung in der Lehre erst den Tatbestand der Häresie erfüllt) und appelliert wegen der Unzuständigkeit des Kölner Erzbischofs an den Papst. Ein aus dieser Zeit stammender Text wird missverständlich als „Rechtfertigungsschrift" bezeichnet. Es ist keine Apologie, sondern die prozessual erforderliche Stellungnahme zu den erhobenen Vorwürfen.[11]

Der Prozess wird tatsächlich nach Avignon, wo die päpstliche Kurie seit 1309 residierte, verlegt. Dort wird aber nicht nur die Liste der problematischen Sätze drastisch gekürzt und theologisch begutachtet, vielmehr der Häresieprozess insgesamt in ein Lehrzuchtverfahren umgewandelt. Während dieses Verfahrens stirbt Eckhart – nach einem erst vor kurzem gemachten plausiblen Vorschlag am 31. 1. 1328.[12] Im folgenden Jahr, am 27. 3. 1329, erlässt Papst Johannes XXII. die Bulle ›In agro dominico‹, in der 28 Sätze Eckharts aus unterschiedlichen Schriften verurteilt werden, 17 als dem Inhalt nach häretisch, 11 als „übel klingend", d. h. von der Art, dass ihr Sinn nur mit zusätzlichen Ergänzungen als christlich anerkannt werden kann. Außerdem stellt die Bulle fest, dass Eckhart einerseits eingeräumt hat, diese Sätze tatsächlich vertreten zu haben, andererseits sie jetzt „verworfen und widerrufen" hat.

3. Formale Charaktere seines Werkes

Eckharts ausgeführtes Werk – ohne ›Quaestiones disputatae‹, Traktate (von Dietrich von Freiberg bevorzugt), Kommentare zu Aristoteles oder auch zu Boethius oder Dionysius – ist nahezu vollständig auf die Bibel zentriert. Es sind im wesentlichen Texte, welche die biblischen interpretieren, und solche, die diese in der Predigt in Anspruch nehmen.[13]

---

[11] L. Sturlese hat diesen Text doch mit seiner apologetischen Absicht erklären wollen, schreibt ihn jedoch seinem Anhängerkreis zu: Die Kölner Eckhartisten. Das Studium generale der deutschen Dominikaner und die Verurteilung der Thesen Meister Eckharts, in: Misc. Med. 20 (1989) 192–211.

[12] W. Senner, a. a. O. [10] 233 f.

[13] Unklar ist, ob Eckharts zweite Genesis-Auslegung (›Liber parabolarum Ge-

Der Torsocharakter seines Werkes hat der Intensität seiner Gedanken und der Faszinationskraft ihrer Vermittlung keinen Abbruch getan. Zum einen macht Eckhart letzte Grundverhältnisse menschlicher Welterfahrung wieder zum Gegenstand seines Denkens und Redens. Was bestimmt zuletzt die Wirklichkeit? Was ist die Bestimmung des Menschen, und wie kann er sich dazu verhalten? Die Besonderheit Eckharts liegt nun genau darin, dass er diese beiden Fragen in ein produktives Verhältnis bringt.

Von besonderem Interesse ist die Zweisprachigkeit Eckharts.[14] Innerhalb des Mittelalters ist das Lateinische *ein* Medium für den Universalismus des Denkens. Gleichwohl findet sich an mancher Stelle eine Klage über die Beengung durch die lateinische Sprache. Bei Eckhart nicht; in keinem der ihm zugeschriebenen Texte gibt es auch nur eine Nebenbemerkung dazu, was diese Zweisprachigkeit des Werkes besagt. Nicht einmal an den lateinischen Übersetzungen aus seinen Predigten in den Anklageschriften hat er etwas auszusetzen. Wer also eine Dominanz der mittelhochdeutschen Texte behauptet, kann sich nicht auf das berufen, was Eckhart sagt, sondern allenfalls auf das, was er tut. Warum aber fehlt bei ihm dazu jede Reflexion?

Bei keiner der bedeutenden Gestalten des mittelalterlichen Denkens spielt die Gattung Predigt eine annähernd so große Rolle wie bei Eckhart. Sein Denken artikuliert sich in beträchtlichem Maße in der Form der Rhetorik. Darin aber wird die Sprache nicht primär in ihrer semantischen, sondern in ihrer Wirkfunktion verwendet. Wie sehr es Eckhart auf diese ankommt, zeigt nicht nur, was er tut, sondern auch, was er sagt: „Wort hânt ouch grôze kraft; man möhte wunder tuon mit worten."[15] Dies hat wichtige Konsequenzen für die Interpretation. Auch wenn der

---

nesi‹) ebenfalls Teil seines Gesamtwerkes sein sollte. Nebenbei kann man an einer solchen Methode auch erkennen, warum die Wirkungschancen Eckharts innerhalb des akademischen Kontextes gering waren. In Hinblick auf die innovativen Entwürfe in der Naturphilosophie der ersten beiden Jahrzehnte in Paris und Oxford ist Eckharts allegorisierende Naturphilosophie eher ein retardierendes Moment. Dasselbe gilt mit Bezug auf seinen Versuch, die Einheit von philosophischem Wissen und Offenbarung über die thomasische Analogie- bzw. Konvenienzkonzeption hinaus unter Beweis zu stellen, was sich zugleich gegen die von neoaugustinistischer wie von nominalistischer Seite vertretene grundsätzlichere Trennung wie auch gegen die Aristoteles-Lehrer der Artes-Fakultät richtete.

[14] Darin Ramon Lull oder Dante vergleichbar. Auch Thomas von Aquin hat übrigens in seiner späten Zeit in Neapel mit beträchtlicher Wirkung in der Volkssprache gepredigt: J. A. Weisheipl, Thomas von Aquin. Sein Leben und seine Theologie, Graz 1980, 291 f.

[15] Pred. 18 (DW I, 306); Sermo XXXVI, 1, n. 369 (LW IV, 316): *verbis miranda fiunt.*

doktrinelle Gehalt in Eckharts Predigten höher als bei anderen Predigern ist, so muss doch anerkannt werden, dass es Eckhart nicht bloß um die Vermittlung seiner Lehre und Theologie zu tun ist. In der sog. Rechtfertigungsschrift hat er mehrfach darauf hingewiesen, dass die Predigten primär einen sittlichen Sinn haben; immer wieder bemerkt er zu einzelnen Sätzen, sie seien „modo emphatico" gesagt und also entsprechend zu verstehen.[16] Was folgt daraus? Handelt es sich lediglich um eine Schutzbehauptung? Muss man so weit gehen wie Bernhard Welte, der mit Wittgenstein'schen Mitteln eine Heidegger'sche Konsequenz daraus zieht? Sie besteht darin, dass Eckhart sich in zwei verschiedenen Sprachspielen bewege, dabei aber das lateinische Werk in der Metaphysik verbleibe, wohingegen das deutsche Werk diese zugunsten der Mystik überwinde.[17] Ähnlich wie die prinzipielle Unterscheidung von Esoterik und Exoterik bei demselben Denker verkennt auch die Aufspaltung in verschiedene sprachliche Medien die innere Einheit eines Gedankens. Zu dieser Einheit gehört sogar die Entsprechung und wechselseitige Voraussetzung seiner Theorie des Verstehens und seines Denkens.[18]

4. Eckharts metaphysischer Grundgedanke

Nicht etwa dem (von Bergson übernommenen) Satz Heideggers folgend, jeder Denker denke nur einen Gedanken, sondern vielmehr um der axiomatischen Verfassung seines Denkens zu entsprechen, gehen wir von Eckharts Grundgedanken im ›Opus tripartitum‹ aus. Eckhart sagt selbst: „Aus der ersten vorausgesetzten These lassen sich, wenn sie richtig abgeleitet werden, doch fast alle Gott betreffenden Fragen leicht lösen und das, was von ihm geschrieben steht, meistens auch das Dunkle und Schwierige, mit Hilfe der natürlichen Vernunft auslegen."[19] Neben dem Programmentwurf für das Gesamtwerk hat Eckhart jeweils ein Beispiel für jeden der Teile ausgeführt – und zwar den jeweiligen Anfang. Ferner steht im Prolog der Satz, der für das Verständnis des Denkens Meister Eckharts elementar ist.

[16] Proc. col., hrsg. v. G. Théry, a. a. O. [7] 199f.
[17] B. Welte: Meister Eckhart. Gedanken zu seinen Gedanken, Freiburg 1979, 252ff.
[18] Einiges dazu: R. Schönberger, Wer sind 'grobe liute'? Eckharts Reflexion des Verstehens, in: Jacobi, a. a. O. [3] 239–259.
[19] Prol. gen. in Op. trip., n. 22 (LW I, 165); das *exponere* kehrt auch in dem programmatischen Satz in In Ioh., n. 2 (LW III, 4) wieder; vielfach wird dies so interpretiert, als wäre von philosophischer Begründung die Rede; Eckhart verwendet jedoch das Wort *exponere,* auslegen, d. h. verständlich machen.

Der Satz lautet: *esse est deus* („Das Sein ist Gott")[20]. Der Begriff ›Sein‹ ist einerseits Beispiel für alle Transzendentalbegriffe, die nicht Eigenschaftsbegriffe sind, sondern umgekehrt von ihren Instanziierungen vorausgesetzt werden.[21] Andererseits gilt er hier – nicht durchgängig! – als der alle anderen Begriffe fundierende. Eckhart unternimmt es nun, für den genannten Satz eine Begründung zu geben. Die mittelalterliche Metaphysik ist weithin auf diesen Begriff des Seienden gegründet. Nach einem in der Scholastik viel zitierten Satz Avicennas ist „seiend" dasjenige, was zuerst in unser Denken fällt; auch Eckhart verweist auf ihn.[22] Damit ist gemeint, dass wir von allem, von dem wir reden, sagen können, dass es ein Seiendes sei. Da wir es von allem sagen können, muss dieser Begriff vielfältig ausgesagt werden. Aristoteles hat dies an einer auch im Mittelalter berühmten Stelle seiner Metaphysik behauptet. Eckhart, der Aristoteles unübersehbar häufig zitiert, greift auffälligerweise gerade diesen Satz an keiner Stelle auf.[23] Sollte er das Wort „seiend" als univok angesehen haben? Hier wird es jedenfalls nur mit einer Instanz identifiziert: mit Gott. Dies heißt jedoch keineswegs, dass das Sein etwas ist. Eckhart hat mit aller Radikalität darauf bestanden, von Gott alle Bestimmtheit fernzuhalten.

Aber kann man denn vom Sein selbst etwas aussagen? Ist dies überhaupt ein mögliches Subjekt sinnvoller Prädikate? Thomas hat dies immer wieder bestritten. Seiend nennen wir etwas, insofern wir den Vollzug der Wirklichkeit im Blick haben. Nur an einer frühen Stelle, in den ›Quaestiones disputatae de veritate‹, wo Thomas – wie zuvor schon Albertus Magnus – die Möglichkeit solcher Selbstprädikationen diskutiert, macht er es an der universellen Allgemeinheit der Bedeutung fest.[24] So könne man zwar sagen, dass ein Wesen ist, nicht aber, dass die Wärme warm ist. Später jedoch bestreitet er dies mehrfach: *esse* diene nämlich wie andere Abstraktbildungen *(albedo)* der Bezeichnung einer Form, nicht eines Konkreten. Daher könne nur gesagt werden, dass durch es etwas ist, nicht aber, dass es selbst etwas wäre. Thomas wendet sich damit gegen die neuplatonische Tradition, die ziemlich einschränkungslos solche Selbstprädikationen verwendet hatte. Was Thomas kritisiert hatte, greift Eckhart wieder auf: Auch das Sein ist „etwas", nämlich Gott. Erörterungen wie die eben genannten stellt Eckhart kaum an. Er fragt nicht, woher der Begriff des Seins eigentlich komme, welche sprachliche Struktur er habe, welches seine Bedeutung

[20] Prol. gen. op. trip., n. 12 (LW I, 156–158).
[21] Prol. gen. op. trip., n. 17 (LW I, 161); In Gen. I, n. 7 (LW I, 190); In Ioh., n. 214 (LW III, 180); n. 216 (p.181); etc.
[22] Prol. gen. op. trip., n. 9 (LW I, 154).
[23] Vgl. H. Fischer, a. a. O. [5] 50.
[24] Thomas, De ver. 21, 4, ad 4 (ed. Leon. XXII, 603).

sei. Mit anderen Worten: Es gibt bei Eckhart keine systematisch entfaltete Ontologie. Es gibt eine Metaphysik des Seins, sie besteht in der Begründung für die Identität von Sein und Gott. Doch erschließt Eckhart keinen Weg, auf dem das hier zu Identifizierende jeweils für sich und noch unabhängig von dieser Identifikation erschlossen würde.

Von Belang ist jedoch die überraschende Wendung, die Eckhart diesem Gedanken gibt. Die Tradition, die mit einem Ausdruck des bedeutendsten Historikers der mittelalterlichen Philosophie, Étienne Gilson, „Exodus-Metaphysik" genannt wurde, nach der das eigentliche oder das höchste Seiende Gott ist, führt er nicht fort. Eckhart sagt nicht, für das, was wir mit dem Wort „Gott" meinen, sei der Begriff des Seins der angemessenste Ausdruck, sondern eben gerade umgekehrt: Das Sein ist Gott. Auch wenn bei Eckhart die klassische Bestimmung vielfach begegnet – liegt in dieser Umkehrung eine bestimmte Pointe? Der Unterschied zwischen dem Satz „Gott ist die Liebe" (1 Joh. 4, 7) und dem Satz „Die Liebe ist Gott" ist unverkennbar. In diesem Vergleich mag das leidige Pantheismusproblem anklingen. Aber abgesehen davon, dass solche Positionen kaum so zu beschreiben sind, dass sie nicht schon eine bestimmte Ontologie voraussetzen, sei hier festgehalten, dass der Satz in der Verurteilungsbulle nicht zitiert wird. Im Kölner Verfahren hat er zwar eine Rolle gespielt, doch hat sich Eckhart offensichtlich erfolgreich verteidigt.

Die Umkehrung ist nun gewiss keine bloße Vertauschung, bei der statt B von A nunmehr A von B ausgesagt wird. Heidegger hat einmal diesen Satz herangezogen, um die Eigenart eines spekulativen Satzes herauszustellen.[25] Die Identifikation des Seins mit Gott scheint zudem in einem seltsamen Gegensatz zu dem zu stehen, was er in der berühmten Pariser Quaestio behauptet hatte: Gott ist nicht im aristotelischen Sinne als seiend, sondern als reines Denken zu bezeichnen.[26] Aber selbst wenn man sich kontradiktorisch zueinander verhaltende „Lehrmeinungen" mithilfe von Entwicklungshypothesen glaubt entschärfen zu können, so wäre dies nicht mehr als eine Ad-hoc-Hypothese, wenn man nicht zugleich die Gründe dafür anzugeben vermöchte, die eine solche Lehrentwicklung in Gang gebracht haben. Für eine solche würde es, falls Sturleses Neudatierung des ›Opus tripartitum‹ zutrifft, ohnehin zu eng.

Dadurch gewinnt folgende Interpretationsthese zusätzliche Plausibilität: In dem, worauf es Eckhart zuletzt ankommt, gibt es keine Differenz.

---

[25] M. Heidegger, Seminare (1951–1973), hrsg. v. C. Ochwadt, GA XV, Frankfurt 1986, 325. Eine ausführliche Interpretation dieses Satzes im Anschluss an Eckharts Auslegung von Exod. 3, 14 bei W. Beierwaltes, Platonismus und Idealismus, Frankfurt a. M. 1972, 45 ff.

[26] Qu. Par. 2, n. 9 (LW V, 53).

Die Weise, wie sich der Begriff „seiend" in der Pariser Quaestio von dem im Generalprolog unterscheidet, ist keine beliebige Äquivokation; die Bedeutungen von „seiend" sind vielmehr genau entgegengesetzt. Und zwar in der Gestalt, dass der axiomatische Sinn genau den enthält, den Eckhart durch die Primatstellung des *intelligere* gerettet wissen wollte. Wenn er dort sagt, *ens* sei kategorial verstanden und daher auf Gott nicht anwendbar, so sagt er hier, *esse* sei von schlechthinniger Allgemeinheit. Wenn es keine Entwicklung sein kann, da für sie der Zeitrahmen zu schmal wäre, sie aber in Wahrheit eben eine Umkehrung und gerade keine sog. „Entwicklung" darstellt, dann bleibt nur, den Blick vom doktrinellen Gehalt auf das zu richten, was für Eckhart selbst offenbar das Wesentliche dabei ist.

Wenn Eckhart das Verständnis von „seiend" nicht entwickelt, sondern jeweils voraussetzt, heißt das nicht, dass er nicht gleichzeitig ein historisch bereits vorliegendes Konzept in Anspruch nimmt. Im Gegenteil: Eckharts Denken ist selbst in den lateinischen, aber noch mehr in den deutschen Schriften in einer eminenten Weise adressatenorientiert. Eckhart greift ein bestimmtes und bei seinen Lesern bekanntes Verständnis auf, um von da aus das zu sagen, worauf es ihm ankommt. Dies kann bis zu einer weit abliegenden Neuinterpretation, aber auch zu einer Destruktion führen. Dies gibt seinem Denken – was Begründungsmethoden und Berufungsinstanzen, nicht was die Intention angeht – einen funktionalistischen Zug.

Eckhart muss, wie es auch Anselm und Thomas in ihren Gottesbeweisen tun, ein bestimmtes Verständnis dessen, was mit dem Wort „Gott" gemeint ist, voraussetzen. Aber während Anselm zu Beginn seines ontologischen Argumentes eine bestimmte Bedeutung dieses Wortes explizit einführt, unterstellt Thomas eine solche, um die jeweiligen Beweisresulate seiner *quinque viae* interpretieren zu könne. Aber mit der Frage der Existenz Gottes setzt bei Eckhart erst der zweite Teil der Fragen ein. Wie aber lässt sich jene Identität von Sein und Gott unter Beweis stellen?

Nicht zufällig beginnt Eckharts erstes Argument *e contrario*: Wenn das Sein nicht Gott wäre, dann würde, so Eckhart, folgen, dass Gott gar nicht existierte, denn das Sein käme gemäß Voraussetzung ihm gar nicht zu. Dieser Schluss ist nicht für sich zwingend; er ist es nur dann, wenn die andere Alternative, dass das Sein Gott zwar zukommt, dies aber nicht in der Weise der Identität, vielleicht auf den ersten Blick logisch möglich, aber nicht ernsthaft zu erwägen ist. Warum nicht, ergibt die zweite Folgerung, die für Eckhart ebenso eine absurde Konsequenz ist: Dann wäre Gott nicht Gott. Die Identität Gottes mit sich selbst ist der Grund für die Identität des Seins mit Gott. Der Grund ist nachvollziehbar, wenn man einbezieht, dass Sein hier nicht bloß wie ein formales Prädikat, sondern wie ein Bestimmungsgrund verstanden wird. Wäre nämlich, so möchte Eckhart sagen,

Sein nicht mit Gott identisch, so wäre dieser bloß ein Fall – und sei es ein ausgezeichneter Fall – von Sein, zudem wäre er durch das Sein. Im Fall seiner Nichtidentität mit dem Sein wäre er allererst durch das Sein, also durch etwas anderes als durch sich selbst. Diese Konsequenz nicht zulassen zu können, setzt offensichtlich bereits einen bestimmten Begriff von Gott voraus. Denn Eckharts Konklusion folgt nur, wenn man Gott bereits als das Erste überhaupt ansieht. Als Erstes ist es dann zugleich als Ursache des Seins anzusehen, d. h. als dasjenige, das allem anderen das Sein verleiht. Eckhart übernimmt hier dasjenige Konzept, durch das im 13. Jh. die naturphilosophische Kategorie der Bewegung, auf die sich Aristoteles gestützt hatte, durch eine explizit metaphysische ersetzt wurde. Voraussetzung des Arguments ist also, dass Gott als Schöpfer zu denken ist, und dies Schöpfersein wiederum heißt, für alles, was er nicht selbst ist, Grund seiner Wirklichkeit zu sein. Die Verschiedenheit von Gott und Sein hätte zudem zur Folge, dass die wirklichen Dinge ihre Wirklichkeit dem Sein, aber nicht Gott verdankten. Auch mit diesem Gedanken könnte nicht zusammengedacht werden, dass Gott Schöpfer ist. Eckhart kann einerseits das Sein der Form als dessen Akt gegenüberstellen, andererseits es gerade als die Wesensbestimmtheit auffassen. Sein aufschlussreicher Vergleich ist: *omne habens esse est [...] sicut habens albedinem album est.* Dieser Vergleich begegnet häufig. Sein wird wie überhaupt im Neuplatonismus als eine Form verstanden. Eckhart sagt denn auch ganz konsequent, dass mit der Aufhebung der Form auch das Geformte negiert ist. Er erläutert es mehrfach mit der Analogie von *album* und *albedo,* von einem konkreten weißen Ding und der Form des Weiß-Seins. Ebenso aber stellt er Sein, als Existenz verstanden, der Wesensbestimmung gegenüber. Dieses Theorem gebraucht er in mehrfacher Hinsicht, etwa wenn er sagt, dass etwas seine Existenz nur durch den kreativen, d. h. (!) seinsverleihenden Akt Gottes hat, die Wesensbestimmung jedoch grundlos ist. Diese Konsequenz ergibt sich deshalb, weil der Begriff des Wesens die Einheit notwendiger Bestimmungen meint. Deren Geltung hat kein Moment der Kontingenz an sich und hängt deshalb von keiner externen Ursache ab. Als dies im Prozess als Beschneidung des göttlichen Schöpfungsuniversalismus kritisiert wurde, hat Eckhart sich auf Avicenna, den ›Liber de causis‹ und Albertus Magnus berufen. Zugleich aber ist die spezifische Bestimmung von dem Sein als solchen dadurch unterschieden, dass jene durch endliche Ursachen vermittelt ist, während das Sein aller Wirklichkeit unmittelbar (!) verliehen wird.

Dies kann also nur einer einzigen Instanz entstammen. Die Einzigkeit des Seins unterstreicht Eckhart noch damit, dass er sich hierfür – wie er auch sonst immer wieder einmal die Vorsokratiker zur Geltung kommen lässt – auf Parmenides beruft.[27] Wenn dem aber so ist, dann wird die Frage unausweichlich, welchen ontologischen Status das Endliche hat. Eckhart sagt mit aller Konsequenz: „Die Kreaturen sind ein reines Nichts."[28] Die Bestimmung des Endlichen als Nichtigkeit hat die mittelalterliche Spiritualität aus seiner Vorläufigkeit, seiner Fragilität und Hinfälligkeit genommen. Die Metaphysik und Theologie hingegen haben die Nichtigkeit des Endlichen in einem relativen Sinne verstanden: Im Vergleich zur reinen, weil unvergänglichen bzw. zeitlosen Wirklichkeit sind die Dinge nichts. Eckhart wehrt ausdrücklich jede Abschwächung ab. Für ihn besteht die Nichtigkeit der endlichen Dinge gerade darin, dass sie selbst nichts anderes als reine Relationalität zu ihrem Ursprung sind. Die traditionelle Fassung der Relation als *non-ens* bleibt dabei intakt, sie wird jetzt nur angewendet auf die Relationalität des Endlichen als solcher.[29] Wenn also Eckhart ausdrücklich darauf insistiert, dass damit das Sein der Kreatur nicht negiert wird,[30] so ist dies ganz folgerichtig.

Eckhart kennt jedoch genauso die Umkehrung dieses Verhältnisses: Das Seiendsein wird den Dingen zugeschrieben; der Intellekt oder auch Gott sind im Verhältnis dazu reines Nichts. „Paulus erhob sich von der Erde, und mit offenen Augen sah er nichts" (Act. 9, 8) – soll jetzt heißen: das Nichts.[31]

Beide Konzeptionen des Seins sind im theoretischen Kontext Eckharts vertretbar und möglich. Offensichtlich hat Eckhart kein Motiv, sich für eines dieser Konzepte zu entscheiden bzw. eines als das allein angemessene zu zeigen. Elementar ist für ihn vielmehr, einerseits die radikale Differenz zwischen dem Ursprung der endlichen Welt und dieser selbst und andererseits die Allgegenwart endlicher, aber aufzuhebender Vorstellungen aufzuzeigen.

5. Das Innewerden der Einheit

Das Christentum versteht die Bestimmung des Menschen als die Überwindung seiner Entzweiung von seinem Ursprung. Diese Entzweiung hat nach Eckhart die Besonderheit, dass einerseits Gott als Schöpfer der Welt in allem anwesend ist, im Menschen jedoch diese Anwesenheit auf vielfältige Weise verdeckt ist. Dies ist dadurch möglich, dass Gott kein weiteres

---

[27] Prol. op. prop., n. 5 (LW I, 168).
[28] Pred. 4 (DW I, 69); 68 (DW III, 149).
[29] In Exod., n. 64 (LW II, 68).
[30] Prol. op. prop., n. 15 (LW I, 176); In Sap., n. 260 (LW II, 591).
[31] Pred. 71; vgl. B. Hasebrink, Pred. 71 'Surrexit autem Paulus', in: Lectura Eckhardi, hrsg. v. L. Sturlese/G. Steer, Stuttgart 1998, 219–245.

Etwas ist, das zu anderem hinzukäme. Auch die Welt ist keine Hinzufügung zum göttlichen Sein.[32] Er ist da als das eine Prinzip aller Vielfältigkeit. Die unübersehbare Vielfalt endlicher Wirklichkeit ist für Eckhart nicht hinsichtlich ihrer Einzelheit von Interesse, sondern hinsichtlich dieses formalen Prinzips selbst und des Verhältnisses des Menschen zu ihm: Die Welt ist Vielheit; was eine Differenz enthält, ist nicht Gott.

Wenn aber zugleich diese Vielheit die theoretische und praktische Aufmerksamkeit des Menschen auf sich zieht, dann kann ihre Relativierung keine Sache theoretischer Einsicht sein. Denn: Anwesend ist Gott im „Mistwürmlein" und der „Raupe" ebenso wie auch im Menschen. Aber in einer Hinsicht ist diese Rede von der Allgegenwart unspezifisch und sogar verfälschend: Der Geist des Menschen ist selbst ein Prinzip der Vergegenwärtigung. Wenn es also darum geht, die Gegenwart von etwas zu vergegenwärtigen, das „an sich" bereits da ist, dann kann es sich nicht um eine Einsicht handeln, die durch ein Argument zureichend herbeigeführt werden kann. Es handelt sich nämlich um eine andere Form der Identifikation. Es wird nicht etwas als etwas gegenständlich identifiziert, sondern von der Seele des Menschen selbst. Dies lässt sich aber nicht so verstehen, als ob die Seele nun zu diesem Kreis der Objekte hinzuträte. Da sie selbst die Vergegenwärtigung zu erbringen hat, lässt sich diese eigentümliche Weise der Erfassung kategorial als „Innewerden" begreifen.

Man kann begründen, dass und warum es Eckhart in seinen Predigten um dieses Innewerden geht. Das gesamte deutsche Predigtwerk Eckharts ist charakterisiert durch die ungeheuere thematische Konzentration auf die eben rekonstruierte Einsicht mithilfe einer unerschöpflichen Fülle von Zitaten aus biblischen, philosophischen und anderen Texten, von Gleichnissen und Beispielen. Gerade diese Variationsbreite zeigt, dass es mit einer ausschließlich argumentativen Einsicht nicht getan ist. Für diese bedürfte es prinzipiell eben nur eines einzigen Argumentes. Eckharts Einsatz an Rhetorik, an Sprachkunst überhaupt und auch an Phantasie, sein Thema als eines von universeller Anschlussfähigkeit vorzuführen, ist ein zusätzliches Argument für die hier vorgeschlagene Statusbestimmung.

Es empfiehlt sich, dies an einem Predigttext zu konkretisieren. Wenn die Interpretationsthese richtig ist, dann darf es keine Predigt geben, die ihr widerspricht. Greifen wir also beliebig die relativ kurze Pred. 22 (›Ave, gratia plena‹) heraus, die in der Kölner Zeit entstanden ist.

Die Predigt hat den englischen Gruß zum Thema. Der Engel verkündet Maria, dass sie in der Gnade Gottes stehe und den Sohn des Allerhöchsten gebären werde. Eckhart verweist zunächst auf die Niedrigkeit der Engels-

---

[32] Pred. 4 (DW I, 70); Pred. 25 (DW II, 16); Pred. 30 (DW II, 101); Pred. 41 (DW II, 292).

natur. Zwar verkündet der Engel, da er ja Bote ist, doch seine Natur ist nicht über der des Menschen. Der von Eckhart genannte Grund ist: Der Engel nennt Maria nicht beim Namen. Dies ist zum einen Zeichen dafür, dass er seine Niedrigkeit anerkennt, es zeigt aber auch, dass nicht nur Maria, sondern vielmehr jegliche gute Seele gemeint ist.

Dies überrascht, da die Ausnahmestellung Mariens durch viele Lehrstücke des Christentums, von den frommen Legenden zu schweigen, festgelegt ist. Der Engel kündet eine Geburt im wörtlichen Sinne an. Eckharts Gedanke ist nun aber, dass einer leiblichen Geburt des Gottessohnes die geistige vorherzugehen habe. Er beruft sich hierfür auf die barsche Zurückweisung eines Marienlobs durch Jesus, das sich scheinbar ausschließlich auf Schwangerschaft und Mutterschaft Mariens bezieht. Das Hören des Wortes Gottes, d. h. das Vernehmen im Sinne der Zustimmung, muss dem vorangegangen sein. Der Wert der leiblichen Gottesgeburt hängt an der geistigen, die sich in jeder „guten Seele" ereignen kann.

Der Mensch bringt aber nicht nur zeugend und gebärend hervor, er ist selbst ein hervorgebrachtes Wesen: Er ist Geschöpf. Dies setzt aber voraus, dass die Dinge Gedanken Gottes „gewesen" sind. Eckhart gewinnt daraus auch hier einen besonderen Gedanken: Gott gebiert die Kreaturen, weil sie im ewigen Logos, durch den sie geschaffen worden sind, enthalten sind. Eckhart steigert diesen Gedanken noch weiter: Zum einen benutzt er, um dies verständlich zu machen, traditionsverpflichtet die Analogie der menschlichen Sprache: Das Wort wird ausgesprochen, muss aber zuvor im Geist geboren worden sein. Es wird zum Ausdruck gebracht und bleibt doch innen. Zum anderen wendet Eckhart diesen Gedanken (wie etwa in der Armutspredigt) auf den Menschen selbst an. Der Mensch gewinnt aus dieser spekulativen Verschränkung von Trinitäts- und Schöpfungslehre ein anderes Bewusstsein. Zugleich aber lässt sich damit die Möglichkeit der Einheit mit Gott einsehen.

Dies ist kein gleichgültiges Faktum oder ein psychologisches Sonderphänomen. Gott will diese Einheit. Gott gibt seine göttliche Vollkommenheit auf, um Mensch zu werden. Die Menschwerdung Gottes soll den Menschen von der göttlichen Liebe überzeugen.

Aber das Hervorbringen kennzeichnet alle Kreaturen; in ihrer Wirkkraft liegt eine Ähnlichkeit mit Gott. Ihr Wesensprinzip ermöglicht dieses Wirken, wirkt aber nicht selbst. Nicht das Feuer, sondern das dürre Holz brennt. Die Anwesenheit des Feuers im Holz vergleicht Eckhart mit der Anwesenheit Gottes im Menschen. Eckhart wählt offensichtlich kein beliebiges Beispiel: Auch im Menschen ist ein göttlicher Funke anwesend – eben das, was der Mensch als göttliche Idee – und daher ungeschaffen! – ist.

Die Mystik Eckharts ist keine Stufenmystik nach dem Vorbild des Dionysius, kümmert sich auch nicht um außerordentliche Ereignisse der Seele. Im Gegenteil, Eckhart ist ein harscher Kritiker schon der entsprechenden Sehnsüchte.[33] Er hat dafür zwei Gründe: Zum einen hält er es nicht für gesichert, dass eine solche Erfahrung wirklich gnadenhaft statt bloß natürlich ist.[34] Zum anderen aber unterstellt dies, man könne nur auf eine bestimmte Weise mit Gott eins werden. Angesichts der Disproportionalität des unendlichen Gottes und des endlichen Geschöpfes kann aber kein bestimmter Weg als exklusiv angesehen werden. Darin liegt derselbe Gedanke wie in der insistierenden Kritik Eckharts an der Überschätzung äußerer Handlungen. In ihnen liegt über die Sittlichkeit des Willens hinaus weder eine zusätzliche ethische Qualität noch – was man Fasten, Beten und ähnlichem zugeschrieben hatte – eine spezifische Eignung zur Selbsttranszendenz. Diese Handlungen sind immer noch indifferent gegenüber einem angemessenen Selbstverhältnis. Darin *kann* sich eine Eliminierung des Egoismus anbahnen oder manifestieren, muss es aber nicht. Man kann diese Auffassung in die Nähe der nominalistischen und – was als Quelle sicherlich einschlägig ist – der stoischen Lehre von der sittlichen Indifferenz äußerer Handlungen rücken. Eckharts Gesichtspunkt ist jedoch kein moralphilosophischer bzw. -theologischer, sondern ein spiritueller: die Aufspreizung des Endlichen als verborgenes und sich selbst verbergendes Motiv in den Versuchen der Selbstüberschreitung.

Zu der Indifferenz der Handlung gehört ebenso die der religiösen (institutionalisierten) Orte und Zeiten, insbesondere aber die Indifferenz des Willens. Das entscheidende Hindernis für die Einheit des Menschen mit Gott ist erstens ein praktisches: Das Verhältnis des Willens zur Wirklichkeit ist Streben, schließt also die Struktur der Präferenz ein. Der Mensch strebt nach dem einen, flieht das andere. Hierin werden die Dinge aber noch in ihrer Differenz genommen. Der präferierende, weil natürliche Wille muss also überführt werden in universale und vorbehaltlose Zustimmung. Erst dann, wenn die Anerkennung des göttlichen Willens auch bei solchen Widerfahrnissen gelingt, die der Mensch natürlicherweise zu meiden sucht, ist er in eine Haltung gelangt, die der göttlichen Einheit entspricht.

Diese Überführung in die Indifferenz hat ihre Analogie in den kognitiven Vermögen, woraus das zweite Hindernis für die Einheit des Menschen mit Gott entspringt. Alle Vorstellungen von Gott sind ihm schon als Vorstellungen unangemessen. Sie können also nicht als Sprungbrett der Analogie dienen, sondern müssen Gegenstand einer rigorosen Vergleichgültigung werden. Wenn es gelingt, diese Vorstellungen („Bilder") aufzuheben („entbilden"), dann gelangt der Mensch dazu, selbst – wie der Logos – Bild

---

[33] Reden der Unterweisung, 21 (DW V, 281).
[34] Reden der Unterweisung, 10 (DW V, 220).

zu sein, also Gott ganz zu entsprechen. Dies nennt Eckhart die Gottesgeburt in der Seele – was allerdings kein direkt anstrebbares Ziel ist. Die Einheit mit Gott ist vielmehr gar nicht ausschließlich Ziel, sondern eine immer schon bestehende Voraussetzung. Was Eckhart beschreibend vergegenwärtigt, ist nur möglich, weil der Grund bzw. die Spitze der Seele aus dieser Einheit gar nicht herausgefallen ist. Schöpfung ist Fall. Ihre, wenn man so sagen kann, Revision ist möglich, wenn der Mensch sich dieser Einheit bewusst wird. In immer neuen Anläufen unternimmt es Eckhart, die Einheit des Menschen zu veranschaulichen: Das vielleicht Wichtigste ist der Bildbegriff. Darin kehrt genau das wieder, was bei der relationstheoretischen Bestimmung der Kreatur bereits hervorgehoben wurde. (Ab-)Bild und (Ur-)Bild sind zwar nicht numerisch dasselbe, aber doch „völlig eins": Ohne jegliche inhaltliche Differenz bleibt nur die der Relation.[35] Die Einheit mit Gott, zu der Eckhart anleiten will, ist eine, die immer schon besteht. Sie ist durch das vorstellende und praktische Gerichtetsein auf die Kreaturen nur verstellt. Daher ist sie Inhalt eines Innewerdens, nicht ein psychisches Ereignis. Einem solchen gegenüber bleibt Eckhart, wie gesagt, schon wegen der darin liegenden Zweideutigkeit, da es sich vielleicht nur um einen natürlichen Vorgang handelt, stets distanziert, weitaus distanzierter als vermutlich sein Adressatenkreis. Die Möglichkeitsbedingung für die Einheit mit Gott ist die schon bestehende Einheit. Da die angezielte Einheit jedoch kein dem Wissen gegenüber unabhängiger Vorgang sein kann, bedarf sie eines Innewerdens. Das Innewerden muss zwar mit allem Aufwand vorbereitet werden, kann aber auch nur vorbereitet werden. Es kann nicht der Schluss eines Argumentes sein. Denn zu diesem Gedanken gehört wesentlich eine Leistung der Identifikation. Da das, was Eckhart unter stärksten Anleihen aus der traditionellen Spekulation ausführt, den Adressaten seiner Rede wesentlich bestimmt, muss in diesem noch etwas anderes erweckt werden als nur die Bereitschaft, einen Gedanken zu denken oder ein Argument einzusehen. Es gilt eine Grenze wieder zu überschreiten, die durch den Menschen selbst verläuft: „Dâ, diu crêâtûre endet, dâ beginnet got ze sînne."[36]

---

[35] Pred. 9 (DW I, 154); Pred. 69 (DW III, 176 f.); In Ioh., n. 23 (LW III, 19); etc.
[36] Pred. 5b (DW I, 95).

Auswahlbibliographie

Quellentexte

Meister Eckhart: Die deutschen und lateinischen Werke, hrsg. i. A. der Deutschen Forschungsgemeinschaft, Stuttgart 1936 ff.

Meister Eckhart: Predigten und Traktate, hrsg. v. W. F. Pfeiffer, in: Deutsche Mystiker des 14. Jahrhunderts II, Leipzig 1857, ND Aalen 1962.

Meister Eckhart: Werke. Text und Übersetzung v. J. Quint u. a., hrsg. und komm. v. N. Largier, Frankfurt a. M. 1993.

Meister Eckhart: Deutsche Predigten und Traktate, hrsg. und übers. v. J. Quint, München [5]1978.

Sekundärliteratur

Albert, K.: Meister Eckharts These vom Sein, Ratingen 1976.

Jacobi, K. (Hrsg.): Meister Eckhart: Lebensstationen – Redesituationen, Berlin 1999.

Libera, A. de: Introduction à la Mystique Rhénane. D'Albert le Grand à Maître Eckhart, Paris 1984.

Lossky, V.: Théologie négative et connaissance de Dieu chez Maître Eckhart, Paris 1960.

Ruh, K.: Meister Eckhart. Theologe, Prediger, Mystiker, München [2]1989.

Ruh, K.: Geschichte der abendländischen Mystik III, München 1996, 218–353.

Stirnimann, H./Imbach, R. (Hrsg.): Eckardus Theotonicus, homo doctus et sanctus. Nachweise und Berichte zum Prozeß gegen Meister Eckhart, Freiburg (Schweiz) 1992.

Sturlese, L./Steer, G. (Hrsg.): Lectura Eckardi, Predigten Meister Eckharts von Fachgelehrten gelesen und gedeutet, Stuttgart 1998.

Trusen, W.: Der Prozeß gegen Meister Eckhart. Vorgeschichte, Verlauf und Folgen, Paderborn 1988.

Waldschütz, E.: Denken und Erfahren des Grundes. Zur philosophischen Deutung Meister Eckharts, Wien u. a. 1989.

JOHANNES DUNS SCOTUS

Transzendentale Metaphysik und normative Ethik

Von Olivier Boulnois

Während das Mittelalter in seine späte Blütezeit eintritt, fasst Johannes Duns Scotus (1265?–1308) die Errungenschaften der Scholastik bereits in einer kritischen Synthese zusammen. Er steht mit den großen Autoritäten der Vergangenheit – mit Aristoteles und Augustinus – im Gespräch; zugleich ist er ein Vorbereiter der Barockmetaphysik (mit Vázquez und Suárez), der deutschen Schulmetaphysik und der Philosophie Kants. Damit markiert Scotus einen Wendepunkt zwischen zwei Epochen der Ethik und der Metaphysik.

I. Die Konfrontation von Philosophie und Theologie

Scotus beginnt um 1290 zu unterrichten, nicht lange nach der Krise der Verurteilungen von 1277. In diesem Jahr verbietet der Bischof von Paris 219 Thesen, wie sie insbesondere von Magistern der Artistenfakultät vorgetragen wurden und in seinen Augen die Grenzen ihres Faches überstiegen. Mit dieser Zensur untersagt er ihnen, theologische Fragen zu erörtern, wenn sie dabei nicht zu denselben Schlussfolgerungen gelangen wie der Theologe. Eben dadurch nun, dass er dem Philosophen verbietet, sich in die Theologie einzumischen, *erfindet* der Bischof von Paris allererst seine Gestalt und denkt ihn als deren Widersacher.

Als Franziskaner, Priester und Theologe stellt sich Scotus mit seinem Denken bewusst auf die Seite des Zensoren und der Orthodoxie. So schreibt er im Prolog seiner ›Ordinatio‹, des großen Kommentars zum Sentenzenwerk des Petrus Lombardus: „Die Philosophen behaupten die Vollkommenheit der Natur und leugnen die übernatürliche Vervollkommnung" (§ 5). Aus der Pflicht zur Zurückhaltung der Lehrer der *Freien Künste* macht er die Glaubensverneinung der Philosophen.

Aus der Außenperspektive des Theologen – der Scotus ist – betrachtet, bilden die verschiedenen den „Philosophen" zugeschriebenen Argumente ein System: das der *philosophischen Glückseligkeit*, die der Mensch auf dem höchsten Punkt einer metaphysischen Theologie erlangt. In gewisser

Weise erkennt Scotus durchaus den Kern der von den Magistern der Artistenfakultät vertretenen Position: Der Weise ist „der glücklichste" der Menschen (Aristoteles, Nikomachische Ethik X, 9). Doch ist dies eben der Blickwinkel des Theologen, der unzusammenhängende Argumente zusammenfasst und dadurch einen Zusammenhang herstellt, den diese vor der Zensur überhaupt nicht besaßen. Indem Scotus die einfache Bejahung der Natur zur Verneinung des Übernatürlichen stilisiert, *wiederholt er auf gelehrte Weise die disziplinierende Geste des Zensoren. Aus bloßem Schweigen macht er eine Häresie.* Den Protesten der Magister der Artistenfakultät schenkt Scotus kein Gehör: Dort, wo Aristoteles von einem Mangel und einer Negativität redet, liest er bei den Artisten etwas Positives, eine Bejahung der Abgeschlossenheit der Philosophie heraus, die er wiederum als Verneinung einer höheren Vollkommenheit deutet. Welch eigenartiger Stellentausch: Der Theologe *erfindet* die Gestalt des Philosophen, indem er seine eigene Heilslehre verdoppelt und verendlicht, und *zerstört* diese sogleich wieder durch eine scharfsinnige Aristoteleslektüre, wobei er die Negativität und das Verlangen der Natur hervorhebt. *Erst die Kritik des Theologen macht die Magister der Artistenfakultät zu Philosophen,* als nämlich diese (Siger von Brabant, Boetius von Dacien) sich ausdrücklich gegen den Vorwurf verteidigen, sie leugneten die übernatürliche Vervollkommnung.[1]

Für Scotus reicht die Philosophie nicht aus, um den Wunsch nach Glück zu erfüllen, den der Philosoph erforscht. Das Glück des tugendhaften Menschen ist nichts im Vergleich zur Glückseligkeit des Gläubigen; denn es ist unmöglich, durch bloße Vernunft diejenige Handlung zu erkennen, die allein das Glück vervollständigen kann, die Schau des göttlichen Wesens von Angesicht zu Angesicht. Hierin liegt ein Paradox: Das wahre Ziel des Menschen wird vom Menschen nicht gewusst; einzig die Gnade gibt es ihm zu erkennen. Der Übergang zum Glauben ist mithin ein Sprung, der den Menschen in die Lage versetzt, seine wahre Vervollkommnung zu erlangen. Der Glaube löscht nicht die Würde der menschlichen Natur aus, sondern adelt, erhebt sie. Was das betrifft, verdient der Optimismus des Scotus hinsichtlich der menschlichen Natur besonders hervorgehoben zu werden: Die Theologie geht über das von den Philosophen ausgemachte Glück hinaus – aber so, dass sie jenes, ohne es in Abrede zu stellen, vollendet.

[1] Vgl. L. Bianchi, Il vescovo e i filosofi, Bergamo 1990; A. de Libera, Penser au Moyen-Age, Paris 1991; F.-X. Putallaz/R. Imbach, Profession: Philosophe. Siger de Brabant, Paris 1997.

II. Die Geburt der transzendentalen Metaphysik

Der Begriff der Theologie ist zunächst ein aristotelischer Begriff: Im Buch Λ der ›Metaphysik‹ bezeichnet dieser Terminus das Wissen, welches Gott von sich selber hat. Allerdings ist dieses Wissen die „Theologie an sich", ein göttliches Wissen vom Göttlichen, welches uns gar nicht zugänglich ist. Nach christlicher Lehre empfängt der Gläubige dagegen eine Offenbarung Gottes von Gott selbst, wodurch er an jenem göttlichen Wissen in gewisser Weise teilhat. Die Offenbarung jedoch ist einfach ein Gegenstand des Glaubens; sie ist noch keine Wissenschaft. Für Scotus ist sie dem göttlichen Wissen nicht untergeordnet wie bei Thomas von Aquin; denn sie ist von einer anderen Art. Damit es *für uns* eine Theologie als Wissenschaft geben kann, ist es nötig, dass wir die Begriffe bilden können, die sie konstituieren. Hierzu ist es wiederum nötig, dass wir der Abstraktionsleistungen der Metaphysik fähig sind. „*Unsere* Theologie" handelt von Gott als von dem ersten Subjekt all der Aussagen, die sich aus seiner Natur und seiner Freiheit ableiten lassen. Sie setzt somit voraus, dass wir eine Kenntnis Gottes in seinem Wesen haben – eben durch die Metaphysik. Doch gelangt man zu ihr nicht durch Teilhabe an der göttlichen Theologie vermittels des Wissens der Seligen wie bei Thomas, sondern sie wird ausgehend von unserer sinnlichen Erfahrung durch Abstraktion gewonnen.

Scotus ist der große Erneuerer der Metaphysik – nicht etwa, *obwohl* er ein Theologe ist, sondern *weil* er ein Theologe ist. In dem Maße, in dem er sich bemüht, die Glaubenslehre als Wissenschaft zu begründen, benötigt er diese Metaphysik. Ja, die besondere Gestalt, die er der Metaphysik verleiht – die Gestalt nämlich einer transzendentalen Wissenschaft –, ist von dieser theologischen Entscheidung abhängig: Damit unser Wissen von Gott ein Wissen im strengen Sinne ist, müssen die philosophischen Begriffe sich im selben Sinne auf Gott und auf das Geschöpf anwenden lassen. Es gibt daher ein theologisches Bedürfnis nach Metaphysik, und dies ist der Grund, weshalb Scotus die Aporie der aristotelischen Metaphysik überwindet und diese als Wissenschaft begründet.

Die Hauptschwierigkeit der ›Metaphysik‹ des Aristoteles liegt in der Unvereinbarkeit der gesuchten Wissenschaft mit der aristotelischen Einteilung der Einzelwissenschaften begründet. Erstere wird in Γ, 1, beschrieben: Aristoteles erklärt, es gebe eine Wissenschaft vom Seienden als Seienden (on hē on). Sie unterscheidet sich von den anderen Wissenschaften, weil diese immer einen Ausschnitt des Seienden betrachten, jene hingegen in allumfassender Weise das Seiende als solches (katholou peri tou ontos hē on, 1003a 21–26). In E, 1, untersucht Aristoteles den Unterschied zwischen den theoretischen Wissenschaften gemäß der verschiedenen von ihnen betrachteten Gegenstände. Die Untersuchung der Physik und der Mathematik macht die Annahme erforderlich, dass es eine ihnen vorgeordnete Wissenschaft gibt, welche solche Dinge betrachtet, die von der Materie abgetrennt und unbeweglich sind (chorista kai akinēta). Dies ist die Erste Wissenschaft, da sie von der höchsten Klasse des Seienden handelt (to timiōtaton genos). Sie wird auch Theologie oder göttliche Wissenschaft (theologikē) genannt werden, weil die unbeweglichen und nicht-materiellen Wirklichkeiten ewige Ursachen sind. Aus der aristotelischen Einteilung der Wissenschaften wird die Existenz einer Ersten Philosophie oder Theologie gefolgert, welche die allerhöchste Art von Seiendem betrachtet (E, 1, 1025b 1–1026a 22).

Das wirft aber unmittelbar das folgende Problem auf: Ist die (gesuchte) Metaphysik eine Theologie? Ist die Theologie – oder Erste Philosophie – mit nur einem Teil des Seienden befasst, oder ist sie allumfassend? Wie kann eine solche Erste Philosophie eine allumfassende Wissenschaft des Seienden als Seienden sein? Die Antwort des Aristoteles, eine Crux für den Interpreten, ist seinen Kommentatoren ein Rätsel gewesen: Die Theologie ist allumfassend, weil sie die Erste Wissenschaft ist; sie betrachtet das Seiende als solches, gerade insofern sie ihren vorzüglichsten Gegenstand betrachtet, nämlich den göttlichen (E, 1, 1026a 23–32). Nirgendwo erklärt Aristoteles diesen Zusammenfall der Theologie mit der Wissenschaft des Seienden als Seienden. Jüngst ist es einem Kommentator des Aristoteles gelungen zu zeigen, dass es sich bei dieser rätselhaften Unentschiedenheit um eine wiederkehrende Denkform bei Aristoteles handelt: Seine Metaphysik, aber auch seine Kosmologie und seine Psychologie haben eine „katholou-protologische" Struktur (das Allumfassende ist dort allumfassend, weil es das Erste ist).[2]

Die andere Schwierigkeit der aristotelischen Metaphysik gründet in der Äquivozität des Seins. Wenn, wie Aristoteles bemerkt (Γ, 2, 1003a 33), „das Seiende in verschiedenen Bedeutungen gesagt wird", wie kann es dann eine Wissenschaft von einem einheitlichen Seienden geben? Für Aristoteles ist eine Wissenschaft nur von dem möglich, was eingegrenzt, was definiert ist, nur von einer Gattung: „Keine Einheit zu bedeuten, heißt, überhaupt nichts zu bedeuten" (Γ, 4, 1006b 7). Die Vielfalt der Bedeutungen des Seienden sprengt aber die generische Einheit; sie zwingt uns dazu, den es bezeichnenden Namen als leer anzusehen und das Unternehmen der Metaphysik als in sich widersprüchlich. Wie Scotus bemerkt, „ist die Metaphysik keine Wissenschaft für unseren Verstand", wenn der Verstand nicht „etwas Gemeinsames unter dem Begriff des Seienden" erkennt; es wäre dann „die Metaphysik ebensowenig wie die Physik eine transzendentale Wissenschaft" (Ordinatio = Ord. I, d.3, § 117, 118; III, 72–73).

Die grundlegende Aporie der Metaphysik, und für diese geradezu kon-

---

[2] R. Brague, Aristote et la question du monde, Paris 1988.

stitutiv, setzt sich aus drei Aussagen zusammen, von denen sich je zwei miteinander vereinbaren lassen, aber nicht alle drei zusammen:[3] 1. Jede Wissenschaft handelt von einem wohlbestimmten und eindeutigen (univoken) Genus; dies ergibt sich aus der aristotelischen Definition der Wissenschaft in den ›Zweiten Analytiken‹. 2. Das Seiende ist kein Genus; denn es wird in mehreren Bedeutungen (äquivok) gesagt. 3. Die Metaphysik versteht sich als die Wissenschaft des Seienden als Seienden.

Diese Aporie lässt sich jedoch lösen, indem man eine transzendente Einheit der Metaphysik vertritt, die auf der analogischen Vereinigung des Seins im Allgemeinen mit dem göttlichen Sein als dem Sein par excellence *(ipsum esse)* beruht.

Diese Position findet sich bei Thomas von Aquin wieder. Sie stößt sich allerdings an einer Schwierigkeit: Der, dessen Existenz man innerhalb der Metaphysik nachweist, Gott, gehört nicht zum Gegenstandsbereich dieser Wissenschaft. Tatsächlich definiert Thomas im Gefolge Avicennas das Seiende als den Gegenstand der Metaphysik. Dabei ist er darauf bedacht klarzustellen, dass dieses Seiende das geschaffene Seiende ist, die sinnfällige Washeit. Folglich gelangt man zu Gott als zu der Ursache des Gegenstandsbereichs der Metaphysik, ohne dass Gott doch in diesem Gegenstandsbereich – dem *ens commune* – enthalten wäre. Wenn nun aber das höchste Ziel der Metaphysik die Erkenntnis Gottes ist, muss diese problematisch werden; denn die Metaphysik hat die Existenz eines Seins zu beweisen, welches nicht in ihren Gegenstandsbereich fällt. So bleibt die Metaphysik eine unabgeschlossene Wissenschaft, die zur Andersartigkeit Gottes hin geöffnet, aber nicht in der Lage ist, sich als eine in sich geschlossene, demonstrative Wissenschaft zu konstituieren.

Die zweite Deutungsmöglichkeit besteht nun darin, den Gegenstand der Metaphysik so auszulegen, dass er auch Gott umfasst. Dies ist die Lösung des Heinrich von Gent. Heinrich erweitert den Gegenstandsbereich der Metaphysik: Dieser umfasst nicht mehr bloß das geschaffene Seiende (das an seiner Ursache teilhat), sondern ist ein unterschiedslos verstandener Begriff des Seienden, der auch Gott als sein Prinzip einschließt. Gegenstand der Metaphysik ist nach Heinrich das „Gott und dem Geschöpf gemeinsame und analoge" Seiende *(ens [...] commune analogum ad creatorem et creaturam,* Summa a.21, q.3; f° 126 r E). Die Analogie ist mithin nicht länger eine solche *zwischen dem* (geschaffenen) *Sein* und Gott, zwi-

---

[3] Vgl. O. Boulnois, La destruction de l'analogie et l'instauration de la métaphysique, Einleitung zu: Duns Scot, Sur la connaissance divine et l'univocité de l'étant, Paris 1988, 11–81; ders., Analogie et univocité selon Scot, in: Les Etudes philosophiques 3/4 (1989) 347–370; S. Dumont, L'univocité selon Scot et la tradition médiévale de la métaphysique, in: Philosophie (1999) 27–49.

schen dem Gegenstand der Metaphysik und seinem transzendentalen
Grund, sondern eine Analogie *im Sein*. Das gemeinsame Seiende wird zum
allgemeinsten, alle Dinge umfassenden Begriff, weil in ihm Geschöpf wie
Schöpfer enthalten sind. Er enthält weder eine Bestimmung auf die Substanz oder auf das Akzidens hin, noch auf den Schöpfer oder das Geschöpf
(Summa a.24, q.3, f° 138 P). Allein, dieser Begriff enthält eigentlich zwei
Begriffe, den Gott eigentümlichen Begriff des Seienden und den der Kreatur eigentümlichen Begriff des Seienden; diese sind nur miteinander vermengt worden. Das Problem wird dadurch zu einem epistemologischen:
Wie unterscheiden wir den unbestimmten Begriff des Seienden im Allgemeinen von dem unbestimmten Begriff Gottes? Heinrich verweist hier
darauf, dass der erste privativ unbestimmt ist (das heißt, er ist seiner Bestimmungen entblößt), wohingegen der zweite negativ unbestimmt ist (das
heißt, er ist überhaupt nicht bestimmbar). Es bleibt die Schwierigkeit, dass
sie beide in einem einzigen Begriff erfasst werden, wodurch sie ununterscheidbar werden. Beide Begriffe werden in ihrer Unbestimmtheit vermengt, im selben „Irrtum" *(error)* – der Ausdruck stammt von Heinrich
von Gent – durcheinander gebracht. Es gibt nichts mehr, was uns erlaubte,
das abstrakte universale Sein vom göttlichen Prinzip zu unterscheiden –
ein schwerwiegendes Problem für die Metaphysik.

Scotus hat viel Platz darauf verwendet, die epistemologischen Schwächen dieser Theorie hervorzukehren. In letzter Konsequenz, so glaubt er,
würde sie jedes Wissen unmöglich machen. Es wäre nicht länger möglich,
den Begriff des Menschen von dem Begriff des Tieres zu unterscheiden;
denn es wäre derselbe Begriff, nur zu unterschiedlichen Graden bestimmt.
Daher müsste es richtig heißen, dass es einen einzigen Begriff des Seins
gibt, allumfassend, transzendental und von dem Begriff Gottes unterschieden; und dass man zur Erkenntnis Gottes durch eine zusätzliche Begriffs-
bestimmung gelangt. Anstatt Gott als das *ipsum esse* (das in seiner transzendentalen Unbestimmtheit bestehende Sein) zu denken, müsste man
vielmehr den gemeinsamen Begriff des Seienden mit einer Differenz kom-
binieren: Gott ist *ens + infinitum*. Die Verknüpfung der beiden Bestimmungen impliziert, dass Gott bestimmter ist als der allumfassende Begriff des
Seins, dass er quasi definiert ist.

So hält Scotus im Hinblick auf die aristotelische Aporie an der dritten
These fest: an der Metaphysik als einer strengen Wissenschaft. Er löst also
die Schwierigkeit, indem er die erste und die zweite These modifiziert: Die
Wissenschaft wird zu einem formalen System, das univok bleibt, wiewohl
es nicht länger von einer bestimmten Gattung handelt; das Seiende wird
von nun an in einem einheitlichen Begriff gedacht, der die Mannigfaltigkeit
der Gattungen übersteigt. Diese Lösung beruht indessen auf der These von
der Univozität des Seienden.

III. Die Univozität des Begriffs des Seienden

Wenn Heinrich von Gent den Begriff des Seins einführt, so ist dieser durch Vermengung zweier Begriffe gewonnen: des Begriffs des göttlichen Seins, der negativ unbestimmt ist, weil ihm überhaupt keine Bestimmung zukommen kann; und des Begriffs des geschöpflichen Seins, der privativ unbestimmt ist und durch Abstraktion von allen Bestimmungen gewonnen wird. Der Sache nach aber gibt es nichts Gott und dem Geschöpf Gemeinsames: „Das Sein ist nicht etwas *Wirkliches*, etwas Gemeinsames, das Gott mit den Geschöpfen teilte. Wenn folglich das Seiende oder das Sein von Gott und dem Geschöpf ausgesagt wird, dann nur aufgrund einer Gemeinsamkeit des *Namens*, keineswegs aber aufgrund einer Gemeinsamkeit der *Sache*. Und daher wird es weder univok ausgesagt, noch gemäß der Definition der Äquivoka *per accidens*, sondern auf eine mittlere Weise – analog" (Summa I, f° 124 F). Man muss mit Thomas sagen, dass eine Analogie zwischen dem geschaffenen Sein und dem ungeschaffenen Sein besteht, und zugleich mit Avicenna, dass es nur einen einzigen Begriff des Seins gibt.

Solcherart ist die Konstellation des Problems der Analogie, da Scotus sich seiner annimmt. Soll man den Zugang zum göttlichen Sein auszeichnen, wodurch allerdings fraglich würde, ob sich die Metaphysik als einheitliche Wissenschaft entwerfen lässt? Oder soll man die Einheit des Seinsbegriffs auszeichnen, wodurch die Transzendenz Gottes zu verschwinden droht? – Die Argumente zugunsten der Univozität sind zugleich ontologischer und logischer Natur. Das ontologische geht auf die ›Metaphysik‹ Avicennas zurück und kreist um die Vorgängigkeit des Begriffs des Seienden: Der erste Gegenstand des Verstandes, weil der einfachste, ist das Seiende in seiner Allumfassendheit. Die Einfachheit des Begriffs des Seienden macht diesen zu einem radikal verschiedenen Begriff, der allen anderen Begriffen gegenüber vorgängig ist. Somit fällt das erste Objekt des Verstandes mit dem Subjekt der Metaphysik in eins. Man darf nicht länger den ersten apriorischen Begriff des Seins in seiner Transzendentalität mit dem letzten und transzendenten Begriff Gottes vermengen; sonst würde allerdings die theologische Erkenntnis Gottes unmöglich werden. Wie Scotus lapidar bemerkt: „Wir lieben die Negationen nicht über alles" (Ord. I, d.3, § 10; I, 5). Es reicht nicht aus, Gott auf negative Weise zu benennen, um zum Gegenstand unseres Glaubens und unserer Liebe vorzudringen. So geschieht es also im Namen eines theologischen Erfordernisses – der Erkenntnis Gottes –, wenn Scotus ein philosophisches Argument ins Feld führt, die Apriorizität des Begriffs des Seienden. Wie E. Gilson bemerkt hat, setzt unsere Theologie eine Metaphysik voraus; die Metaphysik des Seins aber ist wiederum auf den Gegenstand der

Theologie hingeordnet.[4] Metaphysik und Theologie ergänzen sich gegenseitig.

Die Univozität des Seienden beruht auch auf einer logischen Argumentation. Scotus spricht von Univozität, wenn das Bezeichnete eine logische Einheit bildet, die dem Prinzip vom ausgeschlossenen Widerspruch genügt; und er nennt äquivok, was einen logischen Widerspruch verbergen (etwas ist in einem Sinne wahr, aber nicht in einem anderen) und daher zu Trugschlüssen führen kann.[5] Die mittelalterliche Theorie der Analogie ist eine abgeschwächte Theorie der Äquivozität. Aber gibt es überhaupt den Fall einer abgeschwächten Äquivozität, die in der Natur der Dinge begründet liegt? *Bezeichnen* heißt für ein Zeichen, das von ihm Bezeichnete zu repräsentieren, es zu vertreten. Der Verstand assoziiert zur *vox* ein Bezeichnetes; das Verstehen eines Lautzeichens ist eine Handlung, und zwar immer eine unterscheidende. Folglich „wird alles, was bezeichnet wird, unter einem deutlichen und bestimmten Begriff bezeichnet". Was sich begrifflich gut fassen lässt, wird auf deutliche Weise, durch eine einzige Handlung bezeichnet. Im – theoretischen – Augenblick der Einsetzung sind das Zeichen und der Begriff klar und deutlich. Wird mithin ein Lautzeichen verschiedenen Bezeichneten zugeteilt, so muss es vom Verstande dessen, der es zuteilt, auf deutliche und bestimmte Weise begrifflich gefasst sein und ihnen ebenso zugeteilt werden. Jedes Zeichen repräsentiert auch das von ihm Bezeichnete. Infolgedessen ist ein äquivoker Name unmittelbar und definitiv ein solcher: Ein Name kann nicht zunächst ein erstes Ding bezeichnen und erst daraufhin ein zweites. „Was das Lautzeichen betrifft, so ist es nicht möglich, dass ein Lautzeichen zuerst die eine Sache bezeichnet und danach die anderen" (In Elench., q. 15, § [6]; Vivès I, 22 a). Ein Zeichen kann nur entweder eine Einheit oder eine Mehrzahl von Dingen bezeichnen; ebenso wenig wie es zwischen dem Einen und dem Vielen ein Mittleres gibt, gibt es eine Analogie in der Logik. Was von ihr übrig bleibt, ist eine Metapher, d. h. eine Verschiebung des Sinnes aufgrund des Wortgebrauchs; die ursprüngliche Einsetzung bleibt dabei bestehen.

Dank der Einheit des Begriffs des Seienden und der sich daraus ergebenden neuen Struktur der Gotteserkenntnis löst Scotus das Rätsel der aristotelischen ›Metaphysik‹. Deren theologische Dimension (Metaphysik E) führt er auf ihre ontologische Dimension (Metaphysik) zurück. Das Projekt einer Wissenschaft vom Seienden als Seienden, wie es Aristoteles

---

[4] E. Gilson, Jean Duns Scot, Paris 1952, 90–91.

[5] Simplicius, In Praedicamenta Aristotelis, trad. G. de Moerbeke (1266), ed. A. Pattin, Louvain-Paris 1971, 45, 1. 51–52, 55–57: *adhuc tamen aequivocum quidem contradictiones suscipit [...] univocum autem non suscipit contradictionem. Non enim contingit hominem qui est animal dicere non animal.*

entwarf, kann endlich durchgeführt werden. Scotus geht sogar so weit zu sagen, es gebe zwei metaphysische Wissenschaften: Die eine betrachtet die transzendentalen Gegenstände *(communissima)* wie das Seiende an sich, die andere betrachtet besondere Gegenstände *(particularia);* dabei ist jene Wissenschaft die *conditio sine qua non* von dieser.[6] So entsteht die onto-theologische Denkachse, die es in dieser Weise bei Thomas nicht gab. Für Thomas wird die Gesamtheit der wirklichen Gegenstände im Hinblick auf einen ersten Terminus gesagt, auf Gott, der mit dem Sein selbst identisch ist – dies ist die Attributionsanalogie. Es handelt sich dabei einfach um eine katholou-protologische Struktur: Das Seiende wird nicht unabhängig von seiner Teilhabe am Sein betrachtet. Für Scotus dagegen muss das Seiende in seiner Allgemeinheit betrachtet werden, im Rahmen einer alles umfassenden Wissenschaft (die man Ontologie nennen wird). Innerhalb dieses allumfassenden Gegenstandsbereichs denkt man daraufhin – im Rahmen einer rationalen Theologie – einen besonderen Gegenstand.[7] Scotus konzipiert damit die neue Gliederung zwischen *metaphysica generalis* und *metaphysica specialis,* wie sie bei Suárez und bei Kant wiederbegegnen wird.

IV. Die Struktur der Metaphysik und die Struktur der Ethik: notwendig-kontingent

Die Ethik des Thomas fügte sich ein in die aristotelische Kosmologie, wo ein jedes Sein nach seinem letzten Ziel strebt; das Streben des Menschen war dabei nur ein besonderer Fall dieses universellen Strebens: Der Mensch erreicht das Glück vermittels seines artspezifischen Merkmals – der Vernunft. Ganz im Gegensatz dazu löst sich die scotische Ethik gerade vom Streben und vom Kosmos, um ihren Platz zu nehmen innerhalb der Betrachtung des transzendentalen und objektiven Guten.

Bei Thomas fallen der Gegenstand unserer Liebe und das Ziel unserer Natur, fallen der Gott der Theologie und unser höchstes Gut in eins. Gott ist zugleich der Brennpunkt all unseres Strebens und das Prinzip dessen, was für uns gut ist (Summa theologiae II–II, q. 26, a. 3; vgl. q. 23, a. 4). – Bei Scotus dagegen wird die Ontologie von der Theologie getrennt; es ist

---

[6] Quaestiones sup. Libros Metaphysicorum I, q. 1, § [22] 72; Saint Bonaventure, New York 1997, 39.

[7] In meiner Studie ›Etre et représentation. Une généalogie de la métaphysique moderne à l'époque de Scot‹, Paris 1999, habe ich diese Gliederung „katholou-tinologisch" genannt. Vgl. auch vom Verf. ›Quand commence l'ontothéolgie? Aristote, Thomas d'Aquin et Scot‹, in: Revue thomiste 95 (1995) 85–108.

nunmehr möglich, die Transzendentalien – das Seiende als Seiendes und das Gute als Gutes – unabhängig von ihrem Verhältnis zu Gott zu betrachten. Auch wenn es somit einen metaphysischen Nachweis der Existenz Gottes gibt, ist es doch möglich, den ersten Teil der Metaphysik so zu betrachten, als existiere Gott nicht: Scotus bedient sich dieses Argumentes, um die Objektivität der Wahrheit aufzuzeigen. In der Ethik hat dies eine unmittelbare Konsequenz: Gesetzt den unmöglichen Fall, es gäbe ein anderes Gut als Gott, den Schöpfer und Vollender, „so wäre dies für uns allerdings zuhöchst liebenswert, weil es das höchste Gut wäre und weil das, was das Höchste ist, unbedingt im allerhöchsten Maße geliebt werden soll"[8]. Mithin kann man nicht sagen, dass das Gute deshalb gut ist, weil es gut ist für uns – müsste man in diesem Fall doch zwei höchste Güter lieben, das an sich Gute und das für uns Gute. Auch wenn Gott nicht Gott wäre oder nicht existierte, bliebe das höchste Gut das an sich Gute. Das objektiv Gute ist also nicht unmittelbar und notwendigerweise mit dem Gott der Theologie identisch.

In diesem Punkt haben Metaphysik und Ethik dieselbe Struktur. Die Betrachtung des transzendentalen Guten geht jeder Betrachtung der göttlichen Güte voraus. Wir wollen das höchste Gut nicht deswegen, weil es die Natur Gottes ist, sondern weil es ein Gut im allgemeinen Sinne ist: „Der erste Grund dafür, dass dem eigenen Willen etwas als liebenswert anbefohlen wird, ist nicht, dass es gut ist für mich oder für dich, noch für ihn; denn dies gehört zum interessierten Begehren *(affectus commodi)*, das vom Begehren des moralisch Guten *(affectus iustitiae)* [...] unterschieden werden kann" (Rep. Par. III, d. 28, § [8]; XI/1, 523 b). Im Anschluss an Anselm unterscheidet Scotus radikal zwischen einer interessegeleiteten Liebe, die nach dem für sie Guten, und einer interesselosen Liebe, welche die Rechtheit *(rectitudo)* um ihrer selbst willen anstrebt. Diese Rechtheit aber hat eine ontologische Fundierung: Nur weil es ein transzendentales Gut gibt, können wir es um seiner selbst willen wollen.

Denn dieses transzendentale Gut drängt sich Gott selbst auf. Auf die Frage: „Gehören alle Gebote des Dekalogs zum Gesetz der Natur *(lex naturae)*?", antwortet Scotus: „Diejenigen Aussagen, die aufgrund ihrer Termini wahr sind – seien sie notwendig aufgrund ihrer Termini selbst oder seien sie aus diesen Termini abgeleitet –, haben ihren Wahrheitswert vorgängig *(praecedunt veritate)* zu jedem Willensakt [...] Würden folglich die Vorschriften des Dekalogs [...] eine Notwendigkeit dieser Art besitzen [...], so ergäbe sich hieraus, dass sie ohne Rücksicht auf jedes Wollen in einem Verstand, der diese komplexen Aussagen erfasst, notwendig wären.

---

[8] Reportata Parisiensia (= Rep. Par.) III, d. 27, q. un., § [6] (Lyon 1639, XI/1, 532 a).

Selbst der göttliche Verstand würde sie notwendig als durch sich selbst wahre Aussagen erfassen, wenn er sie erfasst. Und in diesem Falle würde sich das göttliche Wollen notwendig nach diesen Aussagen richten" (Rep. Par. III, d. 37).[9] Das natürliche Gesetz ist eine allgemeingültige, notwendige Aussage. Alle übrigen Aussagen sind kontingent. Sie leiten sich nicht aus dem natürlichen Gesetz ab. Alle anderen Gesetze haben nämlich aus sich heraus für den Verstand keine Einsichtigkeit, sondern müssen von einem Willen positiv verordnet werden; hier ist zuerst an den göttlichen Willen zu denken. „All die anderen in der Schrift enthaltenen Gesetze, welche nicht aufgrund ihrer Termini erkannt werden und nicht mit solcherart wahren Gesetzen offensichtlich übereinstimmen, gehören, solange sie eingehalten werden sollen, ganz und gar dem positiven göttlichen Recht an *(de iure positivo divino)*. Von dieser Art sind – für den Zeitraum ihres Gesetzes – die zeremoniellen Vorschriften der Juden, und die der Christen für den Zeitraum des unsrigen" (Ord. IV, d. 17; Wolter, 262–264). Der ontologische Grund für die Einteilung in natürliches Gesetz und positives göttliches Gesetz liegt in dem Umstand, dass die notwendigen Handlungen des göttlichen Willens sich lediglich auf die unendliche Güte seines Wesens beziehen. Hinsichtlich der endlichen Güter ist jede seiner Willenshandlungen kontingent. Somit führt die Trennung zwischen Schöpfer und Geschöpf zu einer Trennung der Moral in zwei Teile. Die erste Tafel des Dekalogs – nämlich die drei ersten, Gott betreffenden Gebote – gehören zum Gesetz der Natur: dass Gott geliebt werden soll und dass man ihm die Ehrerbietung nicht verweigern soll. Das dritte Gebot bereits ist seinem Inhalt nach zwar natürlich: dass Gott verehrt werden soll, seiner Form nach jedoch willkürlich. Man kann ihn am Freitag, am Samstag oder am Sonntag verehren, je nachdem, ob man Moslem, Jude oder Christ ist. Die zweite Tafel des Dekalogs schließlich, welche die geschichtlichen Gebote betrifft, ist ebenso kontingent wie die Existenz des Menschen. Sie gehört nicht zum Naturrecht, weil es sich nicht um ein Gesetz der Natur und notwendiges Gesetz handelt, sondern um ein positives Gesetz des göttlichen Willens. Dieses ist kontingent und zielt auf veränderliche Wirkungen. Vor der Verfügung des Willens Gottes eignet ihm noch keine Wahrheit; es wird vielmehr wahr, wenn es mit dem göttlichen Beschluss übereinstimmt.

Wird man also sagen müssen, dass Scotus ein „Voluntarist" ist und dass bei ihm die Moral zu etwas bloß Willkürlichem wird? Nein; dies ist nicht der Geist, in dem jene Zweiteilung der Moral vorgenommen wird. In einem strengen Sinne ist das „Naturrecht" *(ius naturale)* mit dem „Gesetz der Natur" *(lex naturae)* identisch. Doch gehören für Scotus die beiden Tafeln des Dekalogs nur in einem weiteren Sinne zum Naturrecht *(ius naturale)*.

---

[9] Ed. A. B. Wolter, Scotus on the Will and Morality, Washington DC 1986, 274.

In diesem Sinne ist das Naturrecht „eine praktische Wahrheit, die von allen unmittelbar als mit einem Gesetz dieser Art übereinstimmend erkannt wird". Auch die positiven göttlichen Gesetze werden „von allen" als in Einklang mit dem Gesetz der Natur stehend „erkannt" – es handelt sich um Schlussfolgerungen, die jeder vernünftige Verstand ableiten kann. Die zweite Tafel des Gesetzes ist *natürlich* in dem Sinne, dass sie auf vernünftige Weise hergeleitet werden kann. Ihre Gültigkeit rührt vom ersten allgemeinen und notwendigen Prinzip der *praxis* her, dass nämlich das höchste Gut, Gott, geliebt werden soll: „Alle Vorschriften der zweiten Tafel gehören auch zum Gesetz der Natur, weil ihre Rechtheit *(rectitudo)* mit den ersten praktischen Prinzipien, die notwendig erkannt werden, sehr übereinstimmt *(valde consonat)*" (Ord. IV, d. 17; Wolter, 278). Ein Gesetz ist also recht, wenn es nicht den Grundsätzen des Gesetzes der Natur *(lex naturae)* widerspricht, und gehört aus diesem Grunde zum Naturrecht *(ius naturale)*.

Insofern kennt Scotus zwei Arten von „Naturgesetz": Das eine wird analytisch und notwendig aus den ersten Prinzipien des Guten an sich hergeleitet und vom göttlichen Verstand entgegengenommen; das andere ist aus dem ersten nicht streng ableitbar, es wird synthetisch hinzugefügt und vom göttlichen Willen gesetzt, doch richtet es sich so weit wie möglich nach jenem. Beide Gesetze sind vernünftig und natürlich; doch nur das erste ist notwendig gut, während das zweite auf kontingente Weise gut ist, aber eben im Einklang mit jenem. Das Naturrecht umfasst nicht nur das Gesetz der Natur, es schließt auch die geschichtlichen Gesetze ein. Die Gutheit kommt von den Gesetzen des göttlichen Willens, eines absoluten, von Gerechtigkeit und Großzügigkeit bestimmten Willens. Die Gerechtigkeit des Gesetzes leitet sich nicht unmittelbar aus den ersten Prinzipien her, steht aber mit ihnen in Einklang gemäß einer flexiblen Regel, die Wandelbarkeit zulässt und mit bestimmten Ausnahmen vereinbar ist.

Die Kontingenz besagt also nicht Willkür. Durch das Hervorheben der Rolle der Kontingenz fügt Scotus in das Naturrecht die Geschichtlichkeit ein: Abgesehen von einem unantastbaren und analytischen Kerngehalt, fügt die Geschichte in das Naturrecht Vorschriften ein, die kontingent, dabei aber gut sind. Auch wenn man zugesteht, dass nach dem Naturrecht jeder gehalten ist, seinen Nächsten zu lieben (wenigstens in dem negativen Sinne, dass er ihm nicht schaden soll), so können wir nicht zeigen, dass der besondere Inhalt der zweiten Tafel des Gesetzes aus diesem allgemeinen Gesetz folgt. Durch die Offenbarung „hat Gott jetzt *de facto* eine Nächstenliebe dargelegt, die über jene hinausgeht [...], welche aus den Prinzipien des Gesetzes der Natur herrührt. Zwar enthält [dieses Gesetz] nur, dass man seinen Nächsten um seiner selbst willen lieben wollen soll. So wie es dargelegt wurde, schließt es jedoch ein, dass man für ihn diese anderen

Güter wollen soll" (Ord. III, d. 37; Wolter, 284). Die zweite Tafel beschränkt sich nicht darauf, die Gutheit des natürlichen Gesetzes auszulegen, sie fügt ihr vielmehr andere Güter hinzu. Es ist in den beiden Tafeln zusammen genommen mehr an Gutheit enthalten als im natürlichen Gesetz alleine, weil das kontingente natürliche Gesetz der Gutheit des notwendigen natürlichen Gesetzes etwas hinzugefügt hat. Das positive Gesetz ist natürlich und gut, insofern es durch einen kontingenten Beschluss des göttlichen Willens vorgeschrieben wird. Es gehört zum vernünftigen natürlichen Gesetz, das vom göttlichen Willen so behutsam wie möglich in einer kontingenten Welt erlassen wurde. Zwar handelt es sich um kontingente Normen, doch auf rationaler Grundlage. Sie sind nicht willkürlich; denn es gibt innerhalb des Guten eine graduelle Abstufung.

Mit dem Primat des freien Willens und – in der endlichen Welt – der Kontingenz des moralischen Gesetzes geht eine Objektivität des Guten einher. In der endlichen Welt, dort, wo sich das Gute nicht mehr mit absoluter Notwendigkeit aufdrängt, bietet die göttliche Freiheit für diesen Mangel Ersatz, indem sie die Objektivität der ethischen Norm positiv begründet.

V. Normative Ethik

Das Kontingente ist nicht bloß Zufälligkeit, sondern durch Freiheit verursacht. Es stellt einen autonomen Bereich dar. Scotus will zeigen, dass die Autonomie der Praxis von der Autonomie des Willens – und nicht bloß vom Verstand – abhängig ist. Die Praxis erfüllt drei Bedingungen: Sie impliziert einen Willensakt und setzt einen Erkenntnisakt voraus, dem jener angemessen sein muss, um moralisch gut zu sein (Ord. Prol. § 228; I, 155).[10] – 1. Praxis ist alles, was von einer Willenshandlung abhängt. Eine Wissenschaft ist nicht deswegen praktisch, weil sie einen Zweck verfolgt, sondern weil sie dem Willen etwas zur Entscheidung oder zum Befehlen *(actus imperatus)* vorsetzt (§ 230, 253; I, 156, 170–171). – 2. Diejenige Handlung ist praktisch, die in der Macht dessen steht, der sie erkennt. Wenn der Wille sich auf kontingente Weise auf das Objekt bezieht, wandelt er das Streben gemäß der Vernunft ab; dieses wird moralisch und gehört zur Praxis. – 3. Die rechte Entscheidung kommt durch Übereinstimmung mit der rechten Vernunft zustande. Und schon bevor es zur äußeren Handlung kommt, ist die Willenshandlung – ob sie mit der rechten Vernunft übereinstimmt oder nicht – immer schon eine Praxis. Es gibt notwendige Wahrheiten, welche die Rechtheit einer kontingenten Handlung definieren (§ 350; I, 226–227).

---

[10] Zum Folgenden vgl. O. Boulnois, Scot, la rigueur de la charité, Paris 1998.

Wenn der *Philosoph* den Willen auf ein Streben reduziert (De anima
III, 10, 433a 17–18), so hält Scotus dagegen, dass der Wille die erste Ursache
der Bewegung ist; dabei wirkt er mit dem Verstand oder der Vernunft als
einer Teilursache zusammen (Prol. § 235; I, 159–160). Ein Willensakt ist
wirklich eine Praxis, auch wenn er allein ist, wenn er keine Handlung befiehlt oder wenn er sich einer entgegengesetzten Handlung gegenübersieht,
die durch das sinnliche Streben hervorgerufen ist (denn in eben diesem
Gegensatz liegt seine praktische Natur begründet). *Die praktische Vernunft
ist nichts anderes als der Wille. Jeder Habitus ist praktisch, wenn er sich bis
zum Wollen erstreckt* - vorausgesetzt, er stimmt mit der rechten Vernunft
überein. Die praktische Wissenschaft handelt von den Objekten, denen
gegenüber der Wille sich frei bestimmen kann. Bei Thomas war die praktische Vernunft die Vernunft von Handlungen, die dem richtigen Streben
gemäß sind; bei Scotus dagegen gestaltet die Erkenntnis die ihr nachge-
ordnete Praxis mit. Die Erkenntnis formt die Praxis, und nicht umgekehrt
(Prol. § 237; vgl. III, d. 36, § 19, Wolter, 408–410). Praktisch ist, was sich
nach einem Gesetz richtet. Das Praktische und das Normative sind folglich
eines. Nicht im natürlichen Streben, sondern in der rechten Vernunft als
dem Maß des Willensaktes besteht der Mittelpunkt der Ethik.

Ein neues Freiheitsverständnis führt Scotus zur Neubegründung der
Ethik. Der Wille ist nicht mehr wie bei Aristoteles ein natürliches Begehren, das seine Freiheit erlangt, wenn die Vernunft ihm das wahre Gut
präsentiert. Denn das natürliche Begehren ist immer interessiert *(affectus
commodi)*, während der Wille das Gute um seiner selbst willen zu wollen
vermag *(affectus iustitiae)*. Gewiss, der Wille wird von den vom Verstand
erkannten Gegenständen im Einzelnen bestimmt, sodass jegliche Willkür
ausgeschlossen bleibt. Doch ist es der Wille, der die Handlungen festlegt,
und nicht der dem Willen vom Verstand vorgelegte Gegenstand. So ergibt
sich eine neue Konzeption der Ethik, deren Mitte nicht länger das natürliche Streben nach dem Ziel (für Scotus eine bloße Metapher), sondern
die ursächliche Selbstbestimmung des freien Willens ist. Das Gute muss
in der Form einer moralischen Norm erscheinen, die Gesetzmäßigkeit als
Geltungskriterium aufweisen und einem frei wählbaren Gegenstand entsprechen.[11] Der Gegenstand der praktischen Wissenschaft ist für Aristoteles das Handeln, das Einzelne, das Kontingente. Scotus gibt ihr im Verhältnis zur Norm einen universalen Stellenwert und ermöglicht ihr, dass
sie sich auch auf das Notwendige erstreckt. Das Moralische besteht nicht

---

[11] Siehe H. Möhle, Ethik als scientia practica nach Johannes Duns Scotus. Eine
philosophische Grundlegung, Münster 1995; ders., Wille und Moral, in: M. Dreyer/
L. Honnefelder/R. Wood (Hrsg.), John Scotus, Metaphysics and Ethics, Köln/Lei-
den/New York 1996, 573–594.

in dem vernünftigen Ausführen der natürlichen Neigungen, sondern in der Übereinstimmung der Handlung mit der rechten Vernunft (Ord. II, d. 7, § [11]; Wolter, 220). Das moralische Handeln, die gerechte Praxis, hängt von einem Willensakt ab und stimmt mit der rechten Vernunft überein. Scotus gelangt zu einer normativen Definition der Moral: Das Gute ist eine vernünftige Norm, die frei gewählt wird und mit einem moralischen Gesetz übereinstimmt. Wenn unsere Handlung diesen Kriterien genügt, dann ist sie der Zustimmung Gottes würdig, der sie in seiner Gnade annimmt und uns die rechtfertigende Liebe verleiht. Die Ethik lehrt uns nicht (wie bei Aristoteles), glücklich zu sein, sondern macht uns (wie bei Kant) würdig, glücklich zu sein.

Danach hätten wir zwischen zwei Bereichen zu unterscheiden:
1. Innerhalb der *notwendigen Theologie* ergeben sich die ersten Prinzipien des rechten Willens aus der Natur Gottes. Die unendliche Güte soll mit einem gerechten Willen geliebt werden. Die notwendigen Wahrheiten drängen sich dem Verstande noch vor jedem Willensakt auf, und Gott ist auf virtuelle Weise der Gegenstand eines jeden rechten Willens. „Die ganze für einen geschaffenen Verstand notwendige Theologie", so Scotus, „ist folglich der Handlung eines geschaffenen Willens angemessen und diesem vorgängig" (Ord. Prol. § 314 f.; I, 207 f.). – Die Theologie des Notwendigen ist daher für unseren Verstand praktisch, nicht aber für den göttlichen Verstand. Das Gute liegt nicht außerhalb seiner. Insofern hat er es nicht nötig, dass die Rechtheit des Gegenstandes vorgängig festgestellt wird, um diesen zu wollen (§ 330; I, 215–216).
2. Die *kontingente Theologie* ist *für den göttlichen Verstand* ebenso wenig praktisch: Keine der Handlung entsprechende Erkenntnis geht dem göttlichen Wollen oder Handeln voraus, weil es sein Wollen ist, das die Rechtheit der Handlung bestimmt. Wenn die Theologie des Kontingenten auch *an sich* spekulativ ist, so ist sie doch praktisch *für uns*. Denn der endliche Verstand legt die Gerechtigkeit einer Praxis nicht fest, sondern erkennt sie (§ 332; I, 217). Die Wissenschaft des Kontingenten ist für uns in eben dem Maße praktisch, in dem unser Wille mit der Objektivität der Norm und dem Gesetz übereinstimmt (§ 341; I, 222–223).

Die Theologie bleibt ihrem Wesen nach theoretisch, ist jedoch praktisch aufgrund ihres Zieles, insoweit ihr das Sich-Erfreuen an Gott als letzter Zweck einer jeden Praxis gilt (§ 237; I, 161–162). Im Gegensatz zur Auffassung des Aristoteles ist die praktische Wissenschaft der spekulativen überlegen. Der erste Gegenstand der Theologie ist das höchste und letzte Ziel; die Prinzipien, welche dorthin führen, sind die praktischen Prinzipien; also

sind die Prinzipien der Theologie praktische Prinzipien, ebenso wie die
Schlüsse, die sich aus ihnen ziehen lassen (§ 312; I, 207–208). Der durch
einen theologischen *habitus* erleuchtete Verstand begreift Gott gemäß der
das praktische Leben regelnden Normen als Objekt der Liebe. In diesem
Sinne ist die Theologie eine praktische Wissenschaft (Lectura, Prol. § 164;
XVI, 54).

Zweck der Sätze der Theologie ist nicht das Wissen um des Wissens
willen, auch nicht das Handeln, sondern das Wollen, nämlich das auf die
Seligkeit ausgerichtete und auf übernatürliche Weise durch die Liebe ge-
tröstete Wollen. Dieses Wollen wird von der Erkenntnis der Wahrheit nor-
miert. Das Leben mit der Wahrheit in Übereinstimmung zu bringen, ist für
Scotus das höchste Ideal. Die ganze Theologie gehört zur praktischen Wissenschaft; die ganze Kontemplation ist an den rechten Willen, an die Liebe
gebunden. Die Theologie ist eine Willensethik, deren Subjekt der Wille und
deren Gegenstand die Norm ist. Diese Ethik nimmt eine transzendentale
Dimension an.

Das Ziel des menschlichen Handelns ist also die Liebe Gottes und des
Nächsten; die ganze Praxis insgesamt besteht im Akt des Wollens oder
Liebens. Auf diese Weise werden die theologischsten und die abstraktesten
Wahrheiten (jene, die sich auf Gott in seiner Natur beziehen) tatsächlich
die im höchsten Maße praktischen: Sie lehren den Menschen, was er lieben
soll. Die Theologie ist somit auf die Liebe hin ausgelegt: Alles, was an ihr
nicht metaphysisch ist, strebt nach der Liebe. Ausdrücklich sagt Scotus:
„Diese Wahrheiten, die am wahrhaftesten theologisch und nicht metaphysisch zu sein scheinen […], sind praktisch" (Ord. Prol. § 322).

Damit hat Scotus zwei Schlüsselbegriffe gefunden, die wegweisend werden sollten: die Metaphysik als transzendentale Wissenschaft und die Ethik
als normative Moral der Freiheit. Er denkt die Begründung der Metaphysik als Wissenschaft und das Überschreiten der Metaphysik in einem. Er
bezeugt, dass selbst die größte und abstrakteste Genauigkeit der Methode
ihn nicht von seiner franziskanischen Berufung abbringt, den Menschen
die Wege der Gottes- und Nächstenliebe aufzuzeigen. Die Schärfe des
Denkens ohne Liebe ist leer; aber die Liebe muss ohne die Schärfe des
Denkens blind bleiben.

In der Geschichte der Metaphysik und Ethik nimmt Scotus demnach
einen entscheidenden Platz ein. In der Auseinandersetzung mit Aristoteles
löst er die Aporie der Einheit der Metaphysik als Wissenschaft und verwirft eine auf Interesse gegründete Ethik. Im Hinblick auf seine Nachfolger entplatonisiert er die Metaphysik und erneuert sie als transzendentale
Wissenschaft; er verleiht ihr eine onto-theologische Struktur und eröffnet
einen Denkweg, auf dessen Fortsetzung wir die normative Ethik Kants

finden können. Dass es ihm zudem gelingt, diese beiden Dimensionen miteinander zu vereinigen, macht Johannes Duns Scotus zum Schöpfer einer echten Metaphysik der Ethik.

Aus dem Französischen übersetzt von Bernd Goebel

Auswahlbibliographie

Quellentexte

Opera omnia, ed. L. Wadding, Lyon 1639, Ed. Vivès, Paris, 1891 f., ND Hildesheim 1968: in I und II librum Peri hermeneias; Quaestiones in librum Praedicamentorum; Quaestiones de anima; Quaestiones super universalia Porphyrii; Quaestiones in libros Elenchorum; Quaestiones Collationes; Theoremata; Reportata Parisiensia.

Opera omnia, cura et studio commissionis scotisticae, ed. C. Balic, Vatican 1950 ff.:
– Ordinatio I–II, d. 3 (t. I–VII parus); – Lectura I–II (t. XVI–XIX parus).

Opera philosophica, t. III–IV: Quaestiones subtilissimae super libros Metaphysicorum Aristotelis, ed. G. Etzkorn et al., Saint Bonaventure, N.Y. 1997.

Quaestio de cognitione Dei, ed. C. R. S. Harris, Duns Scotus, vol. 2, The philosophical doctrines of Duns Scotus, Appendix, Oxford 1927.

Tractatus de primo principio, ed. E. Roche, St. Bonaventure, N.Y. etc. 1949.

Cuestiones cuodlibetales, éd. Alluntis, Madrid 1968.

Reportatio I A, d. 2, éd. A. B. Wolter/M. McCord Adams, Duns Scotus Parisian Proof for the existence of God, FrSt. 42 (1982) 249–321.

Sekundärliteratur

Bérubé, C.: De l'homme à Dieu selon Duns Scot, Henri de Gand et Olivi, Rom 1983.

Boulnois, O.: Etre et représentation, Une généalogie de la métaphysique moderne à l'époque de Duns Scot, XIII°–XIV° siècle, Paris 1999.

Gilson, E.: Jean Duns Scot, Introduction à ses positions fondamentales, Paris 1952.

Honnefelder, L.: Ens inquantum ens, Münster 1979.

Honnefelder, L.: Scientia transcendens, Die formale Bestimmung der Seiendheit in der Metaphysik des Mittelalters und der Neuzeit (Duns Scotus, Suarez, Kant, Peirce), Hamburg 1990.

Muralt, A. de: L'enjeu de la philosophie médiévale, Etudes thomistes, scotistes, occamiennes et grégoriennes, Leiden/New York/Kopenhagen/Köln 1991.

Werner, H. J.: Die Ermöglichung des endlichen Seins nach Johannes Duns Scotus, Bern/Frankfurt 1974.

Wolter, A. B.: The philosophical theology of John Duns Scotus, Ithaca/Londres 1990.

Wolter, A. B.: Duns Scotus on the will and morality, Washington D.C. 1986.

Wolter, A. B.: The Transcendentals and their Function in the Metaphysics of Duns Scotus, St. Bonaventure, N.Y. 1946.

PETRUS AUREOLI

Philosophie des Subjekts

Von Theo Kobusch

1. Leben und Werk

Es gibt Geschichten der mittelalterlichen Philosophie, die nicht einmal seinen Namen erwähnen. Mit seinem Werk befassen sich thematisch nur wenige Fachgelehrte, gut verteilt über den Globus. Sein strenges, obzwar nicht sprödes Schulsprachenlatein scheint auch nichts besonders Attraktives an sich zu haben, im Gegenteil: Die Formalitäten, Washeiten, Wesenheiten, über die sich die spätere Kritik der Aufklärung lustig macht – hier begegnen sie dem Leser als schwer zu schluckende Brocken und offenbaren den Autor als Schüler oder Anhänger des Duns Scotus. Die Rede ist von Petrus Aureoli, der, 1280 in Gourdon (Aquitanien) geboren, als Franziskaner die theologischen Studien in Paris aufnahm und schnell mit den Gedanken der größten Gelehrten vertraut wurde. Paris war noch immer bzw. schon wieder das Zentrum aller großen geistigen Auseinandersetzungen. Hier wirkte in der ersten Dekade des 14. Jh. Duns Scotus mit seinen berühmten Pariser Vorlesungen über die Sentenzen des Lombarden, hier entstanden zur gleichen Zeit oder wenig später die Kommentare der Dominikaner Hervaeus Natalis und Durandus a. S. Porciano, in denen zugleich auch die erste Kritik an einzelnen Lehren des *doctor subtilis* laut wurde. Petrus Aureoli, der sich ebenfalls mit seiner Kritik an Duns Scotus kaum zurückhält, hielt seine ersten Vorlesungen über die Sentenzen in den Studia der Franziskaner in Bologna und Toulouse von 1312–1316 und in Paris von 1316–1318. Papst Johannes XXII., der aus derselben Gegend wie Aureoli stammte, machte ihn 1321 zum Erzbischof der Diözese Aix-en-Provence. Doch nur etwa ein Jahr im Amt starb Petrus Aureoli 1323.

Seine Werke sind alle in der Dekade zwischen 1310 und 1320 entstanden. Das Erstlingswerk ist der ›Tractatus de paupertate et usu paupere‹, in dem Aureoli die Forderung der Spiritualen ablehnt, mit dem Gelübde der Armut seien die Minderbrüder auch zum armen Gebrauch der Dinge verpflichtet. In Bologna 1312 entsteht der noch unedierte, einzige philosophische Traktat ›De principiis‹, auf den er sich später öfter beruft. Nachdem er in zwei Abhandlungen zu wichtigen mariologischen Fragen Stellung genommen hatte, wurde im Mai 1317 eine Version des monumentalen Sentenzenkommentars, das sog. ›Scriptum‹, vollendet, von dem es noch eine zweite Redaktion, die ›Reportatio Parisiensis‹ gibt. 1320 wurde das letzte Werk, die ›Quodlibeta‹, vollendet.

2. Rehabilitierung der Erscheinung: Der Sachgehalt des Begriffs

Petrus Aureoli wird oft in jenen Philosophiegeschichten, die ihn erwähnen, meistens zusammen mit Durandus a. S. Porciano als Vorläufer des Nominalismus apostrophiert. Doch diese ihm zugeschriebene Brückenfunktion zwischen zwei großen Systemen, denen des Duns Scotus und des Wilhelm von Ockham, wird seiner wahren Rolle nicht gerecht. Aureoli ist kein Wasserträger, keiner, der anderen die Schleppe halten müsste, er ist kein Adlat irgendeines anderen. Denen, die ihm diesen Stempel aufgedrückt haben, fehlte offenbar der Sinn für das Originelle, für das Neue, das sich in seinem Werk hinter den Fassaden scotistischer Worthülsen verbirgt. Dem 14. Jh. war die Originalität seiner Gedanken jedoch durchaus bewusst. Er ist als jener Kopf, der zur Stellungnahme und zum Widerspruch zwingt, im Denken des 14. Jh. fast mehr präsent, als Ockhams Philosophie es war (s. Tachau). Eine gründlich recherchierte Wirkungsgeschichte könnte besonders im Blick auf die große Tradition der Spanischen Scholastik im 16. und 17. Jh. bestätigen, dass seine Philosophie immer diese Rolle innehatte: An ihr scheiden sich die Geister. Das Neue und zum Widerspruch Reizende seines Werkes ist z. T. noch gar nicht als solches bis jetzt zu Bewusstsein gekommen. Eine nähere Untersuchung könnte es aber leicht auf dem Gebiet der Kategorienlehre bzw. Sakramentenontologie aufzeigen. Durch den Begriff des Seins im Sinne eines prozessualen Werdens im Unterschied zum statischen Wesen hat sich Aureoli von einer grossen Tradition distanziert. Seine Freiheitslehre, der der Vorwurf des „Pelagianismus" gemacht worden ist (freilich von solchen, die neben der Gnadenlehre des späten Augustinus nichts anderes kennen), verdiente wie auch die der beiden anderen zum Pariser Dreigestirn Gehörigen: Hervaeus Natalis und Durandus a. S. Porciano, eine eigene Würdigung. Aureolis Lehre von der intuitiven Erkenntnis des Abwesenden zeigt seine Selbstständigkeit gerade gegenüber Duns Scotus. In der Aufzählung origineller Lehren des *doctor facundus* könnte man fortfahren, aber auch so kann es schon als berechtigt erscheinen – wie die neueste Forschung es auch tut (Schabel 66) –, ihn in einem Atemzug mit Thomas von Aquin, Meister Eckhart, Duns Scotus, Heinrich von Gent und Wilhelm von Ockham zu nennen.

Doch im Zentrum seiner tief dringenden philosophischen Überlegungen, die sich in nur einem eigentlich philosophischen Werk, der Schrift ›De principiis‹, sonst aber in einem monumentalen Sentenzenkommentar und in seinen ›Quodlibeta‹ niedergeschlagen haben, steht die Lehre von dem „erscheinenden Sein" *(esse apparens)*. Sie ist nicht irgendein ontologischer Entwurf, sondern sagt, was das Wesen des Geistes, des endlichen wie des göttlichen, ist. Das Wesen des Geistes ist es aber zu „erscheinen", indem er etwas in den Modus der Erscheinung „setzt". Petrus Aureoli hat wie kaum einer vor ihm den aktiven oder „formativen" Charakter aller Vermögen des endlichen Geistes, d. h. der Seele, betont. Auch die äußeren Sinne sind keine bloßen Rezeptionsorgane, sondern „setzen" eine Sache in den Modus des „erscheinenden" oder „sichtbaren" Seins, wie aus verschiedenen Beispielen entnommen werden kann, die alle als Beispiele für Grenzfälle zu Standardbeispielen der späteren nominalistischen Autoren geworden sind: Wenn jemand mit dem Schiff auf dem Wasser fährt, dann scheinen sich ihm die Bäume am Ufer zu bewegen. Diese Bewegung, die weder in der äußeren Realität stattfindet noch mit dem Sehakt identisch ist, da dieser nicht Objekt des Sehens ist, kann somit nur ein intentionales, vom äußeren Sinn des Sehens „gesetztes" erscheinendes Sein haben. Dasselbe veranschaulichen die Beispiele von einem in der Luft erscheinenden Kreis, nachdem mit einem Stab eine solche Kreisbewegung gezogen worden war, oder auch von dem im Wasser gebrochen erscheinenden Stab, von den schimmernden Halsfedern der Tauben und von anderem mehr. Was Aureoli durch diese Beispiele der Illusionen und Ludifikationen deutlich machen will, ist der „positive" Charakter unserer Sinnlichkeit. Schon die Sinne setzen durch ihre Tätigkeit etwas in den Modus des erscheinenden Seins. Deswegen gibt es auch im Bereich des Sinnlichen den Unterschied zwischen dem bloß Erscheinenden, das als solches den Modus eines sinnlichen objektiven Seins hat, und dem realen Sein. Aureoli ist mit dieser Unterscheidung, die der antiken zwischen *kat' emphasin* und *kath' hyposta-sin* entspricht, einerseits eng mit der scholastischen Tradition verbunden. Andererseits weist seine Unterscheidung zwischen intentionalen und realen Farben auch auf die Diskussionen über diesen Gegenstand in der Spanischen Scholastik und bei Descartes bis hin zu Goethes Farbenlehre voraus (Kobusch 1987, 295 ff.).

Aber Aureolis Ziel ist mehr als bloß ein neuer Blick auf das Wesen unserer Sinne. Vielmehr ist hier nur am deutlichsten ablesbar, was das Wesen des menschlichen Geistes, ja des Geistes überhaupt ist. Wenn nämlich schon die Tätigkeit der äußeren Sinne einen solchen formativen, aktiven und setzenden Charakter zeigt, um wie viel mehr muss das für den Intellekt gelten.

In der Tat wird in jeder Erkenntnis die entsprechende Sache, auf die die Aufmerksamkeit thematisch gerichtet ist, in den Modus des in einem geistigen Sinne verstandenen erscheinenden Seins gesetzt. Denn Erkennen bedeutet seiner formalen Bestimmtheit nach nichts anderes, als dass unserem Geist etwas objektiv erscheint. „Wenn nämlich unserem Geist nichts objektiv erscheint, dann wird keiner sagen, er erkenne etwas, im Gegenteil: Er wird einem Schlafenden ähnlich sein" (I Sent. 35; 751 b). Jede Art der Erkenntnis, ob es sich um eine intuitive handelt, die etwas als präsent und aktuell und in der Naturwirklichkeit vorhanden erkennt, oder um eine abstraktive, in der etwas als abwesend oder bloß vorgestellt erkannt wird, ob es sich um eine Sinneserkenntnis oder um eine rein intellektuelle Erkenntnis handelt – jede Erkenntnis bringt etwas zur objektiven Erscheinung (ed. Buytaert 205). Um die Annahme der objektiven, d. h. intentionalen Erscheinung des Erkenntnisgegenstandes jedes Zweifels zu entheben, bezieht sich Aureoli öfter auf die „Erfahrung" (ed. Buytaert 713; I Sent. 36, 838a D). Das ist freilich nicht eine zufällig äußere Erfahrung, sondern die innere Erfahrung, die seit Duns Scotus spätestens gleichrangig neben den *per se nota* höchste Gewissheit garantiert.

Aus dieser Sicht gehört ein inneres Resultat notwendig zum Erkenntnisvorgang selbst, oder in der Sprache des *doctor facundus:* Aus dem Erkenntnisakt (der „formalen Erscheinung") entsteht die „objektive Erscheinung" (ed. Buytaert 799). Die aber nennen wir den Begriff, genauer den objektiven Begriff einer Sache. Aureoli hat die Notwendigkeit dieses inneren Resultats der Erkenntnis, der menschlichen wie der göttlichen, betont: Da keine Erkenntnis vollkommen ist, wenn sie kein Ziel hat, und es somit in der Natur des Erkennens liegt, ein Resultat hervorzubringen, geht der „objektive Begriff" im Bereich endlichen Erkennens genauso wie das göttliche Wort im Bereich göttlicher Erkenntnis „mit naturhafter Notwendigkeit" aus dem Erkenntnisakt hervor (ed. Buytaert 831–835). Die Erscheinung der Sache im objektiven Begriff ist also notwendig. Deswegen ist der Begriff der Erscheinung, der die Wahrheit als die Offenbarkeit der Sache meint, von jenem anderen traditionellen zu unterscheiden, nach dem er den bloßen Schein und die Fiktion meint und als solche freilich das Gegenteil der Wahrheit und Realität der Sache bezeichnet (I Sent. 9, 330b D). Da nun das Erkennen aber eine Art des inneren Sprechens ist, kann das Resultat dieses Sprechens, wie Augustinus schon besonders deutlich herausgestellt hat, das innere Wort genannt werden. Das innere Wort oder der objektive Begriff ist somit nichts anderes als die Sache, insofern sie objektiv erscheint, d. h. durch den Intellekt in den Modus des objektiven Seins gesetzt ist (II Sent. 9, 109 a; I Sent. 35, 782 b). Es ist freilich nicht die partikuläre, unter bestimmten zeitlichen und örtlichen Umständen stehende Sache – um Aureolis Lieblingsbeispiel aufzugreifen: nicht diese bestimmte Rose –, die auf diese Weise durch eine Erkenntnis in den Modus des erscheinenden Seins gesetzt wird, sondern das Allgemeine der Sache, die Rose schlechthin *(rosa simpliciter),* in der sich das Element der Realität

der Sache und das des Begriffenwerdens *(concipi)* ununterscheidbar vereinigen.

Diese Lehre von dem Allgemeinheitscharakter des objektiven Begriffs,
in dem doch zwei Elemente enthalten sind, muss auch als eine Antwort
auf die Herausforderung der allgegenwärtigen Position des Averroes verstanden werden, dessen Irrtum über die Einheit des Intellekts Aureoli ausdrücklich erwähnt (I Sent. 27, 623b E). Denn nachdem Thomas und andere
diese Position zurückgewiesen hatten mit dem Hinweis auf den individuellen Charakter der menschlichen Seele bzw. des Intellekts, stellte sich umgekehrt das Problem, ob so nicht auch der Bereich des durch den Intellekt
Erkannten, also des objektiven Seins, notwendigerweise individualisiert
und plurifiziert würde. Hervaeus Natalis fragt in diesem Sinne, ob es so
viele Begriffe gibt, wie es Intellekte gebe, und später im 14. Jh. stellt sich
Nikolaus von Autrecourt ausdrücklich dem Problem der Vielheit des gedachten Seins. Auch Aureoli fragt, ob „der objektive Begriff in meinem
Geist und in deinem Geist zwei Begriffe sind oder einer". Wenn jeder
individuelle Geist gewissermaßen seinen partikulären Begriff hat, scheint
überhaupt keine Allgemeinheit, Verbindlichkeit und Wahrheit mehr denkbar zu sein. Wenn aber der objektive Begriff als Resultat eines Denkens
ein Allgemeines und Eines ist, dann scheint Averroes' Rede von der Einheit des Intellekts berechtigt zu sein. Aureoli löst dieses Problem, indem
er auf die zwei im objektiven Begriff ununterscheidbar vereinten Elemente
hinweist: Eines und dasselbe in mir und dir und daher nicht vervielfältigbar
ist der Begriff oder das Wort, insofern in ihm der allgemeine Sachgehalt
repräsentiert wird. Plurifikabel aber und je in mir und dir verschieden ist
der objektive Begriff mit Blick auf die Tatsache, dass in ihm notwendig
auch das Element der „passiven Erkenntnis", d. h. des Berührtwerdens
durch den Intellekt mit seinen individuellen Bedingungen eingeschlossen
ist. Beide Elemente sind aber so im allgemeinen Begriff, z. B. der Rose
überhaupt, eingeschlossen, dass sie ein höchst Einfaches und Ununter-
scheidbares bilden, so wie das göttliche Wort auch durch keinen Intellekt
der Welt in die Elemente des Wesens und Erzeugtwerdens aufgelöst werden kann.[1]

Indem Aureoli den seit Heinrich von Gent üblichen Terminus technicus
des *esse obiectivum* für diese besondere Seinsweise der Sache gebraucht,
reiht er sich ein in eine noch nicht lange bestehende Tradition einer eigen-
willigen Interpretation des von der Antike her überlieferten Problems des
Seins der Gedankendinge, des Gedachten, des Intramentalen. Aber gerade

---

[1] Zur Plurifikabilität des Begriffs vgl. bes. II Sent. 17, bes. 233aE; 235bD; 241
a–242 a. Zur passiven Erkenntnis I Sent. 9, 322 a; II Sent. 9, 109 a; I Sent. 36, 836b
E; I Sent. 33, 738bA; 740 a-b.

vor diesem Hintergrund wird der Anspruch Aureolis besonders deutlich, den Bereich des Gedachten gegenüber vielen Fehlinterpretationen zu rehabilitieren. Obwohl Aristoteles das sog. veritative Sein, d. h. das in Sätzen ausgedrückte Sein der Wahrheit, den Vorläufer des mittelalterlichen *ens rationis*, ausdrücklich aus dem Gegenstandsbereich der Metaphysik ausgegliedert hatte – sodass es in der Folgezeit meistens als Gegenstand der Logik angesehen wurde –, hat Aureoli nicht nur den objektiven Begriff, d. h. die Begriffe erster Ordnung, sondern auch die Zweiten Intentionen, d. h. die Reflexionsbegriffe als Gegenstände der Metaphysik angesehen und damit die ähnliche Position Ockhams vorbereitet (ed. Perler 260. 262; dazu Kobusch 1994, 592).

Die historische Bedeutung dieser Theorie liegt auf der Hand: Das Gedachte als solches, der objektive Begriff, das innere Wort, der Gedanke (wenngleich nicht alles Gedachte)[2] ist nämlich nicht nur – wie jahrhundertelang formuliert worden war – ein Akzidens der Seele, denn so würde es nur als ein Akt des Bewusstseins verstanden. Es ist auch nicht im Sinne des Hervaeus Natalis als bloße *forma specularis* zu verstehen, die als reale Form der Seele inhärierte, denn damit wäre nur eine „Bedingung" unseres Erkennens benannt, aber nicht das, *was* wir eigentlich erkennen (I Sent. 27, 626 b–627 a). Auf diese Weise würde, wenn man den traditionellen Interpretationen des *ens rationis* folgte, das Bewusstsein davon verloren gehen, was herauszustellen Aureoli am meisten am Herzen liegt: Der objektive Begriff einer Sache, z. B. einer Rose, hat selbst einen bestimmten Sachgehalt. Er ist die Rose selbst, aber im Modus des objektiven, erscheinenden, also des gedachten Seins. Der Begriff der Rose ist nicht nur ein realitäts-, d. h. gehaltloses Instrument oder Mittel, ein „Kleid", durch das der Intellekt dann die Sache selbst sähe, sondern der Begriff schließt die Realität, den Sachgehalt der Sache selbst in sich. „Wie also der Begriff der Rose kein akzidentell Seiendes ist, sondern etwas Washaftes frei von jeder Akzidentalität ..." (I Sent. 26, 593 a). Indem Aureoli den objektiven Begriff einer Sache, das innere Wort, als die Sache selbst versteht, insofern sie durch den Intellekt in den Modus des objektiven oder erscheinenden Seins gesetzt wird, hat er den ersten Schritt getan zur Rehabilitierung des Ge-

---

[2] Was den Bedeutungsumfang von „objektiver Begriff" oder „verbum" angeht, so muss man darauf hinweisen, dass zunächst alle ersten und zweiten Intentionen, also die Begriffe von Dingen und die Begriffe von Begriffen, darunter fallen nach I Sent. 33, 740b B, dass aber Ausdrücke, die ein Unmögliches (ein „verbotenes Seiendes", wie den Bockhirsch oder die Chimäre) oder auch Negationen oder Privationen ausdrücken, die nicht in der Kategorienordnung stehen, keinen „Begriff" im eigentlichen Sinne darstellen nach I Sent. 23, 536 a–b: *unde nec entia prohibita nec negationes habent verbum; accipiendo verbum pro conceptu obiectivo et per consequens non sunt intentiones.*

dankendings, das bisher als vermindertes Sein angesehen wurde, weil es aller Sachhaltigkeit entbehrte. Gleichwohl charakterisiert auch Aureoli dieses erscheinende Sein an vielen Stellen ganz traditionell als ein vermindertes im Vergleich zum in sich seienden Realen der äußeren Naturdinge. Die Situation ist so ähnlich wie im Falle der Meditationen Descartes': Obgleich Descartes das *ens rationis* im Sinne der *realitas obiectiva* in seiner Sachhaltigkeit gegenüber Caterus, dem Thomisten, verteidigt, schreibt er ihm doch nur einen „unvollkommenen Seinsmodus" zu.

Aber das intentionale Sein hat nach Aureoli nicht nur die Funktion der Vergegenwärtigung der zu erkennenden Sache. Vielmehr steht es auch in einem inneren Bezug zum erkennenden Subjekt selbst.

3. Rehabilitierung der Erscheinung: Die Selbstdarstellung des Subjekts

Wie wir gesehen haben, liegt die Notwendigkeit der Annahme eines erscheinenden Seins darin begründet, dass die Dinge den Charakter des Objektiven haben können. Wir können uns Aureolis These so übersetzen: Die Dinge können überhaupt nur deswegen für uns Objekte werden, sie können uns nur deswegen präsent sein und als etwas erscheinen, weil wir sie schon als objektiv erscheinende konstituiert und d. h. als Objekte im Modus des intentionalen Seins gesetzt haben. Derjenige, der leugnet, dass das Objekt ein intentionales Sein hat, der „leugnet das Allgemeine, der leugnet die Zweiten Intentionen, der leugnet die gedanklichen Relationen und allgemein auch, dass es ein Wissen über die Dinge gibt … und setzt damit fest, dass die Seele nur durch die eigenen Erlebnisse erkennt und schließlich: der leugnet alles, was in ihr ist" (Quodlibeta 8, 84 a). In einem ähnlichen Gedankengang fragt Aureoli, wie es möglich ist, dass jemand die „Erfahrung macht" *(experiatur),* etwas, eine äußere Sache, sei ihm präsent. Eine Theorie von der Spezies oder der *forma impressa* kann das nicht verständlich machen, denn so würde die Seele allenfalls „eigene Erlebnisse", nicht aber andere Sachen erfahren können. Die Erfahrung der Präsenz ist nur möglich, so Aureoli, wenn die Seele den zu erkennenden Gegenstand in den Modus der objektiven Präsenz setzt (I Sent. 36, 838aD). Auf diese Weise hat Aureoli das seit der Antike diskreditierte *ens in anima* oder *ens rationis*[3] in den Stand erhoben, der ihm als dem Grund von Objektivität, Präsenz und Erscheinung zukommt. Zugleich hat Petrus Aureoli mit seiner These vom erscheinenden Sein aber auch in eine aktuelle Diskussion eingegriffen, in der seit Jahrzehnten, seitdem Thomas von Aquin das

---

[3] Vgl. Quodl. 8, 85b D: *non additur autem aliud, dum est comprehensio nisi sola praesentialitas et apparentia obiectivi, quod est purum ens rationis.*

Erkannte als das innere Resultat des Erkennens von dem akzidentellen intramentalen Sein unterschieden hatte, über den ontologischen Status des *ens rationis,* der Ersten und Zweiten Intention, des „inneren Wortes" und des inkomplexen und komplexen Begriffes ein literarischer Streit im Gange war.

Während jedoch die Autoren des 13. Jh., aber auch Zeitgenossen wie Hervaeus Natalis und Durandus das *ens rationis* ausschließlich als einen besonderen Gegenstand ansahen, dessen Gegenstandsweise geklärt werden muss, hat Aureoli es auch in seiner Beziehung zum Subjekt betrachtet und somit in noch anderer Weise die Würde der Welt des menschlichen Wortes, des Gedachten und Vorgestellten, des Begriffenen und Ausgesprochenen rehabilitiert. Dabei greift er auf Grundgedanken der Trinitätslehre nach dem 14. und 15. Buch der Schrift ›De Trinitate‹ des Augustinus und auf die Verbumlehre des Thomas von Aquin (S. c. Gent. IV, 11) zurück. Während Aristoteles das sog. veritative Sein *(on hōs alēthes)* im 6. Buch der Metaphysik und die ihm folgende mittelalterliche Tradition seit Averroes das sog. *ens in anima* weithin als eine akzidentelle Bestimmung der Seele angesehen hatten, unterschied Thomas von Aquin erstmals das innere Wort des Geistes als das Erkannte, insofern es als Erkanntes im Erkennenden ist, von all dem, was im Sinne eines Akzidens in ihm ist, und bereitete so die zu Aureolis Zeit schon übliche Unterscheidung zwischen dem objektiven intramentalen und dem subjektiven intramentalen Sein vor (Kobusch 1987, 79 ff.). Aureoli greift diese Unterscheidung auf. Der objektive Begriff oder das Wort ist just das, was als Erkanntes im Erkennenden ist. Eben dieses Verhältnis zwischen dem erkennenden Subjekt und dem objektiven Begriff einer Sache, insofern er als erkannter in ihm ist, bedenkt Petrus Aureoli in charakteristischer Weise neu und bezieht sich dabei auch auf die christliche Trinitätslehre. Denn von Augustinus hatte er gelernt, dass, wenn die biblische Rede vom Menschen als Bild und Gleichnis Gottes richtig ist, sich dies besonders in der gleichen Struktur des endlichen und göttlichen Geistes zeigen muss. Wie aber das göttliche Wort nicht nach der Art eines artifiziellen Gegenstandes, also willentlich und kontingenterweise, hervorgebracht wird, so vollzieht sich auch das Hervorbringen des Wortes des endlichen Geistes mit naturhafter Notwendigkeit (ed. Buytaert 835). Das Wort oder der Begriff muss eine besondere Beziehung zum Geist selbst haben, denn wenn der Geist einen Begriff bildet, „wird von ihm gesagt, dass er mit sich spricht, und folglich hat jener Begriff ein Verhältnis zum sprechenden Geist" (I Sent. 9, 321b C). Das bedeutet aber, dass die Hervorbringung des Wortes das Sein des Geistes selbst ausmacht. Wenn nun das Erzeugen eines Wortes dasselbe ist wie das Sprechen oder das Bilden eines objektiven Begriffs, dann muss es zugleich auch als das aufgefasst werden, in dem sich der Geist ausspricht. Das Wort oder der objektive Begriff ist somit nicht nur die Sache im Modus des Erscheinens, sondern zugleich auch das, in dem sich der Geist selbst ausspricht oder darstellt. „Daher erzeugt der Vater, insofern er sich selbst als sich präsenten oder erscheinenden konstituiert, notwendig das Wort" (I Sent. 27, 635a F). Aureoli hat mit dieser Lehre vom erscheinenden Sein offenkundig die Bahnen der aristotelischen Substanzmetaphysik verlassen. Sie wird in unserer Zeit durch H.-G. Gadamer bestätigt, der es die „erste und letzte Einsicht" hermeneutischer Ontologie genannt hat, dass „Sein Sichdarstellen ist" (H.-G. Gadamer, Wahrheit und Methode, Tübingen ⁵1986, 488).

Man muss sich die Konsequenzen eines solchen Ansatzes klarmachen: Wenn das Wort, der Begriff, ja jeder sachbezogene Gedanke, jede Vorstellung nicht nur die Darstellung einer bestimmten Sache ist, sondern das, in dem sich der endliche Geist, sofern er Subjekt ist, selbst darstellt, dann verliert das *ens in anima* ganz und gar den Charakter des zufällig hervorgebrachten Akzidens, weil es in Wahrheit die objektive Erscheinung des endlichen Geistes selbst ist. Deswegen ist das Erkennen einer Sache, das Aureoli als das „Setzen" derselben in den Modus des erscheinenden Seins begreift, nicht als das Setzen einer dem Subjekt fremden Sache zu verstehen, sondern immer zugleich als die Weise einer Selbstsetzung. Aureoli erklärt wörtlich: Die Seele „setzt sich" beim Erkennen „vor sich selbst" (*ponit se ante se,* I Sent. 26, 582aC), oder auch: „Sie setzt sich in den Modus des sichtbaren oder erscheinenden Seins" (I Sent. 13, 379 a, vgl. ed. Buytaert 804). Tatsächlich handelt es sich bei der Bildung des Wortes nach Aureoli um eine Art der Selbstkonstituierung der Seele (I Sent. 11, 353a A: *... nisi prius ante se constitueret se*). Ihr Sein besteht darin, sich in einem Wort, d. h. in Vorstellungen, Gedanken, Sätzen, in dem, was sie denkt, zur Darstellung zu bringen. Eine volksnahe Philosophiegeschichtsschreibung würde sich an dieser Stelle sicher nicht, wenn sie diese Texte wahrnähme, die Gelegenheit entgehen lassen, Petrus Aureoli ob solcher Formulierungen als den Fichte des Mittelalters zu identifizieren – als ob mit derartigen Etikettierungen das Verständnis eines mittelalterlichen Autors wachsen könne. Ganz ohne Zweifel aber ist die Rede Aureolis von der Selbstkonstituierung und Selbstsetzung des Subjekts ungewöhnlich, verglichen mit Thomas, Duns Scotus und Aureolis Zeitgenossen, wenngleich auch bei Hervaeus Natalis ganz erstaunliche Formulierungen innerhalb seiner Freiheitslehre begegnen. Wahrscheinlich ist sie angemessen nur vor dem Hintergrund der augustinischen Trinitätslehre verstehbar. Was Aureoli mit seiner Lehre vom erscheinenden Sein sagen will, ist sonach: Es ist das Wesen des Geistes, auch des endlichen, sich zu äußern, sich darzustellen, sich zur Erscheinung zu bringen. Deswegen ist der Mensch nicht nur, was er isst, sondern auch, was er denkt. Freilich gibt es einen großen Unterschied zwischen dem endlichen und dem göttlichen Geist: Während der göttliche

Geist sich einmal in seinem Wort ausgesprochen hat, das die ontologische Natur der Subsistenz und des Realen besitzt, ist das durch den endlichen Geist hervorgebrachte Wort, der Gedanke, etwas höchst Flüchtiges und Vergängliches. Deswegen hat es den ontologischen Status des „intentionalen" oder bloß „objektiven" Seins. Aber die innere Struktur ist beiden Formen des Geistes durchaus gemeinsam. Das zeigt sich auch noch in einem anderen Punkt.

4. *Das Außer-sich-Sein des Geistes*

Man würde Petrus Aureolis Lehre vom intentionalen Sein ungerechtfertigterweise um einen entscheidenden Punkt verkürzen, wenn man sich nur auf die Theorie vom „erscheinenden Sein" beschränkte. Mit Recht hat S. Vanni-Rovighi von einer „acuta fenomenologia dell'intenzionalità" Aureolis gesprochen, aber es ist nicht nur eine Phänomenologie der Intentionalität des Erkennens. Was Aureoli im Auge hat, ist vielmehr eine Phänomenologie der Intentionalität des Bewusstseins überhaupt. Seit Augustinus spätestens aber weiß man, dass sich menschliches Bewusstsein und menschliche Vernunft nicht nur im Erkennen, sondern auch im Wollen äussern. Aureoli versammelt – ganz traditionell – alle Bewegungen des Willens unter dem Titel der Liebe. Der Begriff der Liebe bezeichnet so zwar vorrangig ein personales Verhältnis, kann aber auch in einem weiten Sinne jede Form des Wollens, ja sogar des Habenwollens, d. h. des Begehrens, ausdrücken, wenngleich der in diesem Sinne verstandene *amor concupiscentiae* einer eigenen Analyse bedarf. Was nun die Bedeutung dieser Lehre von der Liebe eigentlich ausmacht, ist die Tatsache, dass Aureoli so klar wie kaum jemand vor ihm die Eigenständigkeit der Seinsweise der Liebe erkannt hat. Etwas zu erkennen, indem ich mir einen Begriff davon mache, ist ein ganz anderer Prozess als etwas zu lieben. Vor allem darf die Liebe auch nicht in Analogie zum Vorgang des Erkennens begriffen werden. Denn während der Erkennende die zu erkennende Sache in den Modus des erscheinenden oder objektiven Seins setzt, „setzt der Liebende die geliebte Sache nicht in ein bestimmtes Sein", sondern versetzt sich selbst in das Geliebte und bringt sich ihm dar, sodass „aufgrund der Kraft der Liebe der Liebende hervorgeht im Modus des intentionalen Seins zum Geliebten" (ed. Buytaert 699). Aureoli sagt selbst, dass eine solche These „weniger bekannt" sei als die über das Erkennen, aber auch sie lässt sich mit philosophischen Mitteln, d. h. mit Vernunftgründen, rechtfertigen. Die Liebe will nämlich immer die Vereinigung mit dem Geliebten. Daher ist es notwendig, dass der Liebende „aus sich herausgeht" und sich hin zum Geliebten bewegt. Es geht Aureoli gerade darum, Erkennen und Lieben als zwei entgegengesetzte Bewegungen der Seele und so auch als zwei verschiedene Seinsweisen des einen Bewusstseins aufzuzeigen. „Erkennen ist die Bewegung der Sache zu der Seele hin, Wollen aber ist die Bewegung der Seele zur Sache hin" (IV Sent. 49, 236 b). Im Wollen oder Lieben zieht das Bewusstsein nicht die Sache an sich, sondern gibt sich selbst hin. Der Liebende setzt sich somit in der Liebe in den Modus des Gegeben- oder Geschenktseins. Die Hingabe oder das Geschenk kann nun aber in einem zweifachen Sinn verstanden werden: Geschenk können wir das nennen, dessen ganzes Sein in nichts anderem besteht als im Gegebenwerden selbst. Was so als Ganzes und in vollkommener Weise Geschenk ist, ist der Antrieb der Liebe selbst, theologisch: der Hl. Geist. Oder Geschenk nennen wir das, das wir als einen Teil von uns schenken, etwas, das wir in Besitz haben, das uns gehört, das aber durch den Akt des Schenkens einem anderen übertragen wird. Das endliche Bewusstsein kann sich nie selbst ganz verschenken, es kann immer nur etwas von sich schenken.[4] Durch jedes einzelne Geschenk aber empfängt es selbst auch etwas, nämlich dass es in den Modus des Gegeben- und Geschenktseins gesetzt wird. Denn auch das Etwas-von-sich-Schenken ist eine Weise des Sich-Verschenkens (I Sent. 10, 343a E/F; 344a B).

Die menschliche Seele nimmt also, wenn sie sich einer Sache oder Person widmet und hingibt, wenn sie ihre Lebenszeit daran hängt, den Modus des „Gegeben- und Dargebrachtseins, des Gemeinsamseins und des Geschenkes" an (*ponitur in esse lato et in esse dato et in esse communi ac muneris*, I Sent. 18, 460a F). Da die so verstandene Liebe aber, wie schon Pseudo-Dionysius dargelegt hatte, ekstatischen Charakter hat, kann man auch sagen, die Seele setzt sich im Akte der Liebe außer sich (*extra se*). Aureoli liegt daran, dieses Außer-sich-Sein des Bewusstseins wörtlich zu verstehen, d. h., dass der Liebende sein Sein nicht mehr in sich selbst, sondern in der geliebten Sache selbst hat. Nur so kann der ekstatische Charakter der Liebe angemessen verstanden werden. Das muss gegenüber Missverständnissen in der Tradition hervorgehoben werden. Es ist wahrscheinlich Thomas von Aquin, den Aureoli in diesem Punkt kritisch im Auge hat. Denn Thomas hat die Bewegung der Liebe offenkundig ganz analog zu der des Erkennens aufgefasst, wenn er erklärt: „Wie aber das Erkannte, insofern es erkannt wird, im Erkennenden ist, so muss auch das Geliebte, insofern es geliebt wird, im Liebenden sein."[5] Wenn aber so die

---

[4] Zu diesem zweifachen Sinn des *dari* vgl. I Sent. 15, 395b A/B und I Sent. 18, 461b F.

[5] Thomas v. Aquin, Compendium Theologiae c. 45; vgl. auch Thomas v. Aquin, S. Th. I, 27, 3; I, 37, 1; I, 43, 3; I–II 66, 6. – Wenn Thomas an anderen Stellen wie z. B. S. Th. I–II 28, 2 auch davon spricht, dass der Liebende irgendwie im Geliebten ist, wird das nicht mit dem Hinweis auf den ekstatischen Charakter der Liebe begründet, sondern auf das besonders intensive Eindringen in den geliebten Gegenstand.

Liebe nur als ein zweiter Akt nach dem Muster des Erkenntnisaktes begriffen wird, kann man nach Aureoli ihrem eigentümlichen Charakter nicht gerecht werden. Deswegen muss, wenn man das Ekstatische als das Wesensmerkmal der Liebe begreifen will, im Gegensatz zur thomasischen Position betont werden, dass in der Liebe die geliebte Sache nicht im Liebenden ist, sondern umgekehrt der Liebende im Geliebten (I Sent. 10, 347b C). Denn zu lieben bedeutet, „zu einem anderen hinzustreben und in ihm seine Ruhe zu finden" (I Sent. 10, 343a E/F).

Was Aureoli so aus anthropologischer Perspektive als das Eigentümliche des endlichen Geistes zur Geltung bringt, kann jedoch auch zu verstehen helfen, was in der christlichen Theologie Hl. Geist ist. War das göttliche Wort das göttliche Wesen im subsistierenden Modus des Ausgesagtseins, so muss der Hl. Geist dasselbe Wesen aber im realen Modus des Geschenkes sein. Göttliches und menschliches Bewusstsein sind so der gesamten Struktur nach gleich, unterscheiden sich aber im Realitätsgehalt: Da das endliche Bewusstsein sich nie ganz hinzugeben vermag, sondern oft nur den Versuch unternimmt, nur das Versprechen dazu gibt, sich nur danach sehnt oder nur die Absicht hat, ist der Modus des Geschenkseins wie auch der des Dargestelltseins nur eine Weise des Intentionalen, während das göttliche Wort und das göttliche Geschenk in sich subsistierende, reale Personen sind.

Aureoli hat an vielen Stellen seines Werkes betont, dass es ihm darum geht, die Grundstruktur des Geistes, „jeder vernünftigen Natur", aufzuzeigen. Geistsein bedeutet danach aber, sich darzustellen durch das Wort und außer sich zu sein in der Liebe. Diese beiden Modi sind die charakteristischen und notwendigen Ausdrucksweisen des Bewusstseins. Das zeigt sich auch darin, dass nach Aureoli der Zustand der ewigen Glückseligkeit der Seele gar nicht anders gedacht werden kann als unter Berücksichtigung dieser ihrer Grundstruktur. Wenn es wahres, d. h. ganzheitliches Glück sein soll, das der gerechten Seele bevorsteht, dann muss die Vereinigung mit Gott sowohl durch den Intellekt wie auch durch den Willen vollzogen werden. Durch den Intellekt, d. h. in der *visio beatifica,* wird Gott mit der Seele vereint und gewissermaßen zum Sein der Seele hingezogen, sodass er in bestimmtem Sinne ihr Besitz genannt werden kann, durch den Akt der Liebe aber, den Aureoli auch Wohlgefallen (*complacentia*) nennt, wird die Seele mit Gott vereint und formt sich auf innerlichste Weise in ihn um, sodass sie zum göttlichen Sein hingezogen und auf diese Weise Besitz Gottes wird. Deswegen ist es sinnvoll zu sagen, dass es der Seele dort besser geht, wo sie liebt als da, wo sie atmet. Denn durch die Liebe gehört sie eher einem anderen als sich selbst (IV Sent. 49, 236bF; 239bB/C).

Auswahlbibliographie

Quellentexte

Petrus Aureoli: De unitate conceptus entis (Reportatio Parisiensis in 1 sententiarum dist. 2, p. 1, qq. 1–3 et p. 2, qq. 1–2), hrsg. v. Stephen F. Brown, in: Traditio 50 (1995) 199–248.

Petrus Aureoli: Comment. in libros Sententiarum (I Sent.: Ordinatio; II–IV Sent.: Reportatio), Rom 1596/1605 (2 Bde.).

Petrus Aureoli: Scriptum super primum Sententiarum. Vol I: prol.-dist. 1. Vol. II: dist. 2–8, hrsg. v. E. M. Buytaert, New York 1952, 1956 (Franciscan Institute Publications, text Series 3).

Petrus Aureoli: Petrus Aureoli contra Radulphum ex dist. 23 libri 1 sent., hrsg. v. J. Pinborg, in: Cahiers de l'Institute du Moyen âge grec et latin 35 (1980) 133–137.

Petrus Aureoli: Aureoli's unpublished Reportatio III, d. 3, q. 1–2, hrsg. v. E. M. Buytaert, in: Franciscan Studies 15 (1955) 159–174.

Petrus Aureoli: Quodlibet, in: Comment. In libros Sent. Vol. II (fin.), Rom 1605.

Petrus Aureoli: Repercussorium, hrsg. v. Collegium S. Bonaventurae, in: Bibliotheca Franciscana Scholastica medii aevi 3, Quaracchi 1904, 96–153.

Petrus Aureoli: Tractatus de immaculata conceptione B. Mariae Virginis, hrsg. v. Collegium S. Bonaventurae, in: Bibliotheca Franciscana Scholastica medii aevi 3, Quaracchi 1904, 23–95.

Petrus Aureoli: Tractatus de paupertate et usu paupere, in: Firmamenta trium ordinis beatissimi Patris nostri Francisci, pars IV, Paris 1511, f. 116r–129r.

Petrus Aureoli: Peter Aureol vs. Hervaeus Natalis on intentionality. A text edition with introductory remark hrsg. v. D. Perler, in: Archives d'Histoire Doctrinale et Littéraire du Moyen-Age 61 (1994) 227–262.

Petrus Aureoli: Peter Aureol on Divine Foreknowledge and Future Contingents: Scriptum in Primum Librum Sententiarum, distinctions 38–39, hrsg. v. Chr. Schabel, in: Cahiers de l'Institute du Moyen âge grec et latin 65 (1995) 63–212.

Sekundärliteratur

Boehner, Ph.: Notitia intuitiva of Non Existents according to Peter Aureoli O. F. M. (1322), in: Franciscan Studies 8 (1948) 388–416.

Brown, St.: Walter Burley, Peter Aureoli and Gregory of Rimini, in: Routledge History of Philosophy, Vol. III, Medieval Philosophy, ed. J. Marenbon, London/New York 1998, 368–385.

Dreiling, R.: Der Konzeptualismus in der Universalienlehre des Franziskanerbischofs Petrus Aureoli. Beiträge zur Geschichte der Philosophie und Theologie des Mittelalters 11, Münster 1913.

Kobusch, T.: Nominalismus, in: Theologische Realenzyklopädie 24 (Berlin/New York 1994) 589–604.

Kobusch, T.: Sein und Sprache. Historische Grundlegung einer Ontologie der Sprache, Leiden 1987.

Landry, B.: Petrus Aureolus, sa doctrine et son rôle, in: Revue de Philosophie (1928) 27–48. 113–132.

Nielsen, L. O.: Dictates of Faith versus Dictates of Reason: Peter Auriole on Divine

Power, Creation, and Human Rationality, in: Documenti e Studi sulla Tradizione Filosofica Medievale 7 (1996) 213–241.

Oeing-Hanhoff, L.: Trinitarische Ontologie und Metaphysik der Person, in: Metaphysik und Freiheit. Ausgewählte Abhandlungen, hrsg. v. Theo Kobusch und Walter Jaeschke, München 1988, 133–165.

Pinborg, J.: Zum Begriff der intentio secunda, Radulphus Brito, Hervaeus Natalis und Petrus Aureoli in Diskussion, in: Cahiers de l'Institute du Moyen âge grec et latin 13 (1974) 49–59.

Prezioso, F. A.: La teoria dell'essere apparente nella gnoseologia di Pietro Aureolo O. F. M., in: Studi Francescani 8, 3a, Anno XXII (XLVI) (1950) 15–43.

Schabel, Chr.: Paris and Oxford between Aureoli and Rimini in: Routledge History of Philosophy, Vol. III, Medieval Philosophy, ed. J. Marenbon, London/New York 1998, 386–401.

Suarez-Nani, T.: „Apparentia" und „Egressus". Ein Versuch über den Geist als Bild des trinitarischen Gottes nach Petrus Aureoli, in: Philosophisches Jahrbuch 93 (1986) 19–38.

Tachau, K.: Vision and Certitude in the Age of Ockham: Optics, Epistemology, and the Foundations of Semantics, 1250–1345, Leiden 1988.

Teetaert, A.: Pierre Auriol, in: Dictionnaire de Théologie catholique 12 (Paris 1935) 1810–1881.

Vanni-Rovighi, S.: L'intenzionalità della conoscenza secondo Pietro Aureolo, in: Studi di filosofia medioevale II. Secoli XII e XIV, Milano 1978, 275–282.

Vignaux, P.: Note sur la relation du conceptualisme de Pierre d'Auriole à sa théologie trinitaire, in: De Saint Anselme à Luther, Paris 1976, 155–173.

WILHELM VON OCKHAM

Die Möglichkeit der Metaphysik

Von LUDGER HONNEFELDER

Das Werk eines Autors zu behandeln, das dieser nie geschrieben hat, ist ein missliches Unterfangen. Vor einer solchen Aufgabe steht, wer die Metaphysik Wilhelms von Ockham zum Thema der Untersuchung machen möchte. Denn wie Ockham selbst vermerkt, war es seine Absicht, außer dem Kommentar zur aristotelischen Physik auch einen solchen zur Metaphysik zu schreiben.[1] Doch hat er diese Absicht aus Gründen, über die wir nur Vermutungen anstellen können, nie verwirklicht.

Die Realisierung dieser Absicht hätte nicht nur eine Lücke im Werk Ockhams geschlossen; sie hätte auch auf eine systematische Frage genauere Auskunft gegeben, die weit über das Interesse an Ockham hinausgeht, wie nämlich Metaphysik unter den Bedingungen einer 'nominalistischen', d. h. kritisch restringierten Epistemologie und Logik möglich ist.[2] Nichts scheint ja nach landläufiger philosophiehistorischer Meinung einander so sehr zu widersprechen wie eine affirmativ betriebene Metaphysik und eine nominalistisch eingeschränkte Epistemologie und Logik. Konsequenterweise gelten daher Ockham und Kant aufgrund ihrer kritisch gewendeten Epistemologie und der daraus folgenden Kritik metaphysischer Subreptionen als die Rädelsführer in der Geschichte der Zertrümmerung der Metaphysik.[3] In der Ockham-Forschung selbst überlebt die Behauptung, mit

---

[1] Vgl. etwa Expositio in libros Physicorum Aristotelis, prol., § 4. Opera Philosophica (OPh), St Bonaventure, N.Y., 1974–88, IV, 14.

[2] Zum Begriff des Nominalismus in Anwendung auf Ockham vgl. F. Hoffmann, Art. "Nominalismus", in: Historisches Wörterbuch der Philosophie 6, hrsg. v. J. Ritter/K. Gründer, Basel 1984, 874–884; M. J. Loux, Art. „Nominalism", in: Routledge Encyclopedia of Philosophy 7, hrsg. v. E. Craig, London/New York 1998, 17a–23a, bes. 19b–20b; C. Panaccio, Art. „William Ockham", a. a. O. 9, 732a–748a.

[3] So schon G. Ritter, Studien zur Spätscholastik, 1. Marsilius von Inghen und die ockhamistische Schule in Deutschland, Sitzungsberichte der Heidelberger Akademie der Wissenschaften, Philos.-hist. Klasse, 4. Abh., Heidelberg 1921, 112. – Zur neuscholastischen Wertung Ockhams und ihrer Auswirkung bis in die Philosophiegeschichte der Gegenwart vgl. Th. Kobusch, Ens inquantum ens und ens rationis. Ein aristotelisches Problem in der Philosophie des Duns Scotus und Wilhelms von

Ockham sei das Ende der Metaphysik gekommen, in Form der These, von Metaphysik sei zwar noch verbal die Rede, ihre Aufgabe werde aber durch die neue Kombination von Logik und Einzelwissenschaften übernommen.[4] Ansatz und Leistungsfähigkeit der Metaphysik zu rekonstruieren, die Ockham nie geschrieben hat, ist daher nicht nur von historischer Bedeutung; es ist zugleich ein Beitrag zu der die Geschichte der Metaphysik von Anfang an begleitenden und ihr Schicksal bestimmenden Frage, nämlich *wie Metaphysik möglich ist.* Eine solche Rekonstruktion ist durchführbar, weil Ockham nicht nur in Zusammenhängen seiner Logik, seiner Physik und seiner theologischen Überlegungen Lehrstücke vorgelegt hat, die metaphysischen Charakter haben und mutmaßliche Stücke seiner Metaphysik gewesen wären. Ockham hat auch im Rahmen der wissenschaftstheoretischen Überlegungen, die er im Prolog seiner Physik und in den Sentenzenkommentierungen anstellt, ausdrücklich die Bedingungen genannt, unter denen Metaphysik als Wissenschaft möglich ist. Nimmt man die Erörterungen hinzu, die er im theologischen Kontext zu der Frage anstellt, was das erste Objekt des Verstandes ist und unter welchen Bedingungen eine begriffliche Rede von Gott möglich ist, dann können die entscheidenden Prämissen eruiert werden, nach denen sich die Möglichkeit der Metaphysik für Ockham bestimmt. Die genannten einzelnen Lehrstücke wie der Gottesbeweis, die Lehre von der Substanz und anderes mehr lassen sich dann als Probe auf die Frage betrachten, welche materiale Leistungsfähigkeit der von Ockham formal bestimmten Möglichkeit der Metaphysik entspricht. .

Im Folgenden sollen daher zunächst die Möglichkeit der Metaphysik im Rahmen von Ockhams Wissenschaftstheorie (I) behandelt und die Erörterungen zur Frage nach dem ersten Objekt des Verstandes und zur univoken Prädizierbarkeit des Begriffs „Seiendes" einschließlich der zugrunde liegenden erkenntnistheoretischen und sprachlogischen Annahmen ausgewertet werden (II), bevor dann die Bedeutung von „Seiend" als grundlegendem transkategorialem Begriff (III) untersucht, mithilfe eines kurzen Blicks auf den Gottesbeweis die Leistungsfähigkeit der behandelten metaphysischen Lehrstücke geprüft (IV) und eine abschließende Ant-

Ockham, in: J. Marenbon (Hrsg.), Aristotle in Britain during the Middle Ages. Proceedings of the international conference at Cambridge 8–11 April 1994 organized by the Société Internationale pour l'Étude de la Philosophie Médiévale, Turnhout 1996, 157–175, hier 173 f.

[4] Vgl. G. Leff, William of Ockham. The metamorphosis of scholastic discourse, Manchester 1975, 334; so auch Th. Kobusch, Art. „Metaphysik", in: Historisches Wörterbuch der Philosophie 5, hrsg. v. J. Ritter/K. Gründer, Basel 1980, 1226–1238, hier 1229.

wort auf die genannte historisch-systematische Frage nach der Möglichkeit von Metaphysik und dem Zusammenhang von Metaphysik und Nominalismus, von Metaphysik und Metaphysikkritik (V) versucht werden kann.

I.

Vor allem zwei Anlässe sind es, die nach Wiederentdeckung und -aneignung des Corpus der aristotelischen Schriften die mittelalterlichen Autoren zur Frage nach der Möglichkeit von Metaphysik veranlassen: Der eine entspringt der Notwendigkeit einer Zuordnung der Metaphysik zur tradierten Theologie und führt zur Frage nach dem Wissenschaftsstatus beider Disziplinen. Der zweite Anlass ist die damit eng verbundene Frage, unter welchen Voraussetzungen denn überhaupt die geglaubte Offenbarungsrede zum Gegenstand menschlichen Redens und menschlicher Wissenschaft werden kann.

Dass beide Kontexte dazu nötigen, *vor* aller Metaphysik nach ihrer *Möglichkeit* zu fragen, hängt wiederum damit zusammen, dass Aristoteles in seinen wissenschaftstheoretischen Überlegungen, vor allem in den ›Zweiten Analytiken‹, die formalen Kriterien angegeben hat, nach denen sich bestimmt, wann ein epistemischer Zustand Wissen bzw. Wissenschaft genannt werden kann, was seine innere Einheit und seine Verschiedenheit bzw. seinen Zusammenhang mit anderen Wissenschaften begründet. Und schon Avicenna hatte diese Wissenschaftstheorie des Aristoteles benutzt, um die Frage nach dem Gegenstand der Metaphysik angesichts der Verschiedenartigkeit der Bestimmungen zu beantworten, die in den unter dem Titel der Metaphysik versammelten Schriften des Aristoteles enthalten sind.[5]

Da Aristoteles davon ausgeht, Wissenschaft *(episteme)* als einen bestimmten Habitus des Erkenntnisvermögens zu verstehen,[6] liegt es nahe, als dessen Inhalt bzw. Gegenstand nicht ein Ding oder eine Eigenschaft, sondern einen als wahr erkannten Satz zu verstehen und folglich so viele Wissenschaften anzunehmen, als es als wahr wissbare Sätze gibt. Dementsprechend heißt es in den ›Zweiten Analytiken‹, dass die Gattung, um deren Eigenschaften es in einer beweisenden Wissenschaft geht, als das Subjekt *(hypokeimenon)* im Sinn des Satzgegenstands zu verstehen ist, von

---

[5] Vgl. Avicenna, Liber de philosophia prima tr. 1, c. 1–2, ed. S. van Riet (Avicenna Latinus), Löwen/Leiden 1977, 2–13. Vgl. dazu insgesamt A. Zimmermann, Ontologie oder Metaphysik? Die Diskussion über den Gegenstand der Metaphysik im 13. und 14. Jahrhundert, Löwen ²1998, 144–152.

[6] Vgl. Aristoteles, Eth. Nic. VI 3, 1139b 31–35.

dem diese Eigenschaften als Prädikate ausgesagt werden.[7] Gibt es in einer Wissenschaft ein Subjekt, auf das sich alle Sätze dieser Wissenschaft zurückführen lassen, dann ist es dieses erste Subjekt, das die Einheit der betreffenden Wissenschaft konstituiert.

Geht es darüber hinaus um das erste Subjekt einer Wissenschaft, die – wie die Metaphysik – „erste Wissenschaft"[8] ist, weil sie vom Ersten und Allgemeinsten handelt, dann ist mit der Frage nach dem ersten Subjekt auch die Frage nach der Reichweite und der Einheit unseres Wissens überhaupt gestellt, also nach dem, was als das erste adäquate Objekt des Verstandes bezeichnet werden könnte.

Ockhams „Propositionalisierung" des Wissenschaftsverständnisses in Form der These, dass „wir nichts wissen als das, was ein Verbundenes (d. h. einen Satz) darstellt"[9], ist also zunächst – und dies entspricht Ockhams durchgehender Intention in seinen philosophischen Überlegungen[10] – nichts anderes als konsequenter Aristotelismus, in dem er Duns Scotus folgt, der das Subjekt einer Wissenschaft nicht – wie Thomas von Aquin[11] – in einem bestimmten Gegenstand bzw. einer gemeinsamen Hinsicht sieht, unter der eine Vielheit von Gegenständen betrachtet wird, sondern in einem Begriff, von dem die in dieser Wissenschaft zu behandelnden Prädikate ausgesagt werden[12]. Was dem Wissenschaftsverständnis Ockhams sein spezifisches Gepräge gibt, ist die noch zu behandelnde Verbindung dieser Lehre mit seiner Begriffs- und Prädikationstheorie.

Mit Duns Scotus versteht Ockham daher als Wissenschaft im strikten Sinn „die evidente Erkenntnis eines Notwendigen und Wahren, die durch die evidente Erkenntnis gemäß dem syllogistischen Diskurs angeordneter, notwendiger Prämissen verursacht werden kann"[13]. Bezieht man Wissenschaft in diesem Sinn nicht nur auf einen einzelnen Habitus, d. h. auf das habituelle Wissen von einer einzigen als wahr erkannten *conclusio*, sondern auf eine geordnete Vielheit von *conclusiones*, und bezieht man auch

---

[7] Vgl. Aristoteles, An. Post. I 2, 71b 17–22; I 7, 75a 43; vgl. auch Met. III 2, 997a 20; XI 4, 1061b 31.

[8] Vgl. Aristoteles, Met. VI 1, 1026a 15–16; 23–32; vgl. auch IV 2, 1004a 2–9.

[9] Ordinatio I, d. 2, q. 4. Opera Theologica (OTh), St Bonaventure, New York 1967–86, II, 137; vgl. dazu J. P. Beckmann, Wilhelm von Ockham, München 1995, 56–63.

[10] Vgl. Expositio in libros Physicorum Aristotelis, prol., § 1. OPh IV, 3.

[11] Vgl. A. Zimmermann, Ontologie oder Metaphysik?, 204.

[12] Vgl. näher L. Honnefelder, Ens inquantum ens. Der Begriff des Seienden als solchen als Gegenstand der Metaphysik nach der Lehre des Johannes Duns Scotus, Münster ²1989, 5–9.

[13] Expositio in libros Physicorum Aristotelis, prol., § 2. OPh IV, 6. Vgl. dazu Johannes Duns Scotus, Reportatio I A prol., q. 1, a. 1. Wien, Nationalbibliothek bib. nat. lat. 1453, fol. 1r.

den zu den *conclusiones* führenden Beweisgang ein, dann können auch die Physik und die Metaphysik als Wissenschaft *(scientia)* verstanden werden.[14]

Die Frage ist freilich – und an ihrer Beantwortung hängt die Möglichkeit der Metaphysik als Wissenschaft –, wie die Einheit zu denken ist, die die Vielheit der als wahr erkannten Schlusssätze der Metaphysik zu einer Einheit werden lässt. Da bezüglich der Schlusssätze der Metaphysik oder der Physik widerspruchslos eine Gleichzeitigkeit von Irrtum bezüglich des einen Schlusssatzes und wahres Wissen bezüglich eines anderen denkbar ist und damit eine Zurückführung auf einen einzigen Schlusssatz ausscheidet, kann die Einheit nicht numerischer Art sein, sondern nur eine Einheit der Ansammlung *(unitas collectionis),* wie sie für eine Stadt, ein Volk, ein Heer, ein Reich oder eine Welt kennzeichnend ist.[15] Im Sinn einer solchen Einheit haben dann die Metaphysik wie die Physik eine Mehrheit von Subjekten, wobei unter Subjekt dasjenige zu verstehen ist, „von dem etwas gewusst wird" *(de quo scitur aliquid).* Das aber – so Ockham – ist nach dem Verständnis der ›Zweiten Analytiken‹ das Subjekt des Schlusssatzes, sodass das Subjekt des gewussten Satzes und das des Wissens identisch sind.[16]

Ausdrücklich lehnt er es ab, das Subjekt einer Wissenschaft wie der Metaphysik als ein solches zu verstehen, das virtuell die gesamte Erkenntnis der Schlusssätze in sich enthält oder auf das als ein Erstes alles andere bezogen ist.[17] Auch damit folgt er Scotus, der die Möglichkeit einer Metaphysik, für die alles wahre Wissen *propter quid,* d. h. deduktiv aus dem ersten Subjekt – sei es ein ausgezeichnet Erstes oder ein ersterkannter Begriff – abgeleitet werden kann, nur für einen unbegrenzten Verstand zulässt, d. h. als eine Metaphysik des *god's eye view,* für den Verstand des Menschen *in statu isto* aber ablehnt.[18] So wenig wie die Welt einen König hat, folgert daher Ockham, so wenig haben Wissenschaften wie die Metaphysik, die Physik und die Logik *ein* Subjekt im Sinn eines solchen alles andere in sich umfassenden *subiectum totius.*

Doch schließt dies für Ockham gerade nicht aus, der Meinung zu folgen,

---

[14] Vgl. Expositio in libros Physicorum Aristotelis, prol., § 3. OPh IV, 6–7.

[15] Vgl. ebd. OPh IV, 7. – Zum Wissenschaftscharakter der Metaphysik bei Ockham vgl. auch G. Leibold, Zum Problem der Metaphysik als Wissenschaft bei Wilhelm von Ockham, in: W. Vossenkuhl/R. Schönberger (Hrsg.), Die Gegenwart Ockhams, Weinheim 1990, 123–127.

[16] Ebd. OPh IV, 9.

[17] Vgl. ebd.

[18] Vgl. Johannes Duns Scotus, Ordinatio prol., p. 3, q. 1–3, n. 142–149, ed. Vat. I, 96–101. Zur Wissenschaftslehre des Duns Scotus vgl. L. Honnefelder, Ens inquantum ens, 3–22; 133–143.

die sich für Scotus aus diesem Befund ergibt, dass nämlich von „einem"
Subjekt der Metaphysik unter den Bedingungen *unserer* Erkenntnis nur
gesprochen werden kann im Sinn eines „ersten Subjekts", wobei auch für
Ockham als mögliche Ordnungen, in denen es solche Erstheit geben kann,
nur die Ordnung der Prädikation gemeinsamer Begriffe oder die Ordnung
der Vollkommenheit infrage kommen kann, sodass als erstes Subjekt der
Metaphysik nur der Begriff „Seiend" *(ens)* oder das ausgezeichnet Seiende, Gott, infrage kommen kann.[19] Die Frage nach der Möglichkeit von
Metaphysik – so kann als erstes Resultat festgehalten werden – wird also
von Ockham im Prolog zum Physikkommentar im Anschluss an Scotus nur
für die Maximalform einer Metaphysik vom Gottesgesichtspunkt verneint,
nicht dagegen für die Metaphysik, deren erstes Subjekt der von allem aussagbare Begriff „Seiend" und die ihm zukommenden Prädikate darstellen.
  Dies hindert keineswegs, die Metaphysik als *scientia realis* aufzufassen.
Denn wie Ockham am Beispiel der Physik deutlich macht, hat eine Wissenschaft, die von Allgemeinbegriffen handelt, die in erster Intention für
einzelne Dinge stehen, mittelbar die Dinge selbst zum Gegenstand – im
Unterschied zur Logik, die von Begriffen zweiter Intention handelt.[20] Der
Ortsanweisung der Metaphysik als Wissenschaft im Prolog zum Physikkommentar entspricht die Auffassung im Prolog der ›Ordinatio‹, wenn es
dort heißt, dass „die Metaphysik, die das Seiende betrachtet, alle Eigentümlichkeiten des Seienden *(passiones entis)* von jedwedem Gehalt aufzuzeigen vermag und deshalb im Hinblick auf diese gemeinsamen Eigentümlichkeiten von jeder Washeit im Besonderen handelt, weil diese Eigentümlichkeiten in keiner besonderen Wissenschaft betrachtet werden"[21].

II.

So eindeutig diese Feststellungen über die Möglichkeit der Metaphysik
sind, so wenig wird in diesem Zusammenhang bereits deutlich, in welcher
Weise denn „Seiend" als genereller Terminus für die einzelnen Dinge steht,
wie seine Erstheit der gemeinsamen Prädikation gedacht werden kann und
mit welchem Recht Metaphysik deshalb *erste* Wissenschaft bzw. *Real*wissenschaft genannt werden kann. Die nötigen Auskünfte finden sich bei
Ockham an ähnlichen Stellen wie bei Scotus, nämlich im Zusammenhang
der Frage nach dem ersten adäquaten Objekt des Verstandes und nach der
– für die Frage der Gotteserkenntnis entscheidenden – Möglichkeit einer

---

[19] Expositio in libros Physicorum Aristotelis, prol., § 3. OPh IV, 10.
[20] Vgl. ebd. § 4. OPh IV, 11–12.
[21] Ord. I, prol., q. 9. OTh I, 274.

univoken Prädizierbarkeit des Begriffs „Seiendes" von Gott und Geschöpf, Substanz oder Akzidens.

Mit Scotus unterscheidet Ockham zwischen der Ordnung der Entstehung von Erkenntnis, der Ordnung der Prädikation und der Ordnung der Vollkommenheit, gemäß denen etwas erstes Objekt unseres Verstandes sein kann. Da eine unmittelbare Erkenntnis Gottes als des schlechthin vollkommenen Seienden, durch dessen Erkenntnis alles andere erkannt werden könnte, für den menschlichen Verstand nicht gegeben ist und weil nach Ockham alle Erkenntnis mit der intuitiven Erkenntnis des sinnlich wahrnehmbaren einzelnen Seienden beginnt, kann das gesuchte erste Objekt weder in der ersten noch in der letzten Ordnung gesucht werden, sondern nur in der Ordnung der Prädikation.[22]

Ein erstes Objekt der Angemessenheit nach wäre in dieser Ordnung ein solches, das von allem Erkennbaren ausgesagt werden kann. Und auch hier muss noch einmal unterschieden werden: So kann die Annahme als erstes Objekt besagen, dass alles, was unter dieses Objekt fällt, auch natürlicherweise „im Besonderen und in seiner ihm eigentümlichen Bestimmtheit" *(in particulari et sub propria ratione)* erkannt wird. Oder aber beim ersten Objekt handelt es sich um „das Gemeinsamste" *(communissimum),* das von allen Gegenständen des betreffenden Erkenntnisvermögens ausgesagt werden kann, ohne dass dies eine distinkte Erkenntnis dieser Gegenstände im Besonderen voraussetzt oder impliziert. Im ersten Sinn kann „Seiendes" nach Ockham nicht natürlicherweise als ein erstes Objekt betrachtet werden, weil wir nicht natürlicherweise über die distinkte Erkenntnis jedwedes Intelligiblen im Besonderen verfügen, wohl aber im zweiten Sinn eines gemeinsamsten Begriffs.[23]

Mit dieser Unterscheidung bleibt Ockham in der Linie des Scotus, der es im Blick auf den menschlichen Verstand nicht für möglich hält, „Seiendes" im ersten Sinn als ein die Erkenntnis von allem Erkennbaren positiv umfassendes Objekt anzunehmen, sondern nur „Seiendes" als einen von allem Erkennbaren aussagbaren gemeinsamen Begriff. Und dieser gemeinsame Begriff kann auch nur die Stelle eines ersten Objekts einnehmen, weil er – wie Ockham die scotische Position referiert – in einem sich ergänzenden Primat der quiditativen und der denominativen Aussageweise von allem ausgesagt werden kann.[24]

Eben diese Annahme hält aber nach Ockham der Kritik nicht stand.

---

[22] Vgl. Ord. I, d. 1, q. 4. OTh I, 436 f.; Ord. I, d. 2, q. 4. OTh II, 140 f.; Ord. I, d. 3, q. 1. OTh II, 388 f.; Ord. I, d. 3, q. 8. OTh II, 524–542; Quodl. I, q. 1. OTh IX, 1–11; vgl. dazu G. Leff, William of Ockham, 167 ff.

[23] Ord. I, d. 1, q. 4. OTh I, 436 f. Vgl. auch Ord. I, d. 2, q. 4. OTh II, 140 f.

[24] Vgl. dazu ausführlich L. Honnefelder, Ens inquantum ens, 55–98.

Denn sie beruht auf der Annahme eines noetisch-noematischen Parallelismus, der besagt, dass den Begriffsgehalten etwas in der Sache selbst entspricht und die distinkten Begriffe aus verschiedenen Begriffsgehalten, die den Sachgehalten entsprechen, zusammengesetzt sind und demgemäß einer „Auflösung" *(resolutio)* unterzogen werden können, die beim Begriff des „Seienden" als des ersten distinkt erkennbaren und seinem Gehalt nach schlechthin einfachen Begriffs zum Stehen kommt.[25] Um die Aporie zu vermeiden, die mit der Annahme verbunden wäre, „Seiendes" sei ein conceptus proprius nach Art eines Gattungsbegriffs, gibt allerdings Scotus selbst den noetisch-noematischen Parallelismus für den *conceptus entis* auf und bezeichnet ihn mithilfe der Unterscheidung von *realitas* und innerem Modus als einen Begriff, der nur die Seiendheit unter Absehung von ihrem Modus umfasst und deshalb als ein Begriff verstanden werden muss, „der von der unvollkommenen Sache verursacht werden kann *(potest causari a re imperfecta)"*.[26]

Eben diese Schwierigkeit entsteht für Ockham nicht, wenn man den Begriffen nichts in den Dingen selbst zuordnet, sondern sie als mentale Zeichen versteht, die von den Dingen verursacht werden und dementsprechend in personaler Supposition für die Dinge stehen können, wobei aus der intuitiven Erkenntnis der Einzeldinge gemeinsame Begriffe „abstrahiert" werden können im Sinn mentaler Zeichen, die nach vollzogener intuitiver Erkenntnis zurückbleiben und die dann als gemeinsame Begriffe von vielen Einzelseienden ausgesagt werden können. Versteht man „Seiendes" als einen solchen – und zwar schlechthin gemeinsamen – Begriff, ergibt sich die Gattungsaporie nicht, sodass auf das von Scotus angenommene Zusammenlaufen zweier Erstheiten verzichtet und umso einfacher an dem von Scotus erarbeiteten Ergebnis festgehalten werden kann, „Seiendes" als erstes adäquates Objekt des menschlichen Verstandes sei nur als abstrakter gemeinsamer Begriff zu betrachten. Die erkenntniskritische Reduktion schwächt also die scotische Annahme nicht, sondern setzt sie nach Ockham allererst in ihr Recht.

Allerdings bleibt nach Ockham der Einwand, dass ein solcher gemeinsamer Begriff wie „Seiendes" zwar von allen realen Seienden, und dies bedeutet für Ockham von allen einzelnen Substanzen und Qualitäten, ausgesagt werden kann, nicht aber von allem Intelligiblen. Denn wenn man den zweiten Intentionen kein reales Sein zubilligt, sondern nur ein Gedachtsein im Sinne eines *esse obiectivum,* dann erfüllt „Seiendes" nicht den

---

[25] Vgl. die Kritik an Scotus in Ord. I, d. 3, q. 8. OTh II, 529–533; Ord. I, d. 2, q. 9. OTh II, 293–306.
[26] Duns Scotus, Lect. I, d. 8, p. 1, q. 3, n. 129, ed. Vat. XVII, 46 f.; vgl. dazu L. Honnefelder, Ens inquantum ens, 375 ff.

Anspruch eines ersten adäquaten Objekts des Verstandes, nämlich von allem Intelligiblen ausgesagt werden zu können. Dieser Einwand fällt, so vermerkt Ockham in einer unmittelbar folgenden Additio, wenn man den zweiten Intentionen den ontologischen Status von echten Qualitäten zuordnet, die in der Seele *(subiective)* existieren – eine Auffassung, die wohl Ockhams späterer definitiver Lehre entspricht.

Wie immer man sich im Blick auf diese beiden Möglichkeiten in Sachen des ersten adäquaten Objekts des menschlichen Verstandes verhält, unberührt bleibt davon die Auffassung, dass „Seiendes" als ein gemeinsamer Begriff von Gott und Geschöpf, Substanz und Akzidens ausgesagt werden kann, und zwar gemäß einem univoken Gehalt.

Auch für die Frage nach der univoken Prädizierbarkeit von „Seiend" vertritt Ockham die Meinung, dass das Resultat der scotischen Lehre zutrifft, und zwar gerade dann, wenn man die von ihm vertretenen erkenntnistheoretischen und sprachlogischen Annahmen zugrunde legt. Denn geht man davon aus, dass der Begriff ein mentales Zeichen ist, das als natürliches Zeichen durch die intuitiv erkennbare *res* hervorgerufen wird, dann kann es nur jeweils *einen* Begriff geben, der als *dieser* Begriff von denjenigen Dingen gemeinsam ausgesagt werden kann, die aufgrund ihrer Ähnlichkeit geeignet sind, ihn kausal hervorzurufen. Deshalb kann es Äquivokation und Univokation im eigentlichen Sinn nur beim sprachlichen Zeichen *(vox)* in Bezug auf den Begriff *(conceptus)* geben. Ein univoker Begriff *(conceptus univocus)* ist nichts anderes als ein gemeinsam von einer Vielheit von Dingen prädizierbarer Begriff im Unterschied zu einem besonderen Begriff *(conceptus proprius),* der nur von einer *res* ausgesagt werden kann. Darüber hinaus kann er vom denominativ ausgesagten Begriff unterschieden werden, insofern er in seiner gemeinsamen Prädikation von den vielen Dingen nichts anderes mitbezeichnet.[27] Wird der Begriff darüber hinaus, wie dies bei Ockham geschieht, als mentales Zeichen verstanden, das in personaler Supposition für die singuläre *res* selbst und nicht für etwas abgrenzbar Reales *(aliquid reale) in* dieser *res* steht, dann besagt der univoke Begriff, und zwar schon im Fall eines Art- oder Gattungsbegriffs, keinerlei Zusammengesetztheit in der *res* selbst.[28]

Unter diesen Voraussetzungen kann Ockham feststellen, dass „Seiendes in Bezug auf jedwedes außerhalb der Seele Existierende ein univok Gemeinsames darstellt, das von diesem washeitlich und auf die erste Weise durch sich ausgesagt werden kann" *(quod quibuscumque existentibus extra animam ens est univocum, praedicabile de eis in quid et per se primo*

---

[27] Vgl. Ord. I, d. 2, q. 9. OTh II, 306 ff.
[28] Vgl. ebd., 312, 316; vgl. auch Rep. III, q. 10. OTh VI, 341.

modo)[29]. Da alle denominativen Aussageweisen eine quiditative voraussetzen und der Begriff nicht für etwas Reales in der *res*, sondern für die singuläre *res* steht, ergeben sich für Ockham nicht die Schwierigkeiten, die Scotus bei der univoken Prädikation von „Seiend" in Bezug auf die letzten Differenzen *(differentiae ultimae)* und die transkategorialen Eigentümlichkeiten *(passiones entis)* durch Annahme des schon erwähnten doppelten, sich ergänzenden Primats der gemeinsamen Aussagbarkeit von „Seiend" überwinden muss.[30]

Auch dem Problem, wie „Seiend" von Gott und Geschöpf, Substanz und Akzidens ausgesagt werden kann, ohne die Einfachheit und Transzendenz Gottes in Mitleidenschaft zu ziehen und die Differenz zwischen Substanz und Akzidens einzuebnen, kann aufgrund der genannten Voraussetzungen leichter begegnet werden als unter den von Scotus getroffenen Annahmen. Zwar ist es richtig, dass die *vox „ens"* mittels *eines* Begriffs hauptsächlich die Substanz und nachgeordnet mittels einer *Vielheit* von Begriffen die Akzidentien bezeichnet; doch meint „Seiendes" als der in Rede stehende univok aussagbare Begriff nicht primär die Substanz und denominativ das Akzidens, sondern „bezeichnet jede positive substantielle oder akzidentelle Natur in ursprünglicher und gleicher Weise" *(omnem naturam positivam substantialem et accidentalem significat aeque primo)*[31].

Wird nämlich „Seiend" von den zehn Kategorien ausgesagt, die für Ockham Klassen von Prädikaten und nicht Seinsbestimmungen darstellen und von denen nur die Kategorie der Substanz und die der Qualität „ein Seiendes möglicher Selbstständigkeit"[32] bezeichnen, dann wird „Seiendes" äquivok ausgesagt. Daraus folgt aber für Ockham keineswegs, dass von Seienden verschiedener Kategorien nicht „Seiendes" im Sinn eines univok gemeinsamen Begriffs ausgesagt werden kann.[33]

Welche Gründe sprechen aber für diese Annahme, „Seiend" sei ungeachtet seiner äquivoken Aussagbarkeit in Bezug auf die verschiedenen Kategorien ein univok von allen *res* prädizierbarer Begriff? Auch hier folgt Ockham den scotischen Argumenten, und zwar wiederum unter charakteristischen Abänderungen. Da Gott für den menschlichen Verstand unter seinen gegenwärtigen Bedingungen weder ein zu intuitiver Erkenntnis bewegendes Objekt darstellt, noch durch einen ihm eigentümlichen Begriff

---

[29] Ord. I, d. 2, q. 9. OTh II, 317; vgl. auch Quodl. IV, q. 12. OTh IX, 356–357.
[30] Vgl. Ord. I, d. 2, q. 9. OTh II, 317 ff.; vgl. auch Quodl. IV, q. 12. OTh IX, 358–359.
[31] Rep. III, d. 10. OTh VI, 340.
[32] G. Martin, Wilhelm von Ockham, Berlin 1949, 99 ff.
[33] Vgl. Expositio in librum Porphyrii de Praedicabilibus c. 2, § 10. OPh II, 41 f.; vgl. dazu A. Ghisalberti, Guiglelmo di Ockham, Mailand 1972, 106–111.

(conceptus proprius) erfasst werden kann, setzt eine natürliche Erkenntnis
Gottes, soll sie überhaupt möglich sein, einen Gott und Geschöpf gemeinsamen Begriff voraus, wie er im Ausgang von der intuitiven Erkenntnis
eines Gegenstandes unserer Welterfahrung erfasst werden kann.[34]
Aber auch ohne Rekurs auf die Gotteserkenntnis kann – im Anschluss
an das scotische Hauptargument für die Univokation[35] – gezeigt werden,
dass von einem Subjekt a, von dem das disjunktive Prädikat 'ist eine Substanz oder ein Akzidens' ausgesagt werden kann, nur dann das Prädikat
„Seiend" ('a ist ein Seiendes') ohne Widerspruch ausgesagt werden kann,
wenn „Seiendes" als ein vom Begriff „Substanz" oder „Akzidens" distinkt
erfassbarer Begriff betrachtet werden kann.[36] Es ist also die sprachlogische
Verwendung als Prädikat im Satz, die belegt, dass „Seiendes" von sich her
– wie es an anderer Stelle heißt – weder Substanz noch Akzidens besagt,
sondern gegenüber beiden Prädikaten „unbestimmt" *(indifferens)* ist.[37]
     In eben diesem Sinn ist „Seiendes" der Gegenstand der Metaphysik,
nicht – wie Ockham feststellt – sofern es für die Substanz oder das Akzidens steht, sondern sofern „es nur für sich steht, sprich für den Begriff des
Seienden"[38]. „Seiendes", so heißt es an anderer Stelle, ähnelt dem von
Aristoteles als Beispiel für eine Attributionseinheit der Bedeutung heran-
gezogenen Terminus „gesund" darin, dass die durch den Terminus bezeichneten Dinge einen Bezug auf eines – nämlich im Fall des „Seienden" auf
die Substanz – haben. Doch anders als „gesund" bezeichnet der Terminus
„Seiendes" alles durch ihn Bezeichnete *uniformiter.* Und dies, so fährt Ockham fort, genügt für die von Aristoteles behauptete Einheit der Wissenschaft vom Seienden, ohne dass dies der Tatsache widerspricht, dass alle
Bezeichneten durch eine Beziehung auf Eines gekennzeichnet sind.[39]

III.

Was aber besagt „Seiendes" und wovon handelt die Wissenschaft, die es
zum Gegenstand hat? Als gemeinsam aussagbarer Begriff gehört „Seiendes", so heißt es in der ›Summa Logicae‹, zu den Begriffen, die wie „eines"
(unum) von allen in die Kategorien fallenden Dingen ausgesagt werden,

---

[34] Vgl. Quodl. V, q. 14. OTh IX, 538. Vgl. dazu A. Ghisalberti, Guiglelmo di Ockham, 109–110.
[35] Vgl. Scotus, Ord. I, d. 3, p. 1, q. 1–2, n. 27–28, ed. Vat. III, 18.
[36] Ord. I, d. 2, q. 9. OTh II, 299.
[37] Rep. III, d. 10. OTh VI, 342.
[38] Rep. III, d. 10. OTh VI, 345.
[39] Ord. I, d. 2, q. 9. OTh II, 335.

also zu den in der Tradition als 'übersteigend' *(transcendentes)* bezeichneten Begriffen.[40] Was in dieser gemeinsamen Prädizierbarkeit von *ens* ausgesagt wird, kann – ähnlich wie bei Scotus – nur mithilfe der Analyse der Struktur der Prädikation verdeutlicht werden. Da Ockham annimmt, dass Prädikate in personaler Supposition für einzelne Dinge in Form von Substanzen oder Qualitäten stehen, heißt für ihn, von Sokrates auszusagen, er sei weiß, nichts anderes als zu sagen, dass das mit Sokrates bezeichnete Mensch-Seiende das gleiche ist wie das Weiß-Seiende.[41] Geht man nun davon aus, dass etwas von etwas auf vierfache Weise ausgesagt werden kann, nämlich zum einen als Sein *(esse)* von dem, was ist *(quod est)*, oder von dem, was nicht ist *(quod non est)*, und zum andern als Nichtsein *(non esse)* von dem, was ist, oder von dem, was nicht ist, dann ist der Satz, der von Ockham als Beispiel für die erste Möglichkeit genannt wird, nämlich der Satz „Sokrates ist ein Mensch", so zu interpretieren, dass dasjenige, von dem gesagt wird, es sei ein Mensch-Seiendes, identisch ist mit dem Mensch-Seienden. Der Sinn von „Seiendes" ohne allen Zusatz, der von Ockham hier zugrunde gelegt wird, ist kein anderer als der landläufig von den mittelalterlichen Autoren verwendete: das, was ist *(id, quod est)*. Im Anschluss an Aristoteles fährt Ockham deshalb zustimmend fort: „Das, was ist, nimmt er (sc. Aristoteles) nicht ausschließlich für das aktuell existierende Ding, sondern für das, von dem ein Prädikatsausdruck in wahrer Weise ausgesagt wird *(non accipit praecise pro re existente actualiter, sed accipit pro illo de quo vere praedicatum praedicatur).*"[42]

Dieser Bedeutung von *ens* als *id, quod est,* im Sinn eines durch Prädikate in wahren Sätzen Bestimmbaren entspricht es, wenn Ockham auf der einen Seite „Seiend" und „Sein" als synkategorematische, d. h. nur in Verbindung mit anderen Ausdrücken etwas prädizierende Ausdrücke versteht und gleichzeitig „Seiend" als einen „absoluten Begriff" bezeichnet. Versteht man nämlich „Seiend" von der Kopula „ist" her und versteht man Subjekt und Prädikat als Ausdrücke, die als solche noch keine Verbindung anzei-

[40] Summa Logicae I, c. 38. OPh I, 106. Vgl. auch Expositio in librum Porphyrii de Praedicabilibus c. 2, § 10. OPh II, 41 f.
[41] Vgl. Expositio in librum Porphyrii de Praedicabilibus c. 1, § 6. OPh II, 25.
[42] Expositio in librum Perihermeneias Aristotelis I, c. 5, § 1. OPh II, 397; vgl. dazu L. M. de Rijk, War Ockham ein Antimetaphysiker? Eine semantische Betrachtung, in: J. P. Beckmann u. a. (Hrsg.), Philosophie im Mittelalter. Entwicklungslinien und Paradigmen, Hamburg [2]1996, 313–328, hier 318 ff.; ders., Logic and Ontology in Ockham, in: E. P. Bos / H. A. Krop (Hrsg.): Ockham and Ockhamists. Acts of the Symposium Organized by the Dutch Society for Medieval Philosophy *Medium Aevum* on the Occasion of its 10th Anniversary (Leiden, 10–12 September 1986), Nimwegen 1987, 25–39, hier 34 f.

gen, dann bedarf es der Kopula als eines hinzukommenden absoluten Begriffs, um das Subjekt und das Prädikat zu verbinden und die Identität von
beispielsweise *homo* und *albus* im Sinn von *homo-ens* und *album-ens* zu
behaupten.[43] Mit dieser Verbindung kann reale Inhärenz verbunden sein.
Doch ist dies nicht notwendigerweise der Fall; denn dann wäre ein Satz
wie *Deus est ens* (in dem Sinn, dass *Deus-ens* identisch ist mit *ens-ens*) nicht
sinnvoll bildbar.[44]

Im Sinn eines so verstandenen *conceptus absolutus* hat „Seiend" durchaus den fundamentalen Rang, den ihm Scotus zuordnet. Denn es ist in
Ockhams Perspektive zwar falsch, wie Scotus meint, dass „Seiend" *als commune* stets miterkannt sein muss, wenn beispielsweise der Begriff „homo"
distinkt erkannt sein soll. Wohl aber kann von einem Menschen, der wie
Sokrates gerade läuft, nicht ausgesagt werden, dass er läuft, ohne dass (un-
ausgesprochen, d. h. im Sinn der Deutung, gemäß der der Satz *Socrates
currit* als *Socrates-ens est currens-ens* zu verstehen ist) miterkannt wird,
dass er „seiend" ist.[45]

In diesem Sinn kann „Seiend" *(ens)* dann als derjenige *conceptus transcendens* verstanden werden, der von allen Seienden washeitlich und auf
erste Weise durch sich ausgesagt werden kann[46] und von dem bestimmte
Prädikate wie „eines", „wahr" oder „gut" als Eigentümlichkeiten *(passiones)* auf die zweite Weise durch sich ausgesagt werden können.[47] „Seiendes" und „Eines" verhalten sich dabei zueinander nicht wie etwas, das dem
anderen etwas hinzufügt.[48] Dasjenige, von dem beide Termini in personaler
Supposition ausgesagt werden, ist die gleiche *res*. Doch in einfacher Supposition verwendet – also in Bezug auf den Begriff, für den das Sprachzeichen steht – meint „Eines" zwar das „Seiende", aber indem es etwas anderes konnotiert.[49] Deshalb ist nur „Seiend" ein absoluter Begriff, alle anderen konvertiblen transzendentalen Attribute sind konnotative Begriffe.

Was bei Ockham in einer charakteristisch reduzierten Weise begegnet,
ist die Explikation des Begriffs „Seiend" durch die ihm zukommenden
disjunktiven Modi, insbesondere durch die Möglichkeit. Auch Ockham

---

   [43] Rep. II, q. 1. OTh V, 19 (in der von de Rijk bevorzugten Lesart der Hs. Gießen,
Univ. 732; vgl. L. M. de Rijk: War Ockham ein Antimetaphysiker?, 321, Anm. 16)
   [44] Rep. II, q. 1. OTh V, 19 f. – Vgl. L. M. de Rijk, ebd. 321 f.
   [45] Ord. I, d. 2, q. 7. OTh II, 257 f.
   [46] Summa Logicae I, c. 38. OPh I, 106.
   [47] Vgl. ebd. c. 37. OPh I, 104–106; Quaestiones in libros Physicorum Aristotelis,
q. 63. OPh VI, 571.
   [48] Vgl. Ord. I, d. 24, q. 1. OTh I, 73.
   [49] Vgl. Ord. I, prol., q. 2. OTh I, 127. Vgl. dazu J. Aertsen, Ockham, ein Transzen-
dentalphilosoph? Eine kritische Diskussion mit G. Martin, in: E. P. Bos/H. A. Krop
(Hrsg.), Ockham and Ockhamists, 3–13.

greift im Rahmen der Frage nach der göttlichen Erkenntnis des Geschaffenen die auf Scotus zurückgehende Verdeutlichung von „Seiend" oder „Nichts" durch die Möglichkeit auf. So wird zwischen dem „Nichts" *(nihil)* als dem, „das in Wirklichkeit nicht ist noch irgendein wirkliches Sein besitzt" *(quod non est realiter nec habet aliquod esse reale)* und dem „Nichts" als dem unterschieden, „das nicht nur kein wirkliches Sein besitzt, sondern welchem es widerstreitet, wirklich zu sein" *(quod non tantum non habet esse reale, sed etiam sibi repugnat esse reale)*[50]. Und dementsprechend wird auch „Seiendes" dasjenige genannt, „dem das Sein in der Wirklichkeit nicht widerstreitet" *(cui non repugnat esse in rerum natura)*, und vom „Sein" *(esse)* wird gesagt, dass es in Verbindung mit dem Genitiv *(esse hominis)* für das Sein im Sinn des Existierens *(esse-existere)* oder zumindest für das Sein dessen steht, dem das Sein in der Wirklichkeit nicht widerstreitet.[51] Doch verbindet sich diese modale Explikation nicht wie bei Scotus mit der Lehre, es sei die „formal aus sich" bestehende Nichtwidersprüchlichkeit der Gehalte, die etwas zu einem Seienden im Sinn des dem wirklichen Sein nicht Widerstreitenden macht und es ein *ens ratum* in einem weiten Sinn sein lässt.[52] Denn entweder muss, so argumentiert Ockham gegen Scotus, das Geschöpf ein Möglichsein *(possibile esse)* besitzen, das seinem Hervorgebrachtwerden in das Erkanntsein *(esse intelligibile)* voraufgeht, oder aber das Geschöpf besitzt ein solches Möglichsein nicht, dann widerstreitet ihm aber das Wirklichsein.[53] Eine vonseiten des zu Schaffenden bestehende Unmöglichkeit, geschaffen zu werden, ist aber nicht früher als die Tatsache, dass Gott ein Unmögliches nicht schaffen kann; vielmehr sind beide Unmöglichkeiten „der Natur nach gleichzeitig" *(simul natura)* so wie das *factivum* und das *factibile*.[54] Was immer das Geschöpf an Wirklichsein besitzt, das ihm inhäriert, besitzt es von Gott; nicht dagegen gilt dies für das, was vom Geschöpf ausgesagt wird. „Und daher kommt dem Geschöpf das Möglichsein aus sich zu, nicht aber in Wirklichkeit wie etwas ihm Inhärierendes, doch ist es in Wahrheit aus sich möglich, so wie der Mensch aus sich ein Nicht-Esel ist ... Deshalb ist es kein genuiner Sprachgebrauch, zu sagen, dass dem Geschöpf ein Möglichsein zukommt, vielmehr ist es genuiner Sprachgebrauch, zu sagen, das Geschöpf

---

[50] Ord. I, d. 36, q. un. OTh IV, 547.
[51] Ebd., 538.
[52] Zu der scotischen Lehre vgl. L. Honnefelder, Scientia transcendens. Die formale Bestimmung der Seiendheit und Realität in der Metaphysik des Mittelalters und der Neuzeit, Hamburg 1990, 45–56; ders., Art. "Possibilien I. Mittelalter", in: Historisches Wörterbuch der Philosophie 7, hrsg. v. J. Ritter/K. Gründer, Basel 1989, 1126–1135.
[53] Vgl. Ord. I, d. 43, q. 2. OTh IV, 647.
[54] Ebd., 649.

sei möglich, nicht weil ihm irgendetwas zukommt, sondern weil es in Wirklichkeit existieren kann."[55]

In Übereinstimmung mit seinem sprachlogischen Ansatz vertritt Ockham die Auffassung, dass Modalitäten wie die der Möglichkeit und Notwendigkeit nur als Modus der Aussage aufgefasst werden können.[56] So kann sich ein Sprachzeichen in einer wahren modalen Aussage durchaus auf Vergangenes oder Zukünftiges beziehen und nicht nur etwas bezeichnen, was jetzt ist, sondern auch solches, was sein kann.[57] Doch ist „Seiend" nur das aktuell existierende Seiende als *ens in actu*, nicht das *ens in potentia*.[58] Was in wahren Sätzen als ein mögliches Seiendes ausgesagt wird, bestimmt sich nach der Natur der aktuell existierenden individuellen Seienden. So wäre der Satz *homo est homo* falsch, wenn kein Mensch existierte.[59] Wenn wir von „Seiendem in Möglichkeit" *(ens in potentia)* reden, dann „ist dies nicht so zu verstehen, dass etwas, das nicht im Bereich der Dinge existiert, aber sein kann, ein wahres Seiendes wäre, und etwas anderes, das im Bereich der Dinge existiert, auch ein Seiendes wäre"[60].

Doch schließt diese Deutung des Möglichen nach Ockham keineswegs aus, dass es von kontingentem vergänglichem Seienden nicht notwendig wahres Wissen gibt und dass es die Notwendigkeit des Möglichseins ist, die die Notwendigkeit des Wissens von ihr begründet. So können von einem gemeinsamen Begriff, der wie *corpus corruptibile* in personaler Supposition von allen vergänglichen Dingen ausgesagt wird, (in einfacher Supposition verwendet) durchaus besondere Eigentümlichkeiten in notwendig wahren Sätzen ausgesagt werden, ähnlich wie auch vom „Unmöglichen" *(impossibile)* auf notwendig wahre Weise gesagt werden kann, dass „jedes Unmögliche dem Notwendigen widerstreitet".[61]

IV.

Unmissverständlich stellt Ockham im Prolog zu seinem Physikkommentar fest, dass Metaphysik nicht nur als Wissenschaft vom „Seienden" als einem transkategorial-univok aussagbaren gemeinsamen Begriff möglich

---

[55] Ebd., 649 f. Vgl. dazu M. McCord Adams, William Ockham, Notre Dame, Indiana 1987, 1065–1083.
[56] Vgl. Summa logicae II, c. 1. OPh I, 242.
[57] Vgl. ebd., I, c. 33. OPh I, 95 f.
[58] Expositio in libros Physicorum Aristotelis III, c. 2. OPh IV, 415 f.
[59] Vgl. ebd.
[60] Summa Logicae I, c. 38. OPh I, 108.
[61] Expositio in libros Physicorum Aristotelis, prol., § 4. OPh IV, 12 f.

ist, er hält auch ihr Ziel in Form der Erkenntnis eines ersten ausgezeichnet Seienden, nämlich Gottes, für erreichbar.[62] Voraussetzung ist freilich, dass Gott unter dem gemeinsamen Begriff „Seiendes" erkennbar ist und von ihm Aussage in Form eines zusammengesetzten Begriffs gemacht werden können. Auch hier bleibt er innerhalb der Struktur des scotischen Metaphysikkonzepts: Die Theorie des Transzendenten ist nur möglich im Rahmen einer Theorie des Transzendentalen.

Gerade unter Voraussetzung der von Ockham zugrunde gelegten Suppositionstheorie ist freilich der Beweis, dass ein durch Zusammensetzung gebildeter Begriff Gottes nicht leer ist, von besonderer Bedeutung. Ockham führt diesen Beweis, doch sind die Mittel, die er für vertretbar hält, wiederum auf charakteristische Weise eingeschränkt. Unter den verschiedenen *ordines dependentiae,* auf die Scotus zurückgreift, hält Ockham nur den *ordo* der Kausalität für verwendbar, und innerhalb des mit seiner Hilfe verfahrenden Arguments kann nach seiner Meinung das Argument, das einen unendlichen Regress von Ursachen ausschließt, nicht überzeugen. Deshalb stützt Ockham den Beweis auf die Notwendigkeit, für die Erhaltung der Welt eine Ursache angeben zu müssen.[63]

V.

Welches Resultat ergibt sich aus den skizzierten Ansätzen für die historisch-systematische Eingangsfrage? Halten wir das Ergebnis in einigen Thesen fest:

1. Metaphysik ist nach Ockham möglich und notwendig, sofern sie verstanden wird als jene Disziplin der Philosophie, die nach dem Allgemeinen und nach dem Ersten fragt. Dies ist sie für Ockham, weil sie – wie bei Scotus – nach den *transcendentia* fragt im Sinn der die Kategorien übersteigenden, von allen wirklichen Seienden gemeinsam aussagbaren Begriffen erster Intention, unter denen dem *in quid* und *per se* ausgesagten *conceptus absolutus* „Seiend" *(ens)* die fundamentale Rolle zukommt, nämlich die der Erstheit in der Ordnung der Prädikation.

2. In dieser Gegenstandsbestimmung kann die Metaphysik durch keine der Einzelwissenschaften ersetzt werden, weil nur sie die von allen anderen Wissenschaften vorausgesetzten, aber nicht thematisierten transzendentalen Begriffe zum Gegenstand ihrer Untersuchung macht.

3. Nur als diese Wissenschaft von den *transcendentia* kann sie auch von

---

[62] Vgl. Anm. 19.
[63] Ord. I, d. 2, q. 10. OTh 354–357; Quaestiones in libros Physicorum Aristotelis, q. 136. OPh VI, 767–768. Vgl. dazu G. Leff, William of Ockham, 392–98.

dem göttlichen Seienden handeln, weil dieses Seiende nur unter den transkategorial gemeinsamen Begriffen erfasst werden kann. In diesem Sinn
wird Metaphysik auch von der Theologie als Wissenschaft vorausgesetzt.

4. Metaphysik kann auch nicht durch Logik ersetzt werden, weil sie
nicht wie die Logik von Begriffen zweiter Intention, sondern von solchen
erster Intention handelt. Sie ist deshalb – wie bei Scotus – Wissenschaft
von einem Begriff und Realwissenschaft *(scientia realis)* zugleich, weil sie
diesen Begriff in seiner ersten Intention, d. h. in seiner Referenz auf Reales,
zum Gegenstand hat.

5. Wie für Scotus kann auch für Ockham der gemeinsame Begriff „Seiend" aufgrund seiner schlechthinnigen Allgemeinheit nur indirekt verdeutlicht werden. Im Fall Ockhams geschieht dies nicht durch Begriffsresolu-
tion, sondern durch Prädikationsanalyse. In dieser Analyse zeigt sich „Seiend" als dasjenige, was durch Prädikate in wahren Sätzen bestimmt werden
kann und was in personaler Supposition für „jede positive substantielle
oder akzidentelle Natur" steht, d. h. für individuelle Seiende möglicher
Selbstständigkeit, wie sie allein in Form von Substanz und Qualität begegnen.

6. Was Ockham und Scotus im vorliegenden Zusammenhang unterscheidet, sind vor allem zwei Annahmen: Ockham lässt nur individuelle *res*
im Sinn der genannten Seienden möglicher Selbstständigkeit zu und setzt
an die Stelle des noetisch-noematischen Parallelismus des Scotus die These
vom Begriff als natürlichem Zeichen, das von der intuitiv erkannten individuellen *res* kausal hervorgerufen wird und in personaler Supposition für
die individuelle *res* selbst, nicht für etwas Reales in der *res* steht. Beide
Ansätze haben Folgeprobleme: Scotus muss den Parallelismus für den *conceptus entis* einschränken – und nähert sich einer Art ockhamscher Supposition dieses Begriffs; Ockham muss die Art der Ähnlichkeit der *res* erklären, die zum *conceptus entis* als natürlichem Zeichen führt – und nähert
sich damit der scotischen Position.

7. Was der noetisch-noematische Parallelismus und die Begriffsresolu-
tion für die formale Bestimmung der *ratio entis* bei Scotus erbringen, leistet
bei Ockham der kausale Zusammenhang zwischen den individuellen *res*
und dem transkategorial gemeinsamen Begriff als natürlichem Zeichen.
Insofern die Bestimmung der *ratio entis* durch Explikation der Zeichen-
funktion des Begriffs, d. h. der realen Referenz geschieht, kann man Ockhams Ansatz der Metaphysik den einer Transzendentalwissenschaft in
Form einer universalen formalen Semantik[64] nennen.

---

[64] Vgl. L. Honnefelder, Der zweite Anfang der Metaphysik. Voraussetzungen,
Ansätze und Folgen der Wiederbegründung der Metaphyik im 13./14. Jahrhundert,
in: J. P. Beckmann u. a. (Hrsg.), Metaphysik im Mittelalter, 165–186, 182 ff.; ders.,

8. Man kann deshalb bei Ockham von einer Verschärfung des sich bei Scotus zur Geltung bringenden kritischen Motivs sprechen. Im Unterschied zu einer Metaphysik vom Gottesgesichtspunkt ist die uns erreichbare Metaphysik nur möglich in der Rückwendung der Frage nach der Welt und ihrem ersten Grund in die Frage nach den Begriffen und Zeichen, unter denen wir allein diese Frage stellen und beantworten können.

9. Das scotische Konzept der Transzendentalwissenschaft erfährt durch Ockhams Transformation sowohl eine Stärkung als auch eine Schwächung. Durch die Restriktion der Begriffstheorie entfallen die für Scotus bestehenden und oben genannten Probleme, und die transkategoriale Univokation ist voraussetzungsärmer zu begründen. Zugleich aber führt diese Restriktion zu einer Einschränkung und Verarmung in der Theorie der Modalitäten. Metaphysik reduziert sich auf die Theorie der konvertiblen Transzendentalien in Verbindung mit Substanzanalyse und Gottesbeweis.

10. Die These, Metaphysik reduziere sich bei Ockham auf einen Konzessionsrest, der verzichtbar wäre, scheitert also nicht nur an den Texten, die das erklärte Gegenteil sagen, sondern auch an den von Ockham für unverzichtbar erklärten Leistungen: Nur der *conceptus entis*, wie er Gegenstand der Metaphysik ist, wahrt die Einheit der kategorial differenzierten Rede von den Dingen unserer Welterfahrung, nur er erlaubt die Erkenntnis und die Rede von einem ersten ausgezeichneten Seienden, und er ist es schließlich, der die reale Referenz der in wahren Sätzen ausgesagten Begriffe expliziert. Wer in dieser Explikation des *conceptus entis* keine Metaphysik sieht, geht nicht von der formalen Bestimmung der Metaphysik aus, wie sie Aristoteles unter dem Titel einer „ersten Philosophie" gibt, sondern legt ein bestimmtes Verständnis der Metaphysik zugrunde, wie etwa, wenn Metaphysik – in Missverständnis des scotischen Ansatzes – als eine Disziplin verstanden wird, die von „Seiend" als einer allgemeinen Natur in den Dingen handelt.[65]

11. Wenn man eine Epistemologie, die ohne Annahme einer Realität des Allgemeinen auskommt, als Nominalismus bezeichnet, dann ist – wie Ockhams Beispiel zeigt – Nominalismus durchaus mit Metaphysik kompatibel, solange er jedenfalls mit einer Zeichentheorie verbunden ist, die universale Zeichen von realer Referenz kennt.

12. Was sich im Vergleich zwischen Ockham und Scotus zeigt, sind Stär-

Metaphysik zwischen Onto-Theologik, Transzendentalwissenschaft und universaler formaler Semantik. Zur philosophischen Aktualität der mittelalterlichen Ansätze der Metaphysik, in: J. Aertsen (Hrsg.), Was ist Philosophie im Mittelalter?, Berlin/New York 1998, 48–59.

[65] So etwa G. Leff, William of Ockham, 164–177.

ken und Schwächen einer nicht-epistemischen Metaphysik, die eine inten-
sionale Sprache zulässt – wie bei Scotus –, und einer solchen, die eine
extensionale bevorzugt – wie bei Ockham.

Auswahlbibliographie

Quellentexte

Wilhelm von Ockham: Opera philosophica et theologica, ed. G. Gál, S. Brown, G. I.
Etzkorn u. a., St. Bonaventure, New York 1967–88.

Sekundärliteratur

Beckmann, J.-P.: Wilhelm von Ockham, München 1996.

Ghisalberti, A.: Guiglelmo di Ockham, Mailand 1972.

Leff, G.: William of Ockham. The metamorphosis of scholastic discourse, Manchester
1975.

Martin, G.: Wilhelm von Ockham. Untersuchungen zur Ontologie der Ordnungen,
Berlin 1949.

McCord-Adams, M.: William Ockham, Notre Dame, Indiana 1987.

Rijk, L. M. de: Logic and Ontology in Ockham, in: E. P. Bos/H. A. Krop (Hrsg.),
Ockham and Ockhamists. Acts of the Symposium Organized by the Dutch Society for Medieval Philosophy Medium Aevum on the Occasion of its 10th Anniversary (Leiden, 10–12 September 1986), Nimwegen 1987, 25–39.

ders.: War Ockham ein Antimetaphysiker? Eine semantische Betrachtung, in: J. P.
Beckmann u. a. (Hrsg.), Philosophie im Mittelalter. Entwicklungslinien und Paradigmen, Hamburg ²1996, 313–328.

REGISTER

Personen

Sachen

DIE AUTOREN

Prof. Dr. Jan A. Aertsen
Thomas-Institut, Universität zu Köln

Dr. Olivier Boulnois
Ecole Pratique des Hautes Etudes,
Paris

Prof. Dr. Rémi Brague
Universität Panthéon-Sorbonne,
Paris I

Prof. Dr. Jos Decorte
De Wulf-Mansion Centrum, Katholie-
ke Universiteit Leuven

PD Dr. Dr. Markus Enders
Ludwig-Maximilians-Universität, München

Prof. Dr. Dimitri Gutas
Yale University, New Haven CT

Prof. Dr. Klaus Hedwig
Groot-Seminarie Rolduc, Kerkrade

Prof. Dr. Dr. h. c. Ludger Honnefelder
Universität Bonn

Prof. Dr. Klaus Jacobi
Albert-Ludwigs-Universität, Freiburg

Prof. Dr. Theo Kobusch
Ruhr-Universität Bochum

Prof. James McEvoy
National University of Ireland, May-
nooth

Prof. Dr. Burkhard Mojsisch
Ruhr-Universität-Bochum

Prof. Dr. Dermot Moran
University College Dublin

Prof. Dr. Josep Puig Montada
Universidad Complutense de Madrid

Prof. Dr. Rolf Schönberger
Universität Regensburg

Prof. Dr. Andreas Speer
Thomas-Institut, Universität zu Köln

Prof. Dr. Georg Wieland
Universität Tübingen